Nekroskop 2

wampiry

wampiry

brian lumley

tłumaczenie:
Jarosław Irzykowski

vis-à-vis
etiuda
Kraków 2009

Dla Dave'a i Pete'a, i tych wszystkich gości, których napotkałem w Domu na Pograniczu w lipcu 1986. Zdrówko!

Liczne i wielokształtne okropności kryje w sobie Ziemia, kalające jej losy od zarania. Śpią one pod kamieniem dawno nieprzewracanym; wyrastają wraz z drzewem z jego korzeni; przemieszczają się pod dnem morskim i pod ziemią; bytują w najgłębszych audytonach; czasem zaś opuszczają grobowce z przepysznego brązu i gliną pieczętowane mogiły. Jedne człowiek poznał dawno temu, inne, jeszcze jemu nieznane, wyglądają przeraźliwych dni swojego objawienia. Tamte, które ze wszystkich są najstraszliwsze i wstrętne najbardziej, trafem jakimś dopiero zostaną zapowiedziane. Ale i między tymi, co ongiś już się odsłoniły i potwierdziły swoje istnienie, istnieje jeden, którego imienia otwarcie nie można przywołać, przez jego bezmierną plugawość. A jest to pomiot utajonego mieszkańca podziemi, poczęty na śmiertelność...

CLARK ASHTON SMITH

Mówią, plugastwa przedwieczne wciąż jeszcze się czają
W mroku swych kryjówek, całkiem zapomnianych,
A w noce niektóre na oścież się Brama otwiera,
Uwalniając, co w piekle spętane...

ROBERT E. HOWARD
(jako Justin Geoffrey)

ROZDZIAŁ PIERWSZY

Popołudnie, ostatni poniedziałek stycznia 1977, godzina czternasta trzydzieści czasu środkowoeuropejskiego; Zamek Bronnicy w pobliżu szosy sierpuchowskiej, niedaleko Moskwy. W Tymczasowym Centrum Badań zadzwonił telefon...

Zamek Bronnicy wznosił się na torfiastej polanie, pośrodku drogi otoczonej gęstym lasem, białej teraz od śniegu. Dom, czy raczej dwór, odarty ze swego dziedzictwa, łączył w sobie koncepcje architektoniczne kilku epok. Parę skrzydeł wzniesiono niedawno na starych, kamiennych fundamentach, używając do tego nowoczesnej cegły. Inne dobudowano z tanich bloków żużlu, pomalowanych na zielono i szaro – w barwy ochronne. Dawny dziedziniec, zamknięty skrzydłami pałacu, osłonięto dachem, pomalowanym również tak, by zlewał się z otoczeniem. Osadzone w masywnych, spadziście zakończonych ścianach szczytowych, bliźniacze minarety wznosiły wysoko ponad okolicę spękane, baniaste kopuły o zabitych deskami oknach, przypominających zamknięte oczy. Twierdza miała sprawiać wrażenie miejsca opustoszałego: górne piętra wieżyczek pozostawiono niszczejące, niczym zepsute kły. Z lotu ptaka zamek wyglądał na starą, zapadłą ruinę. Mijało się to jednak dalece z prawdą.

Przed zadaszonym dziedzińcem stała dziesięciotonowa ciężarówka z odrzuconymi połami plandeki. Rura wydechowa wypuszczała w mroźne powietrze ostry, niebieskawy dym. Agent KGB, w charakterystycznym „mundurze" – znoszonym kapeluszu i ciemnoszarym płaszczu – spojrzał na załadowaną platformę samochodu i wzdrygnął się. Wpychając dłonie głęboko w kieszenie, odwrócił się do drugiego mężczyzny, ubranego w biały kitel technika.

– Towarzyszu Krakowicz – mruknął. – Czym oni są, u diabła? I co tutaj robią?

Feliks Krakowicz zerknął na niego.

– Gdybym wam powiedział, nie zrozumielibyście. A gdybyście zrozumieli, nie uwierzylibyście.

Podobnie jak jego szef, Grigorij Borowitz, Krakowicz uważał wszystkich funkcjonariuszy KGB za półgłówków. Wolał ograniczać udzielanie im informacji oraz pomocy do kompletnego minimum, rzecz jasna w granicach przyzwoitości i bezpieczeństwa osobistego. KGB nie celowało w wybaczaniu i zapominaniu.

Agent wzruszył ramionami i zapalił krótkiego brązowego papierosa, zaciągając się głęboko przez kartonową tutkę.

– Jednak mnie sprawdźcie – powiedział. – Zimno tu, ale mnie jest dość ciepło. Widzicie, kiedy udam się z raportem do towarzysza Andropowa – a zapewne nie muszę przypominać wam, jaką pozycję zajmuje w politbiurze – będzie oczekiwał ode mnie pewnych odpowiedzi i dlatego ja oczekuję ich od was. Będziemy więc tu stali, aż...

– Zombi! – gwałtownie przerwał mu Krakowicz. – Mumie! Ludzie martwi od setek lat. Świadczy o tym też ich uzbrojenie i...

Usłyszał natarczywy dzwonek telefonu i odwrócił się ku drzwiom.

– Dokąd idziecie? – Agent KGB drgnął, wyciągając ręce z kieszeni. – Oczekujecie, że powiem Jurijowi Andropowowi, że tej masakry... dokonały truposze?

Niemal udławił się dwoma ostatnimi słowami, rozkaszlał się głośno, na koniec splunął.

– Skoro staliście tak długo wśród spalin – rzucił przez ramię Krakowicz – paląc ten siekany sznurek, równie dobrze możecie wleźć do nich, na platformę! – Przeszedł przez drzwi, zamykając je z trzaskiem.

– Zombi? – Agent zmarszczył brwi i znów spojrzał na ciężarówkę pełną trupów.

Nie wiedział, że byli to Tatarzy krymscy, wyrżnięci w roku 1579 przez rosyjskie posiłki śpieszące na odsiecz łupionej Moskwie. Spoczęli w torfie, który zakonserwował ich ciała. Poginęli i legli we krwi i błocie, by przed dwiema nocami powrócić, wypowiadając wojnę Zamkowi Bronnicy. Tatarzy i ich młody przywódca, Anglik Harry Keogh, wygrali ten bój, gdyż walkę przeżyło zaledwie pięciu obrońców placówki. Krakowicz był jednym z tej piątki. Pięciu z pięćdziesięciu trzech, a jedyną ofiarą po stronie wroga był sam Harry Keogh. Zdumiewająca dysproporcja, jeśli nie liczyć Tatarów.

A ich liczyć byłoby trudno, skoro nie żyli już przed rozpoczęciem walki...

O tym właśnie myślał Krakowicz, wchodząc na dawny dziedziniec, będący obecnie ogromną halą wyłożoną plastikowymi płytkami i podzieloną na sale, niewielkie apartamenty i laboratoria. Pracownicy Wydziału E prowadzili badania i doskonalili swe talenty ezoteryczne we względnym komforcie, w takich warunkach i otoczeniu, jakie najlepiej służyły ich pracom. Przed czterdziestoma ośmioma godzinami placówka ta wyglądała nieskazitelnie, teraz, w miejscach gdzie kule podziurawiły ścianki działowe, a wybuchy porozrywały sufity, przypominała zgliszcza.

Skutki eksplozji i pożaru były widoczne na każdym kroku. Dziw, że to miejsce nie spaliło się doszczętnie.

W uporządkowanej z grubsza części hali, nazwanej Tymczasowym Centrum Badań, ustawiono stół, a na nim telefon. Krakowicz zatrzymał się na moment, żeby odciągnąć na bok kawał przegrody, tarasujący mu częściowo drogę. Pod spodem zobaczył na wpół zagrzebaną w pokruszonym gipsie i tłuczonym szkle ludzką rękę, przypominającą wielkiego szarego ślimaka. Ciało wyschło na wiór, przybrało barwę starej skóry, a kość stercząca z ramienia była lśniąco biała. Krakowicz przypomniał sobie, jak ostatniej nocy podobne strzępy pełzały, walczyły, zabijały.

Wzdrygnął się, odsunął butem ramię na bok i podszedł do telefonu.

– Halo, tu Krakowicz.

– Kto? – To był kobiecy głos, bardzo pewny swego. – Krakowicz? Wy tu dowodzicie?

– Sądzę, że tak. Ja – odpowiedział. – Czym mogę wam służyć?

– Mnie niczym. Ale pewnie towarzysz pierwszy sekretarz wam to powie. Próbuję się z wami połączyć już od pięciu minut!

Krakowicz padał ze zmęczenia. Nie spał od owej koszmarnej nocy, wątpił, czy kiedykolwiek zaśnie. Wraz z czterema pozostałymi niedobitkami, z których jeden zwariował, wydostał się z komory bezpieczeństwa dopiero w niedzielę rano, kiedy wszystko się uspokoiło. Od tamtej pory jego towarzysze zdążyli już złożyć zeznania i zostali odesłani do domów. Zamek Bronnicy był placówką ściśle tajną, ich opowieści powinny więc pozostać w tajemnicy. Krakowicz zażądał, by całą sprawę niezwłocznie przekazano Leonidowi Breżniewowi. Tak też głosił regulamin: Wydział E podlegał osobiście i bezpośrednio Breżniewowi, mimo iż pierwszy sekretarz scedował to na Grigorija Borowitza. Wydział był ważny dla przewodniczącego partii, Breżniew zapoznawał się ze wszystkimi efektami jego działania. Borowitz musiał także informować go obszernie na temat prac psychotronicznych wydziału – prawdziwie paranormalnego szpiegostwa – Breżniew powinien być więc choć w części przygotowany do oceny tego, co wydarzyło się w placówce. Na to przynajmniej liczył Krakowicz. Tak czy inaczej było to lepsze niż próba wyjaśnienia wszystkiego Jurijowi Andropowowi.

– Krakowicz? – szczeknęło w słuchawce.

– Hm, tak jest, Feliks Krakowicz. Z zespołu towarzysza Borowitza.

– Feliks? Po co podajecie mi imię? Sądzicie, że będę zwracał się do was po imieniu? – Pierwszy sekretarz mówił ostrym tonem. Krakowicz słyszał kilka z nieszczęsnych przemówień Breżniewa.

– Ja... nie, oczywiście, że nie, towarzyszu pierwszy sekretarzu. Ale ja...

– Słuchajcie, wy tam dowodzicie?

– Tak, ja, towarzyszu pier...

– Dajcie sobie z tym spokój – zgrzytnął Breżniew. – Potrzebuję wyjaśnień, a nie przypominania mi, kim jestem. Nie przeżył nikt wyższy od was rangą?

– Nie.

– Ktoś równy wam rangą?

– Czterech, w tym jeden obłąkany.

– Co? – wrzasnął Breżniew.

– Postradał zmysły, kiedy... kiedy to się stało.

– Wiecie, że Borowitz nie żyje?

– Tak, sąsiad znalazł go w jego daczy w Żukowce. Sąsiad to były funkcjonariusz KGB. Skontaktował się z towarzyszem Andropowem, który przysłał tu swojego człowieka. Ten człowiek jest teraz na miejscu.

– Znam jeszcze jedno nazwisko – dociekał niski, chrapliwy głos Breżniewa. – Borys Dragosani. Co z nim?

– Nie żyje. – Krakowicz nie zdążył powstrzymać słów. – Dzięki Bogu!
– Co? Cieszycie się, że jeden z waszych towarzyszy nie żyje?
– Ja...? Tak, cieszę się. – Krakowicz był zbyt zmęczony, by cokolwiek owijać w bawełnę. – Sądzę, że brał udział w tym spisku, a przynajmniej ściągnął ich na nas. O tym jestem przekonany. Jego ciało jeszcze tu jest. Podobnie ciała innych naszych... i tego Harry'ego Keogha, zapewne brytyjskiego agenta. A także...
– Tatarzy? – Breżniew był już spokojny.
Krakowicz odetchnął z ulgą. Pierwszy sekretarz nie okazał się jednak niewolnikiem schematów.
– Też, ale już nie są... aktywni – odpowiedział.
– Krakowicz... hm, Feliks, powiadasz? Czytałem zeznania pozostałej trójki. Mówią prawdę? Żadnej szansy na pomyłkę, zbiorową hipnozę, omamy czy coś takiego? Naprawdę było aż tak źle?
– To wszystko prawda, żadnych pomyłek. Było aż tak źle.
– Posłuchaj, Feliksie. Trzeba się tym zająć. To znaczy chcę, żebyś ty się tym zajął. Wydział E nie może zostać zamknięty. Na rzecz naszego bezpieczeństwa zdziałał więcej, niż można by przypuszczać. A Borowitz był dla mnie cenniejszy niż większość moich generałów. Zamierzam odtworzyć ten wydział. I wygląda na to, że masz robotę.
Krakowicz został zaskoczony, propozycja zbiła go z nóg.
– Ja... towarzyszu... to znaczy...
– Dasz radę?
Krakowicz nie był niespełna rozumu. Taka szansa trafiała się tylko raz w życiu.
– To zajmie lata... ale tak, spróbuję temu podołać.
– Świetnie. Ale jeśli się tym zajmiesz, nie będziesz mógł poprzestać na próbach, Feliksie. Daj mi znać, czego ci trzeba, a ja zadbam, abyś to dostał. Przede wszystkim chcę wyjaśnień. I chcę być jedynym, który je pozna, rozumiesz? Tę sprawę trzeba wyciszyć. Żadnych przecieków. Mówiłeś, że jest z tobą ktoś z KGB?
– Jest na zewnątrz, na polanie.
– Sprowadź go – głos Breżniewa znów stał się szorstki. – Ściągnij go do telefonu. Chcę natychmiast z nim rozmawiać!

Krakowicz ruszył z powrotem, ale w tej samej chwili drzwi się otworzyły i stanął w nich ten, o którym rozmawiali. Naprężył barki, spojrzał na Krakowicza zwężonymi, przesyconymi pewnością siebie oczyma.

– Nie skończyliśmy jeszcze, towarzyszu...

– Obawiam się, że tak. – Krakowicz czuł się wypruty, lekki jak korek. To chyba zmęczenie zaczynało działać. – Ktoś chce z wami rozmawiać.

– Ze mną? – Agent przepchnął się do telefonu. – A kto to, ktoś z urzędu?

– Nie jestem pewien – skłamał Krakowicz. – Chyba z samej góry.

Kagiebowiec spojrzał na niego krzywo i porwał ze stołu słuchawkę.

– Tu Janow. Co jest? Mam tu robotę i...

Jego twarz raptownie się zmieniła. Poderwał się i o mało nie upadł.

– Tak jest! O, tak jest! Tak jest! Tak, tak jest! Nie, towarzyszu. Tak, towarzyszu. Ale ja... nie, towarzyszu. Tak jest!

Kiedy podawał Krakowiczowi słuchawkę, szczęśliwy, że się od niej uwalnia, wyglądał na chorego.

– Durniu! To pierwszy sekretarz! – syknął wściekle.

Krakowicz postarał się, by jego oczy zrobiły się wielkie i okrągłe, po czym rozdziawił usta.

– Tu Krakowicz. – Chwycił słuchawkę i podsunął ją agentowi.

– Feliksie? Czy ten palant już poszedł?

Człowiek z KGB rozdziawił usta.

– Już idzie – odpowiedział Krakowicz. Ostrym skinieniem głowy wskazał drzwi. – Wynocha! I postarajcie się pamiętać, co powiedział wam pierwszy sekretarz. Dla waszego własnego dobra.

Agent potrząsnął głową w oszołomieniu, zwilżył wargi i ruszył ku drzwiom. Nadal był blady jak ściana. Przy framudze odwrócił się, wysuwając podbródek.

– Ja... – zaczął.

– Żegnajcie, towarzyszu – zwolnił go Krakowicz. – Wreszcie poszedł – stwierdził, słysząc trzask drzwi.

– Świetnie! Nie chcę, żeby się wtrącali, żeby czepiali się Grigorija i mieszali się w twoje sprawy. Jakieś problemy z nimi, to zwracasz się bezpośrednio do mnie! – rozkazał Breżniew.

– Tak jest.

– A oto, czego chcę... Ale najpierw powiedz mi, czy akta wydziału ocalały.

– Niemal wszystko ocalało. Ucierpieli jedynie nasi agenci. Wiele zniszczono, ale akta, instalacje i sam zamek, jak sądzę, są w dobrym stanie. Siły robocze to inna historia. Zostaliśmy tylko ja i tamtych trzech niedobitków, jeszcze sześcioro na urlopach w różnych stronach kraju, trzech niezłych telepatów, na stałe oddelegowanych do obserwacji ambasad Anglii, Ameryki i Francji, i do tego czterech czy pięciu agentów terenowych poza krajem. Zginęło dwadzieścia osiem osób, straciliśmy prawie dwie trzecie zespołu. Większość najlepszych ludzi nie żyje.

– Tak, tak – niecierpliwił się Breżniew. – Siły robocze to ważna sprawa, dlatego pytałem o akta. Nabór? To twoje pierwsze zadanie. Zajmie wiele czasu, wiem, ale zabieraj się do tego. Stary Grigorij mówił mi kiedyś, że macie specjalistów od wykrywania ludzi posiadających dziwne zdolności, tak?

– Nadal mam dobrego wykrywacza – odpowiedział Krakowicz, nieświadomie kiwając głową. – Zacznę z nim natychmiast. I oczywiście zajmę się przestudiowaniem akt towarzysza Borowitza.

– Dobrze! I zorientuj się, jak szybko możesz uprzątnąć zamek. Te tatarskie trupy spal! Niech nikt ich nie ogląda. Nie obchodzi mnie, jak to zrobisz – ma być zrobione. Potem trzeba będzie opracować harmonogram remontu twierdzy. Mam tutaj, pod tym numerem telefonu, człowieka, z którym będziesz mógł się połączyć o każdej porze w każdej sprawie. Informuj go na bieżąco, a on będzie informował mnie. Będzie też twoim bezpośrednim zwierzchnikiem, wyjąwszy fakt, iż nie będzie ci mógł niczego odmówić. Widzisz, jak wysoko cię cenię, Feliksie? Tak, to wystarczy na początek. Co do reszty, Feliksie Krakowicz, chcę wiedzieć, jak do tego doszło! Czy ktoś – Brytyjczycy, Amerykanie lub Chińczycy – tak bardzo nas wyprzedził? W jaki sposób jeden człowiek, ten Harry Keogh, mógł spowodować takie spustoszenie?

– Towarzyszu – zauważył Krakowicz – wspomnieliście o Borysie Dragosanim. Obserwowałem go kiedyś przy pracy.

Był nekromantą. Wywąchiwał sekrety umarłych. To, co wyprawiał z trupami, przyprawiło mnie o miesiące koszmarnych snów! Pytacie, jak Harry Keogh mógł wywołać takie spustoszenie? Z nielicznych danych, jakie udało mi się zebrać, wynika, że był on zdolny niemal do wszystkiego. Telepatia, teleportacja, nawet specjalność Dragosaniego – nekromancja. Był ich najlepszym człowiekiem. Sądzę nawet, że o wiele wyprzedził Dragosaniego. Torturowanie zmarłych i wydzieranie sekretów z ich krwi, mózgu i trzewi to jedno, ale czym innym jest wywoływanie ich z grobów i wysyłanie w bój w imię narzuconych im celów!

– Teleportacja? – Pierwszy sekretarz zamyślił się. – Wiesz, im więcej o tym słyszę, tym mniej skłonny jestem wierzyć. Nie uwierzyłbym, gdybym nie oglądał efektów prac Borowitza. I jak inaczej miałbym wyjaśnić kwestię paruset tatarskich trupów, co? Ale jak dotąd... wystarczy tej rozmowy. Mam inne sprawy na głowie. Za pięć minut na tej linii obejmie służbę nasz pośrednik. Przemyśl sprawę i powiedz mu, co trzeba zrobić. Wszystko, co uznasz za niezbędne. Może i on ci coś podsunie. Pracował już przedtem przy takich sprawach. No, nie całkiem takich! I ostatnia rzecz...

– Tak? – W głowie Krakowicza panował mętlik.

– Wyrażę to wprost: chcę wyjaśnień. Najszybciej, jak się da. Muszę jednak wyznaczyć jakąś granicę, niech to będzie rok. Za rok wydział będzie już pracować ze stuprocentową wydajnością, a my obaj dowiemy się wszystkiego. I wszystko zrozumiemy. Wiesz, Feliksie, kiedy uzyskamy odpowiedzi na wszystkie pytania, będziemy równie mądrzy jak ci, którzy spowodowali ten atak. Racja?

– Wydaje się to logiczne, towarzyszu pierwszy sekretarzu.

– Jest logiczne, więc zabierz się do roboty. Powodzenia...

Słuchawkę wypełniło przeciągłe brzęczenie. Krakowicz odłożył ją ostrożnie na widełki, popatrzył na nią przez chwilę, po czym ruszył w kierunku drzwi. W głowie formułował już listę spraw do załatwienia, według wstępnej hierarchii ważności. Na Zachodzie tak potężnej tragedii nigdy nie udałoby się zataić, ale tu, w ZSRR, nie powinno to sprawić najmniejszych trudności.

1. Zabici mieli rodziny. Trzeba je teraz nakarmić jakąś historyjką, może o „katastrofie". To musi wziąć na siebie pośrednik.

2. Trzeba natychmiast zwołać cały personel Wydziału E. Łącznie z trójką, która przetrwała masakrę. Są na tyle mądrzy, by o niczym nie rozpowiadać.

3. Ciała dwudziestu ośmiu współpracowników z Wydziału E należy zebrać, złożyć w trumnach i przygotować do pochówku. Wszystko to załatwi się na miejscu, rękoma niedobitków i tych, którzy powrócą z urlopów.

4. Natychmiast należy rozpocząć nabór.

5. Należy powołać zastępcę, aby od razu wszcząć uporządkowane śledztwo w pełnym zakresie.

Na polanie odnalazł kierowcę ciężarówki, młodego sierżanta.

– Nazwisko? – zapytał obojętnie.

– Sierżant Gulcharow, towarzyszu! – poderwał się żołnierz.

– Imię?

– Siergiej, towarzyszu!

– Siergieju, mów mi Feliks. Powiedz, czy słyszałeś kiedyś o Kocie Feliksie?

Żołnierz pokręcił głową.

– Mam przyjaciela, który kolekcjonuje stare filmy, kreskówki – wyjaśnił mu Krakowicz, wzruszając ramionami. – Ma szereg kontaktów, mniejsza o to. W amerykańskich kreskówkach występuje taka zabawna postać, Kot Feliks. Ten Feliks to bardzo ostrożny gość. Koty zazwyczaj takie są, wiesz? W armii brytyjskiej saperów nazywa się Feliksami, tak ostrożnie muszą postępować. Może matka powinna była dać mi na imię Siergiej, co?

– Towarzyszu? – sierżant podrapał się w głowę.

– Nieważne – uciął Krakowicz. – Powiedz, masz zapas paliwa?

– Tyle co w zbiorniku, towarzyszu. Około pięćdziesięciu litrów.

– Dobra, wsiadamy do wozu. Pokażę ci, jak jechać.

Skierował go poza zamek, do bunkra przy lądowisku dla helikopterów. Tam trzymano awgas – paliwo lotnicze.

– Co tu się wydarzyło, towarzyszu? – zapytał sierżant.

Dopiero teraz Krakowicz zauważył, że oczy żołnierza są szkliste. Sierżant wcześniej pomagał ładować na platformę potworne szczątki rozkładających się trupów.

– Nie zadawaj więcej takich pytań – odpowiedział. – Przynajmniej tak długo, jak będziesz tu przebywał, a to potrwa prawdopodobnie bardzo, bardzo długo. Nie zadawaj żadnych pytań. Rób tylko to, co ci każą.

Załadowali kanistry z awgasem na skraj platformy i pojechali do zadrzewionego zakątka opodal zamku, gdzie grunt był szczególnie bagnisty. Siergiej Gulcharow protestował, ale Krakowicz kazał mu jechać, aż ciężarówka ugrzęzła całkiem w śniegu i błocie.

– Wystarczy – zawołał, kiedy nie mogli już ruszyć z miejsca.

Wysiedli i wyładowali paliwo, a sierżant, pomimo protestów, pomógł oblać nim wnętrze ciężarówki.

– Zostało w samochodzie coś, co chcesz zachować? – zapytał Krakowicz.

– Nie, towarzyszu. – Gulcharow drgnął. – Towarzyszu, hm, Feliksie, nie możesz tego zrobić! Nie możemy tego zrobić! Czeka mnie za to sąd wojskowy, może nawet rozstrzelanie! Kiedy wrócę do koszar, oni...

– Żonaty czy kawaler? – Krakowicz znaczył cienką stróżką paliwa drogę od ciężarówki pomiędzy drzewa. Awgas zostawiał w śniegu ciemną szczelinę.

– Kawaler.

– Ja również. Cóż, nie wrócisz do koszar, Siergieju. Od tej chwili będziesz pracował ze mną, na stałe.

– Ale...

– Żadnych ale. To rozkaz pierwszego sekretarza. Powinieneś czuć się zaszczycony!

– Ale mój starszy sierżant i pułkownik, oni...

– Uwierz mi – Krakowicz znów wszedł mu w słowo. – Będą z ciebie dumni. Palisz, Siergieju? – Poklepał kieszenie już nie tak białego kitla, znalazł papierosy.

– Tak, towarzyszu, czasem.

Poczęstował go papierosem, drugiego włożył sobie do ust.

– Zdaje się, że zapomniałem zapałek.

– Towarzyszu, ja...

– Zapałki – zażądał Krakowicz, wyciągając dłoń.

Gulcharow uległ, sięgnął do głębokiej kieszeni. Pomyślał, że jeżeli Krakowicz oszalał, jemu powinno to wyjść na dobre. Tamtego zamkną, podczas gdy on sam – sierżant Siergiej – zostanie oczyszczony z zarzutów. Przyjął więc, że jego przełożony postradał zmysły, i postanowił zaskoczyć go nie zwlekając. Przygotował się do ataku.

Krakowicz odkrył, co go może czekać, z kilkusekundowym wyprzedzeniem. Na tym polegał jego talent: prekognicja, przewidywanie przyszłości. W takich sytuacjach sprawdzał się równie dobrze jako telepata. Krakowicz niemal czuł napięcie mięśni młodego sierżanta.

– Jeżeli to zrobisz – powiedział szybko, wpatrując się prosto w oczy żołnierza – naprawdę czeka cię sąd wojskowy!

Gulcharow zagryzł wargę, zacisnął palce w pięść, rozprostował je, potrząsnął głową i cofnął się o krok.

– No? – Krakowicz był cierpliwy. – Rzeczywiście sądzisz, że na próżno powołałem się na pierwszego sekretarza?

Sierżant wyjął pudełko zapałek i podał je Feliksowi. Odsunęli się od strużki awgasu. Krakowicz zapalił oba papierosy, osłonił dłonią płomień, a zapałkę cisnął na oblany paliwem śnieg.

Błękitne, niemal niewidoczne płomienie skoczyły ku ciężarówce oddalonej o jakieś trzydzieści metrów. Śnieg w kotlince zapadł się pod wpływem nagłego żaru, a samochód zapłonął oślepiającym błyskiem jasnoniebieskicgo światła.

Obaj mężczyźni cofnęli się, obserwując pnące się coraz wyżej płomienie. Słychać było trzask pękających kości wielowiekowych trupów pogrążonych w wesoło buzującym ogniu. „Wracajcie, skąd przyszliście, chłopaki – pomyślał Krakowicz. – Już nikt nigdy nie będzie was nękał!”.

– Rusz się – polecił głośno. – Uciekamy, zanim pójdzie zbiornik paliwa.

Przedzierając się niezdarnie przez śnieg, pobiegli w stronę zamku. Jakimś cudem zbiornik eksplodował dopiero wtedy, gdy byli już w cieniu budowli. Słysząc przetaczający się huk, czując gwałtowny podmuch, spojrzeli za siebie. Szoferka, podwozie i platforma rozpadły się, w śnieg zwaliły się dopalające się szczątki, a wysoko nad drzewa uniósł się grzyb dymu. Dokonało się...

*
* *

Krakowicz od jakiegoś czasu rozmawiał przez telefon ze swoim pośrednikiem, zdawać by się mogło, w znikomym stopniu zainteresowanym jego słowami. Mimo takiego wrażenia rozmówca dokładnie wypytywał o każdy szczegół, uważnie słuchał, chciał mieć wszystkie informacje.

– Mam nowego asystenta, sierżanta Siergieja Gulcharowa z baraków zaopatrzeniowo-transportowych w Sierpuchowie. Zatrzymuję go. Możecie go od tej chwili przydzielić do zamku? Jest młody i silny. Będę miał dla niego wiele pracy.

– Tak, załatwię to – odpowiedź była spokojna i jednoznaczna. – Będzie waszą złotą rączką, tak?

– I ewentualnie agentem ochrony – dodał Krakowicz. – Fizycznie niewiele stanowię.

– Doskonale. Zorientuję się, czy da się go umieścić na wojskowym kursie ochrony osobistej. Szkolenie w zakresie broni palnej też wchodzi w grę, jeżeli nie jest w tym zbyt mocny. Oczywiście, możemy pójść na skróty i znaleźć wam zawodowca.

– Nie – Krakowicz postawił sprawę jasno. – Żadnych zawodowców. Ten wystarczy. Niewiniątko z niego, to mi się podoba.

– Krakowicz? – spytał głos z drugiego końca linii. – Jedno muszę wiedzieć. Jesteście homoseksualistą?

– Jasne, że nie! Aha, rozumiem! Nie, naprawdę go potrzebuję. Wyjaśnię, czemu chcę go od zaraz: bo jestem zupełnie sam. Gdybyście byli tutaj, wiedzielibyście, o co mi chodzi.

– Tak, słyszałem, że wiele przeszliście. Doskonale, resztę mi zostawcie.

– Dziękuję – zakończył Krakowicz. Przerwał połączenie. Gulcharow był pod wrażeniem tej rozmowy.

– Od ręki – zauważył. – Macie dużą władzę, towarzyszu.

– Na to wygląda, nieprawdaż? – Na twarzy Krakowicza pojawił się wymęczony uśmiech. – Słuchaj, lecę z nóg. Ale zanim pójdę spać, jedno jeszcze musimy załatwić. I uwierz mi, jeśli sądzisz, że to, co widziałeś do tej pory, jest nieprzyjemne, teraz zobaczysz coś o wiele gorszego! Chodź ze mną.

Poprowadził go przez zdemolowane pokoje, pracownie, poza zadaszony dziedziniec, do głównego budynku. Potem starymi schodami dwa piętra w górę, do jednej z bliźniaczych wieżyczek. Tu właśnie Grigorij Borowitz miał swoje biuro, które w noc grozy Dragosani zamienił w punkt dowodzenia.

Klatka schodowa była poszczerbiona i osmalona, pełna maleńkich odłamków szrapneli, spłaszczonych ołowianych kul i porozrzucanych miedzianych łusek. W stojącym powietrzu unosił się jeszcze zapach kordytu. Drzwi do małego przedpokoju na drugim piętrze były otwarte. W pomieszczeniu urzędował sekretarz Borowitza Julij Galeński. Krakowicz znał go osobiście – dość ograniczonego człowieczka bez żadnych talentów nadzmysłowych.

Na podeście, pomiędzy otwartymi drzwiami a poręczą, leżał twarzą do posadzki martwy człowiek w mundurze ochrony zamku: szarym kombinezonie z żółtym ukośnym paskiem na poziomie serca. Nie był to Galeński, ale oficer dyżurny. Twarz trupa zanurzona była na płasko w kałuży krwi. Za bardzo. Wszystko dlatego, że z samej twarzy niewiele zostało, poza żywym mięsem.

Krakowicz i Gulcharow przestąpili ostrożnie ciało, kierując się do maleńkiego sekretariatu. W kącie za biurkiem siedział skulony Galeński. Oburącz ściskał pordzewiałą, krzywą szablę sterczącą mu z piersi. Wbito ją z taką siłą, że ostrze weszło w ścianę. Oczy miał nadal otwarte, ale nie było już w nich przerażenia. Niektórym śmierć kradnie wszystkie uczucia.

– Matko przenajświętsza! – szepnął Gulcharow. Picrwszy raz widział coś takiego. Nie przeszedł jeszcze chrztu ogniowego.

Przez drugie drzwi weszli do pokoju mieszczącego niegdyś biuro Borowitza.

Pomieszczenie było obszerne, o wielkich oknach z kuloodpornymi szybami, spoglądających z kamiennej wieży na odległy las. Dywan gdzieniegdzie był popalony i pokryty plamami. Masywna bryła dębowego biurka stała w rogu, czerpiąc światło z okna i poczucie bezpieczeństwa z bliskości kamiennych ścian. Dostrzegli ślady rzezi. Wszystko przypominało obraz z koszmarnego snu.

Roztrzaskane radio wywaliło swe wnętrzności na podłogę; impet kul podziurawił ściany i rozniósł w drzazgi drzwi; ciało młodego człowieka, ubranego po zachodniemu, leżało tam, gdzie runęło – za drzwiami – przecięte niemal na pół serią z broni maszynowej. Skrzepnięta krew przykleiła je do podłogi. To ciało Harry'ego Keogha; niewiele zostało tu do oglądania, na jego bladej, nienaruszonej twarzy nie malowały się żadne oznaki strachu czy cierpienia.

To, co opierało się o ścianę po drugiej stronie pokoju, mogło kojarzyć się jedynie z koszmarnym snem lub majakami szaleńca.

– Borys Dragosani – oznajmił Krakowicz. – Sądzę, że opanowała go istota, którą przyszpilono mu do piersi.

Przeszedł ostrożnie przez pokój i zatrzymał się wpatrzony w to, co pozostało z Dragosaniego i jego pasożyta. Gulcharow trzymał się za nim. Wolał przyglądać się z daleka.

Obie nogi nekromanty, złamane, wygięły się pod dziwnymi kątami. Ramiona zwisały bezwładnie wzdłuż ściany, łokcie znajdowały się tuż nad podłogą, przedramiona sięgały w przód, a dłonie wyciągały się daleko poza mankiety. Przypominały szpony, potężne i zachłanne, zastygłe w ostatnim spazmie konającego. Twarz Dragosaniego zamarła w grymasie agonii, a co gorsza, niewiele pozostało w niej z człowieczeństwa.

Szczęki Dragosaniego, wydłużone jak u wielkiego psa, wciąż pozostawały rozwarte, ukazując krzywe igły zębów. Czaszka była zniekształcona, a uszy, spiczasto zakończone, zagięły się do przodu i spoczywały teraz płasko na skroniach. Pod czerwonymi jamami oczu rysował się długi i pomarszczony nos, spłaszczony na końcu, odsłaniający nozdrza rozdziawione niczym pysk wielkiego nietoperza. Tak właśnie wyglądał Dragosani – trochę człowiek, trochę nietoperz. A to, co przywarło do jego piersi, było jeszcze bardziej przerażające.

– Co... co to jest? – wyjąkał Gulcharow.

– Bóg mi świadkiem – pokręcił głową Krakowicz – że nie mam pojęcia! Ale to coś w nim żyło.

Tułów istoty przypominał wielką, niemal osiemnastocalową, pijawkę zwężającą się ku końcowi. Nie miała kończyn. Zdawało się, iż przyssała się do piersi Dragosaniego. Poza tym przytwierdzał ją do jego ciała ostry kołek, szczątek rozłupanej kolby karabinu maszynowego. Skórę miała szarozieloną i pofałdowaną. Gulcharow zauważył też jej łeb, płaski jak u kobry, tyle że bez oczu.

– Jakby... jakby gigantyczny tasiemiec? – Gulcharow nie umiał ukryć przerażenia.

– Coś takiego – ponuro przytaknął Krakowicz. – Ale inteligentny, zły i śmiercionośny.

– Po co tu przyszliśmy? – głos sierżanta zadrżał. – Jest pięćdziesiąt milionów lepszych miejsc.

Twarz Krakowicza była blada, napięta. W pełni podzielał zdanie podwładnego.

– Przybyliśmy tu, bo musimy to spalić. To wszystko.

Talent nadzmysłowy ostrzegał go, że zniszczyć należy tak Dragosaniego, jak i jego pasożyta, i to doszczętnie. Rozejrzał się po pokoju, dostrzegł stalową szafkę opartą o ścianę obok drzwi. Razem z Gulcharowem wyrzucili z niej półki, zmieniając ją w metalową trumnę. Położyli ją i przesunęli po podłodze w kierunku Dragosaniego.

– Łap za ramiona, ja chwycę za uda – zarządził Krakowicz. – Jak wpakujemy go do środka, będziemy mogli zamknąć drzwiczki i spuścić szafkę po schodach. Szczerze mówiąc, nie bawi mnie dotykanie go. Załatwię to tak szybko, jak się da. Tak będzie najlepiej.

Podnieśli ostrożnie ciało, z wysiłkiem dźwignęli je nad krawędź szafki i opuścili do wnętrza. Gulcharow spróbował zamknąć drzwiczki, ale przeszkodził mu w tym sterczący kołek. Sierżant złapał oburącz szczątek kolby.

– Nie dotykaj tego! – wrzasnął, zbyt późno, Krakowicz.

Ledwie Gulcharow wyrwał kołek, pijawkowaty stwór wrócił do życia. Odrażający, obły kadłub zaczął miotać się obłąkańczo, nieledwie wydostając się z szafki. W tym samym czasie karbowana skóra pękła w tuzinie miejsc, wypuszczając protoplazmatyczne macki wijące się i wibrujące w bezmyślnej agonii. Wypustki chłostały ściany szafki i zwijały się ponownie, kierując się ku Dragosaniemu. Przebijały ubranie i trupie ciało, kryjąc się w jego wnętrzu. Z korpusu istoty wyłaniały się wciąż nowe macki, wyginały się w haki, wpijały w zwłoki nekromanty. Jedna z nich odkryła klatkę piersiową. Spęczniała raptownie do grubości ludzkiego przegubu. Jednocześnie reszta macek zwolniła swój ucisk i rozpuściwszy haki, wycofała się śladem głównej wypustki w głąb martwego ciała. Wreszcie cały organizm z głuchym mlaśnięciem pogrążył się w zwłokach Dragosaniego. Tors nekromanty zadygotał i rozkołysał się w szafce.

W tym samym czasie Gulcharow rzucił się w tył, żeby wejść na biurko. Mamrotał na wpół wyraźnie przekleństwa, to znów skomlał jak pies. Wyraźnie na coś wskazywał. Krakowicz, niemal odrętwiały z przerażenia, zobaczył, że płaski, kobropodobny łeb potwora miota się po podłodze, jak wyrzucona z wody płaszczka. Wpadł w panikę, krzyczał z obrzydzenia. Zatrzasnął jednak szybko drzwiczki szafki i zasunął rygiel. Porwał ze stosu porozrzucanych mebli metalową szufladę.

– No, pomóż mi! – wrzasnął.

Gulcharow zsunął się z biurka. Nadal trzymał kurczowo kołek. Wciąż klnąc pod nosem, szturchał nim podskakujący łeb, aż wepchnął go do szuflady. Krakowicz przykrył ją stosem półek, a sierżant dołożył do tego jeszcze dwa ciężkie segregatory. Szafka i szuflada dygotały jeszcze przez kilka minut, potem znieruchomiały.

Krakowicz i Gulcharow stali naprzeciw siebie. Wyglądali upiornie, zdyszani, bladzi, z obłędem w oczach. Wreszcie Krakowicz, warknąwszy coś, wyciągnął rękę i uderzył sierżanta w twarz.

– Ochroniarz? – krzyknął. – Cholerny ochroniarz! – Powtórzył uderzenie, tym razem mocniej. – Do cholery!

– Ja... przepraszam. Nie wiedziałem, co robić... – Gulcharow dygotał jak liść, wyglądał, jakby miał za chwilę zemdleć.

Krakowicz uspokoił się. Nie mógł go za nic winić.

– Już w porządku – powiedział. – Już w porządku. Teraz posłuchaj. Łeb spalimy tutaj. Od tego zaczniemy, już zaraz. Przynieś awgas. Szybko.

Gulcharow wyszedł, zataczając się lekko.

Wrócił w rekordowo krótkim czasie, niosąc kanister. Przesunęli półki leżące na szufladzie, robiąc niewielką szparę, i wlali w nią paliwo. Wewnątrz nic się nie poruszyło.

– Dosyć! – polecił Krakowicz. – Jeszcze trochę i wywołamy diabelną eksplozję. Teraz pomóż mi przeciągnąć szafkę do drugiego pokoju.

W chwilę później znaleźli się w biurze. Krakowicz zaczął penetrować szuflady biurka Borowitza. Znalazł to, czego szukał: mały kłębek sznurka. Urwał z dziesięć stóp, zanurzył w paliwie i ostrożnie wsunął jeden koniec do szczeliny. Potem ułożył sznurek na podłodze, kierując go w prostej linii ku drzwiom, i wyjął zapałki. Kiedy zapalił lont, osłonili oczy.

Błękitny płomień przemknął po podłodze i wskoczył do szuflady. Rozległ się głuchy huk, segregatory, półki oraz cała reszta rąbnęły o sufit i zwaliły się na podłogę. W metalowej szufladzie rozpętało się piekło, w którym tańczył i miotał się wężowy łeb. Nie trwało to jednak długo. Szuflada zaczęła giąć się pod wpływem żaru, a dywan wokół niej poczerniał i zapłonął. To coś w środku nadęło się, pękło i rozlało się w dymiącą kałużę. Szybko spłonęło, ale Krakowicz i Gulcharow odczekali pełną minutę, zanim zdecydowali się ugasić ogień.

– No, przynajmniej wiemy, że to jest łatwopalne – stwierdził Krakowicz. – Zapewne już przedtem nie żyło, ale mnie uczono, że to, co jest martwe, leży nieruchomo!

Ściągnęli szafkę dwa piętra niżej, na parter, potem przez spustoszony budynek wypchnęli ją na zewnątrz. Krakowicz został, żeby jej strzec, a Gulcharow wrócił po awgas.

– To będzie nieco trudniejsze. Najpierw rozlejemy trochę paliwa wokół szafki. Dzięki temu, jeżeli po otwarciu przekonamy się, że to coś w środku jest aktywne, odskoczymy i ciśniemy zapałkę. Odczekamy, aż się uspokoi. I tak dalej...

Gulcharow nadal wyglądał niepewnie, ale był już o wiele bardziej skupiony.

Oblali paliwem szafkę i ziemię wokół niej, po czym sierżant się wycofał. Krakowicz odciągnął rygiel i ze szczękiem otworzył drzwi. Dragosani leżał, wpatrując się w niebo. Jego pierś drgała lekko, ale na tym się kończyło. Ledwie Krakowicz zaczął ostrożnie wlewać awgas do szafki, stojąc przy nogach nekromanty, Gulcharow zbliżył się do niego.

– Nie lej za dużo – tym razem sierżant ostrzegał – bo wyleci w powietrze jak bomba!

Kiedy paliwo, parując wściekle, wsiąkało w ciało Dragosaniego, jego tors zadrgał gwałtownie. Krakowicz opuścił kanister, popatrzył i cofnął się nieco. Gulcharow stał poza zasięgiem niebezpieczeństwa z przygotowaną zapałką. Z torsu nieboszczyka wyrosła oślizgła, szarozielona macka. Koniuszek jej przekształcił się w guz wielkości pięści, który z kolei przeistoczył się w oko. Krakowicz pojął, że nie kryje się w jego spojrzeniu żaden umysł, żadna zdolność czucia. Oko gapiło się pusto, nie nawiązując kontaktu, nie wyrażając nic. Wątpił, czy widziało cokolwiek. A z pewnością nie istniał już żaden mózg, któremu mogło przekazać swoje spostrzeżenia. Przemieniło się na powrót w protoplazmę, z której wyrosły malutkie szczęki, kłapiące bezmyślnie. Wreszcie i one znikły.

– Feliksie, uciekaj stamtąd! – Gulcharowa ponosiły nerwy.

Krakowicz cofnął się na bezpieczną odległość. Sierżant zapalił zapałkę i rzucił. Niczym wydłużona dysza testowanego silnika odrzutowego szafka wywaliła z siebie bladoniebieską strugę ognia huczącego w mroźnym powietrzu, rozedrganą kolumnę intensywnego żaru. I wtedy Dragosani usiadł.

Gulcharow uczepił się Krakowicza, zawisł na nim.

– O Boże! O matko! On żyje! – wykrztusił.

– Nie – zaprzeczył Krakowicz, wyrywając się z jego uścisku. – To coś w nim żyje, ale jest bezmyślne. Sam instynkt, pozbawiony władzy mózgu. Chętnie by uciekło, ale nie wie jak ani nawet przed czym miałoby uciec. To sprawa reakcji, a nie umysłu. Patrz, patrz! Topi się!

I rzeczywiście, wyglądało na to, że Dragosani się topi. Nad jego sczerniałą skorupą kłębił się dym, warstwy skóry łuszczyły się, podsycając ogień, tłuszcz ściekał jak wosk ze świecy, ginąc w płomieniach. Istota we wnętrzu nieboszczyka poczuła żar, zareagowała. Kadłub Dragosaniego dygotał, wibrował, skręcał się w konwulsjach. Ręce wystrzeliły przed siebie, potem opadły na ścianki rozpalonej szafki, drgając bezładnie. Spalone na wiór ciało zaczęło tu i ówdzie pękać, uwalniając miotające się chaotycznie macki, które zaraz topiły się i spływały w głąb prymitywnego pieca.

Po krótkiej chwili ciało nekromanty opadło i znieruchomiało. Dwaj mężczyźni stali na śniegu, obserwując dopalające się zwłoki. Trwało to może ze dwadzieścia minut, ale mimo to nie odchodzili...

*

* *

Dwudziesty siódmy sierpnia 1977. Godzina piętnasta.

Wielki londyński hotel, oddalony o kilka kroków od Whitehall, krył w sobie więcej, niż sugerowała jego fasada. Ostatnie piętro w całości odstąpiono firmie „międzynarodowych finansistów” – i na tym kończyła się wiedza dyrektora hotelu w tej materii. Firma miała na tyłach budynku własną windę, prywatne schody, a nawet własną drabinę przeciwpożarową. Fakt, że to piętro wykupiono, wyłączał je całkowicie spod kontroli hotelu i z jego sfery zainteresowań.

Krótko mówiąc, było ono kwaterą główną najtajniejszej ze wszystkich brytyjskich tajnych służb: INTESP – angielskiego odpowiednika rosyjskiej organizacji stacjonującej pod Moskwą w Zamku Bronnicy. Hotel był jedynie kwaterą główną. Istniały także dwie „fabryczki", jedna w Dorset, a druga w Norfolk, połączone bezpośrednio ze sobą i z londyńską placówką przez telefon, radiotelefon i komputer. Rzecz jasna, że takie połączenia, mimo iż ekranowane klauzulą najwyższej tajności, były podatne na ewentualne nadużycia, ktoś przebiegły mógłby się tam wkraść pewnego dnia. Pozostawało mieć nadzieję, że zanim to nastąpi, wydział wyszkoli swoich telepatów do tego stopnia, iż cały technologiczny złom okaże się zbędny. Fale radiowe wędrują bowiem zaledwie z prędkością stu osiemdziesięciu sześciu tysięcy mil na sekundę, a ludzka myśl przemieszcza się natychmiast, niosąc ze sobą daleko bardziej żywy i konkretny obraz.

O tym właśnie rozmyślał Alec Kyle, siedząc przy swoim biurku i formułując Regulamin Bezpieczeństwa dla sześciu oficerów Wydziału Specjalnego, których jedynym zajęciem było zapewnienie ochrony osobistej miesięcznemu niemowlakowi, dziecku, które nazywało się Harry Keogh. Harry Junior – przyszły szef INTESP.

– Harry – powiedział głośno Kyle, nie kierując tych słów do nikogo – jeżeli nadal chcesz, możesz dostać tę robotę od zaraz.

– *Nie!* – w umyśle Kyle'a natychmiast pojawiła się odpowiedź, zadziwiająco czytelna. – *Nie teraz, może nigdy!*

Wyprostował się. Wiedział, czego doznał, zetknął się z czymś podobnym przed ośmioma miesiącami. Skontaktowało się z nim niemowlę, o którym myślał, dziecko, którego umysł zawierał wszystko, co pozostało z największego talentu paranormalnego na świecie: Harry'ego Keogha.

– Chryste! – wyszeptał Kyle. Przypomniał sobie sen, a raczej koszmar, jaki miał poprzedniej nocy. Śniło mu się, że był pokryty pijawkami, wielkimi jak kocięta. Ich paszcze wczepiały się w niego, by sączyć krew, podczas gdy on skakał i skomlał w cieniu nieruchomych drzew, aż wreszcie stał się zbyt słaby, żeby dalej walczyć. Upadł na ziemię, na sosnowe igły, a pijawki wsysały się w niego i wiedział, że sam staje się pijawką.

I ten właśnie lęk, na szczęście, go obudził. Jeśli zaś chodziło o znaczenie snu, nie było się nad czym zastanawiać. Kyle dawno już porzucił próby odczytywania sensów z takich proroczych migawek. Doszedł do wniosku, że sprawiały tylko kłopot: były zazwyczaj zagadkowe, rzadko same się wyjaśniały. Miał pewność, że ten sen był jedną z tych dziwnych projekcji, a teraz sądził, że i fakt, który miał miejsce przed chwilą, łączył się z nim w jakiś sposób.

– Harry? – rzucił pytanie w oziębione nagle powietrze. Oddech pojawił się w postaci kłębu pary. W przeciągu paru sekund temperatura spadła. Tak jak poprzednim razem.

Na środku pokoju, przed biurkiem Kyle'a, coś się formowało. Dym z papierosa rozproszył się, powietrze zawibrowało. Kyle wstał, podszedł szybko do okna i opuścił żaluzje. Pokój pociemniał, a sylwetka przed biurkiem stała się wyraźniejsza.

Nagle zabrzęczał interkom – Kyle podskoczył. Rzucił się do biurka, wcisnął klawisz odbioru.

– Alec, coś tu jest! – wysapał jakiś głos.

Połączył się z nim Carl Quint, najwyższej klasy telegnosta, wykrywacz. Kyle nacisnął klawisz nadawania, przytrzymując go dłużej.

– Wiem. Jest tu teraz ze mną. Ale wszystko w porządku. W pewnym sensie spodziewałem się go. – Wcisnął jeszcze klawisz łączności ogólnej.

– Tu Kyle. Tak długo, jak to potrwa, nie chcę z nikim rozmawiać – przemówił do pracowników kwatery. – Żadnych nowin, żadnych telefonów, żadnych pytań. Słuchajcie, jeśli chcecie, ale nie próbujcie się wtrącać. Połączę się z wami ponownie.

Dotknął klawisza zabezpieczeń umieszczonego na terminalu osobistego komputera. Zamki okien i drzwi zablokowały się z trzaskiem. Teraz był sam na sam z Harrym Keoghiem.

Próbował zachować spokój i wpatrywał się w ducha Keogha znajdującego się po drugiej stronie biurka. Wróciła do niego dawna myśl, która tak naprawdę nie opuszczała go od pierwszego dnia pracy w INTESP.

– Cholernie pocieszna ekipa. Roboty i romantycy. Supernauka i sprawy nadnaturalne. Telemetria i telepatia. Komputerowe tabele prawdopodobieństwa i jasnowidzenie. Gadżety... i duchy! – wyszeptał do siebie.

– Nie jestem duchem, Alec – powiedział Keogh z lekkim, niematerialnym uśmieszkiem. – *Myślałem, że już przez to przeszliśmy poprzednim razem.*

– Poprzednim razem? – powiedział głośno, gdyż tak było mu łatwiej. – To miało miejsce osiem miesięcy temu, Harry. Zacząłem myśleć, że już o tobie nie usłyszymy.

– Może tak by się stało – odparł tamten, nie poruszając wcale wargami. – *Wierz mi, wiele miałem do roboty. Ale... coś się dzieje.*

Kyle uspokoił się, puls stopniowo powracał do normy. Wychylił się z krzesła, przyglądając się uważnie przybyszowi. To był Keogh. A jednak nie całkiem taki sam jak poprzednim razem. Wtedy pierwszą myślą Kyle'a było, że ta zjawa jest czymś nadnaturalnym. Nie paranormalnym czy wywołanym przez zdolności ponadzmysłowe, ale właśnie nadnaturalnym, nieziemskim, nie z tego świata. Tak jak i teraz skanery biurowe nie wykryły jej. Pojawiła się, opowiedziała mu fantastyczną, a jednak prawdziwą historię i ulotniła się bez śladu. Nie, nie całkiem bez śladu, gdyż zanotował wszystko, co mówiła. Nawet na samą myśl o długich godzinach pisania bolał go jeszcze przegub. Nie można było jednak sfotografować zjawy, zarejestrować jej głosu, skrzywdzić jej lub zakłócić w jakikolwiek sposób jej pobytu.

Cała kwatera główna słuchała teraz rozmowy Kyle'a z tym... Harrym Keoghiem, ale słychać było jedynie głos szefa. A mimo to Keogh znajdował się tutaj, przynajmniej termostat centralnego ogrzewania na to wskazywał. System grzewczy podkręcił się o kilka kresek, by zrównoważyć nagły spadek temperatury. No i Carl Quint też o tym wiedział.

Przybysz zdawał się być narysowany bladoniebieskim światłem, bezcielesny jak księżycowa poświata, mniej realny niż kłąb dymu. Niematerialny, ale kryjący w sobie moc. Niewiarygodną moc!

Biorąc pod uwagę fakt, że jego widmowe nogi nie dotykały podłogi, należałoby uznać, że Keogh ma pięć stóp i dziesięć cali wzrostu. Gdyby jego ciało było materią, a nie poświatą, ważyłby może sześćdziesiąt do sześćdziesięciu pięciu kilogramów. Wszystko w nim lekko fosforyzowało, jakby odbijało jakiś delikatny wewnętrzny blask, Kyle nie mógł więc określić barw. Rozwichrzone włosy mogły być jasnoblond. Keogh miał dwadzieścia jeden albo dwadzieścia dwa lata.

Jego oczy intrygowały. Wpatrywały się w Kyle'a, a jednocześnie niemal przenikały przez niego, jakby to on był zjawą. Były niebieskie – tak jasne i świetliste, że niemal bezbarwne – ale kryło się w nich coś tajemniczego, niezgłębiona wiedza, arcypotężna moc. Jakby zamknięto w nich mądrość wieków, jakby pod powłoką niebieskawej mgiełki spoczywała mądrość stuleci.

Rysy twarzy miał wspaniałe; cerę nieskazitelną niczym chińska porcelana; delikatne, szczupłe dłonie, zwężające się ku końcom palców; ramiona nieco pochylone. Keogh był po prostu... młodym mężczyzną. Czy może – był nim kiedyś...

A teraz? Teraz stał się kimś więcej. Ciało Harry'ego Keogha nie istniało fizycznie, realnie, ale umysł wciąż trwał. I umysł ten zakorzenił się w nowym, dosłownie nowym, ciele. Kyle zauważył, że zaczyna przyglądać się nowemu, niezwykłemu elementowi widma, i szybko się opanował. „Co tu właściwie jest do studiowania? A w każdym razie to może zaczekać, nie ma teraz znaczenia. Liczy się tylko fakt, że Keogh przybył i miał coś ważnego do przekazania" – pomyślał.

– Coś się dzieje? – Kyle powtórzył stwierdzenie Keogha, zamieniając je w pytanie. – Co takiego, Harry?

– Coś potwornego! Teraz mogę ci podać jedynie ogólne dane, po prostu nie wiem wszystkiego, jeszcze nie. Ale pamiętasz, co ci mówiłem o rosyjskim Wydziale E? I Dragosanim? Wiem, że nie miałeś okazji, żeby to sprawdzić, ale czy się chociaż tym zainteresowałeś? Czy wierzysz w to, co powiedziałem ci o Dragosanim?

Podczas gdy Keogh mówił, Kyle wpatrywał się, zafascynowany, w ten element zjawy, który nie istniał przy poprzednim spotkaniu. Teraz, jakby nałożone na obraz brzucha, zawieszone i wolno obracające się wokół własnej osi, wewnątrz przestrzeni, jaką zajmowała sylwetka Keogha, unosiło się nagie dziecko. Chłopczyk czy raczej widmo chłopczyka, równie niematerialne, jak sam Harry. Dziecko kuliło się niczym płód, pływając w jakiejś niewidzialnej, wirującej cieczy. Wyglądało jak niezwykły preparat biologiczny lub hologram. Był to jednak obraz dziecka rzeczywistego i żywego, stanowiącego – o czym Kyle doskonale wiedział – dopełnienie Harry'ego Keogha.

– O Dragosanim? – Kyle wrócił na ziemię. – Tak, wierzę ci. Muszę ci wierzyć. Sprawdziłem, co się dało, i wszystko, o czym mówiłeś, potwierdziło się. A co do wydziału Borowitza: to, czego tam dokonałeś, było niesamowite. Rosjanie skontaktowali się z nami w tydzień później, pytając, czy chcemy ciebie... to znaczy...

– Moje ciało?

– Tak, czy mają je nam zwrócić. Pojmujesz, skontaktowali się z nami. Bezpośrednio. Nie przez kanały dyplomatyczne. Nie byli jeszcze przygotowani na ujawnienie swego istnienia i sądzili, że my również wolimy pozostawać w cieniu. A zatem i ty właściwie nie istniałeś, ale pomimo to pytali, czy chcemy cię z powrotem. Po śmierci Borowitza ich szefem został Feliks Krakowicz. Zaproponował, że możemy cię zabrać, jeżeli zdradzimy, jak dokonałeś tego spustoszenia. Na czym dokładnie polegało owo spustoszenie. Przykro mi, Harry, ale musieliśmy się ciebie wyprzeć, powiedzieć im, że cię nie znamy. Prawdę mówiąc, nie znaliśmy cię. Tylko ja znałem, a przede mną sir Keenan. Gdybyśmy jednak przyznali, że byłeś jednym z nas, twoja akcja mogłaby zostać odczytana jako wypowiedzenie wojny.

– To była raczej napaść! Słuchaj, Alec, nie możemy gawędzić tak długo, jak ostatnim razem. Mogę nie mieć czasu. Na planie metafizycznym mam względną swobodę. W Kontinuum Möbiusa jestem czynnikiem niezależnym. Ale ze światem fizycznym wiąże mnie mały Harry. Teraz śpi i mogę używać jego podświadomego umysłu jako swojego własnego. Ale wystarczy, że malec się zbudzi, i umysł będzie należał do niego. Ściągnie mnie jak magnes. Im silniejszy się staje, im więcej się uczy, tym bardziej ogranicza moją swobodę. W końcu będę zmuszony na zawsze go opuścić, na rzecz bytu na drodze Möbiusa. Wyjaśnię to bliżej w przyszłości, jeżeli będę miał okazję. Teraz jednak nie wiemy, jak długo będzie spał, musimy zatem mądrze wykorzystać nasz czas. A to, co mam do przekazania, nie może czekać.

– I w jakiś sposób dotyczy Dragosaniego? – Kyle zmarszczył brwi. – Ale Dragosani nie żyje. Sam mi to powiedziałeś.

– *Pamiętasz, kim był Dragosani?* – Twarz Keogha, twarz jego widma, spoważniała.

– Był nekromantą – odpowiedział natychmiast Kyle, bez cienia wątpliwości. – Podobnie jak ty... – od razu zauważył swój błąd.

– *W odróżnieniu ode mnie!* – poprawił go Keogh. – *Byłem i jestem nekroskopem, a nie nekromantą. Dragosani wykradał umarłym ich sekrety, jak... jak obłąkany dentysta, wyrywając zdrowe zęby bez znieczulenia. Ja rozmawiam z umarłymi i ich szanuję. Oni mnie również szanują. W porządku, wiem, że się przejęzyczyłeś. Wiem, że nie miałeś tego na myśli. Tak, był nekromantą. Ale z racji tego, co uczynił z nim Pradawny Stwór, był jeszcze kimś. Kimś o wiele gorszym.*

– Chodzi ci o to, że był wampirem. – Kyle wiedział już wszystko.

Migocący wizerunek Keogha przytaknął.

– *O to właśnie mi chodzi. I dlatego tu teraz jestem. Widzisz, jesteś jedyną osobą na świecie, która może coś zdziałać w tej sprawie. Ty i twój wydział, może jeszcze wasi rosyjscy konkurenci. Kiedy już dowiesz się, o co mi chodzi, będziesz musiał coś z tym zrobić.*

Keogh przemawiał tak sugestywnie, jego psychiczny głos niósł w sobie tyle napięcia, że dreszcz przeszył ciało Kyle'a.

– Z czym, Harry?

– *Z pozostałymi* – odpowiedziała zjawa. – *Widzisz, Alec, Dragosani i Tibor Ferenczy nie byli wyjątkami. I Bóg jeden wie, ile ich jeszcze zostało!*

– Wampirów? – zadrżał Kyle. Aż za dobrze pamiętał historię, którą Keogh opowiedział mu przed ośmioma miesiącami. – Jesteś pewien?

– *O tak. W Kontinuum Möbiusa, wyglądając przez drzwi czasu minionego i czasu przyszłego, widziałem ich szkarłatne nici. Nie poznałbym ich, może nigdy bym na nie nie trafił, gdyby nie krzyżowały się z niebieską linią życia małego Harry'ego. I z twoją też!*

Wiadomość o tym, niczym zimne ostrze psychicznego noża, trafiła prosto w serce Kyle'a.

– Harry – zająknął się. – Lepiej... powiedz mi wszystko, co wiesz, a potem, co mam zrobić.

– *Powiem ci tyle, ile mogę, a potem spróbujemy ustalić, co można zdziałać. A co do tego, skąd wiem to wszystko...* – Widmo wzruszyło ramionami. – *Jestem nekroskopem, pamiętasz? Rozmawiałem z samym Tiborem Ferenczym, jak mu to kiedyś obiecałem. Rozmawiałem też z kimś innym. Niedawną ofiarą. Więcej o nim potem. Opowieść pochodzi jednak głównie od Tibora...*

ROZDZIAŁ DRUGI

Pradawny Stwór spoczywający w ziemi drżał przez chwilę, ale zmusił się do powrotu w niekończące się sny. Coś wdzierało się z zewnątrz, groziło wyrwaniem go z mrocznej drzemki, a przecież sen stał się nawykiem, który zaspakajał każdą jego potrzebę... niemal każdą.

Przywykł do swych odrażających snów – o obłędzie i masakrze, piekle żywych i zgrozie konających, o krwawych rozkoszach – czując zimne objęcie ubitej ziemi, ogarniającej go ze wszystkich stron, trzymającej w grobowym uścisku. Ziemia była jednak też czymś bliskim, niebudzącym już żadnej grozy, ciemność kojarzyła się z zatrzaśniętą izbą lub głębokim lochem. Wszędzie panował nieprzenikniony mrok. Złowieszcza natura tego mauzoleum i jego położenie nie tylko oddzielały go od innych, ale i chroniły. Wyklęty, skazany na wieczne potępienie, ale i bezpieczny, a to wiele znaczyło.

Osłonięty przed ludźmi, zwłaszcza tymi, którzy go tu uwięzili... W swoich snach zasuszony potwór zapomniał, że ludzie ci od dawna nie żyją. Ich synowie również. I wnuki, i prawnuki...

Pradawny Stwór żył przez pięćset lat i drugie tyle spoczywał nieumarły w niepoświęconym grobie. Ponad nim, w mroku kotliny, pod nieruchomymi, obsypanymi śniegiem drzewami, płyty grobowca opowiadały historię jego dziejów, ale tylko on znał całą prawdę. Zwał się... nie tak, Wampyry nie mają imion. A zatem jego nosiciel zwał się Tibor Ferenczy i był pierwotnie człowiekiem. Działo się to niemal przed tysiącem lat.

Ta część Stwora, która była Tiborem, istniała nadal, ale przekształcała się, mutowała, zespalając się z jej wampirzym „gościem". Obaj byli teraz tym samym, nierozerwalnie złączeni. W snach obejmujących całe tysiąclecie Tibor mógł jednak wracać do korzeni, do swojej nadzwyczaj okrutnej przeszłości...

Na samym początku był Ungarem. Jego przodkowie, wieśniacy, przywędrowali z księstwa węgierskiego, przez Karpaty, by osiedlić się na brzegu Dniestru, przy ujściu do Morza Czarnego. „Osiedlenie się" nie jest tu jednak najwłaściwszym słowem. Musieli walczyć z Wikingami (straszliwymi Waregami), przypływającymi rzeką, od strony morza, w poszukiwaniu łupów; z Chazarami i stepowymi Madziarami; a wreszcie z zawziętymi plemionami Pieczyngów, nieustającymi w ekspansji na zachód i północ. Pieczyngowie zrównali z ziemią osadę, którą Tibor nazywał domem. Był wówczas młodym człowiekiem. On jeden przeżył. I samotnie uszedł na północ, do Kijowa.

Dzięki swej mocnej posturze Tibor zyskał miano Olbrzyma. Nadawał się świetnie do wojaczki. W Kijowie wstąpił zatem na służbę do Włodzimierza I. Wlad uczynił go pomniejszym wojewodą, przywódcą wojów, i dał mu setkę ludzi.

– Dołącz do moich bojarów na południu – rozkazał. – Odeprzyj i wybij Pieczyngów, powstrzymaj ich, nie mogą przekroczyć Rosu. A w imię nowego chrześcijańskiego Boga, otrzymasz ode mnie tytuł i sztandar, Tiborze z Wołoszczyzny!

Sen przypomniał potworowi spoczywającemu w ziemi jego własną odpowiedź.

– Zachowaj tytuł i sztandar, mój panie. W zamian daj mi jeszcze stu ludzi, a wrócę do Kijowa, zabiwszy dla ciebie tysiąc Pieczyngów. A na dowód tego przywiozę ci ich kciuki!

Dostał stu ludzi, a także, czy podobało mu się to, czy nie, sztandar: Złotego Smoka, unoszącego groźnie przednią łapę.

– Oto Smok Chrystusa, sprowadzony do nas przez Greków – powiedział mu Wlad. – Teraz ten Smok czuwa nad chrześcijańskim Kijowem, nad całą Rusią, rycząc z tego sztandaru głosem Pana! Jaki swój znak do niego dodasz?

Tego samego ranka kniaź zapytał o to pół tuzina innych świeżo upieczonych obrońców, pięciu bojarów, stojących na czele własnych armii, i jedną bandę najemników. Wszyscy oni wybrali sobie godła, mające szybować wraz ze Smokiem. Ale nie Tibor.

– Nie jestem bojarem, panie – rzekł Wołoch, wzruszając ramionami. – Ani książęca, ani wodzowska krew nie płynie w mych żyłach. Kiedy zasłużę na znak, umieszczę go nad Smokiem.

– Nie jestem pewien, czy dość cię lubię, Wołochu – zachmurzył się Wlad, niespokojny w obecności tego rosłego, ponurego męża. – Twe serce mówi zbyt głośno, jest jeszcze niedoświadczone. Ale – i on także wzruszył ramionami – zgoda, sam wybierzesz sobie godło, kiedy powrócisz w chwale. I Tiborze, przywieziesz mi owe kciuki albo obetnę twoje!

Tego samego dnia, w południe, siedem różnojęzycznych drużyn opuściło Kijów, ruszając na odsiecz oblężonym szańcom nad Rosem.

Tibor powrócił do Kijowa w rok i miesiąc później, wiodąc niemal wszystkich swoich ludzi i jeszcze osiemdziesięciu zwerbowanych u podnóży wzgórz i w dolinach południowej Ukrainy wieśniaków. Nie prosił o przyjęcie, ale wkroczył do książęcej cerkwi. Zmęczonych ludzi zostawił na zewnątrz, zabrał ze sobą jedynie sakwę, w której coś grzechotało, i zbliżył się do pogrążonego w modłach kniazia Włodzimierza Światosławicza, czekając, aż on skończy. Za jego plecami, w szeregach kijowskich wielmożów, zapanowała śmiertelna cisza; wszyscy czekali, aż kniaź go zobaczy.

W końcu Wlad i jego greccy zakonnicy odwrócili się w stronę Tibora. Widok, który ujrzeli, wzbudził w nich trwogę. Tibor niósł na sobie ziemię pól i lasów; brud wżarł się w jego skórę; prawy policzek przecinała biegnąca ku środkowi szczęki świeża blizna, pokrywająca bladą tkanką ranę, głęboką niemal do kości. Wyruszył w bój jako wieśniak, powrócił, będąc kimś zupełnie innym. Bystry niczym jastrząb śmiało spoglądał żółtymi oczami spod krzaczastych brwi zbiegających się nieledwie u nasady lekko zakrzywionego nosa. Zapuścił wąsy i krótką, ale zmierzwioną brodę. Miał na sobie pancerz jakiegoś wodza Pieczyngów, zdobiony złotem i srebrem. W małżowinie lewego ucha zawiesił kolczyk z drogim kamieniem. Ogolił głowę, pozostawiając jedynie kilka ciemnych kosmyków sczesanych na bok wzorem niektórych wielmożów. Nic w jego postawie nie świadczyło o tym, iż znalazł się w świętym miejscu czy też że przywiązuje do tego jakąkolwiek wagę.

– Teraz cię rozpoznałem, Tiborze Wołochu – syknął Wlad. – Nie lękasz się Boga prawdziwego? Nie drżysz przed krzyżem Chrystusa? Modliłem się o nasze zwycięstwo, a ty...

– A ja je tobie przynoszę. – Głos Tibora był głuchy, posępny.

Wołoch rzucił sakwę na posadzkę. Książęca świta i kijowscy panowie, stojący za plecami władcy, wstrzymali oddech i wytrzeszczyli oczy. U stóp Wlada bielił się stosik małych kostek.

– Co? – wykrztusił kniaź. – Co?

– Kciuki – wyjaśnił Tibor. – Musiałem je wygotować. Smród byłby obelgą. Pieczyngowie przegnani, uwięzieni są teraz pomiędzy Dniestrem, Bugiem i morzem. Strzeże ich tam armia twoich bojarów. Mam nadzieję, że poradzą sobie beze mnie i moich ludzi, usłyszałem bowiem, że na wschodzie jak wiatr zrywają się Połowcy. Podobnie w Turkiestanie armie szykują się do wojny!

– Słyszałeś? Ty słyszałeś? To z ciebie jakiś potężny wojewoda? Uważasz się za uszy Włodzimierza? A co znaczą słowa o „tobie i twoich ludziach"? Dwie seciny, z którymi wyruszyłeś, są moje!

Tibor nabrał tchu. Postąpił krok naprzód, przystanął. Skłonił się nisko, może i niezgrabnie.

– Oczywiście, że twoi, książę. Podobnie jak uchodźcy, których zebrałem i uczyniłem z nich wojowników. Wszyscy są twoi. A co do moich uszu: jeśli źle usłyszałem, spraw, bym ogłuchł. Ja tylko skończyłem to, co miałem do zrobienia na południu, i pomyślałem, że tu będę bardziej potrzebny. Niewielu dziś w Kijowie wojów, a granice są rozległe...

Oczy Wlada rozjaśniły się.

– Pieczyngowie poskromieni, powiadasz, i sobie za to przypisujesz zasługi?

– Z całą pokorą. Za to i nie tylko za to.

– I sprowadziłeś z powrotem mych ludzi. Bez strat?

– Garstka padła – skrzywił się Tibor. – Ale znalazłem osiemdziesięciu na ich miejsce.

– Pokaż mi.

Wyszli przez bramę na szerokie stopnie cerkwi. Ludzie Tibora czekali w milczeniu na placu, jedni konno, większość pieszo, a wszyscy uzbrojeni po zęby i wyglądający na zawziętych. Ta sama żałosna gromadka, którą Wołoch wiódł w bój, a jednak już nie żałosna. Na trzech wysokich drzewcach powiewały sztandary Tibora: Złoty Smok, a na jego grzbiecie Czarny Nietoperz o ślepiach z krwawników.

Wlad pokiwał głową.

– Twe godło – zauważył. – Nietoperz.

– Czarny Nietoperz Wołochów – wyjaśnił Tibor.

– Ale czemu nad Smokiem? – chciał wiedzieć jeden z mnichów.

Tibor obdarzył go wilczym uśmiechem.

– Chciałbyś, aby Smok nasikał na mego Nietoperza?

Zakonnicy odeszli z kniaziem na bok, a Tibor czekał. Nie słyszał, o czym mówią, ale od owego dnia dość często wyobrażał sobie przebieg tej rozmowy.

– *Ci ludzie są mu ślepo oddani! Widzisz, jak dumnie stoją pod jego sztandarem?* – szepnął starszy mnich chytrze, jak to Grecy. – *To może stać się niewygodne.*

– *I co cię trapi? W samym mieście mam pięć razy więcej ludzi* – odrzekł Wlad.

– *Ci tutaj sprawdzili się już w walce, wszyscy są wojownikami!* – mówił Grek.

– *Cóż powiadasz? Mam się go lękać? W mych żyłach płynie krew Waregów i nie boję się żadnego z ludzi!*

– *Oczywiście, że nie. Ale... ten tutaj wynosi się ponad stan. Czy nie można go gdzieś wysłać, jego i garstkę jego ludzi, a resztę zostawić do obrony miasta? Tym sposobem, pod jego nieobecność, uzyskasz nad nimi władzę.*

Oczy Włodzimierza Światosławicza zmrużyły się jeszcze bardziej. Pokiwał głową, z uznaniem.

– *To samo myślę. I wierzę, że masz słuszność, najlepiej się go pozbyć. Ci Wołochowie to zwodniczy lud. Nazbyt zamknięty w sobie...*

Rozmyślania Wołocha przerwał mocny głos Wlada:

– Tiborze, chcę cię gościć dzisiaj. Ciebie i pięciu twoich najlepszych. Opowiecie mi o waszych zwycięstwach. Będą również niewiasty, a zatem umyjcie się i pozostawcie zbroje w namiotach i na kwaterach.

Ukłoniwszy się krótko i sztywno, Tibor wycofał się i wyprowadził swoich ludzi. Na jego rozkaz, opuszczając plac, szczęknęli bronią.

– Kniaź Włodzimierz! – zakrzyknęli jednym głosem, ostro i dźwięcznie.

Wjechali w jesienny poranek do Kijowa, zwanego Miastem na Skraju Lasów.

Pomimo chwilowego rozproszenia, wpływu obcej mocy, Stwór śnił dalej. Zbliżała się noc, a Tibor tak wyczuwał zmierzch jak kogut świtanie, ale wciąż jeszcze śnił.

Owego wieczoru na dworze – w wielkim budynku z kamiennymi kominkami w każdej izbie, pełnymi ognia i zapachu aromatycznej żywicy – Tibor miał na sobie czystą, choć pospolitą, szatę i drogi czerwony płaszcz, zdobyty na jakimś wodzu Pieczyngów. Ciało wymył i wyperfumował, a kosmyki świeżo natłuścił. Wyglądał imponująco. Jego przyboczni też prezentowali się świetnie. Mimo iż wyraźnie czuło się napięcie tamtych, zwracał się do nich życzliwie, dla dam był dworny, wobec Wlada ugrzeczniony.

Możliwe (jak później uświadomił sobie Tibor), że książę nie wiedział, co wybrać. Wołoch dowiódł, że jest urodzonym wojownikiem, prawdziwym wojewodą. Wedle prawa powinien stać się bojarem, otrzymać własne ziemie. Człowiek walczy bardziej zaciekle, gdy walczy o swoje. Było jednak w Tiborze coś mrocznego, co budziło niepokój Wlada. Może więc nie mylili się greccy doradcy.

– Opowiedz teraz, jak uporałeś się z Pieczyngami, Tiborze z Wołoszczyzny – rozkazał Włodzimierz podczas uczty.

Dań podano kilka: greckie kiełbaski zawinięte w liście winorośli, mięsa pieczone sposobem Wikingów, gulasz parujący w wielkich misach. Miody i wina płynęły galonami. Wszyscy u stołu cięli i dźgali nożami parujące mięsiwo. Z rzadka gdzieniegdzie wzbijał się gwar rozmowy, a mimo powszechnego rozgardiaszu, towarzyszącego jedzeniu, głos Tibora, choć go nie podnosił, docierał do wszystkich wyraźnie. Wielki stół uciszał się stopniowo.

– Pieczyngowie nacierają drużynami lub plemionami. Nie przypominają potężnej armii. Mało wśród nich jedności, mają wielu wodzów patrzących na siebie z zawziętością. Wały ziemne i fortyfikacje nad Rosem, na samym skraju lasów, zatrzymały ich, gdyż nie byli zjednoczeni. Przychodząc do nas jako armia, w ciągu jednego dnia mogliby przekroczyć rzekę i szańce, zmiatając wszystko po drodze. Ale ograniczali się do węszenia, gdzie można nas ugryźć, zadowalając się tym, co można złupić podczas krótkich wypadów na wschód i zachód. Tak właśnie napadli na Kołomyję. Za dnia przebyli Prut, skryli się w lesie, przeczekali noc i zaatakowali o brzasku. Oto ich sposób walki. I tak stopniowo sięgają coraz dalej.

Oto, jak ja oceniałem tę sytuację: skoro są szańce, to nasi wojownicy je wykorzystują – kryjemy się za nimi. Wały ziemne stanowią granicę. Zadowala nas stwierdzenie: „Na południe od wałów leżą ziemie Pieczyngów, musimy więc trzymać ich po tamtej stronie". Mimo że Pieczyngowie są barbarzyńcami, to oni wszak nas nieustannie oblegają! Siedziałem za palisadami naszych fortyfikacji i widziałem, jak wróg bez lęku rozbija namioty. Dymy z ich ognisk szły w niebo bez przeszkód, gdyż postanowiliśmy nie nękać przeciwnika po „jego" stronie.

Kiedy opuszczałem Kijów, rzekłeś do mnie, kniaziu Włodzimierzu: „Odeprzyj Pieczyngów, powstrzymaj ich od przekroczenia Rosu". Ja powiedziałem sobie: „Dopadnij łotrów i zabij!". Któregoś dnia ujrzałem ich obóz – jakieś dwie setki. Mieli ze sobą kobiety, a nawet dzieci! Rozbili się tuż nad rzeką, na zachodzie, z dala od innych obozowisk. Podzieliłem moje dwie seciny na pół. Połowa o zmierzchu przeszła wraz ze mną rzekę. Podkradliśmy się do pieczyńskich ogni. Wystawili straże, ale większość z nich spała i nocą poderżnęliśmy im gardła tak, że nie wiedzieli nawet, kto ich zabił! Potem skierowaliśmy się do obozu, w całkowitej ciszy. Skąpałem mych ludzi w błocie. Kto nie był ubłocony – należał do Pieczyngów. Wyrzynaliśmy ich po ciemku, namiot za namiotem. Polowaliśmy nocą, jak wielkie nietoperze, a była to krwawa noc.

Połowa z nich już nie żyła, kiedy reszta zdała sobie sprawę z tego, co się dzieje. Ruszyli w pogoń za nami. Poprowadziliśmy ich nad Ros. Ścigali nas zawzięcie, licząc, że schwytają nas nad rzeką. Wrzeszczeli, wznosili okrzyki bojowe. My nie wrzeszczeliśmy, nie wznosiliśmy okrzyków. Nad rzeką, po pieczyńskiej stronie, czatowała moja druga setka. Również skąpana w błocie. Nie zaatakowała milczących, ubłoconych braci, ale wyjących prześladowców. Wówczas i my zawróciliśmy, natarliśmy na Pieczyngów i wycięliśmy ich do ostatniego. A potem odrąbaliśmy im kciuki... – przerwał.

– Wspaniale – blado stwierdził kniaź Włodzimierz.

– Innym razem – podjął Tibor – udaliśmy się pod oblężony Kamieniec. Znowu wziąłem ze sobą połowę ludzi. Pieczyngowie spod miasta wypatrzyli nas i wszczęli pościg. Powiedliśmy ich do wąwozu o stromych ścianach. Kiedy znaleźli się w pułapce, reszta mych wojowników spuściła na nich lawinę. Wiele kciuków straciłem tego dnia, pogrzebanych pod głazami, gdyby nie to, przywiózłbym ci kolejną sakwę!

Przy stole panowała już niemal zupełna cisza. Bardziej niż krwawe opisy czynów bitewnych, wpłynęła na to surowość relacji, wypranej z wszelkich uczuć. Najeżdżając ungarską osadę, z której wywodził się ten człowiek, gwałcąc i mordując, Pieczyngowie sprawili, że stał się on prawdziwie bezlitosnym zabójcą.

– Docierały już do mnie wieści o tym – przerwał milczenie Światosławicz – choć dość suche i nieliczne. Teraz jest o czym myśleć. Powiadasz więc, że moi bojarzy przegnali Pieczyngów? Walki przybrały nowy obrót? Może nauczyli się czegoś od ciebie, co?

– Nauczyli się, że warując za wysoką palisadą, nic się nie osiągnie! – rzekł Tibor. – Powiedziałem im: „Lato się kończy. Pieczyngowie, daleko na południu, obrastają w tłuszcz i niewieścieją z bezczynności, nie przypuszczają, że moglibyśmy ich najechać. Wznoszą trwałe osady, domostwa na zimę. Podobnie jak kiedyś Chazarowie, odkładają miecze na rzecz pługów. Jeżeli uderzymy teraz, legną jak trawa pod sierpem!". I wszyscy bojarzy połączyli się, przebyli rzekę, wdarli się głęboko w południowe stepy. Zabijaliśmy Pieczyngów, gdzie popadło.

Wtedy doszły mnie słuchy o większym, rodzącym się właśnie zagrożeniu: na wschodzie powstali Połowcy! Ściągają z wielkich stepów i pustyń, dążąc na zachód. Wkrótce staną su naszych bram. Chazarzy, upadając, otwarli drogę Pieczyngom. Co nas czeka po Pieczyngach? Dlatego właśnie pomyślałem, ośmieliłem się pomyśleć: „Być może Wlad da mi armię i wyśle na wschód, bym rozgromił naszych wrogów, nim staną się zbyt silni...".

Od dłuższego czasu kniaź Włodzimierz milczał, przyglądając się mu spod półprzymkniętych powiek.

– Długą drogę przebyłeś przez ten rok i miesiąc, Wołochu – odezwał się cicho, a potem głośno zwrócił się do gości: – Jedzcie, pijcie, bawcie się! Oddajcie honor temu człowiekowi. Wiele mu zawdzięczamy.

Wstał jednak przed zakończeniem uczty, dając znak Tiborowi, by poszedł za nim. Wyszli na zewnątrz, w chłód jesiennego wieczoru. Dymy ognisk spod pobliskich drzew przesyciły powietrze swoim zapachem.

Kiedy oddalili się nieco od dworu, kniaź przystanął.

– Tiborze, trzeba będzie rozważyć twój pomysł, ów najazd na wschód, i jego skutki, nie jestem bowiem do końca pewien, czy stać nas na to w tej chwili. Wiesz, że podejmowano już podobne próby. – Pokiwał głową z goryczą. – Sam Wielki Kniaź się z tym zmierzył. Początkowo nękał Chazarów. Światosław ich rozgromił, a zyskali na tym Bizantyjczycy. Potem musiał wyruszyć do Bułgarii i Macedonii. A gdzie był, kiedy koczownicy podeszli pod Kijów? Zapłacił za swój zapał? Tak, ile by legend o nim nie krążyło. Koczownicy utopili go przy porohach, a z czaszki zrobili puchar! Był nazbyt popędliwy. Tak, pozbył się Chazarów, ale tylko po to, by wpuścić przeklętych Pieczyngów! Ja też mam być tak popędliwy?

Wołoch zastanawiał się przez chwilę, słabo widoczny w mroku.

– Wyślesz mnie więc z powrotem na stepy południa?

– Może tak, może nie. Mogę wycofać cię całkiem z walki, uczynić bojarem, dać ci ziemię i ludzi, którzy dbaliby o nią za ciebie. Wiele tu dobrej ziemi, Tiborze.

– Wolałbym wrócić na Wołoszczyznę – potrząsnął głową Tibor. – Nie jestem chłopem, książę. Kiedyś tego próbowałem i przyszli Pieczyngowie, zmieniając mnie w wojownika. Od tamtego czasu miewam tylko czerwone sny. Sny o krwi. O krwi moich wrogów, wrogów tej ziemi.

– A co z moimi wrogami?

– To ci sami. Tylko mi ich wskaż.

– Zgoda – rzekł Wlad. – Wskażę ci jednego z nich. Czy znasz góry na zachodzie dzielące nas od Węgrów?

– Moi rodzice byli Ungarami – odpowiedział Tibor. – A co do gór, wychowałem się w ich cieniu. Nie na zachodzie, ale na południu, na ziemi Wołochów.

– Masz więc pewne pojęcie o górach i ich zdradliwości – i potędze. Po naszej stronie tych szczytów, za Haliczem, na obszarach, przez pamięć dla pewnego ludu nazwanych Chorwacją, żyje bojar, który... nie jest mi przyjazny. Traktuję go jak swego lennika, ale gdy zwołałem swoje książątka i bojarów, on się nie stawił. Kiedy zapraszam go do Kijowa, odmawia. Gdy wyrażam pragnienie spotkania z nim, lekceważy mnie. Skoro nie jest moim przyjacielem, może być tylko moim wrogiem. To pies, który nie przybiega do nogi. Dziki pies, którego domem jest górska twierdza. Do tej pory nie miałem ani czasu, ani potrzeby, ani też dostatecznej władzy, aby go stamtąd wyciągnąć, ale...

– Co? – zdumiał się Tibor. Jego okrzyk przerwał Wladowi w pół słowa. – Przepraszam, mój książę, ale ty... nie miałeś władzy?

– Nie pojmujesz. – Włodzimierz Światosławicz pokręcił głową. – Oczywiście, że mam władzę. Mam władzę nad Kijowem. Ale władza, im dalej sięga, tym bardziej słabnie! Mam zwołać armię, by rozprawić się z jednym nieposłusznym książątkiem? I otworzyć w ten sposób drogę Pieczyngom? A może utworzyć wojsko z chłopów, urzędników i ludu niewprawnego w walce? A jeśli tak, to co dalej? Armia nie zdoła wyciągnąć Ferenczyego z jego zamku, jeżeli on nie zechce go opuścić. Nawet armia nie zdoła go zniszczyć, tak silną ma obronę! Jaką? Przełęcze górskie, wąwozy, lawiny! Z garstką zaciekłych, wiernych poddanych może opierać się wojskom niemal bez końca. O, gdybym miał dwa tysiące ludzi w zapasie, prawdopodobnie mógłbym go wziąć głodem, ale za jaką cenę? Z drugiej strony to, czemu nie podołałaby armia, jest chyba możliwe dla jednego dzielnego, sprytnego, oddanego człowieka...

– Powiadasz, że chcesz wyciągnąć Ferenczyego z jego zamku i sprowadzić do Kijowa?

– Za późno już na to, Tiborze. Okazał, jak mnie „szanuje". Jak zatem ja miałbym okazać mu szacunek? Nie, chcę jego śmierci! Wówczas mi przypadną jego ziemie, zamek wśród szczytów, dobytek i sługi. A jego śmierć stanie się przykładem dla innych, którzy myślą o odstępstwie.

– Nie chcesz więc jego kciuków, ale jego głowę? – Tibor zaśmiał się gardłowo, bez nuty wesołości.

– Chcę jego głowę, serce i sztandar. I chcę, żeby te trzy rzeczy spłonęły na stosie tutaj, w Kijowie!

– Jego sztandar? A więc ów Ferenczy posiada jakieś godło? Mogę zapytać, jaki jest jego znak?

– Jak najbardziej – odpowiedział kniaź, w którego szarych oczach pojawiła się nagle nuta zadumy. Zniżył głos, rozglądając się przez chwilę, jakby chciał się dwakroć upewnić, że nikt ich nie podsłuchuje. – Ma w herbie rogaty łeb Diabła z rozdwojonym językiem, z którego ściekają krople krwi...

*
* *

Słońce dotknęło widnokręgu i płonęło tam czerwono jak... jak wielka kropla krwi. Ziemia zaraz ją połknie. Pradawny Stwór znów zadrżał. Skórzasta powłoka i kości rozstępowały się powoli, niczym wysychająca gąbka, pragnąc przyjąć daninę ziemi, krew sączącą się przez gnijące igliwie, korzenie i czarną, odwieczną glebę, aż do płytkiego grobu, w którym spoczywał tysiącletni Stwór-Tibor.

Podświadomość Tibora wyczuła sączącą się krew, ale podszepnęła mu, że to tylko marzenie, jedynie część snu. Inaczej bywało, gdy słońce naprawdę zachodziło i krople rzeczywiście go dotykały, zignorował więc to, powracając do owych dni z początku dziesiątego wieku, kiedy był jeszcze zwykłym człowiekiem i jechał w Karpaty, wysłany, żeby zabić...

Podawali się za myśliwych – Tibor i jego siedmiu kompanów. Wędrowali wzdłuż podnóża Karpat, by przed nastaniem zimy zagłębić się w północne lasy. W rzeczywistości przyjechali wprost z Kijowa, przez Kołomyję, i kierowali się dalej ku górom. Zabrali ze sobą paści i wnyki, by uwiarygodnić swoją opowieść. Po trzech tygodniach nieustannej jazdy dotarli do pewnego miejsca wtulonego w góry – „wioski", którą stanowiło kilka kamiennych domów, sześć na pół solidnych chat i kilkadziesiąt cygańskich namiotów z wyschniętych skór. Miejsca, które jego obecni mieszkańcy nazywali Mufo Aldo Ferenc Jaborow. Tę długą nazwę nieodmiennie skracali do słowa „Ferenc", co wymawiali jako „Ferengi". Tłumaczyli, że oznacza to „Dom Starego" lub „Dom Starego Ferengiego". Cyganie wymawiali tę nazwę z ogromnym szacunkiem, zawsze zniżając głos.

W wiosce żyło może ze stu mężczyzn, trzydzieści kobiet i tyleż dzieci. Połowa mężów była wędrownymi myśliwymi albo osadnikami, wypieranymi przez najazdy Pieczyngów, zmierzającymi dalej na północ, by tam zamieszkać. Niektórzy przybyli tu wraz z rodzinami. Oprócz stałych mieszkańców Ferengi Jaborow można tu było spotkać również Cyganów, którzy zjechali do wioski na zimę. Przyjeżdżali tu od niepamiętnych czasów; najwidoczniej „Stary Diabeł", będący tu bojarem, traktował ich dobrze i nikogo stąd nie przepędzał. Mówiono nawet, że w trudnych czasach zaopatrywał zbłąkanych wędrowców w jadło z własnych spiżarni i wino ze swych piwnic.

Kiedy Tibor zapytał we wsi o strawę i napitek dla siebie i swych towarzyszy, wskazano mu stojący pośród sosen dom z grubych belek. Znalazł tam coś w rodzaju oberży z maleńkimi izdebkami pośród krokwi, do których dostać się można było jedynie po sznurowych drabinkach, opuszczanych, jeśli gość zapragnął snu. Na dole znajdowały się drewniane stoły i stołki, a na krańcu obszernej izby – szynkwas, pełen baryłek śliwowicy i konwi słodkiego piwa. Pod jedną ze ścian, wzniesioną na poły z kamienia, u podstawy wielkiego komina, płonął ogień. Nad paleniskiem wisiał żelazny kociołek z gulaszem, roztaczającym wokoło silny zapach papryki. Z ćwieków wbitych w ścianę obok komina, zwisały pęki cebuli i wielkie kiełbasy o grubej skórce. Na stołach leżały pajdy czarnego chleba, rodem z kamiennego pieca.

Oberżysta prowadził ten przybytek ze swą żoną i parchatym synem. Tibor uznał ich za Cyganów, którzy wybrali osiadły żywot. „Mogli wybrać lepiej" – pomyślał, czując chłód i ciężar wszechobecnych skał, gór. Ich bliskość przytłaczała nawet tu, w oberży. Ponure było to miejsce, mroczne i złowróżbne.

Wołoch zakazał swym ludziom jakichkolwiek rozmów, ale gdy już pozbyli się rynsztunku, pojedli i popili, wymieniając między sobą stłumione uwagi, sam podzielił się dzbanem śliwowicy z gospodarzem.

– Ktoś ty? – zapytał sękaty staruch.

– Pytasz, kim byłem i gdzie byłem? – odparł Tibor. – To łatwiejsze niż rzec, kim jestem.

– No to powiedz, jeśli masz ochotę.

Tibor uśmiechnął się i łyknął śliwowicy.

– Jako młokos mieszkałem u podnóża Karpat. Mój ojciec był Ungarem, który wraz z braćmi, krewnymi i ich rodzinami wywędrował na południowe stepy, by uprawiać tam ziemię. Powiem krótko: najechali nas Pieczyngowie, zrównali wszystko z ziemią, spustoszyli naszą osadę. Od tamtej pory wędruję. Walczyłem z barbarzyńcami za żołd i to, co znalazłem przy ich trupach, robiłem, co się dało i gdzie się dało. Teraz będę polował na skóry. Poznałem już step, góry oraz lasy. Praca na roli to ciężki kawałek chleba, a przelewanie krwi czyni człeka gorzkim. W miastach zaś czekają pieniądze za skórki i futra. Sam włóczyłeś się trochę, prawda?

– Tu i ówdzie – przytaknął stary, wzruszając ramionami. Był ciemny jak uwędzony udziec, pomarszczony niczym łupina orzecha i chudy jak wilk. Nikt nie wziąłby go za młodego, mimo to włosy wciąż miał czarne i połyskliwe, tak samo jak oczy, i chyba nadal miał wszystkie zęby. Poruszał się ostrożnie, a dłonie miał powykręcane przez choroby i czas.

– Już tu pozostanę, dopóki moje kości będą mi służyły. Ongiś mieliśmy wóz o dwóch owiniętych w skórę kołach, który mogliśmy rozkładać i nieść, jeśli droga była trudna. Na tym wózku woziliśmy nasz dom i dobytek: wielki namiot o kilku izbach, garnki i narzędzia. Byliśmy i jesteśmy Cyganami, a kiedy zbudowałem ten dom, staliśmy się Cyganami Ferengi. – Wyciągnął szyję i utkwił szeroko rozwarte oczy w jednej ścianie oberży. Na jego twarzy lęk mieszał się z szacunkiem. W murze nie było okna, ale Wołoch wiedział, że stary wpatruje się w górskie szczyty.

– Cyganie Ferengi? – powtórzył Tibor. – Jesteście zatem poddanymi bojara Ferenczyego z tego zamku, tak?

Stary Cygan przestał wpatrywać się w niewidoczne wierzchołki, odchylił się nieco i zerknął nieufnie na rozmówcę.

Tibor szybko dolał mu śliwowicy. Stary milczał, a Wołoch wzruszył ramionami.

– Nieważne. Fakt, że słyszałem o nim same dobre rzeczy – skłamał. – Mój ojciec zetknął się z nim kiedyś...

– Naprawdę? – wytrzeszczył oczy starzec.

– Pewnej mroźnej zimy Ferenczy udzielił mu schronienia w swoim zamku – potwierdził Tibor. – Ojciec nakazał mi, bym, jeśli znajdę się kiedyś w tych stronach, udał się tam, przypomniał bojarowi owe chwile i podziękował w jego imieniu.

Stary długo przyglądał się Tiborowi.

– Czyli słyszałeś o naszym panu dobre rzeczy, tak? Od swego ojca, co? I urodziłeś się u podnóża gór...

– Takie to dziwne? – Tibor uniósł ciemną brew.

Cygan zmierzył go wzrokiem.

– Rosły z ciebie mąż – stwierdził z zazdrością. – I silny, jak widzę. Wyglądasz też na bojowego. Wołoch, którego rodzice byli Ungarami, tak? Cóż, może i jesteś, może i jesteś.

– Może kim jestem?

– Powiadają – szepnął Cygan, nachylając się – że prawdziwi synowie starego Ferengiego zawsze wracają do domu, by się z nim spotkać – spotkać się ze swoim ojcem! Chcesz pójść tam, żeby go zobaczyć?

Tibor udał niezdecydowanego.

– Mógłbym, gdybym znał drogę. – Wzruszył ramionami. – Ale te stromizny i przełęcze bywają zdradliwe.

– Ja znam drogę.

– Byłeś tam? – Tibor spróbował spytać o to nie nazbyt skwapliwie.

– O tak i mógłbym ciebie tam poprowadzić – potwierdził stary. – Ale czy poszedłbyś sam? Ferengi nie znosi nadmiaru gości.

Tibor udał, że się zastanawia.

– Chciałbym zabrać przynajmniej dwóch przyjaciół. Na wypadek trudnej przeprawy.

– He! Jeżeli moje stare gnaty temu podołają, twoje z pewnością też! Tylko dwóch?

– Do pomocy przy stromych przejściach.

Cygan wydął wargi.

– To będzie trochę kosztowało. Mój czas i...

– Zrozumiałe – uciął Wołoch.

– Co wiesz o starym Ferengim? – Cygan podrapał się w ucho. – Co o nim słyszałeś?

Tibor dostrzegł szansę na poszerzenie swej wiedzy. Wyciąganie wieści od takich ludzi przypominało wyrywanie zębów niedźwiedziowi.

– Słyszałem, że ma wielką drużynę zbrojnych, a sam zamek jest twierdzą nie do przeniknięcia. Że z tej przyczyny nie uznaje hołdu lennego, nie płaci podatków za swe ziemie, gdyż nikt nie odważy się ich zebrać.

– Ha! – zaśmiał się głośno oberżysta, waląc w bar i nalewając sobie jeszcze śliwowicy. – Drużynę zbrojnych? Świtę? Sługi? Nikogo nie ma! Może kobietę, dwie, ale żadnych mężów. Przełęczy strzegą jedynie wilki. A sam zamek otoczony jest przez góry. Tylko jedna droga prowadzi do środka, dla zwykłych ludzi, i powrót w ten sam sposób. Chyba że jakiś nieostrożny głupiec zanadto wychyli się z okna...

Kiedy skończył, znów w jego oczach zagościła nieufność.

– Twój ojciec powiedział ci, że Ferengi ma ludzi?

Rzecz jasna ojciec Tibora nic takiego nie powiedział. Wlad także nie, jeżeli o to idzie. Wszystko, co słyszał Wołoch, to przesądny bełkot jednego z dworzan, głupiego człowieka, który nie troszczył się nazbyt o kniazia, więc odpłacano mu tym samym. Tibor nie tracił czasu na wiarę w duchy – wielu ludzi zabił, a mimo to żaden nie powrócił, by go straszyć.

Postanowił zaryzykować – wiedział już wiele.

– Mój ojciec mówił jedynie, że droga była stroma, a podczas jego wizyty wielu ludzi obozowało na terenie zamku i w okolicy.

Stary wpatrywał się w niego, potem powoli pokiwał głową.

– Możliwe, możliwe. Cyganie często u niego zimowali. Zgoda, poprowadzę cię tam... Jeśli on zechce cię zobaczyć – zdecydował się wreszcie.

Zaśmiał się, widząc uniesione w zdziwieniu brwi Tibora, i wyprowadził go z budynku. Po drodze wziął wielką brązową patelnię.

Blade słońce wisiało w powietrzu, szykując się do zajścia za szare szczyty. Zapadał zmierzch, ptaki już śpiewały wieczorne piosenki.

– Przyszliśmy na czas – zauważył stary. – Miejmy nadzieję, że nas widać.

Wyciągnął rękę ku majaczącym przed nimi górom, wskazując ostrozębą, czarną grań, rysującą się wyraźnie na tle szarości najwyższych szczytów.

– Widzisz to miejsce, gdzie ciemność jest najgłębsza?

Tibor skinął głową.

– Oto zamek. Teraz uważaj.

Wytarł rękawem spód patelni i odwrócił go w kierunku słońca. Złapał słabe promienie i odbił je ku górom, posyłając ku turniom złotą linię. Coraz bledszy krąg światła migotał w oddali, przeskakując z piargów na płaskie lica skał, z ostrych zębów na jodły, z drzew na osypiska łupków, pnąc się coraz wyżej. I wreszcie wydało się Tiborowi, że ujrzał odpowiedź: mroczna, kanciasta grań zapłonęła żywym ogniem. Włócznia światła uderzyła tak nagle, tak oślepiająco, że Wołoch zasłonił dłońmi twarz, spoglądając przez palce.

– Czy to on? – zapytał. – Czy to sam bojar odpowiada?

– Stary Ferengi? – Cygan roześmiał się głośno. Ostrożnie złożył patelnię na płaskiej skałce, a mimo to promień światła wciąż lśnił na wyżynie. – Nie, to nie on. Słońce nie należy do jego przyjaciół. Zwierciadło też, jeśli o to chodzi! – Zaśmiał się znowu, po czym wyjaśnił: – To zwierciadło, wypolerowane na najwyższy połysk, jedno z kilku umieszczonych nad tylną ścianą skalną. Teraz, jeżeli ktoś dostrzegł nasz sygnał, zakryje lustro, które po prostu odbiło nasz promień, i światło zniknie. Nie stopniowo jak podczas zachodu słońca, ale w jednej chwili, o tak!

Promień zgasł niczym zdmuchnięta świeca, sprawiając, że Tibor, znalazłszy się nagle – jak mu się wydało – w nienaturalnym mroku, o mało nie upadł. Ale uspokoił się.

– Wydaje się więc, że nawiązałeś kontakt – stwierdził. – Bojar najwyraźniej dostrzegł, że masz mu coś do przekazania, ale skąd będzie wiedział co?

– Będzie wiedział – odparł Cygan. Złapał Tibora za ramię, wpatrując się w wysokie przełęcze. Oczy starca zaszkliły się nagle. Zachwiał się. Tibor podtrzymał go. I wtedy...

– Już wie – wyszeptał stary. Bielmo zniknęło z jego oczu.

– Co? – zdumiał się Tibor. Czuł się niepewnie. Cyganie to dziwaczny lud natchniony dziwną mocą. – Co miałeś na myśli, mówiąc...?

– A teraz odpowie „tak” lub „nie” – wszedł mu w słowo stary. Ledwie skończył mówić, z wysokiego zamku wystrzelił pojedynczy silny promień światła, który zaraz zgasł.

– Och! – westchnął Cygan. – Odpowiedź brzmi: „tak”. Zobaczy się z tobą.

– Kiedy? – Tibor przystał już na niezwykły charakter owego zdarzenia, ale starał się nie okazywać zbytniego zapału.

– Zaraz. Wyruszymy natychmiast. Góry są niebezpieczne nocą, ale jego wolą jest, by stało się to teraz. Nadal chcesz tam iść?

– Nie rozczaruję go, skoro mnie zaprosił – odrzekł Tibor.

– Doskonale. Ale otul się ciepło, Wołochu. Tam będzie zimno. – Stary człowiek obrzucił go krótkim, przenikliwym spojrzeniem. – Tak, śmiertelnie zimno...

Tibor wybrał na towarzyszy wędrówki dwóch krzepkich Wołochów. Większość jego ludzi wywodziła się z dawnej ojczyzny, ale z tymi walczył ramię w ramię podczas wojen z Pieczyngami i wiedział, że to zaciekli wojownicy. Idąc na spotkanie z Ferenczym, wolał mieć przy sobie bitnych mężów. Może się zdarzyć, iż będą potrzebni. Arwos, stary Cygan, powiedział wprawdzie, że bojar nie ma służby, ale któż zatem odpowiedział na świetlny sygnał? Tibor nie mógł wyobrazić sobie bogacza żyjącego samotnie, najwyżej z jedną kobietą czy dwiema, we wszystkim zdanego na siebie. Był pewien, że stary Arwos kłamał.

„A gdyby pana górskiej twierdzy otaczała zaledwie garstka wiernych?" – takie myślenie nie wiodło do niczego. Tiborowi pozostało jedynie czekać, aż sam przekona się o układzie sił. Jeżeli będzie tam wielu przeciwników, miał zamiar powiedzieć, iż przybył jako poseł od Włodzimierza z zaproszeniem dla bojara na kijowski dwór, powiązać to z wojną przeciwko Pieczyngom. Tak czy inaczej droga została wytyczona: musiał wspinać się na górę, by na jej szczycie, wykorzystując nadarzającą się sposobność, zabić człowieka.

Tibor był na swój sposób naiwny. Przez myśl mu nie przeszło, że Wlad wysłał go na śmierć, pewien, że Wołoch nie wróci do Kijowa.

Wspinaczka początkowo nie sprawiała trudności, pomimo faktu, że drogi niczym nie oznaczono. Ścieżka pięła się przez siodło pomiędzy wzgórzami do podnóża niedostępnego zbocza, potem wiodła przez osypisko do szerokiej szczeliny czy też komina w skalnej ścianie, skąd wznosiła się stromo ku bardziej płaskiemu terenowi, u podnóża drugiego pasma wzgórz, pokrytego dzikim lasem. Pomiędzy prastarymi drzewami Tibor dostrzegł nitkę szlaku ciągnącego się dalej. Wyglądało to tak, jakby jakiś olbrzym chwycił sierp i wykosił prostą drogę przez las. Stąd niewątpliwie wzięły się belki w wiosce. Możliwe, że część z nich przeciągnięto przez góry i wykorzystano przy budowie zamku. Działo się to pewnie przed setkami lat, ale jak dotąd nowe pnie nie zatarasowały drogi. Wędrówka przez las nie należała do zbyt trudnych, a kiedy zmierzch przeszedł w noc, wstał księżyc w pełni, użyczając drodze swego srebrzystego światła. Oszczędzając oddech na wspinaczkę, trzej mężowie i ich przewodnik nie odzywali się słowem i Tibor mógł wreszcie pomyśleć o tym, co usłyszał od wymuskanego dworaka o bojarze Ferenczym.

– Grecy boją się go bardziej niż Włodzimierz – powiadomił go ów „długi język". – W Grecji od dawna polowano na takich jak on i wszystkich wytępiono. Takich jak Ferenczy nazywają *vrykoulakas*, co oznacza to samo co bułgarskie *obur* czy *mufur*, albo wampir!

– Słyszałem już o wampirach – odpowiedział Tibor. – W moim kraju znają ten sam mit. Wiejski przesąd. Powiem ci coś: ludzie, których zabiłem, gniją w swoich grobach, o ile mają groby. Z pewnością się tam nie tuczą! A jeżeli pęcznieją, to od zgnilizny, nie od krwi żyjących!

– Mimo to Ferenczyego uważa się za takiego potwora – upierał się informator Tibora. – Słyszałem rozmowy greckich mnichów; mówili, że w żadnej chrześcijańskiej krainie nie ma miejsca dla takich jak on. W Grecji wbijano im kołki w serce i ucinano głowy. Albo jeszcze lepiej, ćwiartowano ich i palono szczątki. Wierzą, że nawet mała cząstka wampira może się rozrosnąć w ciele nieostrożnego człeka. Te stwory są jak pijawki, ale ssą od środka! Stąd powiedzenie, że wampir ma dwa serca oraz dwie dusze – i że nie umrze, zanim nie zniszczy się obu jego postaci.

Tibor uśmiechnął się niewesoło, wzgardliwie.

– Cóż, czarnoksiężnik, guślarz czy ktokolwiek inny, żyje już zbyt długo. Kniaź Włodzimierz chce śmierci Ferenczyego, a ja się tego podjąłem.

– Żyje już zbyt długo – powtórzył tamten, wyrzucając w górę ręce. – Tak, nawet nie wiesz, ile w tym prawdy. W tych górach, jak tylko ludzie sięgają pamięcią, zawsze żył Ferenczy. A legendy głoszą, że to wciąż ten sam Ferenczy! Powiedz mi teraz, Wołochu, jakiż to człowiek, dla którego upływ lat jest jak upływ godzin?

Tibor z tego też się wówczas śmiał, teraz jednak, wracając pamięcią do owej rozmowy, stwierdzał, że kilka spraw mogło do siebie pasować.

Na przykład „Mufo" w nazwie wioski bardzo przypominało słowo *mufur*, czyli wampir. „Wioska Starego Wampira Ferenczyego"? Przypomniał sobie, co powiedział stary Cygan Arwos: „Słońce nie należy do jego przyjaciół. Zwierciadło też, jeśli o to chodzi!". Czyż wampiry nie były stworzeniami nocy, lękającymi się luster, gdyż te nie odbijają ich postaci, a może gdyż ukazują postać zbyt bliską prawdziwej?

Tibor prychnął w końcu, drwiąc z własnej wyobraźni. Wszystko tu było stare i dlatego budziło dziwne myśli. Prastare lasy i odwieczne góry...

W jakiejś chwili wędrowcy wyszli spośród drzew i skierowali się ku łańcuchowi wzgórz, gdzie rosły jedynie porosty. Dalej widzieli połać rumoszu w płytkim zapadlisku i piarg sięgający może pół mili w górę, ku granatowym cieniom groźnych zboczy. Na północy, wysoko w niebo, wznosiła się czarna ściana zakończona czymś w rodzaju rogów. Właśnie na owe rogi, skąpane teraz w świetle księżyca, wskazywał krzywy palec starego Arwosa.

– Tam! – Cygan zaśmiał się, jakby usłyszał jakiś żart. – Tam jest domostwo starego Ferengiego!

Tibor podniósł wzrok – był niemal pewien, że dojrzał odległe okna, świecące niczym oczy. Zdawało się, że na tamtejszych wierchach przycupnął ogromny nietoperz czy też władca wszystkich wielkich wilków.

– Jak oczy w kamiennej twarzy – warknął jeden z Wołochów, barczysty, szerokoplecy mąż o krótkich, masywnych nogach.

– Nie tylko te oczy nas śledzą! – wyszeptał drugi, chudy, przygarbiony wojownik.

– Co mówisz? – Tibor był już gotów do działania, uważnie wpatrywał się w mrok. Wreszcie dojrzał złowrogie trójkątne płomienie, które zdawały się wisieć w powietrzu, na skraju lasu, niczym listki złota. Pięć par oczu: zapewne wilczych ślepi.

– Ho! – krzyknął Tibor. Wydobył miecz, postąpił krok do przodu. – Precz, leśne psy! Nic dla was nie mamy.

Bestie zamrugały, cofnęły się i rozproszyły. Cztery chude, szare sylwetki odbiegły wielkimi susami w tył, odpłynęły w świetle księżyca i zgubiły się gdzieś pośród głazów na skraju piargu. Pozostała jednak piąta para oczu. Uniosła się wyżej i bez wahania przedarła się przez ciemność w kierunku wędrowców.

Z cienia wyłonił się mężczyzna, co najmniej równy wzrostem Tiborowi.

Cygan Arwos zatoczył się, jakby miał zemdleć. Księżyc oświetlił niesamowitą, srebrnoszarą twarz. Obcy wyciągnął rękę i złapał starego za ramię, wpatrując się w jego oczy.

Tibor, wzorem urodzonych wojowników, stanął w zasięgu ciosu. Miecz nadal trzymał w dłoni, obcy jednak przybył tu sam. Ludzie Tibora – początkowo zaskoczeni, może nieco strwożeni – gotowi byli już dobyć broni, ale przywódca powstrzymał ich słowem i schował swoją klingę. Zlekceważył przeciwnika tym gestem, znamionującym siłę i wzgardę. A z pewnością odwagę.

– Kim jesteś? – zapytał. – Zakradłeś się jak wilk.

Nowo przybyły był szczupły, delikatny. Odziany w czerń, ramiona okrył długim płaszczem spadającym poniżej kolan. Mógł mieć ukrytą pod spodem broń, ale ręce trzymał na widoku, oparte na biodrach. Ignorując już starego Arwosa, przypatrywał się trzem Wołochom. Wojów Tibora ledwie dotknął mrocznym spojrzeniem, na dłuższą chwilę zawiesił wzrok na ich wodzu.

– Należę do domu Ferenczyego. Mój pan wysłał mnie, żebym zobaczył, jacy to ludzie chcą go odwiedzić tej nocy.

Uśmiechnął się lekko. Jego głos wpłynął kojąco na wojewodę. Dziwne, ale podobnie działały jego oczy, których nie zmrużył ani razu. Odbijało się w nich teraz światło księżyca. Tibor zatęsknił za bardziej naturalnym blaskiem. Twarz przybysza przeraziła go upiornym wyrazem. Czuł, że spogląda na niekształtną czaszkę, i dziwił się, że stopniowo przestaje go drażnić. Stał nieruchomo, ogarnięty jakąś tajemniczą fascynacją, jak ćma przed śmiercionośnym płomieniem. Tak, czuł jednocześnie fascynację i odrazę.

Nagle zaświtało mu w głowie, że ulega jakiejś dziwnej chorobie lub pokusie, wyprostował się bardziej i cofnął się.

– Możesz przekazać swemu panu, że jestem Wołochem. I że przybyłem omówić ważne sprawy: wezwania i powinności – rzekł.

Człowiek w długim płaszczu podszedł bliżej, księżyc zaświecił mu prosto w twarz. Ukazało się ludzkie oblicze, a nie naga czaszka, ale kryło się w nim coś wilczego – nadmiernie rozbudowane szczęki i dziwaczna długość uszu.

– Mój pan przypuszczał, że może do tego dojść – oznajmił przybysz. Jego głos zabrzmiał twardo. – Ale nieważne, co ma być, to będzie, a ty jesteś jedynie posłańcem. Nim przejdziesz jednak punkt, który jest granicą, mój pan musi upewnić się, że przybywasz tu z własnej i nieprzymuszonej woli.

Tibor odzyskał już panowanie nad sobą.
– Nikt mnie tu nie przywlókł – parsknął.
– Ale cię przysłano...?
– Silnego człowieka można „posłać" jedynie tam, gdzie chce się udać – odparł Wołoch.
– A twoi ludzie?
– Jesteśmy tu z Tiborem – rzekł przygarbiony. – Tam, gdzie on wędruje, i my wędrujemy, z własnej woli!
– Choćby po to, aby zobaczyć, któż wysyła wilki, żeby wypełniały jego rozkazy – dodał drugi towarzysz Tibora.
– Wilki? – Nieznajomy skrzywił się, przechylając filuternie głowę na bok. Rozejrzał się bacznie, po czym uśmiechnął się rozbawiony. – Myślicie o psach mego pana?
– Psy? – Tibor był pewien, że widział wilki. Teraz jednakże ten pomysł wydał mu się śmieszny.
– Tak, psy. Wyszły ze mną, bo noc jest wspaniała. Ale nie przywykły do obcych. Widzieliście, uciekły do domu.
– A zatem wyszedłeś nam na spotkanie? Aby wrócić z nami, pokazując nam drogę – odezwał się Tibor.
– Nie ja – zaprzeczył tamten. – Arwos zrobi to równie dobrze. Przyszedłem tu tylko, żeby was powitać i policzyć. A także upewnić się, że wasza obecność nie jest wymuszona. Jednym słowem, że przyszliście tu z własnej woli.
– Jeszcze raz mówię – warknął Tibor. – Któż mógłby mnie zmusić?
– Bywają różne rodzaje nacisków – wzruszył ramionami przybysz. – Ale widzę, że jesteś sam dla siebie panem.
– Wspomniałeś o liczeniu nas?
Człowiek w płaszczu uniósł brwi. Wygięły się jak spadziste daszki.
– To dla waszej wygody – wyjaśnił. – Po cóż by innego? – dodał, zanim Tibor zdążył odpowiedzieć. – Muszę już iść, poczynić przygotowania.
– Nie chciałbym zabierać miejsca w domu twego pana – rzekł szybko Tibor. – Źle być niespodziewanym gościem, ale o wiele gorzej, jeśli inni muszą opuścić należne im miejsce, żeby zapewnić mi kąt.
– O, miejsca jest dość – odpowiedział tamten. – I nie przybywacie całkiem niespodziewanie. A co do ustępowania miejsca, dom mego pana jest wprawdzie ogromny, ale żyje w nim

mniej dusz niż was. – Zupełnie jakby czytał w myślach Tibora i odpowiadał na dręczące go pytanie.

Zwrócił teraz twarz ku Cyganowi.

– Uważaj jednak, ścieżka na zboczu osypuje się i wędrówka jest niebezpieczna. Strzeż się lawin! – I znowu do Tibora: – Do zobaczenia.

Patrzyli, jak zawraca i rusza śladem „psów" swego pana przez wąskie pasmo rumoszu, pomiędzy głazami.

Ledwie zniknął w cieniu, Tibor złapał Arwosa za szyję.

– Żadnej świty? – syknął w twarz starego Cygana. – Żadnych sług? Jesteś małym łgarzem czy wielkim kłamcą? Ferenczy może tam mieć armię!

Arwos próbował się wyrwać, ale poczuł, że palce Wołocha zaciskają się na jego krtani jak żelazne kleszcze.

– Sługa czy dwóch – wykrztusił. – Skąd mogłem... mogłem wiedzieć? Minęło wiele lat...

Tibor puścił go i odepchnął od siebie.

– Starcze – ostrzegł – jeśli chcesz doczekać następnego dnia, upewnij się, że wiedziesz nas dobrą drogą.

I tak przeszli przez kamienne zapadlisko, zbliżając się do zbocza. Ruszyli w górę wąską ścieżynką wyrąbaną w jego pionowym licu...

ROZDZIAŁ TRZECI

W świetle księżyca ścieżka wiła się jak srebrny wąż. Szeroka jedynie na tyle, by mógł nią przejechać mały zaprzęg, miejscami zwężała się tak, że nawet człowiekowi trudno było się na niej utrzymać. I właśnie strome urwiska i przepaść wybrał sobie nocny wiatr znad lasów, by igrać z ludźmi idącymi z mozołem ku nieznanej górskiej twierdzy.

– Jak długa jeszcze jest ta przeklęta ścieżka? – warknął Tibor do Cygana, gdy mieli już za sobą z pół mili powolnej, ostrożnej wspinaczki.

– Jeszcze drugie tyle – odrzekł natychmiast Arwos – ale będzie bardziej stromo. Powiadają, że ze sto lat temu jeździły tędy wozy, ale od tego czasu nikt już zbytnio nie dbał o trakt.

– He! – parsknął krępy towarzysz Tibora. – Wozy? Nie puściłbym tędy kozicy!

Drugi Wołoch, ów przygarbiony, drgnął i przywarł do skały.

– O kozicach nic nie wiem – wyszeptał chrapliwie – ale jeśli się nie mylę, mamy towarzystwo, „pieski" Ferenczyego!

Tibor spojrzał na załom, za którym niknęła ścieżka. Na tle gwiaździstego nieboskłonu wyraźnie rysowały się dwie czarne sylwetki wilków o podniesionych pyskach, postawionych uszach i złowrogo połyskujących ślepiach. Łapiąc oddech i klnąc dosadnie, Tibor zerknął w tył, w najgłębszy cień i ujrzał pozostałą parę, a raczej ich trójkątne ślepia, w których odbijał się księżyc.

– Arwos! – zawarczał, zbierając myśli i próbując dosięgnąć starego Cygana. – Arwos!

Rumor, który nagle usłyszeli, mógłby oznaczać grzmot błyskawicy, gdyby powietrze nie było suche i rześkie, a nieliczne chmury nie sunęły spokojnie zamiast pędzić. Rzadko też się zdarza, żeby od huku gromu drżała ziemia pod stopami.

Chudy, przygarbiony przyjaciel Tibora zamykający grupę znalazł się właśnie w miejscu największego przewężenia, na skraju przepaści. Krok dalej byłby bezpieczny.

– Lawina! – wychrypiał, skacząc w przód. W tej samej chwili deszcz głazów zmiótł go jednak w otchłań. Wszystko odbyło się w okamgnieniu: stał z ramionami wyciągniętymi w przód i osłupiałą twarzą, białą w świetle księżyca, a w sekundę później już go nie było. Nawet nie krzyknął. Stracił przytomność, może nawet już nie żył, spadając.

Tibor odwrócił się, by spojrzeć na dygocącego Cygana, wczepionego w skalną ścianę.

– Lawina – Arwos zobaczył wyraz jego twarzy. – Nie możesz winić mnie za lawinę. Gdyby skoczył, zamiast ostrzegać...

Tibor kiwnął głową.

– Nie – zgodził się, spoglądając na niego spod brwi, czarnych jak sama noc. – Nie mogę winić ciebie za lawinę. Ale jeżeli znów wyniknie jakikolwiek kłopot, z jakiej bądź przyczyny, zrzucę cię w przepaść. Dzięki temu, jeśli będę miał zginąć, będę wiedział, że śmierć ciebie najpierw zabrała. Jedno bowiem musimy wyjaśnić sobie, starcze. Nie ufam Ferenczyemu, nie ufam jego „psom", ale jeszcze mniej ufam tobie. Dalszych ostrzeżeń nie będzie. – Skierował kciuk w górę ścieżki. – Prowadź, Arwosie Cyganie, i pospiesz się!

Tibor nie wierzył w moc swojego ostrzeżenia. Nawet jeśli znaczyło coś dla Cygana, było niczym dla jego pana z górskiej twierdzy. Ale Wołoch nie rzucał gróźb na wiatr. Teraz było już pewne, że stary Arwos jest człowiekiem Ferenczyego, a lawina nie była dziełem przypadku. Śmierć czaiła się na każdym kroku, czyhała na przełęczy, gdzie skalną ścianę przecinał głęboki wąwóz, na którego krańcu rozsiadł się zamek Ferenczyego.

Taki właśnie widok ujrzeli wędrowcy Tibor, jego druh i zdradliwy Cygan Arwos. Ongiś, w zasnutych mgłą czasach, góry pękały, niszczone wstrząsami. W jednolitych dotąd ścianach skalnych powstawały żleby. Tu jednak wąwóz został wydrążony w głębi skały. Zbocze, które przebyli, doprowadziło ich w końcu do miejsca, z którego widzieli już oddalony o pół mili wierzchołek. Pęknięcie rozbiło go na dwa bliźniacze szczyty, przypominające uszy nietoperza lub wilka. Tam właśnie, na samym końcu rozdzielającego je wąwozu, wpijając się w przeciwległe ściany i łącząc je masywnym łukiem, czekała siedziba bojara. Oba okna jarzyły się jasno niczym ślepia poniżej czarnych, spiczastych uszu, a jar przywodził na myśl rozwartą paszczę.

– Nie dziw, że włada wilkami! – mruknął krępy kompan Tibora, a jego słowa zabrzmiały jak wezwanie.

Przybiegły od strony zamku. Zgraja wilków, ściana szarego futra wysadzana żółtymi klejnotami ślepi. Nadbiegły wielkimi susami, pewne swego.

– Sfora! – krzyknął wołoski wojownik.

– Jest ich zbyt wiele, żeby podjąć walkę! – odkrzyknął wojewoda. Kątem oka dojrzał, że Arwos rzuca się do przodu, ku nadchodzącym wilkom. Uderzył silnie i przewrócił Cygana.

– Łap go! – rozkazał, wyciągając miecz.

Krępy Wołoch podniósł Arwosa bez wysiłku, jakby miał do czynienia z wyschniętym na wiór trupem, dźwignął nad przepaść i znieruchomiał. Arwos zaskowyczał ze strachu. Wilki, oddalone już o kilka skoków, zatrzymały się niepewnie. Przywódcy stada unieśli w górę pyski, wyjąc żałośnie. Było niemal pewne, że czekają na rozkaz.

Arwos przestał wrzeszczeć i odwrócił głowę, wpatrując się rozszerzonymi oczami w odległy zamek. Łapał powietrze, grdyka drgała mu spazmatycznie.

Trzymający go mężczyzna spojrzał na Tibora.

– Co teraz? Mam go rzucić?

Olbrzymi Wołoch pokręcił głową.

– Tylko jeżeli zaatakują – odpowiedział.

– Myślisz więc, że ten Ferenczy nimi rządzi? Ale... czy to możliwe?

– Wygląda na to, że nasz przeciwnik posiada wielką moc – stwierdził Tibor. – Popatrz na twarz Cygana.

Rysy Arwosa zastygły. Tibor widział to już przedtem, w wiosce, kiedy stary posłużył się patelnią jako zwierciadłem. Jego oczy przykryła mleczna zasłona.

– Panie? – Arwos ledwie poruszał ustami. Głos jego zabrzmiał delikatnie jak tchnienie górskiego wiatru, raptownie jednak nabrał mocy. – Panie? Ależ panie, zawsze byłem twym wiernym... – urwał nagle, jakby na rozkaz, wytrzeszczając zakryte bielmem oczy. – Nie, mistrzu, nie!

Krzyk stał się bardziej przeraźliwy. Cygan wczepił się w dłonie i masywne ramiona Wołocha, rzucając wyraźniejsze już spojrzenie na ścieżkę i gromadzące się wilki.

Tibor ledwie czuł moc emanującą z odległego zamku, niemal smakował wydany wyrok, który skazywał Cygana na śmierć.

„Ferenczy skończył ze starym, po cóż więc zwlekać?" – pomyślał.

Dwa wilki, przewodnicy stada, skradały się cicho, prężąc mięśnie.

– Rzuć go! – zgrzytnął Tibor, ponaglając towarzysza bez cienia litości.

Jego towarzysz próbował zrzucić starego, lecz ten jak ciernisty krzak, wpił się w jego ramiona. Walczył desperacko, próbował oprzeć stopy na ścieżce. Ale było już za późno – dla nich obu. Oddając się śmierci, dwa szare wilki skoczyły równocześnie, jak spuszczone ze smyczy. Nie na Tibora, na niego nawet nie spojrzały, ale na jego krępego kompana, który próbował uwolnić się z uścisku Arwosa. Spadły razem, bezwładnie, na szamocących się ludzi, przetoczyły się wraz z nimi przez krawędź ścieżki, prosto w mrok.

Tego już było za wiele. Tibor nie zastanawiał się dłużej. Przywódcy stada odpowiedzieli na zew, którego on nie usłyszał, wilki zginęły ochoczo w imię niepojętej dla niego sprawy. On wszakże żył i nie zamierzał tanio sprzedać swego życia.

– No, wilczki! – zawył w kierunku sfory, niemal w ich własnej mowie. – Chodźcie tu! Który pierwszy chce posmakować mego ostrza?

Przez dłuższą chwilę wilki stały nieruchomo. Potem ruszyły, ale nie do przodu. Zawróciły, wycofując się. Nagle jednak przystanęły, spojrzały łagodnie na Wołocha.

– Tchórze! – rozsierdził się Tibor. Postąpił o krok w ich stronę, cofnęły się jeszcze bardziej. Uświadomił sobie, nagle był tego pewien, że nie przyszły tu, by go zagryźć, ale sprawić, że dalej ruszy sam.

Po raz pierwszy pojął coś z mocy tajemniczego bojara i zrozumiał też, dlaczego Wlad pragnął jego śmierci. Żałował poniewczasie, że tak się krzywił, słuchając ostrzeżeń dworaka. Mógł jednak wciąż zawrócić do wioski i skrzyknąć resztę ludzi. Tyle że ścieżkę na zboczu zajęła zgraja szarych drapieżników z wywieszonymi ozorami.

Tibor ruszył w ich stronę. Nie cofnęły się ani o cal, tylko ich dzikie pyski wydały z siebie głuchy pomruk. Krok w drugą stronę – i ruszyły za nim. Miał swoją świtę.

– Z własnej i nieprzymuszonej woli, co? – szepnął i spojrzał na trzymany w dłoni miecz. Miecz jakiegoś wojownika

Waregów, dobre ostrze starych Wikingów, bezużyteczny jednak, gdyby zdecydowały się natrzeć całą sforą – gdyby ktoś zdecydował, że zaatakują całą sforą. Tibor wiedział o tym i przypuszczał, że one też wiedzą. Schował broń i zebrał w sobie jeszcze dość energii, by rzucić rozkaz.

– Prowadźcie więc, dzieciaki, ale nie za blisko, bo zrobię z waszych łap amulety!

I tak powiodły go w kierunku przerażającej, mrocznej budowli.

*
* *

Pogrążony w swym płytkim grobie Pradawny Stwór znów zadrżał, tym razem ze strachu. Jakimkolwiek potworem nie stałby się człowiek, ilekroć śni o swej młodości i o tym, co go wówczas przerażało, nadal przeżywa ten sam lęk. Tak było i z Tiborem-Bestią, zwłaszcza że sen wiódł go na skraj samej wcielonej grozy.

Słońce już niemal zaszło, jego brzeg ledwie malował wzgórza na czerwono, ale promienie nadal przeszywały ziemię, połyskując na jej powierzchni złotymi plamami. I nawet kiedy chowało się całe za horyzont, by palić już inne krainy, Tibor nie musiał się „budzić”, jak czynią to ludzie. Mógł na szczęście śnić przez wiele lat pomiędzy przypływami owej czarnej nienawiści, które nazywał przebudzeniem. Fatalny jest los Potwora pogrzebanego w ziemi – rozbudzonego, samotnego, nieruchomego, nieumarłego.

Bezpośredni kontakt z krwią przesączającą się przez ziemię z całą pewnością by go zbudził. Nawet teraz bliskość owej ciepłej, drogocennej cieczy budziła jego emocje. Nozdrza rozdęły się, chłonąc jej zapach; zasuszone serce pobudziło jego własną, starą krew, uśpioną w żyłach; jego wampirzy rdzeń jęknął bezgłośnie przez sen. Sen Tibora był jednak silniejszy. Działał na umysł jak magnes, prowadził go nieodmiennie ku zakończeniu, które Tibor znał i które od dawna budziło w nim strach. Za każdym razem musiał przeżywać je ponownie. I tak, uwięziony w ziemi, pod nieruchomymi drzewami, gdzie kamienie jego grobowca leżały w nieładzie, pokryte porostami, upiorny Stwór śnił dalej...

*
* *

Droga rozszerzała się, przechodziła w obrzeżoną ciemnymi sosnami aleję biegnącą wzdłuż krawędzi nienaruszonego przez wieki osypiska. Po lewej stronie, za strzelistymi pniami drzew, na setki stóp w górę, ku ciemnemu niebu wysadzanemu gwiazdami, wznosiły się pionowo gładkie, czarne skały. Po prawej drzewa schodziły jednolitą masą w dół już nie tak stromego stoku. W dole szemrała i bulgotała woda, niewidoczna pod czarnym jak noc baldachimem. Wlad miał słuszność: dysponując zaledwie garstką ludzi czy wilków, Ferenczy bez trudu mógł się oprzeć armii. Wewnątrz zamku wszakże sprawy mogły przyjąć inny obrót. Zwłaszcza, jeśli bojar naprawdę mieszkał sam – lub prawie sam.

W końcu zamajaczyła przed nim wiekowa ruina. Kamienne bloki były potężne, ale poradlone, naruszone przez czas. Po obu stronach szczeliny w skalnej ścianie wznosiły się solidne, dwunastometrowe wieże; u szerokich podstaw – graniaste i niemal bez wyrazu, wyżej urozmaicone łukowymi, zabezpieczonymi przed atakiem oknami, gzymsami, balkonikami o głębokich strzelnicach i kamiennymi spustnicami sterczącymi z pysków rzeźbionych gargulców i smoczych łbów. Na szczytach wież kolejne szeregi powykruszanych już strzelnic chroniły strome dachy. Nad wszystkim ciążył odór rozpadu, wilgotna i duszna stęchlizna, jakby każdy kamień wydzielał tu z siebie lepki, zimny pot.

W połowie wysokości ze zwróconych do wnętrza ścian wieżyc wyłaniały się przypory, niemal tak samo masywne jak baszty, łączące się nad rozpadliną w łuk, niczym kamienny most od wieży do wieży, długi na jakieś dwadzieścia pięć, trzydzieści metrów. Przypory te dźwigały długi jednopoziomowy dwór o małych kwadratowych okienkach, wykonany w całości z belek. Miał spadzisty dach kryty ciężką dachówką. Zarówno dwór, jak i dach były w rozpaczliwym stanie. Tak samo wieże. Gdyby nie fakt, że w dwóch okienkach migotało światło, zamek wyglądałby na opustoszały, niczyj. Nie tak Tibor wyobrażał sobie siedzibę wielkiego bojara. Z drugiej strony jednak, gdyby był przesądny, z miejsca wziąłby go za siedlisko demonów.

W miarę jak zbliżał się do zamku, szeregi wilków rzedły. Dopiero stanąwszy w cieniu murów, Wołoch dojrzał proste zabezpieczenie budowli: fosę szeroką na pięć metrów i na tyleż głęboką, wyrąbaną w litej skale i uzbrojoną długimi zaostrzonymi palami, osadzonymi tak blisko siebie, że każdy, kto by w nią runął, musiałby się nadziać. Wtedy też zauważył drzwi: ciężkie, dębowe, okute żelazem odrzwia, wydłużone do góry, tak by stanowiły jednocześnie zwodzony most. W chwili gdy na nie patrzył, zaczęły się opuszczać ze szczękiem łańcuchów.

W bramie stała okryta płaszczem postać, trzymająca przed sobą zapaloną pochodnię. W blasku oślepiającego ognia nie było widać jej rysów, a jedynie niewyraźną plamę. Tibor zdołał dostrzec wszakże niezwykłą bladość i dość groteskowe proporcje twarzy. Zrodziło to w nim podejrzenia, które szybko stały się czymś więcej niż zwykłymi domysłami.

– A zatem przyszedłeś, z własnej i nieprzymuszonej woli.

Często zarzucano Tiborowi, że jest zimnym człowiekiem o równie zimnym, wypranym z uczuć głosie. Nigdy temu nie przeczył. Ale jeżeli jego głos był zimny, ten musiał wydobywać się z samego grobu. Zabrzmiał jak zgrzyt zimnej stali przecinającej kość. Głos był stary – sędziwy jak same góry, może i jak one kryjący wiele tajemnic – ale z pewnością nie starczy. Miał w sobie władczość płynącą z mrocznej wiedzy.

– Z mej własnej i nieprzymuszonej woli? – Tibor odważył się oderwać wzrok od owej postaci i stwierdził, że pozostał zupełnie sam. Wilki wtopiły się w noc, w góry. Może jakaś para żółtych ślepi zalśniła na chwilę pod drzewami, ale to było wszystko. Odwrócił się znów do pana tego zamku. – Tak, z własnej i nieprzymuszonej woli...

– Bądź zatem moim gościem.

Bojar umocował pochodnię w pierścieniu tuż za drzwiami, skłonił się lekko i odsunął na bok. Tibor, przekroczywszy most, wszedł do domu Ferenczyego. Podniósł jeszcze wzrok i ujrzał napis wypalony w poczerniałej ze starości dębinie łukowatego nadproża. Nie umiał czytać ani pisać, ale człowiek w płaszczu dostrzegł jego spojrzenie i odczytał słowa.

– Napisano tu, że dom należy do Waldemara Ferrenziga. Obok jest znak określający rok, dowodzący, iż zamek ma niemal dwieście lat. Waldemar był... był moim ojcem. Jam jest Faethor Ferrenzig, którego ludzie zwą „Ferenczym".

W posępnym głosie zabrzmiała nuta niepohamowanej dumy i Tibor po raz pierwszy zwątpił w swoje siły. Nie wiedział nic o zamku, równie dobrze mogła tam czatować horda wojowników, a otwarte drzwi zdawały się być paszczą jakiejś nieznanej bestii.

– Przygotowałem wszystko – oznajmił pan zamku. – Jadło i napitek oraz ogień, który rozgrzeje twe kości.

Odwrócił się powoli, wyjął z ciemnej niszy drugą pochodnię i odpalił ją od pierwszej. Ledwie zapłonęła, cienie pierzchły.

Ferenczy, bez śladu uśmiechu, raz jeszcze spojrzał na gościa, po czym poprowadził go do wnętrza. Wołoch ruszył jego śladem.

Nie zatrzymując się, mijali ciemne, kamienne korytarze, przedsionki i odrzwia, aż znaleźli się w sercu wieży. Stamtąd udali się krętymi schodami do ciężkich drzwi zapadowych, osadzonych w kamiennym stropie, wspartym ogromnymi, ciemnymi legarami. Klapa była uniesiona i Ferenczy, zakasawszy płaszcz, wspiął się do jasno oświetlonej sali. Tibor trzymał się tuż za nim, nie dając bojarowi szansy na jakieś niespodziane działanie. Mimo to, zmierzając do jasnej izby, w duchu drżał. Ktoś przyczajony na górze bez trudu mógł przeszyć włócznią wyłaniającego się z drzwi wojownika lub ściąć mu głowę. Jednakże poza panem twierdzy w sali nie było nikogo.

Tibor zerknął na niego, po czym rozejrzał się wokoło. Izba była rozległa i wysoka. W powale brakowało belek. Migotliwy blask ognia rozświetlił okopcone belki spadzistego dachu. W szczelinach błyszczały złote gwiazdy, pływające wśród dymu. Zimą musiał panować tu dotkliwy ziąb. Gdyby nie ogień, nawet teraz nie byłoby tu ciepło.

W wielkim, otwartym palenisku z ukośnym kominem, przechodzącym przez zewnętrzną ścianę, płonęły sosnowe szczapy. Leżały w koszu z giętych żelaznych prętów, poskręcanych od żaru niezliczonych ognisk. Nad czerwonym popiołem piekło się na rożnie sześć bekasów. Aromat mięsa i ziół, którymi je przyprawiono, przypomniał Tiborowi o głodzie.

W pobliżu kominka stał ciężki stół z dwoma dębowymi krzesłami. Na blacie rozłożono drewniane talerze, noże, postawiono kamienny dzban z winem lub wodą. Na środku stołu dymiło jeszcze pieczyste. Tibor dostrzegł też dwie misy, jedną wypełnioną suszonymi owocami, a drugą prostym, ciemnym chlebem. Głód mu tu raczej nie groził.

Spojrzał znów na ścianę za paleniskiem. Spód miała kamienny, wyżej były belki. Za kwadratowym oknem panowała noc. Podszedł do niego i popatrzył na oszałamiający krajobraz: wąwóz, aż ciemny od gęsto rosnących drzew, a w oddali, na wschodzie, niezmierzone połacie czarnych lasów. Wojewoda uświadomił sobie, że izba znajduje się w najwyższym punkcie łuku wiążącego obie baszty.

– Jesteś niespokojny, Wołochu?

Drgnął, słysząc łagodny głos Faethora Ferenczyego.

– Niespokojny? – Tibor powoli pokręcił głową. – Tylko oszołomiony. Zaskoczony. Żyjesz tu samotnie?

– Tak. Spodziewałeś się czegoś innego? Cygan Arwos nie mówił, że mieszkam samotnie?

– Niejedno mi mówił, a teraz nie żyje. – Tibor zmrużył oczy.

Bojar nie okazał śladu zdziwienia ani skruchy.

– Śmierć czeka wszystkich – rzekł.

– Dwaj moi przyjaciele również zginęli – powiedział ostrzej Tibor.

Ferenczy nieznacznie wzruszył ramionami.

– Droga na szczyt jest ciężka. Niejednego już kosztowała życie. Powiedziałeś „przyjaciele"? Szczęśliwy z ciebie człowiek. Ja nie mam przyjaciół.

Dłoń Tibora znalazła rękojeść miecz.

– Zdawało mi się, że cała sfora twych „przyjaciół" przyprowadziła mnie tutaj...

Pan domu zbliżył się do Wołocha, bardziej płynąc niż idąc. Długopalca dłoń, szczupła lecz silna, spoczęła na mieczu Tibora, wślizgując się pod jego rękę. Wołoch odniósł wrażenie, że dotknął łuski węża. Cofnął dłoń ze wstrętem. Bojar równie płynnym ruchem wyciągnął miecz. Tibor zamarł, zdumiony nagłym rozbrojeniem.

– Nie sposób jeść, gdy takie żelastwo obija się o nogi – pouczył go Ferenczy. Zważył miecz w dłoniach, niczym zabawkę, uśmiechając się lekko. – Broń wojownika! Jesteś więc wojownikiem, Tiborze z Wołoszczyzny? Wojewodą? Słyszałem, że Włodzimierz Światosławicz werbuje wielu wodzów, nawet spośród chłopstwa.

I znów Tibor dał się zaskoczyć, nie wyjawił przecież Ferenczyemu swego imienia, słowem nie wspomniał o kijowskim Wladzie. Ale nie zdążył znaleźć właściwej odpowiedzi.

– Twój posiłek stygnie – zauważył bojar. – Siadaj i jedz. Potem porozmawiamy. – Rzucił miecz Tibora na ławę zasłaną miękkimi skórami.

Na plecach Wołocha wisiała kusza. Ściągnął z ramienia pas i podał Ferenczyemu. I tak zbyt długo trwałoby przygotowanie jej do strzału. Nie zdałaby się na nic w bezpośrednim starciu z człowiekiem, który tak się poruszał.

– Nóż też ci dać?

Wydłużone szczęki Faethora Ferenczyego rozwarły się, bojar wybuchnął śmiechem.

– Pragnę tylko, żeby było ci wygodnie przy mym stole. Zachowaj nóż. Jak widzisz w twym zasięgu jest ich więcej. Do krojenia mięsa. – Cisnął kuszę obok miecza.

Tibor popatrzył na niego, potem skinął głową. Zrzucił z ramion ciężki kaftan, prosto na posadzkę. Usadowił się na krańcu stołu, przyglądając się, jak Ferenczy stawia wszystkie potrawy w jego zasięgu. Gospodarz napełnił jeszcze dwie głębokie, żelazne czary winem i usiadł naprzeciw.

– Nie zjesz ze mną? – Tiborowi doskwierał głód, nie chciał jednak, by pierwszy kęs należał do niego. Na kijowskim dworze czekano zawsze, aż Wlad zacznie jeść.

Faethor Ferenczy sięgnął przez stół, zaskakująco daleko, i pewnym ruchem uciął sobie kawałek pieczeni.

– Zjem bekasa, gdy będzie gotów – oznajmił. – Ale nie czekaj na mnie. Jedz, na co masz ochotę.

Bawił się swoją porcją, podczas gdy Tibor ucztował z zapałem. Bojar obserwował go przez chwilę.

– W tym, że wielcy ludzie powinni mieć wielkie potrzeby, kryje się wiele sensu – odezwał się. – Ja także mam... potrzeby, które to miejsce ogranicza. Dlatego mnie interesujesz, Tiborze. Moglibyśmy być braćmi, wiesz? Mógłbym nawet być twoim ojcem. Tak, obaj jesteśmy wielkimi ludźmi, a ty do tego jesteś wojownikiem, i to nieustraszonym. Podejrzewam, że niewielu żyje na świecie takich, jak ty... – I zaraz zmienił temat: – Co powiedział ci o mnie Wlad, zanim cię po mnie wysłał?

Tibor postanowił, że nie da się zaskoczyć po raz trzeci. Przełknął, co miał w ustach, i odpowiedział równie przenikliwym spojrzeniem. Teraz, w blasku ognia z paleniska i pochodni tkwiących w pierścieniach na murze, pozwolił sobie na baczniejsze przyjrzenie się gospodarzowi zamku.

Jakakolwiek próba określenia wieku tego mężczyzny mijałaby się z celem. Zdawał się być równy wiekiem pradawnym monolitom, ale poruszał się z niewiarygodną wprost szybkością atakującego węża i gibkością dziewczęcia. Jego głos mógł być zarówno gwałtowny niczym żywioły, jak i miękki niczym matczyny pocałunek, ale w obu postaciach – sędziwy bez granic. Oczy Ferenczyego, głęboko osadzone w trójkątnych oczodołach, przykryte były ciężkimi powiekami, a ich kolor stanowił kolejną zagadkę. Pod pewnym kątem zdawały się być czarne i lśniące jak mokre kamyki, pod innym zaś – żółte o połyskujących złotawo źrenicach. Oczy człowieka wykształconego, pełne mądrości, a jednocześnie złowrogie i przesycone grzechem.

Nos Faehtora Ferenczyego, podobnie jak jego mięsiste, spiczaste uszy, stanowił najtrudniejszy do określenia element twarzy. Bardziej przypominał ryj, przylegający płasko do oblicza, nad górną wargą jednak odstający i kierujący w górę wielkie nozdrza. Bezpośrednio pod nim, zbyt blisko, znajdowały się usta, szerokie i – w porównaniu z bladą, chropowatą skórą – nazbyt czerwone. Mówił, nieznacznie rozchylając wargi. Gdy się roześmiał, Tibor dojrzał duże, płaskie i żółte zęby. Chyba mignęły mu też siekacze, dziwnie zakrzywione i ostre jak maleńkie sierpy, tego jednak Wołoch nie był pewien. Jeżeli się nie pomylił, bojar miał w sobie jeszcze więcej z wilka.

Faethor Ferenczy był szpetnym człowiekiem. Tyle że... Tibor widział w swym życiu wielu szpetnych ludzi. I wielu z nich zabił.

– Wlad? – Tibor ukroił jeszcze płat mięsa, łyknął czerwonego wina. Czuł w nim ocet, nie było jednak gorsze niż te, które dotąd pijał. W końcu ponownie spojrzał na Ferenczyego i wzruszył ramionami. – Powiedział, że żyjesz pod jego opieką, ale nie złożyłeś mu hołdu. Że dzierżysz te włości, nie płacąc podatków. Że mógłbyś uzbroić wielu ludzi, ale wolisz dusić się tutaj, podczas gdy inni bojarzy bronią twej skóry przed Pieczyngami.

Nagle oczy Ferenczyego rozwarły się szeroko, naznaczone w kącikach krwią, a nozdrza drgnęły w słyszalnym parsknięciu. Górna warga odchyliła się nieco, a ostre, spiczaste brwi złączyły się w jedną linię, przekreślając blade, wysokie czoło, i wówczas... rozsiadł się wygodniej, jakby rozluźniony. Uśmiechnął się, kiwając głową.

Tibor przestał jeść, ale gdy tylko gospodarz się opanował, powrócił do przerwanego dzieła.

– Sądziłeś, że będę się do ciebie wdzięczył, Faethorze Ferenczy? A może myślałeś, że spłoszą mnie twoje sztuczki? – zapytał pomiędzy jednym kęsem a drugim.

– Moje... sztuczki? – zjeżył się tamten, marszcząc nos.

– Doradcy księcia, chrześcijańscy mnisi z ziemi Greków, uważają ciebie za coś w rodzaju demona, „wampira" – potwierdził Tibor. – Wlad też chyba tak uważa. Ja wszakże jestem prostym człekiem, tak, chłopem, i mam cię za zręcznego sztukmistrza. Porozumiewasz się ze swymi cygańskimi sługami za pomocą lustrzanych sygnałów i wyćwiczyłeś ze dwa wilki, by ci były posłuszne jak psy. Ha! Sparszywiałe wilki! Cóż, w Kijowie żyje człek, który wodzi na postronku wielkie niedźwiedzie i tańcuje z nimi! Cóż jeszcze posiadasz? Nic! Wiele się domyślasz, a potem udajesz, że twe oczy kryją wielką moc, że widzą ponad górami i lasami. Pośród tych mrocznych gór kryjesz się za zasłoną tajemnic i przesądów, ale kogo to odstrasza? Któż jest najbardziej przesądny? Ludzie uczeni, mnisi i książęta, ot kto! Tyle wiedzą, ich głowy pękają od wiedzy, że uwierzą we wszystko! Ale zwykły człowiek, wojownik, wierzy jedynie w krew i żelazo. To pierwsze daje mu siłę, by władać tym drugim; to drugie pozwala przelewać to pierwsze szkarłatnym strumieniem.

Dziwiąc się nieco sobie, Tibor umilkł i otarł usta. Wino rozluźniło mu nieco język.

Ferenczy siedział nieruchomo, jakby zamienił się w głaz. Teraz jednak rozparł się wygodniej i waląc w stół długopalcą, płaską dłonią, wybuchnął radosnym śmiechem. Tibor zauważył, że jego kły błysnęły jak u wielkiego psa.

– Co takiego? Wojownik prawi mądrości? – krzyknął bojar. Wycelował w Tibora chudy palec. – Masz jednak rację,

Tiborze! Rację, której nie kryjesz, i za to cię lubię. I cieszę się, że tu przybyłeś, bez względu na cel twych odwiedzin. Czyż i ja nie miałem racji, mówiąc, że mógłbyś być moim synem? Zaiste, miałem. Jesteś do mnie podobny i to może pod wieloma innymi względami, co?

Jego oczy znów poczerwieniały, odbił się w nich ogień. Tibor upewnił się, że ma pod ręką nóż. Obawiał się, że Ferenczy postradał zmysły. Doprawdy śmiał się jak obłąkaniec.

Któraś ze szczap przewróciła się i płomienie strzeliły wyżej. Tibor poczuł odór spalenizny, bekasy prawie się zwęgliły.

– Twoje ptaszki – powiedział, a raczej spróbował powiedzieć, wstając. Słowa jednak skłębiły się na końcu języka, zmieniając się w obcy bełkot. Co gorsza, nie mógł się nawet wyprostować; ręce przywarły chyba do blatu, a nogi ciążyły jak bryły ołowiu.

Spojrzał niepewnie i ociężale na napięte, dygocące dłonie. Wydawało mu się, że jest pijany, bardziej pijany niż kiedykolwiek. Teraz mógł go powalić najlżejszy szturchaniec.

Wzrok Tibora padł na czarę, na czerwone wino. Wyczuł w nim ocet. Potworny strach przeszył umysł wojownika.

Ferenczy przyglądał mu się uważnie. Nagle westchnął i wstał. Wydawał się jeszcze wyższy niż przedtem, młodszy i silniejszy. Zbliżył się do ognia, pchnął rożen z ptakami w sam środek paleniska. Syknęły i w jednej chwili zajęły się ogniem. Bojar odwrócił się w stronę wpatrzonego weń Tibora. Żaden mięsień Wołocha nie odpowiadał na jego rozpaczliwe wezwania. Ciało było jak z kamienia. Jedynie czoło zrosiły krople lodowatego potu. Ferenczy stanął nad wojownikiem. Tibor patrzył na niego, na jego wydłużone szczęki, niekształtną czaszkę, uszy i spłaszczony nos.

„Szpetny człowiek, a może nie tylko człowiek" – pomyślał Tibor z przerażeniem.

– O... o... otruty! – wydusił z siebie.

– Co? – Ferenczy przekrzywił głowę, przypatrując mu się z góry. – Otruty? Nie – zaprzeczył – tylko oszołomiony. Czyż to nie oczywiste, że gdybym chciał twojej śmierci, leżałbyś teraz martwy obok Arwosa i twoich przyjaciół? Cóż jednak za odwaga! Pokazałem ci, na co mnie stać, a mimo to szedłeś dalej. A może po prostu jesteś uparty? Albo głupi? Daruję sobie wątpliwości i stwierdzam, że jesteś odważny. Nie chcę tracić czasu na głupców.

Ogromnym wysiłkiem woli Tibor przesunął dłoń w kierunku noża leżącego na stole. Bojar uśmiechnął się, podniósł nóż i podał go Wołochowi. Rosły wojownik dygotał z wysiłku, jednak nie zdołał chwycić broni. Izba rozmywała się, topniała, obracała w ciemny, nieodparty wir.

Zobaczył jeszcze twarz nachylonego nad nim Ferenczyego, straszliwszą niż dotąd. Zwierzęcy, potworny pysk, szczęki rozwarte w upiornym uśmiechu i szkarłatny rozwidlony język, wibrujący w jamie gardzieli jak wąż.

*

* *

Prastary Stwór spoczywający w ziemi obudził się nagle...

Przez chwilę drżał z przerażenia, aż wreszcie uprzytomnił sobie, że koszmarny sen uleciał. I wówczas ponownie zadrżał, tym razem w ekstazie.

Przez czarną ziemię grobu przesączała się krew, przenikała niczym ropa przez igliwie, korzenie i glebę. Dotykała go. Wchłaniana natychmiast przez niezliczone, złaknione włókna jego ciała, wsiąkała w niego, wypełniając wyschnięte pory i żyły, gąbczaste organy i puste, obolałe kości.

Krew-życie wypełniała wampira, podrywała uśpione przed setkami lat nerwy, budząc niezwykłe, nieludzkie zmysły.

Oczy otwarły się i znów zatrzasnęły. Ziemia. Mrok. Był nadal w grobie. Wciąż pogrzebany. Rozwarł nozdrza – czuł ziemię i czuł też krew. W pełni już rozbudzony, zaczął ostrożnie, o wiele wnikliwiej, badać otoczenie.

„Płytko, bardzo płytko. Osiemnaście cali, nie więcej. I jeszcze z dwanaście cali igliwia” – myślał gorączkowo.

Wytężył siły, wpuścił w ziemię drobne macki jak szkarłatne robaki, ściągnął je z powrotem.

„Tak, ziemia była nasączona krwią, do tego ludzką, ale jakim cudem? Czyżby... czyżby to było dzieło Dragosaniego?” – zastanawiał się.

– Dragosaaaniii? To ty, mój synu? Ty to uczyniłeś, przyniosłeś mi tę wspaniałą daninę, Dragosaaaniii? – zawołał cicho Stwór.

Jego myśli dotknęły cudzych umysłów, ale czystych, niewinnych. Umysłów ludzi, którzy nigdy nie zaznali jego mocy, a przybyli na krzyżowe wzgórza, na jego grób, żeby nasycić ziemię krwią.

Stwór-Tibor skoncentrował myśli. Protoplazmatyczne wypustki oraz psychiczne sondy wchłonął w siebie. Władzę nad jego nerwami objęły teraz przerażenie i nienawiść.

„Czy o to chodziło? Czy przypomnieli sobie o mnie po latach i wrócili zemścić się za wszystko? Dali mi, nieumarłemu, pięćset lat spokoju, by teraz wrócić i zniszczyć? Może Dragosani napomknął o mnie komuś, kto rozpoznał naturę przyczajonego tu zagrożenia?" – zastanawiał się pełen niepokoju.

Nerwy potwora drżały, jego pozornie ludzkie ciało aż dygotało z napięcia. Nasłuchiwało, czuło, wąchało, smakowało, wykorzystało wszystkie wyostrzone zmysły wampira. Oprócz wzroku. Tego zmysłu też mógłby użyć, ale wolał nie ryzykować.

Mimo całego strachu, jednego nie wyczuwał – niebezpieczeństwa. A zapach niebezpieczeństwa znał równie dobrze, jak zapach krwi.

„Która to mogła być godzina" – zadawał sobie pytanie w myślach.

Uspokoiwszy się nieco, poszukał odpowiedzi.

Zastanawiał się, który to mógłby być miesiąc, pora, rok, dekada. Ile czasu minęło od ostatnich odwiedzin małego Dragosaniego, dziecka wszystkich jego nadziei i złowrogich ambicji. Ważniejsze jednak było, czy panował jeszcze dzień... czy już noc.

Noc ogarniała wszystko. Mrok przenikał przez ziemię, niczym owa suta, ciemna krew. Była noc, jego pora, a krew przyniosła siłę, prężność, motywację i zdolność ruchu, o których Tibor niemal już zapomniał po spędzonych tu stuleciach.

Znów uwolnił myśli, każąc im dotknąć jaźni ludzi znajdujących się na polanie pod nagimi drzewami, tuż nad jego legowiskiem. Nie kierował jednak swej energii do nich, nie próbował nawiązać kontaktu, zaledwie musnął ich umysły swoim.

„Mężczyzna i kobieta. Tylko ich dwoje. Kochankowie? Czy to ich tu przywiodło? Zimą? I skąd krew? Czy popełniono morderstwo?" – zastanawiał się.

Umysł kobiety pełen był koszmarów. Spała albo leżała nieprzytomna. Jej serce biło pospiesznie, w gorączce lęku.

Mężczyzna umierał. To jego krew chłonął Tibor.

„Co przytrafiło się tej parze? Czy mężczyzna zwabił kobietę, zaatakował, a ona z kolei cięła go, nim zdołał ją wykorzystać?" – pytał sam siebie wampir.

Spróbował nieco głębiej zanurzyć się w umysł konającego. Znalazł tam ból, mnóstwo bólu. Cierpienie blokowało umysł mężczyzny. Wszystko tam drętwiało, ulegało bolesnej pustce. Próżni ostatecznej, zwanej śmiercią, połykającej swe ofiary w całości. Cierpienie, właściwie agonia. Potwór wysunął macki niczym ruchome, żywe anteny, tropiąc sączący się wciąż życiodajny płyn. Czerwone robaki wyłaniały się z poradlonej przez wieki twarzy, zapadłej piersi, wyschniętych kończyn, sunąc w górę jak gumowe węże lub ssawki jakiegoś ohydnego mięczaka. Zmierzały śladem szkarłatnych kropel, szukały ich źródła.

Prawa noga mężczyzny była złamana nad kolanem. Ostry jak nóż odłamek kości przeciął arterie, które nawet w tej chwili wypompowywały w martwą, zlodowaciałą ziemię wątłe strużki parującego szkarłatu. Na to Tibor nie mógł pozwolić. Zbudziła się nim prawdziwa bestia. Przez moment szalał w głębi ziemi. Wielkie szczęki kłapały na próżno, spękane wargi drżały i śliniły się, otwierały się ciemne jamy nozdrzy.

Stwór wypuścił ze swego karku grubego węża z protoplazmy, który rozepchnąwszy korzenie, kamyki i piach, przebił się na powierzchnię, wyłaniając się niczym jakiś ożywiony trujący grzyb. Wampir utworzył na koniuszku macki szczątkowe oko i rozszerzył źrenicę, by lepiej widzieć w ciemnościach.

Zobaczył konającego mężczyznę, rosłego i przystojnego, co mogło tłumaczyć ilość i jakość dobrej, mocnej krwi. Człowieka inteligentnego, o wysokim czole. Skulonego teraz na stwardniałej ziemi, tracącego życie, które wysączało się z niego do ostatnich kropel.

Tibor nie mógł go uratować, zresztą nawet nie chciał. Nie mógł też pozwolić, żeby się zmarnował. Upiorny wij rozejrzał się, by zyskać pewność, że kobieta nie budzi się z omdlenia i ze szczelin wampirzej twarzy wyrosło mrowie czerwonych macek, pustych rurek, maleńkich i łapczywych ust, które po chwili wpiły się w żywe mięso rany, by wyssać z niej resztę gorących soków. Całe piekielne jestestwo Tibora uległo niepohamowanej żądzy, czarnej radości, bluźnierczemu zachwytowi płynącemu z sycenia się, ze spijania szkarłatnego pokarmu wprost z żyły ofiary. Euforia...

Jak pierwsza kobieta w życiu mężczyzny. Nie pierwszy, niezdarny i przedwczesny wytrysk zalewający wilgocią brzuch i włosy łonowe jakiegoś dziewczątka, lecz pierwsze kojące rozlanie nasienia w rozpalonym wnętrzu jęczącej, zaspokojonej kobiety.

Pierwsza śmierć zadana w boju, kiedy łeb wroga rozstaje się z jego karkiem, albo jego krtań – lub serce – spotyka się z mieczem. Ostry, ożywczy ziąb, jaki dać może kąpiel w górskim źródle; widok pola bitwy, gdzie cuchną i parują stosy trupów; podziw wojowników unoszących wysoko twe sztandary w obliczu zwycięstwa. Ta uczta była równie słodka, ale zbyt krótka.

Serce mężczyzny nie pompowało krwi. Wielkie plamy szkarłatu krzepły, klejąc listowie w ciemnoczerwone bryłki. Koniec wspaniałej biesiady przyszedł równie nagle jak jej początek.

Jedna z wypustek Bestii-Tibora zwróciła swe oko ku kobiecie. Była nieprzytomna i blada, ale atrakcyjna. Wyglądała jak śliczna zabaweczka jakiegoś bogatego bojara, pełna rzadkiej, arystokratycznej krwi. Niezdrowe rumieńce przydawały świeżości jej policzkom, resztę skóry dotknęła jednak śmiertelna bladość.

Szypułka wzrokowa wydłużyła się, przesunęła się nad ziemią. Była szarozielona, cętkowana. Pod protoplazmatyczną skórą pulsowały teraz żyłki. Rozkołysana zbliżyła się do leżącej kobiety i zastygła tuż przed jej twarzą. Płytki, urywany oddech nieprzytomnej zasnuł oko Stwora mgiełką, zmuszając je do cofnięcia się. Pierś wznosiła się i opadała, wznosiła się i opadała. Falliczne oko wampira nachyliło się nad szyją kobiety, studiując słabe pulsowanie tętnicy. Żyłki pod skórą rozkołysanego grzyba zadrżały gwałtownie i głębiej nasyciły się czerwienią. Miejsce oka zajęły teraz gadzie szczęki, zamieniając mackę w gładkiego, plamistego, bezokiego węża. Paszcza rozwarła się szeroko, a pomiędzy licznymi rzędami ostrych jak igły kłów, zadrgał rozwidlony języczek. Z rozdziawionych szczęk ściekała na zmarzniętą ziemię ślina. „Łeb" owej potwornej kończyny odchylił się, tułów zakręcił śmiercionośne „S" niczym atakująca kobra i... Umysł Tibora zadrżał nagle, nakazując wszystkim fizycznym cząstkom organizmu natychmiastowe znieruchomienie. W ostatniej chwili Potwór uświadomił sobie, co zamierza zrobić, odkrył straszliwe niebezpieczeństwo, które sprowadzić mogła jego nagła żądza.

Wszak dawne czasy ustąpiły już miejsca nowym. Dwudziesty wiek. Tylko stare, zmurszałe rejestry pamiętały o grobowcu pod drzewami. Gdyby jednak pozbawił życia kobietę... wiedział, czym to groziło.

Na poszukiwanie tych dwojga ruszyłyby wkrótce ekipy ratunkowe. Prędzej czy później dotarłyby na cichą polanę i znalazły szczątki mauzoleum. Ktoś mógłby pamiętać. Jakiś stary głupiec szepnąłby: „Ależ... to zakazane miejsce!". A inny mógłby dodać: „Tak, dawno, dawno temu coś tutaj pogrzebano. Dziadek mego dziadka, chcąc przestraszyć niegrzeczne dzieciaki, snuł opowieści o potworze pochowanym wśród krzyżowych wzgórz!".

Potem przeczytaliby stare kroniki i przypomnieli dawne sposoby, żeby powrócić tu we wszechobecnym świetle dnia, wyciąć drzewa, powyrywać pradawne bloki, drążyć gnijącą glebę. Znaleźliby go. Znów przebiliby go kołkiem, ale tym razem... odcięliby mu też głowę i spalili ją.

Tibor toczył straszliwy bój z sobą samym. Wampir, który przez dziewięćset lat opanował większą część jego ciała, nie kierował się rozsądkiem. Tibor-Wampir łaknął w tej chwili pokarmu, lecz Tibor-Człowiek sięgnął myślą w przyszłość. Poczynił już pewne plany. Plany związane z chłopcem o nazwisku Dragosani.

Dragosani, zaledwie nastolatek, chodził teraz do szkoły w Bukareszcie, ale Stary Potwór zdążył już przeciągnąć go na swoją stronę. Nauczył go sztuki nekromancji, zdradził, jak wydobywać od umarłych ich sekrety. Dragosani zawsze powracał na jego grób w poszukiwaniu nowej wiedzy, gdyż nieokiełznana moc wampira stanowiła źródło wszelkich mrocznych tajemnic.

A przez ten czas dojrzewało w mroku mogiły wampirze nasienie czy też jajo, ohydny, pijawkowaty klon Stwora-Tibora, kropla nieludzkiej plazmy, niosąca w sobie całą złożoność nowego wampira. Proces ten toczył się bardzo wolno. Któregoś dnia Dragosani, dorosły mężczyzna, miał przybyć na krzyżowe wzgórze. Przybyć tu jako człowiek pełen monstrualnej wiedzy, poszukujący najgłębszych sekretów Wampyrów... a odjechać, unosząc w sobie wampirze niemowlę.

Potem znów miał powrócić, gdy Tibor będzie gotów na spełnienie ostatecznej fazy planu. I cykl się dopełni, zatoczy krąg. Odwieczny wampir znów stanie na ziemi – tym razem, by ją podbić.

Taki plan ułożył sobie Potwór uwięziony w ziemi i taka będzie przyszłość. Opuści grób i ruszy w świat. Świat będzie należeć do niego. Jeżeli nie zabije teraz tej kobiety. To byłoby szaleństwo, ostateczny koniec jego i wszystkich jego snów...

Wampir w jego wnętrzu niechętnie poddał się perfidnemu, ale w pełni ludzkiemu rozumowaniu Tibora. Żądza krwi przygasła, ustępując miejsca ciekawości, która uwolniła uśpione, zdławione przez wieki pragnienia. Stwora ożywiły teraz nowe, całkiem ludzkie doznania. Tibor nie istniał już wprawdzie jako mężczyzna ani jako kobieta, jedynie jako wampir; kiedyś wszakże był mężczyzną. Pełnym żądz.

W ciągu pięciuset lat, kiedy jego rządy rzucały blady strach na Wołoszczyznę, Bułgarię, Ruś i Turcję, poznał wiele kobiet. Nieliczne tylko oddawały mu się z ochotą. Zgłębił wszystkie sposoby posiadania kobiet, niezliczoną ilość razy otrzymywał w darze lub brał siłą wszelką rozkosz i ból, jakich doznawały niewiasty.

W połowie piętnastego wieku, jako najemny wojewoda Wlada Tepesa, zwanego też Palownikiem, przekroczył ze swymi wojskami Dunaj i pojmał wysłannika sułtana Murada. Powiódł go, a także jego dwunastu wojowników i harem, złożony z dwunastu ślicznotek, nocą do Isperichu. Okazał wspaniałomyślność zamieszkującym miasto Bułgarom; pozwolił im na ucieczkę, podczas gdy jego wojska pustoszyły gród i puszczały go z dymem, łupiąc i gwałcąc, jeśli uchodźcy zbytnio się ociągali.

Wracając do sułtańskiego posła: Tibor kazał go wbić na wysoki, cienki pal. Tak samo potraktowano dwunastu żołdaków.

– Na ich własną modłę – radośnie rozkazał katom. – Na sposób turecki. Lubią się parzyć z młodzieniaszkami, niech zatem pomrą szczęśliwi, tak jak żyli!

A kobiety z haremu wziął tamtej nocy wszystkie, cały tuzin, przechodząc bez wahania od jednej do drugiej i przedłużając te igraszki o cały następny dzień. Ha! Było w nim coś z satyra.

A teraz... uwięziony w ziemi mógł tylko marzyć. Wciąż pamiętał, jak to bywało. Tak, a może potrafił jeszcze coś więcej niż tylko rozpamiętywać?

Śluzowata materia jego wypustki przeszła kolejną metamorfozę. Wężowe szczęki, kły i język stopiły się na powrót z plazmą macki, której koniuszek spłaszczył się na kształt łyżki. Płaska łopata rozdzieliła się na pięć pękatych, szarozielonych robaków – szczątkowy kciuk i cztery palce. Na środkowym otworzyło się maleńkie oko, utkwione teraz w falujących piersiach nieprzytomnej kobiety. Tibor uelastycznił swą „dłoń", uwrażliwił, wydłużył i pogrubił łodygę stanowiącą „ramię".

Wiedziona połyskującym oczkiem, drżąca, galaretowata dłoń znalazła drogę pod kurtkę kobiety, odkryła pod warstwami odzieży jej ciało. Piersi miała delikatne, o dużych sutkach, obfite. Za swego żywota takie właśnie piersi Tibor wielbił. Pogładził je teraz, może nazbyt szorstko. Kobieta jęknęła cicho i poruszyła się lekko.

Dotknięcie Pradawnego Stwora sprawiło, iż serce kobiety zabiło mocniej. Tętno było zdecydowanie silniejsze, ale w tym pulsowaniu czuło się panikę, desperację. Nieznajoma wiedziała, że bierność może jej tylko zaszkodzić. Usilnie starała się odzyskać przytomność. Jej ciało nie reagowało jednak na wezwanie podświadomości, ręce i nogi drętwiały, nadchodziła śmierć.

Stwór-Tibor był bliski paniki. Bał się, że dziewczyna umrze w tym miejscu. W wyobraźni ponownie ujrzał ludzi odnajdujących ciała kobiety i mężczyzny, zobaczył, jak mrużąc oczy, spoglądają na ruiny grobowca, jak wymieniają porozumiewawcze spojrzenia. Potem widział, jak kopią, oglądał zaostrzone kołki z twardego drewna, srebrne łańcuchy i błyszczące topory. Zobaczył zbocze wzgórza w blasku wielkiego ognia bijącego ze ściętego drzewa. Przez krótką, bolesną chwilę miał wrażenie, że jego nieludzkie ciało topi się, a wrzący tłuszcz i cuchnąca posoka wsiąkają w przegniłą ziemię.

„Nie, nie wolno jej tu umrzeć. Muszę przywrócić jej świadomość” – pomyślał panicznie. Ale...

Dłoń Tibora oderwała się od jej piersi, by popełznąć pożądliwie w dół brzucha i zastygła.

Przez stulecia spędzone w ziemi zmysły Tibora, jego czujność nie tylko nie stępiały, ale wręcz spotęgowały swą wrażliwość. Wyzuty ze wszystkiego, wykreował w sobie nową moc. Przez wiele wiosen czuł strzelanie zielonych pędów, wsłuchiwał się w szczebiot ptaków zwołujących się na pobliskich drzewach. Wdychał letnie ciepło, chowając się głębiej i parskając nienawistnie w stronę zabłąkanych promieni słońca, dotykających polany, ocierających się o jego grób. Jesienią brązowe, zeschłe liście waliły się czasem na ziemię z siłą gromu, a kiedy spadł deszcz, strużki huczały jak potężne rzeki. Teraz zaś...

Teraz nikły, uporczywy, niemal mechaniczny rytm, wyczuwany dłonią spoczywającą na kobiecym brzuchu, opowiadał mu coś, wystukiwał szyfr, którego zapewne nie wykryłaby żadna inna istota. Opowiadał o nowym życiu, o poczęciu, o maleńkim płodzie.

– To cud – wyszeptał do siebie Tibor. Usztywnił swą niby-rękę, naciskając mocniej na ciało kobiety. Nienarodzone dziecko, czysta niewinność, pojedynczy impuls intensywnej rozkoszy przemieniony w nasienie, rosnący tu, w mrocznym, ciepłym łonie.

Władzę nad Tiborem objęły instynkty, w części wampirze, w części ludzkie. Mroczna jak noc logika wyparła pożądanie. Macka wydłużyła się jeszcze bardziej i dłoń straciła kształt. Stawała się coraz cieńsza, jakby jej działaniu wyznaczono nowy cel. Tak było w istocie – całkowicie nowy cel. Kierunek pozostał ten sam: najtajniejsze miejsce kobiety, rdzeń jej płci. Nie po to, żeby skrzywdzić, ale by poznać, zapamiętać. Teraz jednak chodziło o coś więcej.

W głębinie, pod warstwą igliwia i zimną, twardą ziemią, wampirze szczęki rozwarły się w ślepym, potwornym uśmiechu. Miał spoczywać tu wiecznie, a przynajmniej do chwili, gdy Dragosani przyjdzie go uwolnić, teraz jednak pojawiła się sposobność, by cząstkę siebie wypuścić na świat.

Wszedł w tę kobietę, ostrożnie, tak delikatnie, że nawet zbudzona nie wyczułaby jego obecności, i owinął skulone, przypominające liście paproci palce wokół nowego życia w jej łonie. Nieczystym dotykiem pieścił przez ułamek chwili to maleństwo, kruchy kłębuszek niemal bezkształtnego ciała, wyczuwał bicie jego serca.

– *Pamiętaj!* – zawołał Stary Stwór spod ziemi. – *Wiesz już, kim jesteś, kim ja jestem. Kiedy już będziesz gotów, odnajdziesz mnie. Pamiętaj o mnie!*

Kobieta poruszyła się i znów jęknęła, tym razem głośniej. Tibor wycofał się z jej wnętrza, uczynił swą dłoń cięższą, bardziej spoistą. Uderzył z rozmachem w bladą twarz kobiety. Krzyknęła, otrząsnęła się, otwarła oczy. Zbyt późno jednak, by dojrzeć ohydną wypustkę wampira wsysaną szybko w głąb ziemi. Znów krzyknęła, zobaczyła nieruchome, pokurczone ciało męża. Zelektryzowana, nabrała tchu, rzuciła się w kierunku leżącego. Już po chwili musiała pogodzić się z prawdą nie do przyjęcia.

– Nie! – załkała. – O Boże, nie!

Przerażenie dodało jej sił. Nie pozwoliło zemdleć. Musiała coś zrobić, coś zdziałać... cokolwiek. Nic jednak nie była w stanie uczynić, nie mogła pomóc mu w żaden sposób, choć fakt ten do niej jeszcze nie docierał.

Uchwyciła mężczyznę pod ramiona, przeciągnęła pod drzewa, w dół stoku. Nagle potknęła się o korzeń, runęła, a trup męża potoczył się za nią. Wkrótce potem zahamowała, zderzając się z pniem, ale mężczyznę czekał inny los. Nieboszczyk bezwładnie ześlizgnął się obok niej, pokoziołkował w dół. Trafił na skrytą pod śniegiem połać lodu i pomknął dalej ku podnóżu gór, w strome cienie, poza pole widzenia dziewczyny. Trzask łamanych krzaków dotarł do niej, gdy wstawała z wysiłkiem, łapiąc oddech. To wszystko nie miało sensu, jej trud stracił już jakąkolwiek wartość. Ledwie to pojęła, odetchnęła głęboko i zapadając się w śniegu, pognała na oślep w dół stoku, w cień drzew, wyzwalając w długim, przenikliwym wrzasku ogrom swej udręki i poczucia winy. Wzgórza odbijały jej krzyk po wielekroć, aż wreszcie wchłonęła go ziemia. Gdzieś pod jej powierzchnią usłyszał go Stary Stwór i westchnął, czekając na to, co przyniesie przyszłość...

*
* *

W swym londyńskim biurze, na najwyższym piętrze hotelu będącego czymś więcej niż tylko hotelem, Alec Kyle spojrzał na zegarek. Była czwarta pięć, a widmo Keogha wciąż mówiło. Opowieść zjawy była fascynująca i zarazem makabryczna, a przy tym, jak wiedział Kyle, najzupełniej prawdziwa. Czas uciekał. Gdy tylko zjawa przerwała, obraz dziecka zawieszonego w przestrzeni obrócił się wokół swej osi.

– Wiemy jednak, co stało się z Tiborem – odezwał się Kyle. – Dragosani z nim skończył. Uciął mu głowę i unicestwił go właśnie tam, na krzyżowych wzgórzach, pod strzelistymi drzewami.

Keogh zauważył zerknięcie na zegarek.

– *Masz rację* – przytaknął. – *Tibor Ferenczy jest martwy. Dlatego mogłem z nim rozmawiać na tych samych wzgórzach. Udałem się tam szlakiem Möbiusa. Słusznie też zauważyłeś, że czas ucieka. Musimy więc wykorzystać chwile, które nam jeszcze zostały. Chcę ci coś jeszcze opowiedzieć.*

Kyle poprawił się w fotelu. Czekał, milcząc.

– *Mówiłem, że były i inne wampiry* – podjął Keogh. – *Może nadal istnieją. Są jednak i takie potwory, które nazywamy półwampirami. To coś, co wyjaśnię później. Wspomniałem także o ofierze: człowieku pojmanym i wykorzystanym, wykorzystanym i zniszczonym przez jednego z owych półwampirów. Ten człowiek był martwy, kiedy go spotkałem. Martwy i bezgranicznie przerażony. Ale to nie śmierć go przerażała. A teraz już nie jest martwy.*

Kyle potrząsnął głową, próbując to zrozumieć.

– Lepiej kontynuuj, proszę. Ujawnij resztę. Łatwiej pojmę wszystko. Przedtem powiedz mi jednak, kiedy... rozmawiałeś... z tym nieboszczykiem?

– *Według twojej miary czasu kilka dni temu* – bez wahania odrzekł Keogh. – *Wracałem z przeszłości, podróżując przez Kontinuum Möbiusa i ujrzałem niebieską linię życia przeciętą i ograniczoną przez inną, bardziej czerwoną niż błękitną. Wiedziałem, że pozbawiono kogoś życia, zatrzymałem się więc, żeby porozmawiać z ofiarą. Właściwie moje odkrycie nie było dziełem przypadku: szukałem takiej sposobności. W pewnym sensie potrzebowałem tego zabójstwa, choć brzmieć to może potwornie. Tak jednak zbieram wiedzę. Widzisz, łatwiej mi porozumieć się z umarłymi niż z żyjącymi. Zresztą i tak nie zdołałbym go uratować. Ale dzięki niemu mogę uratować innych.*

– Powiadasz zatem, że tego człowieka zabił wampir? – Kyle czuł lęk, ale nadal stąpał w mroku. – Niedawno? Ale gdzie? Jak?

– *To jest najgorsze, Alec* – wyjaśnił Keogh. – *Zabito go tu, w Anglii! A jak do tego doszło... Pozwól, że ci opowiem.*

ROZDZIAŁ CZWARTY

Julian urodził się niemal w miesiąc po terminie, ale zważywszy na okoliczności, jego matka mogła się tylko cieszyć, że nie przyszedł na świat jako wcześniak. I że urodził się żywy.

Georgina Bodescu wraz z kuzynką Anne i małym Julianem jechały samochodem do kościoła w Harrow, gdzie niemowlę miało być ochrzczone. W drodze myślami wróciła do wydarzeń sprzed niespełna roku. Wówczas wraz z mężem spędzała urlop w Slatinie, zaledwie osiemdziesiąt kilometrów od dzikich i złowróżbnych bastionów Karpat Południowych, Transylwańskich Alp.

Rok to szmat czasu i mogła już sięgnąć pamięcią wstecz bez pragnienia własnej śmierci, bez poddawania się powolnym, palącym łzom i agonii samoudręczenia, graniczącej z potwornym poczuciem winy. Obwiniała siebie za to, że żyje, podczas gdy Ilia jest martwy, za to, że zemdlała na widok jego krwi, zamiast pędzić jak wiatr po pomoc. Biedny Ilia leżał tam nieprzytomny z bólu, jego krew wsiąkała w ciemną ziemię, a ona zapadła w omdlenie jak... jak cieplarniany fiołek.

Bardzo, bardzo go kochała i nie chciała utracić wspomnień z nim związanych. Gdyby potrafiła wyłowić same dobre chwile, nie budząc koszmaru, byłaby szczęśliwa.

Rzecz jasna nie mogła...

*

* *

Kiedy Georgina spotkała się po raz pierwszy z Ilią Bodescu, Rumunem, nauczał on w Londynie języków słowiańskich. Urodzony lingwista, podróżował wciąż pomiędzy Bukaresztem, gdzie wykładał francuski i angielski, a Instytutem Europejskim przy Regent Street, gdzie ona studiowała bułgarski (jej dziadek ze strony matki był handlarzem win, przybył z Sofii). Ilia tylko czasami prowadził zajęcia, w zastępstwie za biuściastą, wąsatą matronę z Plewen, i wówczas jego błyskotliwy dowcip i ciemne, bystre oczy przeistaczały mozolne dotąd godziny nauki w krótkie chwile czystej przyjemności. Miłość od pierwszego wejrzenia? Z perspektywy dwunastu lat, nie – ale i tak dość gwałtowna. Pobrali się w przeciągu roku, okresu, w którym Ilia był związany umową z instytutem. Kiedy minął ów rok, Georgina pojechała z nim do Bukaresztu. Działo się to w listopadzie czterdziestego siódmego.

Sprawy nie układały się najlepiej. Rodzice Georginy Drew byli ludźmi o pewnej pozycji: jej ojciec pracował w służbie dyplomatycznej, obejmował kiedyś kilka prestiżowych placówek zagranicznych, matka również wywodziła się z zamożnych kręgów. Dziewczyna z dobrego domu, podczas pierwszej wojny światowej pracowała jako sanitariuszka, Johna Drew poznała w szpitalu polowym we Francji, dokąd trafił poważnie ranny w nogę. Rana uniemożliwiła mu powrót na front, a po wojnie oboje udali się do Anglii. Ślub wzięli latem tysiąc dziewięćset siedemnastego.

Kiedy Georgina przedstawiła Ilię rodzicom, przyjęli go bardziej niż ozięble. Przez całe lata jej ojciec, rasowy Brytyjczyk, musiał znosić fakt, iż jego żona wywodziła się z Bułgarii, a teraz córka sprowadziła mu do domu Cygana. Nie okazywał swych uczuć otwarcie, ale Georgina doskonale wiedziała, co o tym sądzi. Z matką nie poszło aż tak źle, ale zbyt często powtarzała, że tata nigdy nie ufał Wołochom, podkreślając, że była to jedna z głównych przyczyn jego wyjazdu do Anglii. Słowem, Ilia nigdy nie znalazł tam prawdziwego domu.

Osiem następnych lat Georgina i Ilia spędzili w rozjazdach, pomiędzy Bukaresztem i Londynem. Oboje rodzice zeszli z tego świata, a Georgina odziedziczyła całkiem pokaźny spadek. W tych wczesnych latach Ilia nie zarabiał nauczaniem tyle, by zapewnić żonie poziom życia, do jakiego przywykła.

Potem jednak zaoferowano mu lukratywne stanowisko tłumacza w Foreign Office w Londynie. O ile za swojego życia ojciec Georginy sprawiał jej często ból, o tyle w spadku po nim odziedziczyła doskonałe wejście w kręgi dyplomacji. Warunek był tylko jeden: Ilia powinien przyjąć najpierw obywatelstwo brytyjskie. Zamierzał to uczynić, nim nadarzyła się ta wspaniała okazja, musiał jednak przed objęciem nowego stanowiska wywiązać się z umowy z instytutem i z tych samych względów przepracować jeszcze rok w Bukareszcie.

Wojna skończyła się przed jedenastu laty, a atmosfera rozbudowujących się miast nie służyła jego zdrowiu. Londyn tonął w smogu, Bukareszt we mgle, obie stolice były przesycone trującymi wyziewami, a w przypadku Ilii dochodził do tego pył murszejących książek w bibliotekach i salach wykładowych. Źle to znosił.

Kiedy umowa wygasła, mogli już wracać do Anglii, ale przestrzegał ich przed tym bukareszteński lekarz.

– Przezimujcie tutaj – radził. – Ale nie w mieście. Wyjedźcie na wieś. Długie spacery na świeżym, czystym powietrzu. Oto, czego ci trzeba. Wieczory przy huczącym kominku. Świadomość tego, że na dworze leży śnieg, a tobie jest całkiem ciepło. To sprawia, że człowiek cieszy się życiem.

Ilia miał rozpocząć pracę w Foreign Office pod koniec maja. Spędzili święta u przyjaciół w Bukareszcie, a potem, w pierwszych dniach nowego roku, pojechali pociągiem do Slatiny Podalpejskiej. Właściwie miasteczko leżało na wyżynie, łagodnie sięgającej podnóża gór, ale miejscowi zawsze używali tej nazwy. Georgina i Ilia wynajęli starą stodołę z dala od drogi do Pitesti i zamieszkali tam tuż przed nadejściem pierwszych prawdziwych śniegów.

Pod koniec stycznia na drogi wyjechały pługi śnieżne, zatruwając niebieskawym dymem z rur wydechowych mroźne, rześkie powietrze. Miejscowi krzątali się wokół swoich spraw, tupocząc ciężkimi butami, Ilia i Georgina piekli kasztany w kominku i snuli plany na przyszłość. Do tej pory zwlekali z powiększeniem rodziny, gdyż życie wydawało się im zbyt mało stabilne. Teraz jednak czuli, że mogą to zmienić.

W rzeczywistości zaczęli to zmieniać już dwa miesiące wcześniej, ale Georgina nie była tego pewna. Miała jednak niejasne podejrzenia.

Dni spędzali w mieście, o ile śnieg na to pozwalał, noce zaś w wynajętej chałupie, czytając lub kochając się niespiesznie przy ogniu. Zazwyczaj to drugie. Po miesiącu od opuszczenia Bukaresztu męczący kaszel Ilii zniknął. Wróciło natomiast wiele z utraconych sił. Ilia, z typowo rumuńskim zapałem, ofiarowywał je w darze Georginie. Przeżywali nieledwie drugi miesiąc miodowy.

W połowie lutego nastąpiło coś niezwykłego: trzy bezchmurne słoneczne dni pod rząd. Śnieg stopniał na tyle, że ranek czwartego dnia przypominał wczesną wiosnę.

– Jeszcze dzień, dwa takiej pogody – kiwali głowami miejscowi – i zobaczycie takie śnieżyce, jakich w życiu nie widzieliście! Cieszcie się więc, póki jest czym.

Ilia i Georgina postanowili pójść za ich radą.

W ciągu ostatnich lat, pod opieką męża, Georgina nauczyła się całkiem dobrze jeździć na nartach. Kolejna taka szansa mogła się nieprędko nadarzyć. W dolinie, na tak zwanych „sterpach", po śniegu pozostały jedynie wały piętrzące się na poboczach szos, kilka kilometrów dalej, w stronę gór, było go jednak mnóstwo.

Ilia wynajął na kilka dni samochód, przechodzonego volkswagena garbusa, oraz narty i o trzynastej trzydzieści owego pamiętnego czwartego dnia wyruszyli na wzgórze. Na obiad zatrzymali się w niewielkiej gospodzie na północnym krańcu Ionesti. Zamówili tam gulasz i mocną kawę. Posiłek zakończyła szklaneczka śliwowicy.

I dalej, na wzgórza, gdzie śnieg pokrywał jeszcze grubymi czapami pola i żywopłoty. Tam właśnie Ilia wypatrzył pasmo szarych wzgórz na zachód od szosy, oddalonych o dobrą milę. Drogę pokrywała gruba warstwa śniegu. Ilia pomrukiwał z niezadowolenia. Bojąc się, że utkną w zaspach, zjechał na pobocze i wyłączył silnik.

– *Landlaufen!* – zarządził, zdejmując narty z bagażnika na dachu.

– Bieg przełajowy? – jęknęła Georgina. – Aż na te wzgórza?

– Są białe! – oznajmił. – Lśniące od śniegu, kryjącego mocny, twardy lód. Doskonałe! Może z pół mili biegu, powolne wejście na szczyt i kontrolowany, pyszny slalom pomiędzy drzewami, a potem o zmierzchu powrót do samochodu.

– Ale już po trzeciej! – zaprotestowała.

– Lepiej więc ruszajmy. Chodź, dobrze nam to zrobi.

– Dobrze nam to zrobi! – powtórzyła ze smutkiem Georgina, mając w pamięci jeszcze teraz, po roku, wyraźny obraz wysokiego i smagłego mężczyzny, zdejmującego narty z dachu garbusa i rzucającego je w śnieg.

– Co takiego? – Anne Drew, jej młodsza kuzynka, zerknęła na nią przez ramię. – Mówiłaś coś?

– Nie – uśmiechnęła się słabo Georgina, kręcąc głową. Z ulgą odetchnęła na chwilę od tych wspomnień, ale jednocześnie poczuła jakiś żal. Twarz Ilii rozwiewała się w powietrzu, ustępując miejsca rysom kuzynki. – Tak sobie śnię na jawie.

Anne spoważniała i znów spojrzała na drogę. W ciągu ostatnich dwunastu miesięcy Georgina często śniła na jawie. Wyglądało na to, że trapi się czymś więcej niż tylko małym Julianem. W jej zachowaniu czuło się rozpacz. Zdawać się mogło, że dziewczyna przez cały rok balansowała na skraju załamania nerwowego i tylko następca Ilii, jakim był Julian, powstrzymywał ją przed upadkiem. A co do snów na jawie: często ulatywała tak daleko, tak odrywała się od rzeczywistości, że trudno było ją ściągnąć na ziemię. Teraz jednak dzięki dziecku... miała coś, czego mogła się trzymać, miała powód, żeby żyć.

Śnieżne szaleństwa na krzyżowych wzgórzach nie przyniosły nic dobrego. Wprost przeciwnie, okazały się potworne, tragiczne. Stały się koszmarem, który w ciągu minionego roku Georgina przeżyła tysiąckrotnie. Uśpiona ciepłem panującym w aucie i pomrukiem silnika, powróciła do swoich wspomnień...

Znaleźli na zboczu wzgórza starą przecinkę i wyruszyli nią na szczyt, przystając od czasu do czasu, żeby odetchnąć. W chwili gdy zdyszani dotarli na szczyt, słońce stało już nisko. Nadchodził zmierzch.

– Teraz już tylko z górki – stwierdził Ilia. – Ostry slalom pomiędzy drzewkami wyrosłymi w przecince, a potem powolny zjazd do samochodu. Gotowa? No to jedziemy.

Od tego momentu wszystko było jedną wielką katastrofą.

Drzewka, o których wspomniał, w rzeczywistości tkwiły głęboko w zaspach. Śnieg nawiany w przecinkę leżał daleko grubszą warstwą, niż mógł to przypuszczać Ilia, i tylko wierzchołki sosen sterczały dumnie z białego puchu. W połowie drogi przejechał zbyt blisko jednego z nich i prawa narta zaczepiła o gałąź skrytą tuż pod powierzchnią, widoczną jedynie jako kępka zieleni. Deski stanęły sztorcem. Upadł i niczym wirujący kłąb – widać było jedynie biały skafander, narty, kijki oraz wymachujące bezwładnie ręce i nogi – toczył się jeszcze przez dwadzieścia pięć metrów, aż zdołał złapać się kolejnego „drzewka".

Georgina, trzymając się w tyle i jadąc o wiele ostrożniej, widziała całą scenę. Serce podeszło jej do gardła. Krzyknęła i ustawiwszy narty w pług, zatrzymała się obok leżącego męża. Uwolniła się z wiązań i klęknęła obok niego. Ilia trzymał się za boki, pękając ze śmiechu, a po jego policzkach płynęły zamarzające łzy radości.

– Błazen! – Uderzyła go w pierś. – Och, ty błaźnie! Śmiertelnie mnie wystraszyłeś!

Śmiejąc się jeszcze głośniej, złapał ją za przeguby i unieruchomił. Potem spojrzał na narty i ucichł. Prawa deska była złamana, rozbita w drzazgi.

– Och! – zawołał, marszcząc brew, i usiadł na śniegu, rozglądając się. Georgina pojęła, że sprawa jest poważna. Wyczytała to z jego przerażonych oczu.

– Wracaj do samochodu – polecił jej. – Ale pamiętaj, ostrożnie, nie szalej jak ja! Zapal silnik i włącz ogrzewanie. To zaledwie mila i kiedy dotrę, stary garbus będzie czekał na mnie miły i ciepły. Nie ma sensu, żebyśmy oboje marzli.

– Nie! – uparła się. – Wrócimy razem. Ja...

– Georgina – powiedział cicho, co oznaczało, że jest zły. – Słuchaj, jeśli pójdziemy razem, to wrócimy mokrzy, zmęczeni i bardzo przemarznięci. Nie wytrzymasz tego. Jeżeli zrobisz tak, jak ja chcę, wkrótce będzie ci ciepło, a ja też się szybciej rozgrzeję! Poza tym nadchodzi noc. Dotrzesz do wozu jeszcze o zmierzchu i zapalisz światła, żeby mi wskazać drogę. Naciśnij też na klakson, żebym wiedział, że jesteś bezpieczna i cała. To mi doda otuchy. Rozumiesz?

– Jeżeli się nie rozdzielimy, to przynajmniej będziemy razem! A jeśli upadnę i gdzieś utknę? Wrócisz do wozu, a mnie tam nie będzie i co wtedy, Ilia? Zamartwię się podwójnie. Za ciebie i za siebie!

Przez moment jego oczy zaszły mgłą. Kiwnął jednak głową.

– Oczywiście, masz rację. – I znów się rozejrzał. – Dobra, zrobimy inaczej. Spójrz tam.

Przecinka ciągnęła się stromo w dół wzgórza, może jeszcze przez pół kilometra. Po obu stronach rosły stare drzewa, niekiedy nawet sędziwe, gęste i mroczne, oddzielone od drogi potężnymi zaspami. Rosły tak blisko siebie, że ich gałęzie niejednokrotnie się splatały. Od pięciuset lat nikt nie zajmował się ich wyrębem. Pod drzewami widać było jedynie łaty śniegu, gęsty iglasty baldachim osłaniał ziemię jak peleryna.

– Samochód jest tam – Ilia wskazał na wschód. – Za załomem wzgórza i za drzewami. Pójdziemy skrótem przez las aż do ścieżki, a potem po śladach nart do wozu. Skrót zaoszczędzi nam z pół mili i nie będziemy musieli tak brnąć przez śnieg. Z korzyścią dla mnie. Kiedy wrócimy na ścieżkę, przypniesz narty. To łagodny zjazd. Musimy już iść. Za pół godziny zajdzie słońce, a pod drzewami panuje mrok. Lepiej, żebyśmy nie zabawili w lesie zbyt długo po ciemku.

Zarzucił narty Georginy na ramię i opuścił przecinkę, wchodząc w cień drzew.

Posuwali się dość szybko, tak że przestała się martwić. W lesie było jednak coś, co przytłaczało, zbyt intensywna cisza, dojmująca obecność minionych stuleci, znaczących ledwie tyle, co sekunda na tarczy ogromnego zegara, a także wrażenie, że coś tu na nich czeka, czai się. Georgina pragnęła jedynie zejść jak najprędzej z tego wzgórza i wydostać się na otwartą przestrzeń. Przypuszczała, że Ilia też to czuje, ten dziwny *genius loci*, gdyż odzywał się mało, a nawet oddychał ciszej. Schodzili ukosem ze zbocza, od jednego czarnego pnia do drugiego, unikając w miarę możliwości większych stromizn.

Dotarli do miejsca, gdzie ze skalnego podłoża przez glebę i ściółkę przebijały się wyniosłe głazy. Omijając je, musieli pokonać niemal pionową ścianę wykruszonej skały, by znaleźć się na płaskiej polanie. Kiedy zeszli, zauważyli pod ciemnymi drzewami dzieło ludzkich rąk.

Stali na pokrytych porostami płytach przed jakimś... mauzoleum. Tak przynajmniej wyglądały owe ruiny. Georgina nerwowo chwyciła ramię męża. Nawet dysponując ogromną wyobraźnią, nie można było uznać tego miejsca za poświęcone. Zdawać się mogło, że krążą tu jakieś niewidzialne istoty, użyczające swego ruchu stęchłemu powietrzu, nie dotykając jednak festonów pajęczyn i zwieszonych palców martwych gałązek sięgających tu z połaci głębszego mroku. Zimne było to miejsce, pozbawione jednak normalnego, ożywczego chłodu, w ciągu niezliczonych stuleci rzadko odwiedzane przez słońce.

Wyciosany z surowego kamienia grobowiec zapadł się dawno temu. Większość masywnych bloków, tworzących niegdyś dach, leżała w gruzach na rozbitych płytach posadzki, wypchniętych w górę przez rosnące z trudem, potężne korzenie. Pęknięty monolit, opierający się teraz o gęsto porośnięty złomek bocznej ściany, pełnił kiedyś rolę nadproża nad szerokim wejściem do grobowca; wyryto na nim jakiś motyw lub herb, trudny do rozpoznania w mroku.

Ilia, którego fascynowały wszelkie starocie, przyklęknął przy nim i zaczął zdrapywać brud z niewyraźnych znaków.

– Coś takiego! – powiedział, zniżając głos. – I cóż my z tym zrobimy?

– Nie chcę nic z tym zrobić – Georgina zadygotała. – To okropne miejsce. Daj spokój, idziemy dalej.

– Ale spójrz, tu są motywy heraldyczne. Przynajmniej tak myślę. Ten na dole to... smok? Tak, z uniesioną przednią łapą. Widzisz? A nad nim... Niezbyt wyraźnie widać.

– Bo słońce zachodzi! – krzyknęła. – Z każdą chwilą robi się ciemniej.

A jednak podeszła, by zajrzeć mu przez ramię. Smok był całkiem wyraźny – dumny stwór wyciosany w kamieniu.

– Tamten to nietoperz – stwierdziła natychmiast. – Nietoperz lecący nad grzbietem smoka.

Ilia pospiesznie ścierał ze starych rytów brud i porosty, odsłaniając trzeci symbol. I wtedy ustąpiła wykruszona ściana, a masywne nadproże drgnęło i zaczęło osuwać się w dół.

Odpychając Georginę, Ilia stracił równowagę. Próbował się odczołgać... jednak nie zdążył. Jego straszliwy krzyk i ostre chrupnięcie łamanej kończyny zbiegły się z wrzaskiem Georginy.

Wówczas, może na szczęście, stracił przytomność. Georgina rzuciła się, by go uwolnić spod nadproża i odkryła, że blok go wprawdzie okaleczył, ale nie przygniótł. Dolna partia nogi leżała bezwładnie, wygięta pod dziwacznym kątem. Popatrzyła na złamanie i obmacała je, wyczuwając strzaskaną kość, przebijającą ciało i ubranie, a strumień krwi splamił jej ręce i kurtkę.

To było wszystko, co Georgina widziała, słyszała lub czuła. Właściwie powinna pamiętać coś jeszcze, coś co zostało wymazane z jej umysłu. Bowiem ujrzała wówczas trzeci symbol, wyryty nad smokiem i nietoperzem, który zdawał się drwić z niej jeszcze w chwili, gdy nadciągała ciemność...

*
* *

– Georgy? Jesteśmy już na miejscu! – Głos Anne przerwał zły czar.

Georgina, na wpół leżąca w tyle samochodu, drgnęła i siadła prosto, otwierając oczy. Pobladła. Była bliska przypomnienia sobie czegoś, związanego z miejscem, w którym zmarł Ilia, czegoś o czym nie chciała pamiętać. Teraz z ulgą zaczerpnęła powietrza i zmusiła się do uśmiechu.

– Już na miejscu? – zdołała wydusić z siebie. – Ja... musiałam bujać w obłokach, gdzieś o mile stąd!

Anne wprowadziła swój wielki wóz na parking przed kościołem i łagodnie zahamowała. Potem odwróciła się, by spojrzeć na pasażerkę.

– Jesteś pewna, że dobrze się czujesz?

– Tak, świetnie – potwierdziła Georgina. – Może nieco zmęczona, to wszystko. Chodź, pomóż mi przy łóżeczku.

Kościół zbudowany był ze starego kamienia, pełen witraży i gotyckich łuków. Z jednej jego strony znajdował się cmentarz, na którym chyliły się pokryte szarozielonymi porostami nagrobki. Georgina nie znosiła porostów, zwłaszcza takich, które zakrywały stare napisy wyryte na płytach nagrobkowych. Spiesząc przez cmentarz, odwracała wzrok, a za narożnikiem skręciła w lewo, ku wejściu. Anne, trzymająca drugi uchwyt łóżeczka, musiała biec truchtem, żeby dotrzymać jej kroku.

– O rany! – zaprotestowała. – Myślisz, że się spóźnimy?

W rzeczywistości było to dość bliskie prawdy.

Na stopniach przed kościołem czekał narzeczony Anne, George Lake. Żyli ze sobą od trzech lat i dopiero niedawno ustalili termin ślubu. Mieli być rodzicami chrzestnymi Juliana. Tego ranka odbywało się kilka chrztów. Ostatnia radosna grupa, złożona z rodziców, chrzestnych i krewnych, właśnie wchodziła, rozpromieniona matka trzymała na rękach dziecko ubrane w szatkę. George ich wyminął, zbiegając ze schodów; wziął łóżeczko podróżne.

– Przesiedziałem całe nabożeństwo, cztery chrzty, całe to mamrotanie, szeptaninę, chlapanie i płacz! Pomyślałem sobie jednak, że któreś z nas powinno być tutaj od początku do końca. Ale ten stary wikary... Panie, co to za zramolały nudziarz! Boże, wybacz!

George i Anne mogli równie dobrze być rodzeństwem, nawet bliźniakami. „Wywalić za okno całą teorię o przyciąganiu przeciwieństw" – pomyślała Georgina. Obydwoje mieli po pięć stóp dziewięć cali, byli co najmniej pulchni, o włosach blond, szarych oczach i łagodnych głosach. Daty ich urodzenia dzieliło kilka tygodni: George był Strzelcem, Anne zaś Koziorożcem. On, w sposób typowy dla Strzelców, pakował się tam, gdzie nie trzeba, ona, dzięki stabilności swego znaku, wyciągała go z tego. Tak oceniała ich związek Anne, dożywotnia orędowniczka astrologii.

Uwolnili na chwilę Georginę od małego Juliana, by nieco się ogarnęła, wzięli łóżeczko między siebie i ruszyli do kościoła. Pod gotyckim łukiem połowa podwójnych dębowych drzwi otwierała się na podest u szczytu schodów. Nagle zerwał się wiatr, szalonym wirem podrzucił w górę konfetti, pamiątkę po ślubie z poprzedniego dnia, i z hukiem zatrzasnął im drzwi przed nosem. Wcześniej przez rzadkie chmury prześwitywały promyki słońca, teraz jednak obłoki zbiły się w gęstszą masę, słońce zgasło, zapadł półmrok.

– Nie dość zimno na śnieg – stwierdził George, przyglądając się badawczo niebu. – Moim zdaniem, lunie!

– Lunie czy sieknie? – Anne chwiała się jeszcze, nie ochłonęła po zatrzaśnięciu drzwi. Na jej twarzy malowało się zaciekawienie.

– Pieprznie – odpowiedział tym samym tonem George. – Wchodzimy!

W chwilę później sam wikary otworzył im drzwi. Był chudy, w podeszłym wieku, łysawy. Spoglądał na nich z wyżyn, z racji swojego wzrostu. Miał małe oczka, powiększone przez okulary o grubych szkłach, i pożyłkowany, wydatny, przypominający dziób nos. Chuda sylwetka przywodziła na myśl modliszkę, ale jednocześnie było w nim coś z sowy.

„Rajski ptak!" – pomyślał George i uśmiechnął się w duchu. Ale jednocześnie zauważył, że uścisk dłoni starego wikarego był ciepły i pełen otuchy, choć nieco drżący, a z jego oczu biło czyste dobro. Nie brakowało mu też swoistego poczucia humoru.

– Miło, że zdążyliście – uśmiechnął się ksiądz i kiwając głową, popatrzył na leżącego w łóżeczku Juliana. Dziecko obudziło się i przyglądało wszystkim okrągłymi oczkami. Wikary połaskotał je pod pulchnym podbródkiem. – Młody człowieku, najlepiej przychodzić wcześniej na swój chrzest, punktualnie na ślub i spóźniać się, jak się da, na własny pogrzeb! – spojrzał zadumany na drzwi.

Szalony poryw wiatru ulotnił się już, unosząc ze sobą konfetti.

– Cóż się stało? – Starzec uniósł brwi. – Dziwne! Myślałem, że wsunąłem bolec. Tak czy inaczej, trzeba potężnego wiatru, by zatrzasnąć tak ciężkie drzwi. Może czeka nas sztorm?

Wikary odepchnął wrota do końca, bolec u dołu drzwi przejechał z piskiem przez rowek, który wyżłobił w starych kamiennych płytach, i w końcu wszedł w swój otwór.

– Gotowe! – Ksiądz zatarł ręce i pokiwał głową z satysfakcją.

„Nie taki z niego nudziarz" – pomyśleli jednocześnie wszyscy troje, gdy prowadził ich do wnętrza i dalej do baptysterium.

Kiedyś ten ksiądz chrzcił Georginę, udzielał jej ślubu, pamiętał też o jej wdowieństwie. Do tego kościoła uczęszczali jej rodzice przez długie lata. Do tego kościoła chodził jej ojciec jako chłopiec i młody mężczyzna. Długi wstęp był niepotrzebny, wikary więc nie zwlekał. George i Anne postawili łóżeczko, a Georgina wzięła Juliana w ramiona.

– Czy dziecko to było już ochrzczone, czy też nie?

– Nie. – Georgina potrząsnęła głową.

– Drodzy moi – zaczął pośpiesznie wikary. – Skoro wszyscy ludzie poczęci są i rodzą się w grzechu...

„Grzech" – pomyślała Georgina, kiedy słowa starego płynęły obok niej. – „Julian nie został poczęty w grzechu". – Ta część nabożeństwa zawsze ją odrzucała. – „Akurat, grzech! Poczęty w radości, miłości i rozkoszy najsłodszej ze słodkich, to tak. Chyba że rozkosz należy uznać za grzech..." – myślała oburzona.

Popatrzyła na syna, leżącego w jej ramionach. Był czujny, wpatrywał się w wikarego, mamroczącego nad swym brewiarzem. Twarz dziecka miała zabawny wyraz: nie całkiem nieobecny, nie całkiem dziecinny. Jakby skupiony. Dzieciaki potrafią robić miny.

– I uświęć tę wodę, aby dziecko, które powołałeś, odrodziło się z Ducha Świętego i zostało włączone...

Duch Święty. Pod nieruchomymi drzewami, na krzyżowych wzgórzach, krążyły duchy, ale nic nie łączyło ich ze świętością. Były bluźnierstwem.

W oddali przetoczył się grzmot, a wysokie witraże rozpaliły się na moment światłem odległej błyskawicy, po czym znów pogrążyły się w mroku. Nad chrzcielnicą żarzyła się jednak lampka, użyczająca dostateczną ilość światła oczom wikarego, skrytym za grubymi soczewkami. Temperatura wyraźnie spadła i ksiądz, czytając kolejne wersety, nie mógł się powstrzymać od drżenia.

Na moment przerwał, podniósł wzrok i zamrugał. Popatrzył najpierw na troje dorosłych, potem przez dłuższą chwilę przypatrywał się dziecku, mrugając gwałtownie. Zerknął jeszcze na lampę nad chrzcielnicą i na wysokie okna. Mimo chłodu na jego brwiach i górnej wardze połyskiwały krople potu.

– Ja... Ja... – wyjąkał.

– Dobrze się ksiądz czuje? – zaniepokoił się George. Chwycił wikarego pod ramię.

– Zimno mi. – Starzec spróbował się uśmiechnąć, ale wypadło to nieszczególnie. Wargi zdawały się kleić do zębów, sztucznych i niezbyt dobrze dopasowanych. Poczuł się nagle winny.

– Przepraszam, ale to nic dziwnego. Tu panują straszne przeciągi, wiecie? Nie martwcie się jednak, nie zawiodę was. Zaraz dokończymy. To po prostu było tak nagle. – Nieprawdziwy uśmiech zniknął z jego twarzy.

– Po tym wszystkim – powiedziała Anne – ksiądz powinien spędzić resztę weekendu w łóżku.

– Wierzę, że tak się stanie, moja droga.

Wikary z trudem wrócił do tekstu modlitwy.

Georgina milczała. Czuła coś dziwnego. Kryło się tu coś nierzeczywistego, nieostrego. „Czy kościoły bywają niezadowolone?" – zastanawiała się. Zachowywał się wrogo od momentu ich przybycia. Tu tkwił problem wikarego, ksiądz również to wiedział, ale nie umiał nazwać.

„Ale skąd ja wiem, co to jest? – pytała siebie Georgina. – Czułam to już przedtem?".

– ...Przynosili Jezusowi dzieci, żeby ich dotknął; lecz uczniowie szorstko zabraniali im tego...

Georgina miała wrażenie, że kościół wokół niej jęczy, próbując ją wypędzić. „Nie, próbuje wypędzić... Juliana?" – pomyślała z przerażeniem. Popatrzyła na dziecko, ono zaś odwzajemniło to spojrzenie; na jego twarzy pojawił się ów niby-uśmiech, tak typowy dla niemowlaków. Oczy chłopca były jednak utkwione w jednym punkcie, sztywno, bez mrugnięcia. Kiedy wpatrywała się w te ukochane oczęta, zauważyła, jak obracają się w oczodołach, by spojrzeć na starego wikarego. Nic w tym nie było niezwykłego, tyle że wyglądało tak rozważnie.

„Julian jest zwyczajnym dzieckiem!" – zaprzeczyła swym myślom. Kiedyś już dręczyły ją podobne rozterki i odrzuciła je, teraz musiała zrobić to ponownie. – „On jest zwyczajnym dzieckiem!" – Chodziło o nią, nie o malca. Winiła się za Ilię. To było jedyne możliwe wyjaśnienie.

Popatrzyła na George'a i Anne. Odpowiedzieli jej uśmiechem otuchy. Zdawało się, że nie czuli tego chłodu, tej obcości. Uważali zapewne, że przejęła się wikarym i ceremonią. Nic poza tym nie czuli. Może jedynie przeciąg.

Georgina czuła coś więcej niż chłód. Wikary również. Przebiegał teraz wersety, spiesząc niemal mechanicznie przez liturgię, miał w sobie tyle człowieczeństwa, co jakiś pingwin-robot. Wolał na nich nie patrzeć, a zwłaszcza na Juliana. Czuł uporczywy wzrok niemowlęcia.

– Drodzy chrzestni – wikary zwrócił się teraz do George'a i Anne – przyniesione przez was dziecko otrzyma z miłości Bożej przez sakrament chrztu...

„Muszę to przerwać – myśli Georginy szalały coraz bardziej. Wpadła w popłoch. – Muszę, zanim... Zanim co? Zanim to się wydarzy!".

– ...zachować w nim to Boże życie od skażenia grzechem i umożliwić jego...

Na zewnątrz, tym razem o wiele bliżej, rozległ się grzmot, niosąc za sobą błyskawicę, która rozświetlała zachodnie okna, zalewając wnętrze barwami, zmieniającymi się jak w kalejdoskopie. Grupa przy chrzcielnicy najpierw stała się złota, potem zielona, na koniec – szkarłatna. Julian wyglądał jak zalany krwią. Krwawymi oczami wpatrywał się w wikarego.

W głębi kościoła, pod amboną, niemal niewidoczny grabarz zamiatał posadzkę, skrobiąc szczotką kamienne płyty.

Nagle, bez żadnego właściwie powodu, rzucił szczotkę, zdarł z siebie fartuch i niemal biegiem opuścił kościół. Słychać było, że coś mamrocze, rozeźlony. Kolejna błyskawica przemalowała go na niebiesko, zielono i wreszcie na biało, jak niedoświetloną fotografię. Dopadł do drzwi i zniknął za nimi.

– Ekscentryk! – Wikary, bardziej już panując nad sobą, skrzywił się jednak nieco zaskoczony jego nagłym zniknięciem. – Sprząta kościół, gdy to „czuje"! Tak mi mówi.

– Możemy kontynuować? – George najwyraźniej miał dość wykrętów.

– Oczywiście, oczywiście. – Starzec znów zajrzał do swej księgi i wyrecytował jeszcze kilka wersetów.

– Hm... Czy wyrzekacie się Szatana, który jest głównym sprawcą grzechu?

Chłopiec również miał dosyć. Zaczął wierzgać, nabierał tchu. Twarz mu nabrzmiała i zaczęła lekko sinieć, co zazwyczaj oznaczało, że podskórna złość i frustracja są w stanie wrzenia. Georgina, wiedząc to, nie mogła powstrzymać westchnienia ulgi. „Czyż Julian nie jest jedynie bezradnym maleństwem?" – westchnęła w myślach.

– ...aby was grzech nie opanował... umęczonego i pogrzebanego, który powstał i zasiada po prawicy Ojca?

„Tylko dziecko – pomyślała Georgina. – Z krwi Ilii i mojej, i...?".

– ...odpuszczenie grzechów?

W kościele panował mrok, burza szalała na zewnątrz.

– ...w zmartwychwstanie ciał i w życie wieczne?

Georgina drgnęła, kiedy Anne i George odpowiedzieli jednogłośnie.

– Wierzymy.

– Czy chcecie, aby Julian otrzymał chrzest w wierze Kościoła, którą przed chwilą wyznawaliśmy?

– Takie jest jego pragnienie – odpowiedzieli George i Anne.

Ale Julian temu zaprzeczył! Zawył tak, że mogły rozstąpić się krokwie, szarpnął się i kopnął z tak zadziwiającą siłą, że matka ledwie mogła go utrzymać. Stary ksiądz zdecydował się nie przedłużać ceremonii. Wziął dziecko z ramion Georginy. Biała szatka chłopca skąpana była niemal w neonowym świetle, jej fałdki pulsowały różowo.

– Jakie imię wybraliście dla dziecka?

– Julian – odpowiedzieli krótko.

– Julianie – skinął głową. – Ja ciebie chrzczę w imię... – urwał i spojrzał na niemowlę. Prawa ręka księdza, wprawna i nawykła, zanurzyła się w chrzcielnicy, zaczerpnęła wody i zastygła nieruchomo, ociekając kroplami.

Chłopiec wciąż wył. Anne, George i Georgina słyszeli w tym wyciu jedynie płacz. Oddzielona od dziecka Georgina poczuła się nagle wolna, pozbawiona brzemienia, odsunięta od tego, co miało nadejść. Nie do niej to należało, była jedynie widzem, to ksiądz miał posmakować owoców swojego obrzędu. Słyszała jedynie zwykły płacz syna, ale czuła, że zbliża się coś niesamowitego.

Wikary w głosie dziecka doszukał się nowego tonu. To już nie był płacz, ale ryk bestii. Starzec rozdziawił usta i podniósł wzrok, by mrugając raz po raz, przyjrzeć się zebranym. George i Anne uśmiechnięci, choć nieco znużeni. Georgina jakby skurczona i blada. Potem znów spojrzał na Juliana. Dziecko warczało, warczało jak wściekłe zwierzę. Płacz był jedynie zasłoną, niczym perfumy tuszujące smród łajna. W głębi kryło się basowe skrzeczenie największego Plugastwa.

Dłonią, drżącą jak liść podczas wichury, dotknął rozgorączkowanego czoła niemowlęcia i nakreślił palcem znak krzyża. Równie dobrze mógłby użyć kwasu.

– *Nie* – zaprotestowało ogłuszające skrzeczenie. – *Nie znacz mnie krzyżem, zdradliwy psie chrześcijański!*

– Co? – Wikary zaczął wierzyć, że popadł w obłęd. Oczy za grubymi soczewkami okularów rozwarły się szeroko.

Pozostali wciąż słyszeli tylko płacz dziecka. Nagle ucichł. Starzec i niemowlę wpatrywali się w siebie w niesamowitym milczeniu.

– Co? – powtórzył wikary, zniżając głos do szeptu.

Widział na własne oczy, jak skóra na czole niemowlęcia pęcznieje, tworząc bliźniacze wzgórki, jakby jakaś podskórna kipiel zbierała się, żeby wybuchnąć. Gładka skóra pękła, ustępując miejsca tępym, koźlim rogom, rosnącym szybko i zakrzywionym. Szczęki dziecka wydłużyły się na podobieństwo psiego pyska i rozwarły się, ujawniając czerwoną grotę pełną białych noży i ruchliwy języczek żmii. Z paszczy bił odór stęchlizny, otwartej mogiły. Ślepia stwora, otchłanie siarki, paliły twarz wikarego niczym ogień.

– Jezu! – krzyknął starzec. – Na Boga, czym ty jesteś? – i upuścił dziecko. Upuściłby, ale George zauważył szklisty wzrok starego, zwiotczenie jego ciała i raptowny odpływ krwi z twarzy. Ledwie wikary się zachwiał, George postąpił o krok do przodu i odebrał od niego Juliana.

Anne natychmiast podtrzymała starca i niemal delikatnie położyła go na posadzce. Georgina również się chwiała. Podobnie jak tamci dwoje nic nie dostrzegła, nie poczuła ani nie usłyszała, była jednak matką Juliana. Wiedziała, że coś nadchodzi, i rozpoznała to. Nagle jednak zemdlała, a w iglicę wieży uderzył grom, wywołując niekończący się grzmot.

Potem panowała już tylko cisza. Powoli ogarnęło ich światło i kurz opadający smugami, zdmuchniętymi z umieszczonych wysoko nad ich głowami krokwi.

George i Anne, bladzi jak widma, spoglądali na siebie w mroku wnętrza kościelnego. Mały Julian, niczym aniołek, spoczywał w ramionach ojca chrzestnego.

*

* *

Po tych wydarzeniach Georgina nie mogła przyjść do siebie. Chłopcem opiekowali się George i Anne, a zanim minął rok, doczekali się własnego dziecka.

Matka Juliana przebywała w starannie wybranym sanatorium. Nikt nie był tym zbytnio zaskoczony: załamanie nerwowe, tak długo powstrzymywane, w końcu się na niej zemściło. George i Anne, a także inni przyjaciele, odwiedzali ją regularnie, nikt jednak słowem nie wspominał o przerwanym chrzcie i śmierci wikarego.

Przyczyną zgonu musiał być wylew lub coś podobnego. Zdrowie starca szwankowało już od jakiegoś czasu. Od chwili, gdy zasłabł w kościele, przeżył zaledwie kilka godzin. George pojechał wraz z nim do szpitala i był przy nim w chwili śmierci. Tuż przed ostatecznym odejściem z tego świata staruszek ocknął się.

Jego wzrok skupił się na twarzy George'a, oczy rozwarły się szeroko, pełne nieprawdopodobnych wspomnień. George uspokajał go, poklepując dłoń, która gorączkowo zacisnęła się na ramie łóżka.

– Spokojnie. Ksiądz jest w dobrych rękach.

– W dobrych rękach? W dobrych rękach! O Boże! – Starzec doszedł już całkiem do siebie. – Śniło mi się... Śnił mi się... chrzest. Ty też tam byłeś. – Brzmiało to niemal jak oskarżenie.

George uśmiechnął się.

– Miał być chrzest – odpowiedział. – Ale niech się ksiądz nie martwi, jak ksiądz stanie na nogi, wszystko dokończymy.

– To stało się naprawdę? – Starzec próbował usiąść.

George i pielęgniarka podtrzymali go i ułożyli na poduszkach, kiedy znów zasłabł. Wystąpiły objawy zapaści. Twarz starego wykrzywiła się, ciało wiotczało. Pielęgniarka wypadła z sali, wołając lekarza. Wijąc się z bólu, wikary chwiejnym gestem nakazał George'owi podejść bliżej. Życie uchodziło z rozdygotanego ciała, twarz przybierała barwę ołowiu.

George przystawił ucho do drżących warg księdza.

– Ochrzcić je? Nie, nie... nie możecie! Najpierw... najpierw egzorcyzmy!

Takie były jego ostatnie słowa. George zachował je tylko dla siebie. Pomyślał, że umysł staruszka osłabł i te słowa to majaczenie.

W tydzień po chrzcie na czole Juliana pojawiły się maleńkie białe pęcherzyki. Z czasem wyschły i złuszczyły się, zostawiając ledwie widoczne ślady, przypominające cętki...

ROZDZIAŁ PIĄTY

– Zabawne z niego było maleństwo! – śmiała się Anne Lake, potrząsając głową, a jej blond włosy rozwiewał wietrzyk, wpadający przez otwarte okno samochodu. – Pamiętasz ten rok, który spędził z nami?

Lato siedemdziesiątego siódmego kończyło się i wyruszyli, by spędzić tydzień z Georginą i Julianem. Nie widzieli ich od dwóch lat. George uznał wtedy, że chłopak jest dziwny, o czym wspomniał kilkakrotnie Anne. Teraz znów to poruszył.

– Zabawne maleństwo? – skrzywił się. – To chyba niezbyt trafne określenie. „Dziwaczne" byłoby tu bardziej na miejscu! A wnosząc z naszej ostatniej wizyty u nich, wcale się nie zmienił. Z dziwacznego dziecka wyrósł dziwaczny młodzieniec!

– Och, George, to śmieszne. Dzieciaki różnią się od siebie. Julian, powiedzmy, wyróżniał się nieco bardziej, to wszystko.

– Posłuchaj – rzekł George. – Ten dzieciak trafił do nas, nie mając jeszcze dwóch miesięcy, i miał już zęby! Ząbki jak igiełki, ostre jak diabli! Pamiętam, jak Georgina mówiła, że się z nimi urodził. Dlatego nie mogła dawać mu cycka.

– George – powiedziała Anne, przypominając, że za nimi siedzi Helen, ich córka. Piękna, pod pewnymi względami przedwcześnie rozwinięta szesnastolatka.

Helen westchnęła głośno i z premedytacją.

– Mamo! Wiem, do czego służą piersi. To znaczy, poza naturalnym przyciąganiem płci przeciwnej. Musisz je wciągać na swoją listę rzeczy zakazanych?

– Listę rzeczy podkasanych! – zaśmiał się George.

– George! – upomniała go Anne jeszcze mocniej.

– Rok 1977 – szyderczo stwierdziła Helen – a człowiek mógłby nie mieć o tym pojęcia. Nie w tej rodzinie. Chodzi mi o to, że karmienie dziecka jest sprawą naturalną, nie? Naturalniejszą niż pozwalanie na obmacywanie piersi w ostatnim rzędzie jakiegoś brudnego, zapchlonego kina!

– Helen! – Anne nieomal odwróciła się w fotelu, zaciskając surowo wargi.

– Ile to już czasu minęło... – George ze smutkiem zerknął na żonę.

– Od czego? – warknęła.

– Od chwili, gdy obmacywano mnie w zapchlonym kinie – dokończył.

Anne parsknęła rozdrażniona.

– Od ciebie się uczy! – zarzuciła mężowi. – Zawsze traktujesz ją jak dorosłą.

– Bo jest już prawie dorosła – odpowiedział. – Tylko do tego etapu dzieciaki dają się prowadzić, Anne, miłości moja, a potem są już zdane tylko na siebie. Helen jest zdrowa, inteligentna, szczęśliwa, ładnie wygląda i nie pali trawki. Nosi stanik niemal od czterech lat i co miesiąc...

– George!

– Tabu! – zachichotała Helen.

– A poza tym – George nie ukrywał już swej irytacji – nie rozmawialiśmy o Helen, ale o Julianie. Helen, zakładam, jest normalna. Jej kuzyn, albo kuzyn drugiego stopnia, czy jak go zwać, nie jest.

– Podaj mi przykład – spierała się Anne. – Powiadasz, nienormalny? To znaczy anormalny? Upośledzony? Gdzie tkwi defekt?

– Kiedy wyskoczy temat Juliana – wtrąciła się z tyłu Helen – zawsze się kończy na kłótni. Czy on jest tego wart?

– Twoja matka to bardzo lojalna osoba – odrzekł przez ramię George. – Georgina jest jej kuzynką, a chłopak jest jej synem. Co znaczy, że są nietykalni. Twoja matka nie umie stawiać czoła prostym faktom, i tyle. To samo dotyczy jej przyjaciół: nie chce słuchać nic złego na ich temat. Bardzo chwalebne. Ale ja nazywam rzeczy po imieniu. Uważam i zawsze uważałem Juliana za odmieńca. Jak powiedziałem, za dziwacznego.

– Chcesz powiedzieć – naciskała Helen – za ciepłego?

– Helen! – znów zaprotestowała matka.

– Nauczyłam się tego od ciebie! – ucięła Helen. – Zawsze nazywasz pedałów ciepłymi.

– Nigdy nie rozmawiam o... o homoseksualistach! – Anne była wściekła. – A już na pewno nie z tobą!

– Słyszałam, jak tata, opowiadając o paru kolegach, twierdził, że taki-a-taki jest równie pedziowaty, jak ksiądz bez sutanny – oznajmiła Helen. – A ty odpowiadałaś: „Co, taki-a--taki jest ciepły? Naprawdę?".

Anne odwróciła się do córki i pewnie dałaby jej w twarz, gdyby mogła dosięgnąć.

– W przyszłości, zanim zdecydujemy się na dorosłą rozmowę, będziemy musieli zamykać cię w twoim cholernym pokoju, ty okropna dziewucho! – krzyknęła, czerwieniąc się.

– Lepiej to zrób – Helen równie szybko się denerwowała – zanim zacznę przeklinać!

– Dobra, dobra! – uciszył je George. – Remis. Ale jesteście na wakacjach, pamiętacie? Pewnie to wszystko moja wina, lecz ten Julian wciąż mnie intryguje. I nawet nie umiem wytłumaczyć, dlaczego. Zazwyczaj, kiedy ich odwiedzamy, trzyma się na uboczu, mam nadzieję, że tak będzie i tym razem. Przynajmniej sobie odpocznę. Po prostu ten młokos nie jest w moim typie. A czy jest homo-nie-wiadomo (Helen ledwo powstrzymywała się od śmiechu), nie mam pojęcia. Ale wykopali go z tego internatu...

– Nieprawda! – Anne musiała powiedzieć swoje. – Rzeczywiście, wykopali! Zaliczył wszystko rok wcześniej i skończył szkołę przed innymi. Czy to ma znaczyć, że wykształcenie i nieprzeciętna inteligencja czynią z kogoś... rozbuchanego homoseksualistę? Wielkie nieba! Nasza mała Panna Omnibus zaliczyła kilka egzaminów drugiego stopnia, co najwyraźniej czyni ją wszechwiedzącą, a w takim razie Julian musi być niemal bogiem! George, a jakie ty masz wykształcenie?

– Nie widzę, co to ma do rzeczy – odparł. – Z tego co słyszę, więcej pedałów opuszcza uniwersytety niż wszystkie szkoły niższego szczebla razem wzięte. A do tego...

– George?

– Byłem w zawodówce – westchnął. – Wiesz o tym doskonale. Uprawnienia handlowe zrobiłem wszystkie. A potem pracowałem za dniówki jako architekt, zarabiając forsę dla swojego szefa, aż wreszcie otworzyłem własny interes. Tak czy inaczej...

– Jakie wykształcenie akademickie? – upierała się.

George nie odezwał się znad kierownicy, opuścił nieco szybę w swoim oknie, wdychając ciepłe powietrze.

– Takie jak twoje, kochanie – odpowiedział po dłuższej chwili.

– Czyli żadnego! – triumfowała Anne. – Julian jest więc inteligentniejszy niż cała nasza trójka. Przynajmniej ma na to papier. Dajmy mu czas, a coś nam jeszcze pokaże. Tak, przyznaję, jest cichy, porusza się jak duch, wydaje się być mniej aktywny niż jego rówieśnicy i nie tak pełen życia, jak powinien w tym wieku. Ale dajmy mu czas, na litość boską! Popatrz, w jakich warunkach wyrastał. Nigdy nie znał swego ojca. Georgina wychowywała go sama, a przecież po śmierci Ilii nie doszła już do siebie. W tej mrocznej, starej posiadłości spędził dwanaście lat swego młodego życia. Nic dziwnego, że jest, cóż, trochę małomówny.

Wyglądało na to, że zwyciężyła. Nie kwestionowali jej logiki, najwyraźniej tracąc ochotę na spory. Anne uspokoiła się i wtuliła się głęboko w wygodny fotel.

„Małomówny" – umysł Helen pracował bardzo intensywnie. – „Julian małomówny? Czy matka chciała powiedzieć, opóźniony w rozwoju?" – Przez cały czas spierała się z taką opinią. – „Nieśmiały?" – myślała. – „Może pełen rezerwy? Tak, o to mogło jej chodzić. Wyglądał też na nieśmiałego, jeśli nie znało się go bliżej". – Helen zaprzyjaźniła się z nim przed dwoma laty. Wątpiła raczej w przypisywane mu przez ojca skłonności homoseksualne. Uśmiechnęła się w duchu. – „Lepiej zresztą, żeby tak myśleli. Nie będą mieli nic przeciwko temu, że przebywam w jego towarzystwie. Nie, Julian z pewnością nie jest pedałem" – rozmyślała, snując plany kolejnego spotkania.

Tak, przed dwoma laty...

Wieki zajęło Helen nakłonienie go do rozmowy. Wciąż dokładnie pamiętała tamtą chwilę.

Była wówczas słoneczna sobota, drugi dzień ich dziesięciodniowej wizyty. Ciotka Georgina pojechała wraz z rodzicami na plażę w Salcomb, opiekę nad domem powierzono Julianowi i Helen. On bawił się ze swoim szczeniakiem, owczarkiem alzackim, ona zaś wyruszyła, żeby zbadać ogrody, wielką stodołę, niszczejące stajnie i mroczny, gęsty zagajnik. Chłopak nie chciał jechać na plażę, nie znosił słońca i morza, a Helen przedkładała wszystko inne nad spędzenie czasu z rodzicami.

– Przejdziesz się ze mną? – zapytała Juliana, spotkawszy go w towarzystwie niezdarnego szczeniaka w mrocznej, chłodnej bibliotece. Potrząsnął głową.

Wyglądał blado. W cieniu jedynego pokoju, którego zdawało się nigdy nie dosięgać słońce, ułożył się niezgrabnie na sofie; jedną ręką bawił się kłapciastymi uszami psa, w drugiej trzymał książkę.

– Czemu nie? Mógłbyś pokazać mi okolicę.

Zerknął na szczeniaka.

– Męczy się na długich spacerach. Nie stoi jeszcze pewnie na nogach. A ja zbyt szybko się opalam. W zasadzie nie przepadam za słońcem. Poza tym teraz czytam.

– Niezbyt zabawne z ciebie towarzystwo – powiedziała, rozmyślnie nadąsana. – Czy na stryszku w stodole jest jeszcze siano? – zapytała po chwili.

– Na stryszku? – Chłopak wyglądał na zaskoczonego. Jego pociągła, niebrzydka twarz rysowała się miękkim owalem na ciemnym aksamicie oparcia sofy. – Od lat tam nie byłem.

– A przy okazji, co czytasz? – Usiadła obok niego i sięgnęła po książkę, którą trzymał luźno w długopalcej, delikatnej dłoni. Cofnął rękę, odsuwając książkę.

– Nie dla małych dziewczynek – rzekł, nie zmieniając wyrazu twarzy.

Zawiedziona, żachnęła się i rozejrzała po wielkiej sali. Naprawdę była wielka: niczym biblioteka publiczna, przedzielona na środku sięgającym do sufitu regałem z książkami, pełna wyłożonych tomami wnęk we wszystkich ścianach. Pachniało tu starymi woluminami, zakurzonymi i zmurszałymi. Człowiek bał się oddychać, żeby nie napełnić płuc słowami, farbą i wyschniętymi włóknami kleju i papieru.

W jednym z rogów stała płytka szafa z otwartymi drzwiami. Wgłębienia w wytartym dywanie wskazywały, gdzie Julian ustawił drabinę, by dostać się do którejś z półek. Książki na samej górze spoczywały niemal w mroku, pośród starych pajęczyn, zbierających kurz. Podczas gdy tomy na niższych półkach stały równymi rzędami, tam piętrzyły się przypadkowo, jakby niedawno do nich sięgano.

Wstała.

– Jestem małą dziewczynką, tak? A w takim razie kim ty jesteś? Wiesz, dzieli nas tylko rok różnicy... – Podeszła do drabinki, zaczęła się wspinać.

Młodzieniec zadrżał. Odrzucił książkę i uniósł się lekko.

– Zostaw w spokoju najwyższą półkę – powiedział obojętnie, podchodząc do drabinki.

Ignorując go, spojrzała na tytuły.

– Coates. *Ludzki magnetyzm czyli jak hipnotyzować.* He! Hokus-pokus! *Likan...* hm, *Likantropia.* Co? I... *Erotyki* Beardsleya! – Z radością klasnęła w dłonie. – Świńskie obrazki, Julianie? – Zdjęła książkę z półki i otworzyła ją. – Och! – powiedziała już ciszej. Czarno-biały rysunek, który zobaczyła, miał w sobie więcej makabry niż erotyzmu.

– Odłóż to! – syknął z dołu chłopak.

Helen odstawiła Beardsleya i przeczytała jeszcze kilka tytułów.

– *Wampiryzm*, brr! *Moce seksualne satyrów i nimfomanek*, *Sadyzm a aberracje seksualne.* I... *Stworzenia pasożytnicze*? Cóż za urozmaicenie! I ani śladu kurzu na tych starych książkach. Często je czytujesz?

– Zejdź stamtąd! – potrząsnął drabinką, nalegając.

Jego głos był dość cichy, niemal groźny. Gardłowy i znacznie niższy niż przedtem. Prawie męski, na pewno nie młodzieńczy. Spojrzała w dół.

Julian stał przy drabince, z twarzą zwróconą w górę pod ostrym kątem, na poziomie jej kolan. Jego oczy wyglądały jak dziurki w papierowej masce, o źrenicach lśniących jak czarne kuleczki. Posłała mu groźne spojrzenie, ale nie dostrzegł go, gdyż nie patrzył na jej twarz.

– No proszę – stwierdziła wówczas kokieteryjnie. – Niegrzeczny z ciebie chłopak. Te książki i cała reszta...

Z uwagi na upał miała na sobie krótką sukienkę i teraz była z tego zadowolona.

Spojrzał w innym kierunku, dotknął palcem brwi i odsunął się na bok.

– Chciałaś... zobaczyć stodołę? – Głos znów miał miękki.

– Możemy? – W okamgnieniu była na dole. – Uwielbiam stare stodoły! Ale twoja mama powiedziała, że tam jest niebezpiecznie.

– Uważam, że to wystarczająco bezpieczne miejsce – odparł. – Georgina lubi się zamartwiać.

Od maleńkości nazywał swoją matkę Georginą. Chyba jej to nie przeszkadzało.

Wyszli przed chaotycznie zaprojektowany dom. Julian cofnął się jeszcze do swojego pokoju. Wrócił w ciemnych okularach i kapeluszu.

– Wyglądasz teraz jak blady meksykański bandyta – stwierdziła Helen, idąc przodem. Ruszyli w kierunku stodoły, a za nimi podskakiwał szczeniak.

Stodoła była właściwie prostą, kamienną przybudówką, a rolę stryszku pełniła platforma z desek, położona na belkach stropu. Obok budynku mieściły się stajnie, kompletnie zaniedbane – niszczejąca ruina. Przed pięcioma czy sześcioma laty rodzina Bodescu wyraziła zgodę, by jeden z miejscowych farmerów trzymał w nich przez zimę swoje kucyki. Siano dla nich przechowywał w stodole.

– Po co wam taki wielki dom? – zapytała Helen, kiedy wchodzili do wnętrza, mijając skrzypiące drzwi. Młodzieniec pragnął skryć się w cieniu, pośrodku tych nielicznych promieni słońca, na których huśtał się kurz.

– Przepraszam? – rzekł po chwili, błądząc myślami gdzieś daleko.

– Ten dom. Cały teren. I wysoki kamienny mur, który go otacza – ile ziemi ogarnia? Trzy akry?

– Trochę ponad trzy i pół – odpowiedział.

– Wielki dom, pełen zakamarków, stare stajnie, stodoły, zapuszczony padok, nawet cienisty zagajnik na jesienne spacery, kiedy wszystkie barwy zaczynają się starzeć! Czemu dwoje zwyczajnych ludzi potrzebuje aż tak wielkiej przestrzeni do życia?

– Zwyczajnych? – Julian spojrzał na nią zaciekawiony, oczy za ciemnymi szkłami zdawały się wilgotne. – A ty uważasz się za zwyczajną?

– Oczywiście.

– Ja sądzę inaczej. Uważam, że jesteś nadzwyczajna. Georgina też, każda z innego powodu – mówił szczerze, niemal agresywnie, jakby się bał, że mu zaprzeczy. Potem jednak wzruszył ramionami. – Poza tym nie chodzi o to, dlaczego tego potrzebujemy. To po prostu jest nasze.

– Ale skąd się wzięło? Przecież nie kupilibyście czegoś takiego! Jest wiele innych miejsc, no, łatwiejszych do życia.

Julian szedł po wyłożonej płytami posadzce, mijając sterty starych dachówek i połamane narzędzia, kierując się ku drewnianym schodom.

– Stryszek – powiedział, wpatrując się w nią ciemnymi oczyma. Nie widziała ich, ale czuła, że przeszywa ją zimny dreszcz.

Niekiedy poruszał się tak lekko, jakby płynął czy chodził we śnie. Tak właśnie było teraz, kiedy piął się powoli, krok za krokiem, po schodach.

– Siano jeszcze jest – oznajmił głosem leniwym, dochodzącym gdzieś z głębi.

Obserwowała go, dopóki nie zniknął z jej pola widzenia. Było w nim coś drapieżnego, jakiś głód. Jej ojciec uważał go za delikatnego, dziewczęcego, ale Helen sądziła inaczej. Widziała w nim inteligentne zwierzę, coś w rodzaju wilka. Przyczajone i nierzucające się w oczy, zawsze z boku, czekające na swoją szansę...

Poczuła nagle, że jej duszno, i trzykrotnie zaczerpnęła powietrza.

– Przypomniałam sobie! To po twoim pradziadku, prawda? To znaczy, dom – odezwała się, wchodząc ostrożnie po drewnianych schodach.

Weszli na stryszek. Trzy wielkie snopy siana, zbielałe ze starości, schły, tworząc piramidę. Jeden z krańców pomieszczenia był jedynie zamknięty sterczącym fragmentem szczytowej ściany domu. Przez szczeliny między dachówkami przeciskały się cienkie, gorące promienie słońca. Chwytały unoszący się kurz jak bursztyn muchy, rzucały na deski podłogi miniaturowe snopy światła.

Chłopak wydobył z kieszeni nóż i pewnym ruchem rozciął sznur wiążący snopek. Siano rozpadło się jak stronice starej księgi, a młodzieniec rozłożył jego naręcze na deskach.

„Łoże dla Cygana – pomyślała Helen – albo dla rozpustnicy”.

Rzuciła się na siano, świadoma, że kiedy się kładła na brzuchu, sukienka podsunęła się powyżej majtek. Nie zrobiła nic, żeby ją poprawić. Zamiast tego rozchyliła nieco nogi i pokręciła tyłkiem, starając się sprawić wrażenia zupełnie nieświadomej.

Julian przez dłuższą chwilę stał nieruchomo. Czuła jego wzrok, ale oparła tylko podbródek na dłoniach, wyglądając przez otwarty kraniec stryszku. Z tego miejsca widać było zewnętrzny mur, zakręt drogi dojazdowej i zagajnik. Cień młodzieńca pochłonął kilka plam słońca. Wstrzymała oddech. Siano zaszeleściło. Wiedziała już, że Julian czai się tuż za nią, jak wilk w głuszy.

Kapelusz upadł na siano, na nim wylądowały okulary przeciwsłoneczne. Chłopak położył się u jej prawego boku, lekko obejmując ją w talii. Tak od niechcenia i delikatnie, a mimo to jego ręka ciążyła Helen niczym żelazna sztaba. Nie wysunął się zanadto w przód, oparł brodę na prawej ręce, żeby przyjrzeć się dziewczynie. Musiało mu być niewygodnie w takiej pozycji. Brał na siebie niemal cały ciężar ciała, czuła drżenie ramienia, ale zdawało się, że mu to nie przeszkadza.

– Tak, po pradziadku – odpowiedział w końcu na pytanie. – Tu żył i tu zmarł. Posiadłość przeszła na matkę Georginy. Jej mężowi, a mojemu dziadkowi, nie spodobało się to miejsce, wydzierżawił je więc komuś i zamieszkali w Londynie. Po ich śmierci posiadłość odziedziczyła Georgina, ale dom został wydzierżawiony dożywotnio mieszkającemu tu staremu pułkownikowi. W końcu i na niego przyszła pora, a matka przyjechała tu, żeby wszystko sprzedać. Zabrała mnie ze sobą. Nie miałem jeszcze pięciu lat, jak sądzę, ale spodobało mi się tutaj i powiedziałem jej o tym. Dodałem też, że powinniśmy tu zamieszkać, a Georgina uznała to za świetny pomysł.

– Jesteś naprawdę niesamowity! – zauważyła. – Ja nie pamiętam nic z okresu, kiedy miałam pięć lat.

Ramię Juliana przesunęło się bliżej, tak że jego palce ledwie dotykały jej uda, tuż poniżej pośladków. Helen czuła niemal, płynące z tych palców, elektryzujące mrowienie.

– Pamiętam prawie wszystko od momentu swoich narodzin – powiedział tonem jednostajnym, że nieledwie hipnotycznym. A może właśnie hipnotycznym. – Czasem zdaje mi się nawet, że pamiętam zdarzenie sprzed moich narodzin.

– Cóż, to by wyjaśniało, czemu jesteś taki „nadzwyczajny” – uznała. – Ale co czyni mnie niezwykłą?

– Twoja niewinność – odpowiedział natychmiast, nieomal mrucząc. – I twoje pragnienie, żeby taką nie być.

Dłoń chłopca pieściła ją teraz czule, delikatne dotknięcia palców wędrowały po krzywiźnie jej pośladków, tam i z powrotem.

Helen westchnęła, chwyciła zębami źdźbło słomy i przekręciła się na plecy. Sukienka podsunęła się jeszcze wyżej.

Dziewczyna nie spojrzała na Juliana, wpatrywała się szeroko otwartymi oczyma w rzędy dachówek nad ich głowami.

– Moje pragnienie, żeby taką nie być? Nie być niewinną? Dlaczego tak myślisz?

Kiedy odpowiadał, głos jego brzmiał znowu jak głos mężczyzny. Dopiero teraz to zauważyła.

– Czytałem o tym. Wszystkie dziewczęta w twoim wieku pragną się pozbyć niewinności – odpowiedział niewyraźnie i mrocznie.

Jego dłoń spadła na brzuch Helen, zatrzymując się w okolicach pępka, po czym zsunęła się w dół, wpełzając pod gumkę majtek. Tam zatrzymała ją ręka dziewczyny.

– Nie, Julianie. Nie możesz.

– Nie mogę? – wykrztusił. – Dlaczego?

– Dlatego, że masz rację. Jestem niewinna. Ale i dlatego, że pora jest nieodpowiednia.

– Pora? – znów zadygotał.

Odepchnęła go, westchnęła głośno i wyjaśniła.

– Nie, Julianie, krwawię!

– Krwa... – Odsunął się od niej i nagle wstał. Przyglądała mu się, zdumiona. Trząsł się jak w gorączce.

– Tak, krwawię – powtórzyła. – Wiesz, to najzupełniej naturalne.

Bladość znikła z jego twarzy, która stała się teraz czerwona jak u pijaka, ze szczelinami oczu, tak wąskimi i ciemnymi jak cięcia nożem.

– Krwawisz! – tym razem zdołał wykrztusić całe słowo. Wyciągnął ku niej ręce, o palcach zakrzywionych jak szpony. Przez chwilę myślała, że chce ją zaatakować. Widziała drgające nozdrza i nerwowy tik, szarpiący kącikiem jego ust.

Po raz pierwszy poczuła lęk, poczuła odmienność Juliana.

– Tak – wyszeptała. – To zdarza się co miesiąc...

Jego oczy rozszerzyły się nieco. Źrenice pokrywały szkarłatne cętki. Igraszka oświetlenia.

– Ach! Aha, krwawisz! – powiedział, jakby dopiero teraz zrozumiał, co miała na myśli. – Ach tak...

Zachwiał się lekko, odwrócił się, niepewnie zszedł po schodach i zniknął.

Usłyszała jeszcze dziki pisk radości szczeniaka (powstrzymały go schody, na które nie mógł się wspiąć) i coraz cichszy skowyt oraz poszczekiwanie, w miarę jak biegł za chłopakiem do domu. Po chwili znów mogła odetchnąć.

– Julianie! – zawołała. – Twoje okulary, twój kapelusz! – Jeśli nawet usłyszał, nie otrzymała odpowiedzi.

Nie znalazła go już przez resztę dnia, ale właściwie nawet nie szukała. I dlatego, że miała przecież swoją dumę, i również dlatego, że on nie próbował jej odszukać. Nie przejmowała się nim przez resztę wczasów. Pomyślała, że tak będzie lepiej – w końcu była wówczas naprawdę niewinna.

Ilekroć jednak o nim myślała, pamiętała ów żar dłoni na swoim ciele. A teraz, gdy wracała do Devonshire, wpatrzona w przemykający za oknem krajobraz, złapała się na dociekaniu, czy na stryszku jeszcze pachnie siano...

George także pewne sprawy związane z Julianem zachował tylko dla siebie. Anne mogła mówić, co chciała, ale nie zmieniało to jego opinii. Sądził, że chłopak był dziwaczny i to dziwaczny pod kilkoma względami. Nie chodziło nawet o skradanie się, które tak bardzo irytowało George'a, choć niewątpliwie sposób, w jaki ów dzieciak się czaił, był dostatecznie uciążliwy dla otoczenia. Uważał, że chłopak jest chory. Nie umysłowo, może nawet nie fizycznie, ogólnie chory. Zerknięcia na niego, przyłapanie go znienacka spojrzeniem z ukosa przypominało oglądanie karalucha, zaskoczonego zapalonym nagle światłem, albo meduzy, uwięzionej na plaży przez odpływ. Niemal wyczuwało się, że coś w nim wrze. Zachodził w głowę, że jeśli nie było to ani fizyczne, ani psychiczne, a jednocześnie zawierało w sobie te dwie sfery, to o co tu, do licha, chodziło?

Nie umiał tego określić. „Może jednak ciało i umysł, a do tego dusza?" – zastanawiał się. Tyle że George nie bardzo wierzył w istnienie duszy. Nie odrzucał, ale wolałby obejrzeć jakiś dowód. Zapewne w chwili śmierci pomodliłby się, tak na wszelki wypadek, ale teraz...

Wszystko, co Anne powiedziała na temat szkoły Juliana, było prawdą. Do wszystkich egzaminów przystąpił wcześniej i nie oblał żadnego, ale nie to stało się powodem szybszego opuszczenia szkoły. W londyńskim biurze George'a pracował pewien kreślarz, Ian Jones, którego syn uczęszczał do tej samej szkoły. Anne oczywiście nie chciała nawet o tym słyszeć, ale opowiadano dziwne rzeczy. Julian „uwiódł" nauczyciela, cichego półpedała, którego jakoś rozbudził. Facet po pierwszym pójściu na całość zmienił się w maniaka, próbującego zaliczyć wszystkich, którzy chodzili w portkach. Winą za to obarczył chłopca. To jedna sprawa. Poza tym...

Obrazki malowane przez Juliana na zajęciach ze sztuki sprawiły, że nad wyraz łagodna nauczycielka uderzyła go. Urządziła też najazd na jego sypialnię i spaliła wszystkie teczki z rysunkami. Podczas zajęć w terenie (George nie miał pojęcia, że jeszcze się takie prowadzi) znaleziono Juliana, jak włóczył się samopas, mając twarz i dłonie unurzane w brudzie i wnętrznościach. Niósł szczątki bezdomnego kota, jeszcze ciepłe. Twierdził, że zwierzę zabił ktoś inny, ale zdarzenie to miało miejsce na torfowiskach, o mile od ludzkich osad.

To jeszcze nie wszystko. Wiele wskazywało na to, że chodził we śnie, strasząc młodszych chłopaków. Szkoła musiała w końcu postawić przy ich sypialni stróża nocnego. Wówczas dyrektor skontaktował się z Georginą, która zgodziła się, żeby jej syn zrezygnował z nauki dobrowolnie. W przeciwnym razie musieliby go wyrzucić, co mogło przynieść ujmę dobremu imieniu szkoły.

To wszystko wystarczało, żeby George nie lubił Juliana. Istniał wszak jeszcze jeden powód, o wiele bardziej tajemniczy. Obraz, który na zawsze utkwił w pamięci George'a.

Widok konającego starca, kurczowo przygarniającego do piersi pościel, i jego szept: „Ochrzcić je? Nie, nie... nie możecie! Najpierw... najpierw egzorcyzmy!”.

Anne potrafiła być ostra, jeśli wymagały tego okoliczności, ale z natury jawiła się na wskroś dobrym człowiekiem. Nigdy nie powiedziałaby o kimś niczego krzywdzącego czy złego, nawet gdyby odzwierciedlało to jej myśli. W duchu, i tylko w duchu, musiała jednak przyznać, że Julian skłaniał do takich refleksji.

Sadowiąc się nieco wygodniej na przednim siedzeniu auta i czując chłodny powiew wpadający przez uchylone okno, znów powróciła do tych myśli. Drobiazgi: wielka zielona żaba i ból lewego sutka, przypominający o sobie czasem, nawet po tylu latach.

Na sprawie żaby trudniej się było skupić, wolała o niej zapomnieć. Sama nie skrzywdziłaby muchy. Rzecz jasna, dzieciak, pięciolatek, nie uświadamiał sobie, co robi. Czyż nie tak? Problem tkwił jednak w tym, że Julian zawsze sprawiał wrażenie człowieka, który wie, co robi. Nawet jako niemowlę.

Nazwała go „zabawnym maleństwem", ale właściwie George miał rację. Chłopiec w dzieciństwie bywał nie tylko zabawny. Na przykład nigdy nie płakał. Nie, to nie całkiem tak, płakał, kiedy czuł głód, przynajmniej jako malec. Płakał też na słońcu – fotofobia, i to już od niemowlęctwa. Rozryczał się podczas chrztu, sądziła jednak, że więcej w tym było chyba złości, albo buntu, niż normalnego płaczu. Zresztą, o ile Anne wiedziała, nigdy go nie ochrzczono zgodnie z obrządkiem.

Dała się ponieść myślom w tamte lata. Kiedy Helen przyszła na świat, Julian właśnie zaczynał chodzić – stawiał pierwsze nieporadne kroki. Zdarzenie, które wspominała, miało miejsce mniej więcej na miesiąc przed zabraniem go przez Georginę, która wtedy czuła się już na tyle dobrze, że mogła wracać do domu. Anne świetnie pamiętała tamten okres. Była aż ciężka od mleka, grubsza i szczęśliwsza niż kiedykolwiek przedtem. A jaka rumiana – prawdziwy okaz zdrowia.

Pewnego dnia siedziała, karmiąc sześciotygodniową Helen, a Julian przyczłapał do niej na czworakach, poszukując u niej dodatkowej porcji uczuć, z której obrabowała go dziewczynka. Wielce zazdrosny, gdyż przestał już być najważniejszy. Powodowana impulsem, litując się nad nim, podniosła malucha, obnażyła drugą pierś, lewą, i jego również zaczęła karmić.

Nawet na myśl o tym czuła w sutku ból jak po ukąszeniu.

– Au! – jęknęła, kręcąc się w półśnie.

– Dobrze się czujesz? – zaniepokoił się George. – Opuść jeszcze trochę szybę. Zaczerpnij świeżego powietrza.

– Zdrętwiałam – skłamała. – Mrówki w całym ciele. Możemy gdzieś stanąć, przy następnej kafejce?

– Jasne – potwierdził. – Powinna być lada moment.

Anne, ociągając się nieco, powróciła do wspomnień.

Siedziała z oboma malcami, kiwając się sennie, podczas gdy pili – Helen z prawej, a Julian z lewej. Poczuła się dziwnie: jakby opadła ją jakaś ospałość, letarg. Ból szybko przywrócił jej przytomność. Zaczęła płakać. Spostrzegła, że chłopiec ubrudzony jest... krwią.

Przyglądała się malcowi bliska szoku. Te niezwykłe czarne oczka utkwione niewzruszenie w jej twarzy. I czerwone wargi, które jak minóg przywierały do jej ciała. Po nabrzmiałej piersi ściekały mleko i krew, a twarzyczka Juliana cała wysmarowana była połyskliwym szkarłatem. Wyglądał jak opita czarnooka pijawka.

Obmywszy siebie i chłopca, stwierdziła, że przegryzł skórę wokół sutka; jego ząbki pozostawiły maleńkie ślady. Ukąszenie goiło się długo, ale od bólu nigdy się w pełni nie uwolniła...

Epizod z żabą miał miejsce później. Anne nie chciała nawet go przywoływać, ale na tyle wrył się jej w pamięć, że nigdy nie zdołała go wymazać. Działo się to już po sprzedaniu przez Georginę jej londyńskiego mieszkania. Następnego dnia miała wraz z Julianem opuścić miasto i udać się do Devonshire, by zamieszkać w starej posiadłości.

Kiedy Helen miała rok, George wykopał w ogrodzie przy ich domu w Greenford sadzawkę. W owym czasie rosły tam lilie, rosła też kępa sitowia i ozdobny krzew, chylący się nad wodą, jak na japońskich obrazach.

Były tam także duże zielone żaby, ślimaki wodne, a na obrzeżach nieco seledynowej szumowiny. A przynajmniej czegoś, co Anne nazywała szumowiną. W środku lata zazwyczaj pojawiały się tam ważki, ale tego roku widzieli tylko jedną czy dwie, niezbyt wyrośnięte.

Anne siedziała z dziećmi w ogrodzie i przyglądała się, jak Julian bawi się miękką gumową piłką. Właściwie pojęcie „bawi się" było tu nie na miejscu, gdyż chłopiec miał pewne trudności z dziecięcymi zabawami. Zdawało się, że podchodzi do tego filozoficznie: piłka to piłka, gumowa kula. Upuścić ją, to się odbije; rzucić o ścianę, to wróci. Nie posiada żadnego innego praktycznego zastosowania, a zatem nie może zostać uznana za obiekt budzący długotrwałe zainteresowanie. Można się z tym spierać, ale oddawało to wiernie doznania malca związane z tym zagadnieniem. Anne właściwie nie wiedziała, czemu kupiła mu tę piłkę – nigdy się przecież nie bawił. Odbił ją jednak dwa razy. I raz rzucił o mur ogrodu. Odbita potoczyła się na skraj sadzawki.

Julian poszedł za nią, nie kryjąc lekkiej wzgardy. I nagle jego zainteresowanie wzrosło. Coś podskoczyło na skraju sadzawki: wielka zielona żaba zamarła w miejscu, na które opadła, z dwiema nogami w wodzie i dwiema na suchym gruncie. Pięciolatek również znieruchomiał, jak kot, który wyczuł ofiarę.

W tej samej chwili z domu dobiegło wołanie George'a: coś na temat przypalających się kebabów. Podczas pożegnalnego posiłku na cześć Georginy miały stanowić główne danie. George pełnił rolę kuchmistrza.

Aby ratować sytuację, Anne popędziła chodnikiem z asymetrycznych płyt, pod bramą z róż pnących się po kratach, na mieszczące się na tyłach domu patio. Wyniesienie parującego mięsa na ogrodowy stół zajęło minutę, może dwie. Wtedy na dół zeszła, jak zwykle niespiesznie, Georgina, a z kuchni wyłonił się George, niosąc przyprawy.

– Wybacz, kochanie – kajał się. – Wszystko to kwestia wyczucia czasu, a ja wyszedłem z wprawy. Wziąłem się jednak w garść i wszystko gra...

Nagle rozległ się krzyk Helen dochodzący z ogrodu. Anne czym prędzej pobiegła z powrotem.

Dobiegając do sadzawki, Anne nie była jeszcze pewna, na co patrzy. Pomyślała, że Julian wpadł twarzą w szumowiny. Potem jednak obraz stał się wyraźniejszy. Tak samo wyraźny był jeszcze po latach, chociaż usilnie pragnęła go zatrzeć.

Biała mozaika na skraju bajorka zbryzgana została krwią i wnętrznościami, tak samo chłopiec. Ręce i twarz lepiły mu się od tej mazi. Siedział ze skrzyżowanymi nogami, jak Budda, trzymając w niesprawnych rączkach martwą żabę, niczym rozdartą zieloną torbę, i dłubiąc w jej wnętrzu. To (niewinne?) maleństwo studiowało wypatroszone organy, wąchało je, próbowało słuchać, najwyraźniej zdziwione ich złożonością.

Za plecami Anne pojawiła się jego matka.

– Ojej, ojej! Czy to była żywa istota? Widzę, że tak. Czasem to robi. Otwiera je. Ciekawość. Żeby zobaczyć, jak działają – wołała zmieszana.

Zaszokowana Anne przytuliła szlochającą Helen.

– Ależ Georgino, to nie jest jakiś stary budzik, to żaba! – zawołała.

– Tak? Tak? Ojej! Biedactwo! – Georgina załamała ręce. – Chłopiec przechodzi teraz taką fazę, to wszystko. Wyrośnie z tego...

– Devonshire! – oznajmił triumfalnie George, budząc ją szturchnięciem łokcia. – Widziałaś znak na granicy hrabstwa? A oto i twoja kafejka! Herbata ze śmietanką, karmelki, bita śmietana! Zatankujemy do pełna, coś przekąsimy, a potem już ostatni etap jazdy. Cisza i spokój przez cały tydzień. Boże, jak mi się przyda...

Zjechawszy z szosy do Paington na drogę wiodącą do domu Bodescu, pasażerowie samochodu zauważyli Georginę i Juliana czekających na nich na środku żwirowego podjazdu. W pierwszej chwili nie dostrzegli Georginy, skrytej w cieniu syna. „Julian? Oczywiście. Ale czy on kiedyś zrobił coś normalnego?" – pomyślał zaskoczony George.

– Julianie! Ależ się zmieniłeś przez te dwa lata! – Anne wyszeptała, wysiadając z auta.

Wyższy od niej o kilka cali, przywitał się krótko, po czym odwrócił się do Helen, która właśnie wydostawała się z samochodu.

– Nie tylko wyrosłem – zauważył. Głos był tak samo mroczny, jak przed dwoma laty, kiedy to zaniepokoił Helen. Taką barwę miał i teraz. Julian przypatrywał się przez chwilę dziewczynie oczyma, których głębię trudno było określić.

„Przystojny jak diabli – pomyślała. – Atrakcyjny, tak, niezwykle atrakcyjny".

Długi, prosty podbródek, nieco zapadłe policzki, wysokie czoło, prosty, lekko spłaszczony nos, a zwłaszcza jego oczy, wszystko to nadawało jego obliczu niesamowity wyraz. Pasowało jednak do głosu, a jeżeli dodać do tego umysł, efekt był piorunujący. W wyglądzie młodzieńca było coś z obcokrajowca, czy nawet istoty spoza Ziemi. A ciemne włosy, spływające naturalnie w tył i tworzące na karku coś w rodzaju grzywy, sprawiały, że miał w sobie więcej z wilka, niż przed dwoma laty. I wzrostem był niemal równy drzewom.

– Nie przytyłeś. – Coś wreszcie przyszło jej do głowy, choć brzmiało to beznadziejnie. – Czym cię karmi ciocia Georgina?

Uśmiechnął się. Potem odwrócił się do George'a i skinął głową, wyciągając dłoń.

– Witaj, George. Mieliście dobrą podróż? Niepokoiliśmy się trochę. Latem drogi bywają tłoczne.

„George!" – warknął w duchu tamten. – „Po imieniu, tak jak do mamusi, co? Ale lepsze to, niż czajenie się po kątach".

– Świetnie się jechało. – Zmusił się do uśmiechu, przyglądając się, choć nie natrętnie, Julianowi. Młodzieniec przewyższał go o jakieś trzy cale, a przez swoją czuprynę zdawał się być jeszcze wyższy. Jak na siedemnastolatka – dryblas. A przynajmniej – wyrośnięty. Uścisk dłoni przywodził na myśl imadło. Pomimo długich palców przegub trudno było nazwać wiotkim.

George nagle przypomniał sobie o swych rzednących włosach, zauważalnym brzuszku i nieco przysadzistej sylwetce. „Ale za to mogę wychodzić na słońce!" – pomyślał. Bladość Juliana szokowała wszystkich, nawet teraz chronił się w cieniu starego domu, niczym cząstka owego cienia.

O ile te dwa lata wyszły na korzyść młodzieńcowi, o tyle nie posłużyły jego matce.

– Georgina! – Anne uściskała kuzynkę. Obejmując ją, poczuła, jak wychudzona jest i drżąca. Strata męża, odległa już o osiemnaście lat, nadal zbierała swe żniwo. – Tak... tak dobrze wyglądasz!

„Kłamczucha! – musiał pomyśleć George. – Dobrze? Wygląda jak nakręcony mechanizm, na chwilę przed całkowitym rozwinięciem się sprężyny!".

I rzeczywiście – Georgina zachowywała się jak automat. Mówiła i poruszała się, jakby ją zaprogramowano.

– Anne, George, Helen! Miło was widzieć. Tak się cieszę, że przyjęliście zaproszenie mojego syna. Ale wejdźcie, wejdźcie. Domyślacie się oczywiście, co dla was przygotowaliśmy? Naturalnie, herbatę ze śmietanką!

Ruszyła przodem, niemal unosząc się w powietrzu. Weszła do domu. Julian zatrzymał się przy drzwiach i odwrócił do gości.

– Tak, wejdźcie. Czujcie się swobodnie. Wejdźcie i czujcie się jak u siebie w domu. – Sposób, w jaki to powiedział, nieco rytualny, sprawił, że zabrzmiało to dziwnie.

– Mogę wnieść wasze bagaże? – zapytał młodzieniec.

– Cóż, dzięki – odpowiedział George. – Czekaj, pomogę ci.

– To niekonieczne – uśmiechnął się Julian. – Daj tylko kluczyki.

Otworzył bagażnik i wyjął walizki. Bez wysiłku, jakby były puste.

Wchodząc za nim do wnętrza domu, nękany poczuciem pewnej bezużyteczności, George nagle przystanął. Z otwartej garderoby we wnęce tuż obok drzwi wejściowych dobiegł go groźny, głuchy pomruk. W najgłębszym cieniu, tuż za wieszakami z ciemnego dębu poruszyło się coś czarnego jak grzech, błyskając złowrogo żółtymi ślepiami.

– Co do ch...? – Narastający warkot przerwał mu w pół słowa.

Julian, będący już w połowie korytarza wiodącego na schody, zatrzymał się i zerknął przez ramię.

– Nie daj mu się zastraszyć, George. Więcej szczeka, niż gryzie, zapewniam cię. Chodź tu do światła, chłopie, żeby cię można było obejrzeć – dodał ostrzej.

Czarny owczarek alzacki, niemal całkiem wyrośnięty, wysunął się chyłkiem z mroku, z wyszczerzonymi kłami prześlizgując się obok George'a. Podszedł prosto do Juliana, czekając na rozkaz. George zauważył, że pies nie macha ogonem.

– Już dobrze, staruszku – szepnął chłopak. – Zmykaj stąd.

Słysząc to, groźnie wyglądający zwierzak zniknął w głębi domu.

– Wielkie nieba – westchnął George. – Całe szczęście, że dobrze ułożony. Jak się wabi?

– Wlad – odpowiedział natychmiast Julian, odwracając się. – To po rumuńsku, o ile wiem. Znaczy „Książę" czy coś podobnego. A może kiedyś znaczyło...

Przez kolejne dwa czy trzy dni nieczęsto widywali Juliana. Fakt ten nie martwił zbytnio George'a, a nawet cieszył. Anne uważała jego nieobecność za nieco dziwną. Helen czuła, że jej unika, i była z tego powodu zła, czego jednak nie okazywała.

– Co on robi całymi dnami? – Anne zapytała Georginę któregoś ranka, kiedy były całkiem same. Ot tak, żeby przerwać milczenie.

Choć w oczach Georginy niewiele zostało już wyrazu, na każdą wzmiankę o Julianie ożywiały się, jakby spłoszone. Gdy Anne znów o nim wspomniała, tak samo zareagowała.

– Ma swoje zainteresowania... – Georgina próbowała zmienić temat, wyrzucając z siebie potok słów. – Myślimy o wyburzeniu starych stajni. Pod ziemią są rozległe piwnice – lochy, w których mój dziadek przechowywał wino – i Julian sądzi, że któregoś dnia stajnie mogą się zawalić, zasypując je. Budulec pozostały po rozbiórce sprzedamy. To dobry kamień, powinniśmy więc uzyskać niezłą cenę.

– Lochy? Nie wiedziałam. Powiadasz, że on tam schodzi?

– Żeby zbadać ich stan. – Słowom nie było końca. – Myśli o remoncie... Mogłyby się zapaść, zagrażając całemu budynkowi... To tylko stare korytarze, niemal jak tunele, pełne wnęk. Mnóstwo saletry, pająków, przegniłych półek na wino... Nic ciekawego.

Widząc, że Georgina coraz bardziej pogrąża się w szaleństwie, Anne wstała i podeszła, by położyć dłoń na jej wątłym ramieniu. Starsza kobieta zareagowała na to jak na uderzenie. Błyskawicznie się odsunęła. W jej oczach mignął przebłysk świadomości.

– Anne – wyszeptała drżącym głosem. – Nie pytaj o podziemia. I nigdy tam nie schodź! Są... niebezpieczne.

Lake'owie przyjechali z Londynu w trzeci czwartek sierpnia. Panował straszny upał i nie zanosiło się na zmianę pogody. W poniedziałek Anne i Helen pojechały do Paington po kapelusze słomkowe. Georgina odbywała południową drzemkę, a Julian, jak zwykle, gdzieś przepadł.

George pamiętał, co Anne mówiła o lochach pod budynkiem, służących, według Georginy, do przechowywania wina. Nie mając nic lepszego do roboty, opuścił dom. Obchodząc go z zewnątrz, natrafił na starą kamienną budę. Widział ją już przedtem, ale wziął ją za dawną, nieczynną już ubikację. Dopiero teraz wzbudziła jego ciekawość. Miała spadzisty daszek kryty dachówką. Jedyne wejście do niej znajdowało się od strony ogrodu. Wokoło rozrosły się bujne krzaki. Drzwi, umocowane na przerdzewiałych zawiasach, osiadły, ale George zdołał je otworzyć. Wcisnąwszy się do środka, pojął od razu, że tędy wiedzie droga do piwnic. Po obu stronach rampy, idealnie przystosowanej do opuszczania beczek, biegły wąskie schodki. Podobne pochylenie można znaleźć na podwórzach wszystkich starych pubów. Zszedł ostrożnie na dół, aż do drzwi u podnóża pochylni. Pchnął je. Zaskrzypiały. Wewnątrz czaił się Wlad.

George nie zdążył nawet otworzyć drzwi, a już pysk owczarka wepchnął się w trzycalową szczelinę. Wściekły warkot dotarł do uszu mężczyzny o ułamek sekundy wcześniej.

Innych ostrzeżeń nie było. George, zaskoczony, oderwał dłonie od drzwi. W samą porę. Zęby psa zacisnęły się na framudze w miejscu, które przed chwilą zajmowały jego palce. Rozorały ją, wydzierając długie drzazgi. Serce mężczyzny łomotało, kiedy przyciągał do siebie drzwi, zamykając je pospiesznie. Wciąż miał przed oczyma ślepia owczarka, pełne nienawiści.

„Ale skąd wziął się tu Wlad? Możliwe, że Julian umieścił psa w piwnicy, żeby go odizolować od gości. Mądre posunięcie, szczekanie Wlada było mniej groźne od jego kłów! A może i Julian jest tu razem z nim?" – z przerażeniem pomyślał George.

Roztrzęsiony, opuścił posiadłość i ruszył do pubu na rozstajach, odległego o pół mili. Po drodze, pośród pól i dróżek, ptasich treli i przyjemnego brzęczenia owadów w żywopłotach zdołał wreszcie okiełznać nerwy. Słońce grzało mocno.

Pub urządzony był tradycyjnie, kryty strzechą, zbudowany z dębowych belek, pełen mosiężnych ozdób, z cicho tykającym zegarem pradziadka i białym kocurem wylegującym się na krześle. Po spotkaniu z Wladem koty nie robiły na George'u żadnego wrażenia. Sadowiąc się na stołku przy barze, zamówił lager.

Nie był jedynym klientem: przy odległym stoliku w rogu, tuż pod oknami z maleńkich szybek siedziała para, do której niewątpliwie należał sportowy wozik stojący na podwórzu. W drugim kącie miejscowa młodzież grała w domino, a przy pobliskim stole nad kuflami piwa dwóch staruszków pogrążyło się w rozmowie. Ich szepty przyciągnęły uwagę George'a. Kiedy już sączył lodowaty lager, a barman oddalił się do innych zajęć, wydawało mu się, że wychwycił słowo „Harkley". Wytężył słuch. Posiadłość Georginy znana była jako Harkley House.

– Tak? To niby tamtego, co? Gadają, że to dziwny gość.

– Fakt, że nie ma na to żadnych dowodów, ale widywano ich razem. Rzuciła się z Sharkham Point, jak jedzie się na Brixham. Okropność!

„Najwidoczniej miejscowa lokalna tragedia" – pomyślał George. Sharkham Point, taką nazwę nosił pobliski przylądek o wysokich, stromych skałach. George zerknął na staruszków, przywitał ich skinieniem głowy, na które odpowiedzieli, po czym wrócił do swego piwa. Ale wciąż słuchał ich rozmowy. Jeden z tamtych był chudzielcem, mającym w sobie coś z łasicy, drugi – rumianym grubaskiem, i właśnie on snuł tę opowieść.

– Chodziła z brzuchem, rzecz jasna – ciągnął.

– Była w ciąży? – sapnął chudy. – Myślisz, że to jego robota?

– Nic nie myślę – zaprzeczył tamten. – Jak powiedziałem, nie ma dowodów. Zresztą, była pokręcona. Ale taka młoda. Szkoda jej.

– Szkoda – zgodził się chudzielec. – Ale tak skoczyć... Jak uważasz, co ją do tego zmusiło? Wiesz, dzisiaj być bez ślubu i z brzuchem to nic takiego!

George dostrzegł kątem oka, że pochylili się nad stołem. Mówili jeszcze ciszej, więc bardziej wytężył słuch.

– Sądzę – stwierdził tęgi – że sama Natura podszepnęła jej, że coś tu jest nie tak. Wiesz, jak owca odrzuca niewydarzone jagnię? Coś takiego zrobiła i ta biedna dziewuszka.

– Dziecko było felerne? To ją kroili?

– Jasne, że tak! Był odpływ i ona o tym wiedziała. Nie zamierzała rzucić się do wody. Skakała na skały! Chciała mieć pewność. Resztę zachowaj tylko dla siebie. Jak wiesz, moja Mary pracuje w szpitalu. Opowiadała, że jak tamtą przywieźli, była martwa jak kamień. Ale osłuchali jej brzuch i ono jeszcze kopało!

– Dziecko?

– A co innego, stary durniu? No to ją pokroili. To było okropne, ale sprawę zna tylko garstka, więc nie rozpowiadaj tego. Lekarz tylko raz spojrzał i wpakował mu igłę. Wykończył je na miejscu. I poszło w plastikowym worku do szpitalnego pieca. Koniec sprawy.

– Zniekształcone. – Pokiwał głową chudy. – Słyszałem o takich.

– Właściwie nie tyle zniekształcone, co... w ogóle bezkształtne! – wyjaśnił rumiany. – Wyglądało, jak to nazwała Mary, jak wielki nowotwór. Ogromny, cielisty guz z jakimiś włóknami. Ale to miało być dziecko, znaleźli łożysko i całą resztę. Lepiej, że jest martwe! Mary mówi, że miało oczy tam, gdzie nie trzeba, coś niby zęby, a do tego strasznie piszczało, gdy padło na nie światło!

George jednym łykiem skończył piwo. Drzwi pubu otwarły się, wpuszczając grupę młodzieży. Po chwili ktoś z nich znalazł we wnęce szafę grającą. Dźwięki rocka rozległy się wszędzie. Barman wrócił i uraczył przybyłych piwem.

George wyszedł na drogę, kierując się w stronę domu. Przeszedł już połowę trasy, gdy podjechał samochód.

– Wskakuj! – zawołała Anne.

Miała na głowie słomiany kapelusz z szeroką, czarną wstążką, doskonale kontrastujący z jej letnią sukienką. Siedząca obok Helen wybrała sobie kapelusz z czerwoną wstążką.

– I jak? – zaśmiała się Anne, kiedy George klapnął na tylne siedzenie, zatrzaskując drzwiczki. Matka i córka przekrzywiły kokieteryjnie głowy, prezentując nowe nabytki. – Jak para wiejskich dziewcząt na przejażdżce, co?

– W tej okolicy – ponuro stwierdził George – wiejskie dziewczęta powinny uważać na to, co robią.

Nie wyjaśnił jednak, co ma na myśli. A gdyby nawet zdecydował się opowiedzieć im historię zasłyszaną w pubie, nie powiązałby jej z Harkley. Uznał, że musiał źle zrozumieć pierwsze słowa. Tak czy inaczej, przez resztę dnia nie potrafił uwolnić się od niemiłych myśli.

Następnego ranka, we wtorek, George wstał późno. Anne proponowała wcześniej, że poda mu śniadanie do łóżka, ale podziękował i ponownie zasnął. Obudził się o dziesiątej. W domu panowała już cisza, sam zrobił sobie małe śniadanie, które zjadł bez apetytu.

W salonie znalazł list od Anne.

Kochanie,

Julian i Helen wyszli na spacer z Wladem. Chyba zabiorę Georginę do miasta i coś jej kupię. Wrócimy na obiad.

Anne

Rozczarowany, westchnął i gniewnie zagryzł wargi. Zamierzał tego ranka rzucić okiem na piwnice, z czystej ciekawości. Miał nadzieję, że może Julian zechciałby go po nich oprowadzić. A co do reszty dnia... Chciał zawieźć dziewczyny na plażę w Salcombe; dzień nad morzem mógłby ożywić trochę Georginę. Słone powietrze przydałoby się też Helen. Wyglądała na nieco wymęczoną. Podobnie jak Anne, której trudno było się rozstać z samochodem, odkąd opuściła Londyn.

Sądził, że po południu znajdzie się czas na plażę. Zastanawiał się jednak, czym wypełnić ranek – spacer do Old Paington, może nad zatokę. Przy okazji chciał wpaść gdzieś na piwo, a później, o ile poczułby się zmęczony, miał zamiar wrócić do domu taksówką.

Tak właśnie zrobił. Zabrał ze sobą lornetkę i spędził kilka chwil, wpatrując się w niezbyt odległe Brixham, leżące po drugiej stronie zatoki. Około dwunastej trzydzieści wrócił do Harkley taksówką i rozliczył się z kierowcą tuż przed bramą. Świetnie mu zrobił ten długi spacer, dopełniony szklanicą zimnego piwa, wszystko też wskazywało na to, że zaplanował swoją wyprawę tak, by trafić akurat na obiad.

Wędrując żwirowym podjazdem wzdłuż zagajnika – gęstego skupiska buków, brzóz i olch, nad którymi górował rosnący trochę z boku cedr – George natknął się na swój samochód. Przednie drzwiczki były otwarte, kluczyki tkwiły w stacyjce. Z lekka zaskoczony, popatrzył na wóz i rozejrzał się powoli po okolicy.

Przez środek zagajnika biegła zaniedbana ścieżka, pokryta płytami ułożonymi w szalone desenie, a cały jego obszar otaczał, piękny niegdyś, płot. Ogrodzenie rozpadło się już ze starości, gdzieniegdzie odłaziła biała farba, a po obu jego stronach rozrosły się krzaki. George spojrzał w tamtym kierunku, ale nie dostrzegł nikogo. Jedynie wysokie trawy i chaszcze, wierzchołki płotu, drzewa. Oraz... coś dużego i czarnego, przekradającego się przez gęstwinę.

„Możliwe, że Anne, Helen, Georgina i Julian wybrali się na wspólny spacer do zagajnika, pod drzewami panuje chłodny cień. Ale jeśli to tylko ten dziwak z psem albo sam piekielny owczarek..." – przemknęło mu przez myśl.

George uświadomił sobie nagle, iż obaj budzą w nim jednakowy lęk. Julian nie przypominał żadnego z jego znajomych. Wlad był inny niż pozostałe psy. W obu przypadkach kryło się coś dziwnego. I w samym środku upalnego, spokojnego, letniego dnia George zadrżał z zimna.

– Halo! – krzyknął głośno, ale nie otrzymał odpowiedzi.

Przyjemny nastrój tego dnia gdzieś prysł. Zirytowany George pospieszył do domu. Wewnątrz nie znalazł nikogo.

Przebiegł przez budynek, trzaskając drzwiami. Wspiął się po schodach do sypialni, którą dzielił z Anne. „Gdzie są wszyscy, u licha? Dlaczego Anne zostawiła samochód w takim stanie? Czy mam spędzić cały dzień sam jak palec?" – pomyślał z niepokojem.

Z okna sypialni mógł zobaczyć kawał posiadłości, aż po samą bramę. Wprawdzie stodoła i podupadające stajnie psuły mu nieco widok na zagajnik, ale...

Uwagę George'a przyciągnęła nagle kolorowa plama, widoczna w wysokiej trawie przy płocie otaczającym zagajnik. Wychylił się nieco, próbując zajrzeć za narożnik stodoły. Widok nie był jednak wyraźny. Wówczas przypomniał sobie o lornetce, wiszącej wciąż na jego szyi. Pospiesznie podniósł ją do oczu i podregulował.

Narożnik stodoły wciąż mu przeszkadzał, utrudniał ustawienie żądanej ostrości. Obok widocznej wciąż barwnej plamy, może sukienki, poruszało się rytmicznie coś różowego. Dygocącymi z niecierpliwości dłońmi George zdołał w końcu wyregulować ostrość, przybliżając szczegóły obrazu. Kolorowa plama okazała się rzeczywiście sukienką. A to coś różowego – ciałem. Nagim ciałem.

George przyglądał się tej scenie, nie wierząc własnym oczom. Skryli się w trawie. Nie widział Helen, jej twarzy, gdyż dziewczyna trzymała głowę nisko, unosząc pośladki. A Julian brał ją, łapczywy w swej furii, w swej namiętności, ściskając dłońmi jej talię. George trząsł się ze złości i nie mógł tego powstrzymać. Helen uczestniczyła w tym z wyboru, to było pewne. „Tak, nazwałem ją dorosłą, ale, na Boga, muszą istnieć pewne granice!" – pomyślał zaszokowany, zaskoczony.

Leżała teraz z twarzą w trawie, naga jak dziecko, ukochane dziecko George'a, odrzuciwszy na bok sukienkę i słomkowy kapelusz, otwierając swe ciało dla tego... tego gada. Lęk przed Julianem, o ile kiedykolwiek istniał, teraz prysnął. Jego miejsce w sercu George'a zajęła nienawiść. „Ten niesamowity sukinsyn będzie wyglądał o wiele bardziej niesamowicie, kiedy dostanie za swoje" – myślał z wściekłością.

George zerwał z szyi lornetkę, cisnął ją na łóżko, odwrócił się ku drzwiom – i jego mięśnie stężały. Coś, co przed chwilą zobaczył, coś potwornego, nie pozwoliło mu się ruszyć. Sięgnął ponownie po lornetkę. Skierował ją na parę skrytą pośród traw. Julian już skończył, leżał wyciągnięty obok partnerki. Ale George ominął ich wzrokiem, szukając kapelusza i zmiętej sukienki.

Słomkowy kapelusz zdobiła szeroka, czarna wstążka. Kapelusz Anne. Dopiero teraz dotarło do George'a, że i sukienka była jej.

Lornetka wysunęła się z palców mężczyzny. Zatoczył się, o mało nie runął i opadł ciężko na swoje łóżko. Na ich łóżko, jego i Anne. Uczestniczyła w tym z wyboru... To było pewne. Te słowa wciąż wirowały w jego skołatanej głowie. To, co zobaczył przed chwilą, było niewiarygodne, ale musiał uwierzyć. Uczestniczyła w tym z wyboru.

Nie umiał powiedzieć, jak długo siedział oszołomiony – pięć minut, dziesięć? Ale w końcu doszedł do siebie, otrząsnął się, wiedząc już, co powinien uczynić. „Sukinsyn jest zboczeńcem! Ale Anne, co z Anne? Może była pijana? Albo odurzona? Właśnie to! Julian musiał coś jej podsunąć" – usiłował znaleźć racjonalne wytłumaczenie.

George wstał. Rozumował już zimno, najzimniej jak można. Krew mu wrzała, ale umysł stał się śnieżnym polem, przeciętym wyrazistą ścieżką, którą musiał teraz przebyć. Popatrzył na swoje ręce i poczuł, jak wpływa w nie moc, zarówno boska, jak i diabelska. „Wydrapię tej gadzinie czarne, bezduszne ślepia, pożrę jego przegniłe serce!" – wściekłe myśli kołatały mu się w głowie.

Wytoczył się na parter, przeszedł przez pusty dom i chwiejnie ruszył ku zagajnikowi, żądny mordu. Kapelusz i sukienkę znalazł w tym samym miejscu, w którym widział je z okna. Anne i Julian zniknęli. Krew pulsowała mu w skroniach. Nienawiść, niczym kwas, zżerała jego umysł, trawiąc wszystkie warstwy racjonalności. Nadal chwiejąc się, przedarł się przez niskie krzaki na podjazd i spojrzał z odrazą w kierunku domu. Jakiś impuls kazał mu się odwrócić. Spod bramy wjazdowej obserwował go Wlad. Po chwili pies niepewnie ruszył w jego kierunku.

George nieco otrzeźwiał. Nienawidził Juliana, zamierzał go zabić, o ile tylko będzie to możliwe, ale nadal bał się psa. Psy miały w sobie coś, co budziło jego lęk. Wlad budził nawet grozę. George popędził z powrotem do domu. Wybiegając zza krzaków, dostrzegł młodzieńca zmierzającego na tyły budynku. W kierunku zejścia do lochów.

– Julianie! – usiłował wrzasnąć, ale tylko zaskrzeczał, pozbawiony tchu. Nie próbował ponownie. „Po co ostrzegać tego nędznego, zboczonego skurwiela?" – pomyślał. Wlad przyspieszył.

George przystanął na chwilę za narożnikiem, z trudem łapiąc powietrze. Nie był w formie. Nagle zobaczył stary, pordzewiały oskard, oparty o ścianę. Chwycił go bez namysłu. Zerknął przez ramię – Wlad zbliżał się wielkimi susami, kładąc uszy po sobie. Mężczyzna, nie zwlekając, rzucił się przez niskie zarośla ku zejściu do piwnic. Dostrzegł Juliana, stojącego w otwartych drzwiach. Młodzieniec usłyszał biegnącego George'a, odwrócił się i spojrzał na niego spłoszony.

– George! – Uśmiechnął się krzywo. – Zastanawiałem się właśnie, czy nie chciałbyś obejrzeć piwnic. – I wtedy zauważył wyraz twarzy George'a oraz dłonie o zbielałych kostkach, zaciśnięte na trzonku oskarda.

– Piwnice? – wykrztusił George, na wpół obłąkany z nienawiści. – Kurewsko chciałbym.

Zamierzył się swą zardzewiałą bronią. Julian odwrócił się, osłaniając ramieniem twarz. Ostrze ciężkiego narzędzia uderzyło go w prawy bark, strzaskało łopatkę i zagłębiło się po rękojeść w jego ciele.

– Och! Och! – krzyknął, padając. Nie był to wrzask, raczej wyraz zdumienia, szoku.

George zbiegł za nim, wyciągając ręce. Ściągnięte wargi odsłaniały jego zęby.

Julian leżał twarzą do ziemi, u dołu schodów, tuż obok otwartych drzwi do lochów. Jęczał, poruszając się niezdarnie. George przycisnął stopą jego plecy i wyrwał oskard.

– Och! Och! – chłopak ponownie wydał z siebie ów dziwny okrzyk, czy też westchnienie.

George podniósł narzędzie do kolejnego ciosu i – usłyszał warkot Wlada, dobiegający tuż zza jego pleców.

Odwrócił się, zakreślając oskardem śmiercionośny łuk. Zatrzymał psa w pół skoku, trafiając go na płask, w bok łba. Owczarek zwalił się na podłogę, jęcząc jak człowiek. George, dysząc chrapliwie, znów uniósł broń, ale zwierzę nie poruszyło się. Oddychało przez chwilę z wywalonym językiem. Wlad zgasł jak świeca.

Pozostał więc jeszcze Julian. George spojrzał w jego kierunku i zobaczył, jak młodzieniec, zataczając się, znika w mrocznym lochu. Nie mógł w to uwierzyć: mimo potwornych obrażeń, jeszcze szedł. George ruszył za nim, śledząc w ciemności potykającą się sylwetkę. Piwnice były rozległe, pełne izb, wnęk i ciemnych korytarzy, ale nie stracił z oczu swej ofiary ani na moment. I nagle spostrzegł... światło.

Zajrzał przez łukowe wejście do pomieszczenia tonącego w półmroku. Z kamiennego sklepienia zwieszała się jedna, zakurzona żarówka, osłonięta kloszem. Młodzieniec zniknął gdzieś w ciemności okalającej krąg światła, rzucany przez żarówkę, ale po chwili wyłonił się, zasłaniając sobą lampę. George uderzył go raz i drugi. Julian nawet tego nie zauważył. Machnął na oślep ręką, próbując zbić żarówkę. Rana ograniczała jednak jego sprawność, chybił, wprawiając lampę i klosz w szalony taniec.

Dzięki owemu dziko wirującemu światłu George zobaczył resztę izby. Ze strzępów blasku i ciemności wydobył szczegóły piekła, do którego zstąpił.

Światło... i w jednym z kątów mignęły drewniane stojaki oraz pokryte pajęczynami półki. Ciemność... i Julian, jeszcze mroczniejszy kształt, skulony niepewnie na środku sali.

Światło... i pod jedną ze ścian – Georgina, na starym trzcinowym krześle; jej oczy wytrzeszczone, lecz nieobecne; jej usta i nozdrza jak rozwarte jamy. Ciemność... i ruch w pobliżu, sprawiający, że George uniósł oskard, aby się obronić. Oślepiające światło... i po prawej wielka, miedziana kadź, jakieś sześć stóp średnicy, na miedzianych nóżkach; po jednej stronie Helen, siedząca bezwładnie na krześle z jadalni, oparta o zionącą saletrą ścianę, po drugiej – naga Anne. Przedramiona obu kobiet zwisały nad krawędzią kadzi, a coś w jej wnętrzu zdawało się bezustannie poruszać, wypuszczając ciastowate macki. Rozedrgana ciemność, z której dobiegł śmiech Juliana; idiotyczny, chorobliwy śmiech kogoś nieodwracalnie zdegenerowanego. Potem znów światło, które dowiodło, iż George wciąż wpatruje się w kadź, a właściwie – w kobiety. W obraz, którego już nigdy nie wymaże z pamięci.

Ubranie Helen było rozdarte na piersiach i odciągnięte w tył. Dziewczyna rozparła się na krześle jak dziwka, z szeroko rozstawionymi nogami, niczego nie ukrywając. Podobnie Anne. Obie jednak koszmarnie wykrzywione, o twarzach, na których malowały się na przemian rozkosz i najwyższa groza; z rękoma zanurzonymi w kotle wypełnionym niepojętą masą, która wpełzała aż na ich ramiona, pchana tajemniczym impulsem.

Litościwa ciemność... „Boże! To coś się nimi karmi i syci je sobą!" – myśl przeszyła strzępy umysłu George'a. Julian, tak blisko, aż słychać było jego chrapliwy oddech. Znów światło roztańczonej lampy i oskard, wyrwany z bezwładnych palców George'a, ciśnięty został w ciemność.

I wreszcie – George twarzą w twarz z tym, którego zamierzał zabić i który okazał się nie tyle człowiekiem, co jakąś istotą z najkoszmarniejszych snów.

Bezkostne palce uwięziły w stalowym uścisku ramię mężczyzny, pchając go bez wysiłku, nieuchronnie, w kierunku kadzi.

– George – zarechotał ów koszmar, nieomal przyjaźnie. – Chcę, żebyś z czymś się zapoznał...

ROZDZIAŁ SZÓSTY

Alec Kyle wpił pobielane palce w krawędź biurka.

– Wielkie nieba, Harry! – wykrzyknął, wpatrzony w widmo Keogha, przez które przenikały strużki delikatnego światła spod żaluzji okiennych. – Próbujesz przerazić mnie, zanim zaczniemy działać?

– *Opowiadam ci to, co wiem. Prosiłeś mnie o to, nieprawdaż?* – Keogh był niewzruszony. – *Pamiętaj, Alec, dostajesz to z drugiej ręki. Ja dowiedziałem się tego bezpośrednio od nich, od umarłych i uwierz mi, historia brzmiała o wiele bardziej przerażająco!*

Kyle poczuł dławienie w gardle, próbował opanować się. Dotarło do niego to, co powiedział Keogh.

– Dowiedziałeś się wszystkiego od „nich?". Mam wrażenie, że nie mówisz jedynie o Tiborze Ferenczym i George'u Lake'u.

– *Nie, rozmawiałem także z wielebnym Pollockiem. Tym, który chrzcił Juliana.*

– Ach tak – Kyle otarł czoło. – Teraz rozumiem. Oczywiście.

– *Alec!* – Cichy głos Keogha nabrał ostrych tonów. – *Musisz się pospieszyć. Harry zaczyna się niepokoić.*

Nie tylko prawdziwe dziecko, śpiące o trzysta pięćdziesiąt mil stamtąd, w Hartlepool, ale i jego eteryczny obraz, zawieszony w dolnej części torsu Keogha, przekręcił się leniwie. Wiercił się, powoli się prostując. Buzia niemowlęcia otworzyła się. Ziewnęło. Widmo Keogha drżało teraz niczym dym albo rozgrzane powietrze nad letnią drogą.

– Ale zanim odejdziesz – zawołał zdesperowany Kyle – powiedz, od czego mam zacząć!

Odpowiedziało mu ciche kwilenie niemowlęcia. Oczy Keogha otwarły się szeroko. Próbował zbliżyć się do Kyle'a. Jednakże błękitna mgiełka rozpraszała się niczym obraz w rozregulowanym telewizorze. Po chwili zbiegła się w pionową linię, jakby neonówkę koloru indygo, zamieniła się w oślepiająco niebieski punkt, unoszący się na poziomie oczu Kyle'a – i zgasła.

– *Skontaktuj się z Krakowiczem. Powiedz mu, co wiesz. Chociaż część tego. Będziesz potrzebował jego pomocy.* – Szef INTESP usłyszał jeszcze odległe niemal o milion mil słowa.

– Rosjanie? Ależ Harry...

– *Do widzenia, Alec. Jeszcze... Wró...cę.*

W pokoju zapadła całkowita cisza, zrobiło się jakoś pusto. Po chwili głośne szczęknięcie oznajmiło, iż wyłączyło się centralne ogrzewanie.

Kyle jeszcze przez dłuższy czas siedział bez ruchu, lekko spocony. Oddychał głęboko. Potem zauważył światełko migocące na konsolecie interkomu i usłyszał delikatne, niemal lękliwe pukanie do drzwi.

– Alec? – odezwał się ktoś na zewnątrz. – Carl Quint. Już... odeszło. Sądzę jednak, że wiesz to najlepiej. Wszystko w porządku?

Kyle wziął głęboki oddech i wcisnął klawisz łączności ogólnej.

– Już po wszystkim – poinformował oczekującą w napięciu ekipę. – Lepiej chodźcie tu wszyscy. Szykuje się robota dla grupy „O". Mamy potwornie dużo do omówienia.

– Tak, „potwornie" – powiedział do siebie.

*

* *

Rosjanie odpowiedzieli tak szybko, że zaskoczyło to nawet Kyle'a. Nie wiedział jednak, że Leonid Breżniew czeka na rozwiązanie pewnej zagadki i że Feliks Krakowicz ma zaledwie cztery miesiące na spełnienie tego żądania.

Ustalono, że do spotkania szefów obu paranormalnych służb specjalnych dojdzie w pierwszy piątek września na gruncie neutralnym. Zdecydowano się na genueńską spelunkę „Frankie's Franchise", zagubioną w labiryncie zaułków, w samych trzewiach miasta, o dwieście jardów od nabrzeża.

Kyle i Quint wylądowali na zadziwiająco żałosnym lotnisku Kolumba w Genui w czwartek wieczorem, ich ochrona z wywiadu brytyjskiego, której nie znali i nie powinni byli poznać, o dwanaście godzin wcześniej. Nie mieli zarezerwowanych noclegów, ale bez trudności dostali połączone pokoje w hotelu Genovese, gdzie odświeżyli się i przekąsiwszy coś, udali się do baru. W lokalu panowała cisza, przy stolikach i w barze siedziało może z pół tuzina Włochów, dwaj biznesmeni z Niemiec oraz amerykański turysta z żoną. Jeden z Włochów, siedzący w pewnej odległości od reszty, nie pochodził jednak z Italii. Był rasowym Rosjaninem w służbie KGB, o czym Kyle i Quint nie mieli, rzecz jasna, pojęcia. Nie dysponował żadnym talentem paranormalnym, inaczej Quint z miejsca by go namierzył. Anglicy nie zauważyli nawet, jak robił im zdjęcia miniaturowym aparatem. Rosjanin nie działał jednak całkiem incognito. Ktoś nawet widział, jak wchodził do hotelu i rezerwował pokój.

Kiedy zadzwonił telefon, Kyle i Quint siedzieli w rogu baru, pijąc trzecie Vecchia Romagna i rozmawiając po cichu o czekającym ich następnego dnia spotkaniu z Krakowiczem.

– To do mnie! – stwierdził natychmiast Kyle, prostując się na stołku. Jego talent dawał o sobie znać zawsze w ten sam sposób: łaskotał niczym łagodny impuls elektryczny.

Barman podniósł słuchawkę.

– Signor... – zaczął.

– Kyle? – zapytał szef INTESP, wyciągając rękę.

Barman potwierdził z uśmiechem i oddał mu słuchawkę.

– Kyle – powtórzył Anglik, kierując słowa do swego rozmówcy.

– Tu Brown – odezwał się jakiś cichy głos. – Panie Kyle, proszę nie okazywać zdumienia, nie rozglądać się zbytnio ani się nie czaić. W barze znajduje się Rosjanin. Nie opiszę go, gdyż mógłby pan zachować się nienaturalnie, co zwróciłoby jego uwagę. Połączyłem się z Londynem i sprawdziłem go na naszym komputerze. Udaje Włocha, ale to człowiek z KGB. Nazywa się Teo Dołgich. Czołowy agent terenowy Andropowa. Pomyślałem, że dobrze byłoby wam o tym powiedzieć. Spotkanie miało się odbyć bez ich udziału, prawda?

– Tak – odpowiedział Kyle. – Bez ich udziału.

– Właśnie, właśnie! – rzekł Brown. – Na pana miejscu ostrzej pogadałbym z nimi podczas jutrzejszego spotkania. A tak dla spokoju ducha, gdyby się coś wam przytrafiło, co uważam za mało prawdopodobne, Dołgich też zniknie, zaręczam. W porządku?

– To bardzo krzepiące – ponuro stwierdził Kyle. Oddał słuchawkę barmanowi.

– Problemy? – Quint uniósł brew.

– Dopij resztę. Pogadamy o tym w naszym apartamencie – powiedział Kyle. – Tylko zachowuj się naturalnie. Myślę, że „ukryta kamera" ma nas na oku.

Zmusił się do uśmiechu, jednym łykiem uporał się ze swoją brandy i wstał. Quint poszedł w jego ślady. Niespiesznie opuścili bar i udali się do siebie. Sprawdzili pokój Kyle'a, szukając elektronicznych pluskiew. Zaprzęgli do tej roboty zarówno pięć przyziemnych zmysłów, jak i wrażliwość psychiczną, ale pokój okazał się czysty.

Kyle zrelacjonował Quintowi treść rozmowy. Carl Quint był nadzwyczaj żylastym trzydziestopięciolatkiem, przedwcześnie łysiejącym, cichym, lecz skłonnym do agresji. Niezwykle bystrym.

– Niezbyt obiecujący początek – warknął. – Powinniśmy byli jednak się tego spodziewać. Powiadają, że taki już los tajnych agentów.

– Ale coś tu nie gra! – Kyle był wściekły. – To miało być spotkanie umysłów, a nie mięśni.

– Wiesz, który to był? – Quint rozumował praktycznie. – Sądzę, że pamiętam wszystkie twarze z baru. Poznałbym każdą z nich, trafiając na nią drugi raz.

– Zapomnij o tym – rzekł Kyle. – Brown nie chce konfrontacji. Choć zrobi się niemiły, jeśli się coś nam przytrafi.

– Jestem urzeczony! – oznajmił Quint.

– Ja również – zgodził się Kyle.

Sprawdzili jeszcze, czy w pokoju Quinta zamontowano podsłuch, i czując się nieco pewniej, uznali dzień za zakończony.

Kyle wziął prysznic i poszedł do łóżka. Było tak duszno, że zrzucił koce na podłogę. Powietrze przytłaczało go swoją wilgocią. Zanosiło się na deszcz, może nawet na solidną burzę. Kyle znał genueńską jesień, wiedział też, że występujące tu burze częstokroć nie mają sobie równych.

Zostawiwszy zapaloną lampkę nocną, ułożył się do snu. Drzwi łączące oba pokoje były otwarte. Quint znajdował się za ścianą, pewnie już spał. Ruch uliczny, oddzielony cienkimi listewkami okiennych żaluzji, szalał w najlepsze. Londyn, w porównaniu z Genuą, zamieniał się o tej porze w grobowiec. Może grobowce nie najlepiej nadawały się na temat do przedsennych rozmyślań, ale... Kyle zamknął oczy. Poczuł, jak ogarnia go senność, miękka niczym kobiecy uścisk, czuł jeszcze... że coś każe mu się zbudzić.

Lampka wciąż się paliła, rzucając spod abażura żółty krąg na mahoniowy stoliczek. W pokoju znajdowało się jednak nowe źródło światła – i to błękitnego. Kyle, uwolniony całkiem od senności, usiadł na łóżku. Przybył Harry Keogh.

Do pokoju wpadł Carl Quint, ubrany jedynie w spodnie od piżamy. Stanął jak wryty, cofnął się o krok.

– O mój Boże! – wykszturtusił. Nie zamknął już ust. Widmo Keogha, mężczyzna i uśpione dziecko, odwróciło się o dziewięćdziesiąt stopni, stając twarzą do niego.

– *Nie bój się* – powiedział Harry Keogh.

– Widzisz go? – Kyle nie rozbudził się jeszcze w pełni.

– O rany, tak – wykrztusił z siebie Quint, kiwając głową. – I nawet go słyszę. Ale i bez tego wiedziałbym, że tu jest.

– *Paranormalna wrażliwość* – stwierdził Keogh. – *Cóż, to się przyda.*

Kyle opuścił nogi na podłogę i zgasił lampę. W ciemności Keogh rysował się o wiele wyraźniej, jak hologram z najdoskonalszych neonowych drucików.

– Carlu Quint – oznajmił Kyle, czując dreszcze. Nie przywykł jeszcze do niesamowitości owych spotkań. – Pozwól, że przedstawię ci Harry'ego Keogha.

Quint chwicjnie odszukał krzesło obok łóżka Kyle'a i opadł na nie bezwładnie. Kyle w pełni już panował nad swymi zmysłami.

– Harry, co tu robisz? – zapytał i uświadomił sobie, jak dziwacznie musiało to zabrzmieć, jak blado i pospolicie.

Quint roześmiał się niemal histerycznie, słysząc, jak zjawa odpowiada.

– *Rozmawiałem z Tiborem Ferenczym, wykorzystując jak najlepiej mój czas, gdyż niewiele mi go zostało. Każde przebudzenie czyni Harry'ego Juniora silniejszym, a mnie – coraz mniej zdolnym do oporu. To jego ciało. Rządzi mną, niemal mnie wchłania. Jego maleńki mózg zapełnia się własną wiedzą, wypierając mnie, a może nawet kondensując. Wkrótce będę musiał opuścić go na zawsze i nawet nie wiem, czy zdołam kiedykolwiek oblec się w jakieś ciało. Pomyślałem więc, że wpadnę do was, wracając od Tibora.*

Kyle czuł niemal, jak bliski szaleństwa jest Quint, uspokoił go spojrzeniem.

– Rozmawiałeś ze Starym Stworem spoczywającym w ziemi? – zapytał. – Ale dlaczego, Harry? Czego od niego chciałeś?

– Jest jednym z nich, wampirem, a przynajmniej nim był. Umarli nie zwracają na niego uwagi. Jest dla nich pariasem. We mnie ma, no, może nie przyjaciela, ale jednak kogoś, z kim może porozmawiać. Na tym polega nasz układ: ja z nim gawędzę, a on opowiada mi rzeczy, które chcę wiedzieć. Tyle, że z Tiborem Ferenczym nic nie idzie gładko. Nawet jako martwy rozumuje perfidnie. Wie, że przeciągając sprawę, skłoni mnie do szybszego powrotu. Tej samej taktyki próbował z Dragosanim, pamiętasz?

– Tak – potwierdził Kyle. – I pamiętam też, jak skończył Dragosani. Powinieneś uważać, Harry.

– Tibor jest martwy, Alec – przypomniał mu Keogh. *– Nie zrobi już krzywdy. To wszakże, co po sobie pozostawił, mogłoby...*

– Co po sobie pozostawił? Myślisz o Julianie Bodescu? Poleciłem moim ludziom obserwować posiadłość w Devonshire, aż będą gotowi do akcji przeciw niemu. Jak tylko upewnimy się co do jego zwyczajów i oszacujemy wszystko, co nam przyniesiesz, wkroczymy.

– Nie myślałem jedynie o Julianie, choć niewątpliwie stanowi on część problemu. Powiadasz, że włączyłeś do akcji agentów paranormalnych? – Keogh wyglądał na zaniepokojonego. *– Czy oni wiedzą, z czym mogą mieć do czynienia, jeśli zostaną wykryci? Czy wprowadziłeś ich we wszystko?*

– Tak, we wszystko. Dostali też sprzęt. O ile to jednak możliwe, powinniśmy dowiedzieć się nieco więcej. Pomimo wszystkiego, co nam powiedziałeś, wciąż wiemy bardzo mało.

– A czy wiecie o George'u Lake'u? – zapytała wibrująco zjawa.

Kyle poczuł, że włosy mu się jeżą. Podobnie Quint.

– Wiemy – tym razem właśnie Quint odpowiedział – że nie ma go już w grobie na cmentarzu Blagdon, jeśli o to chodzi. Lekarze stwierdzili atak serca, a jego rodzina i oboje Bodescu byli na pogrzebie. Tyle sprawdziliśmy. Potem sami złożyliśmy wizytę na cmentarzu i odkryliśmy, że George'a

Lake'a nie ma tam, gdzie powinien się znajdować. Sądzimy, że jest w domu, wraz z resztą.

– *O to mi właśnie chodziło* – przytaknęło widmo Keogha. – *Nie jest już martwy. I ten fakt uświadomił Julianowi Bodescu, jaką mocą włada! No, może niedokładnie tak. W tej chwili Julian uważa już zapewne, że jest wampirem. Prawdę powiedziawszy, jest zaledwie półwampirem. George natomiast to coś poważniejszego! Umarł, a więc to, co weszło w niego, przejęło pełną kontrolę nad jego ciałem.*

– Co? – zdziwił się Kyle. – Ja nie...

– *Pozwól, że ci dopowiem historię Tibora* – przerwał mu Keogh. – *Zobaczymy, co z niej wyłowisz.*

Kyle mógł tylko skinąć głową.

– Mam nadzieję, że wiesz, co robisz Harry.

W pokoju zrobiło się chłodniej. Kyle podał Quintowi koc, sam owinął się drugim.

– Dobra, Harry – rzekł. – Scena należy do ciebie...

*

* *

Ostatnim obrazem, jaki zapamiętał Tibor, był zwierzęcy pysk Ferenczyego, szczęki rozdziawione w potwornym śmiechu i szkarłatny, rozdwojony język, szalejący w niepojętej pasji jak przyszpilony wąż. Pamiętał jeszcze i to, że został odurzony. Potem pogrążył się w nieposkromionym wirze, spadając coraz głębiej w mroczne czeluście bez iskry światła, z których powracał powoli, wśród koszmarów.

Śnił o żółtookich wilkach, o bluźnierczym sztandarze z wizerunkiem diabelskiego łba o rozdwojonym, podobnie jak u Ferenczyego, języku (tyle że z wyobrażonego na sztandarze ściekały krople krwi), śnił o czarnym zamku pośród gór i o jego panu, który był czymś więcej niż człowiekiem. A teraz, skoro czuł, że śni, wiedział też, że się budzi. „Ile z tego było snem, a ile rzeczywistością?" – zaraz zapytał siebie.

Tibor odbierał chłód podziemi, odrętwienie wszystkich członków ciała i pulsowanie w skroniach, przywodzące na myśl gong wibrujący w jakiejś wysoko sklepionej grocie. Czuł kajdany na przegubach i kostkach nóg, oślizły chłód kamienia pod plecami oraz wilgotne krople, spadające z sykiem koło jego ucha i rozbryzgujące się w zagłębieniu jego obojczyka. Nagi i skuty w jakimś czarnym lochu, w zamku Ferenczyego. Pytanie, ile w tym było ze snu, stało się zbędne. Wszystko jawiło się rzeczywistością.

Tibor, warcząc, powrócił do życia, naparł z gigantyczną siłą na łańcuchy, które go więziły, nie zważając na huk w głowie oraz ból przeszywający całe jego ciało.

– Ferenczy! Ty psie, Ferenczy! Zdradziecki, pokraczny, ohydny... – zaryczał w ciemności jak zraniony byk.

Urwał. Słuchał teraz zamierającego echa przekleństw. Usłyszał coś więcej. Gdzieś w górze jego rykowi odpowiedziało trzaśnięcie drzwi, potem dotarły do niego odgłosy niespiesznych kroków. Czując dreszcze przebiegające po skórze, zdjęty wściekłością i przerażeniem, znieruchomiał, czekając.

Ciemność panującą w lochu łagodził jedynie zimny poblask saletry ściekającej strużkami po ścianach, ale kiedy Tibor wstrzymał dech, a odgłos stąpania słychać już było całkiem wyraźnie, pojawiło się nowe źródło światła. Żółta poświata wdzierała się przez łukowate drzwi w ścianie z litej skały, przeganiając cienie. Tibor obserwował ją, bojąc się odetchnąć.

Potem w drzwiach pojawiła się kopcąca latarnia, a za nią sam Ferenczy. Schylił się, żeby nie uderzyć o krawędź zwornika. Jego oczy, skryte w cieniu, płonęły czerwonym ogniem. Uniósł wysoko źródło światła i złowieszczo pokiwał głową, ogarniając okiem całą izbę.

Tibor sądził dotąd, że jest sam w lochu, teraz odkrył jednak, że się mylił. W żółtym blasku lampy dostrzegł pozostałych. Tylko – żywych czy martwych? Jeden przynajmniej wyglądał na żywego.

Blask bijący z latarni zmusił Tibora do zmrużenia oczu. Mimo to dostrzegł jeszcze trzech więźniów. Trudno było określić ich stan, rozpoznanie ich nie stanowiło jednak problemu. Mógł się tylko domyślić, jak i po co sprowadził ich tu pan zamku. Więźniami tymi byli oczywiście trzej towarzysze Tibora, w tym stary Cygan Arwos. Z tej trójki oznaki życia dawał jedynie krępy Wołoch. Leżał skulony na posadce, w miejscu, z którego usunięto kamienne płyty, odsłaniając czarną ziemię. Wyglądał na potwornie połamanego, ale jego baryłkowata pierś wznosiła się i opadała z pewną regularnością, a jedno ramię drżało.

– Szczęśliwiec – stwierdził Ferenczy, głosem głębokim jak otchłań. – A może nieszczęśnik, zależnie od punktu widzenia. Żył jeszcze, kiedy moje dzieci sprowadziły mnie do niego.

– Żył? – Tibor zabrzęczał łańcuchami. – Człowieku, on nadal żyje! Nie widzisz, jak się porusza? Spójrz, oddycha!

– O tak! – Ferenczy zbliżył się jeszcze, jak zwykle płynnie i bezgłośnie. – I krew płynie w jego żyłach, a mózg w roztrzaskanej głowie działa i pełen jest przerażających myśli, ale powiadam ci, że on nie żyje. Nie jest też martwy. Jest nieumarły! – Zachichotał, jak z jakiegoś odrażającego żartu.

– Żywy, nieumarły? A cóż to za różnica? – Tibor szarpnął się wściekle w łańcuchach. Marzył o owinięciu nimi szyi tamtego i zaciskaniu, aż oczy bojara wyszłyby na wierzch.

– Różnicę stanowi nieśmiertelność. – Dręczyciel Tibora pochylił się w jego kierunku. – Żywy byłby śmiertelny, nieumarły „żyje" wiecznie. Chyba, że zniszczy sam siebie albo pomoże mu w tym jakiś nieszczęsny wypadek. Ach, żyć wieczne, Tiborze Wołochu. Życie wtedy jest słodkie. Uwierzyłbyś jednak, że potrafi być również nużące? Nie, oczywiście nie, nie poznałeś wszak znużenia stuleciami. Kobiety? Tak, miałem kobiety! A jadło? – Jego głos brzmiał teraz szelmowsko. – Ach! Kęsy, o jakich nawet nie śniłeś. A mimo to przez ostatnie sto, nie, dwieście lat wszystko to już mnie nudziło.

– Jesteś znużony życiem? – Tibor zacisnął zęby, wkładając ostatnie siły w próbę wyrwania klamer łańcucha z wilgotnego kamienia. Bez skutku. – Tylko uwolnij mnie, a skończę z twoją..., ha! nudą.

– Skończysz? – Śmiech Ferenczyego przypominał ujadanie psa. – Już z nią skończyłeś, mój synu. Przychodząc tutaj. Widzisz, czekałem na kogoś takiego jak ty. Znudzony? Tak, byłem znudzony. I rzeczywiście jesteś lekiem na moją nudę, ale lekiem, który zaaplikujemy na moją modłę. Zabiłbyś mnie, tak? Naprawdę tak sądzisz? Czeka mnie jeszcze dość walki, ale nie z tobą. Co? Miałbym walczyć z własnym synem? Przenigdy! Nie, odejdę stąd, żeby walczyć i zabijać jak nikt dotąd. Będę pożądał i kochał z zapałem godnym dwudziestu mężów i nikt mi tego nie wzbroni! Będę to czynił na wszystkich krańcach ziemi, do tego stopnia, że moje imię trwać będzie wiecznie albo na zawsze zostanie wymazane z pamięci człowieczej! Cóż innego mógłbym czynić, pałając taką pasją, ja, Stwór skazany na życie?

– Mówisz zagadkami. – Tibor splunął na podłogę. – Jesteś szaleńcem, przywiedzionym do obłędu przez samotnicze życie z wilkami jako jedynym towarzystwem. Nie rozumiem, dlaczego Wlad obawiał się jednego szaleńca. Widzę jednak, dlaczego pragnął twojej śmierci. Jesteś... odrażający! Wrzód człowieczeństwa. Pokraczny obłąkaniec o rozdwojonym języku. Śmierć to najlepsze, co mogłoby ciebie spotkać. Albo powinieneś zostać uwięziony tam, gdzie ludzie nie mogliby oglądać czegoś tak przeciwnego naturze!

Ferenczy cofnął się nieco, jakby zaskoczony wybuchem Tibora. Zawiesił latarnię na haku, siadł na kamiennej ławie.

– Przeciwnego naturze, powiadasz? Ty mi mówisz o naturze? W naturze kryje się dużo więcej, niż to widać, mój synu! Tak to w istocie wygląda. Uważasz mnie za nienaturalnego, co? Owszem, Wampyry są rzadkością, to fakt, ale tygrysy szablastozębne również. Ja nie widziałem górskiego kota o kłach jak sierpy od... trzystu lat! Może ich już nie ma. Może ludzie wytępili je do ostatniego. Tak, może pewnego dnia i na Wampyry przyjdzie kres. Ale jeżeli ten dzień nadejdzie, to, uwierz mi, nie z winy Faethora Ferenczyego. I również nie z twojej.

– Wciąż tajemnice, nic nieznaczący bełkot, obłęd! – Tibor wyrzucał z siebie słowa. Był bezradny i wiedział o tym doskonale. Jeżeli ta potworna istota pragnęła jego śmierci, mógł już uważać się za martwego. Z szaleńcem nie rozmawia się rozsądnie. Wolał ciskać mu obelgi prosto w twarz, rozwścieczyć go i skończyć z tym raz na zawsze. Nie jest przyjemnie wisieć tu i gnić, oglądając, jak robaki wgryzają się w ciało tych, których się zwało kompanami.

– Skończyłeś? – zapytał głucho Ferenczy. – Lepiej dać spokój tym kąśliwym przemowom, gdyż wiele jeszcze mam ci do powiedzenia, wiele do pokazania. Muszę podzielić się z tobą ogromną wiedzą i jeszcze większymi umiejętnościami. Widzisz, znudziło mi się to miejsce, ale potrzebuje ono gospodarza. Kiedy ja wyjdę na świat, ktoś będzie musiał tu pozostać, żeby o nie zadbać. Ktoś równy mi siłą. To jest mój dom i to są moje góry, moje włości. Któregoś dnia zechcę może powrócić. A jeśli to zrobię, będę chciał znaleźć tu Ferenczyego. Oto dlaczego nazywam ciebie moim synem. Tu i teraz uznaję cię za syna, Tiborze z Wołoszczyzny. Odtąd zwać się będziesz Tiborem Ferenczym. Daję ci nazwisko i mój herb: diabelski łeb. Tak, wiem, że ciążą ci te zaszczyty, wiem, że nie masz jeszcze mojej siły. Ale wkrótce ją posiądziesz! Użyczę ci największego zaszczytu: wspaniałej tajemnicy. A kiedy już staniesz się Wampyrem...

– Twe nazwisko? – warknął Tibor. – Nie chcę twojego nazwiska. Pluję na nie! – Potrząsnął dziko głową. – I na twój herb. Mam swój własny sztandar.

– Tak? – Potwór wstał i podpłynął bliżej. – A jakie są twoje znaki?

– Nietoperz z wołoskich równin – odpowiedział Tibor. – Dosiadający chrześcijańskiego Smoka.

– Ależ to wyśmienicie. Nietoperz, powiadasz. Doskonale! Ujeżdżający chrześcijańskiego Smoka? Jeszcze lepiej! I do tego trzeci znak: niech ich obu dosiądzie Szatan.

– Nie potrzebuję twego broczącego krwią Diabła – Tibor potrząsnął głową. Skrzywił się.

Ferenczy uśmiechnął się złowieszczo.

– Ale będziesz, będziesz. – Roześmiał się głośno. – Tak, ja również przyjmę twoje godło. Wyruszę w świat pod Diabłem, Nietoperzem i Smokiem. Doceń, jaki czynię ci zaszczyt. Obaj będziemy mienić się tym samym herbem.

– Faethorze Ferenczy, igrasz ze mną jak kot z myszą. – Tibor zmrużył oczy. – Dlaczego? Nazywasz mnie swoim synem, oferujesz mi swe nazwisko i herb. A mimo to trzymasz mnie w łańcuchach, z jednym przyjacielem martwym, a drugim konającym u mych stóp. Powiedz, jesteś obłąkany, a ja jestem twą kolejną ofiarą. Czyż nie tak?

Bojar pokręcił głową, która Tiborowi przywodziła na myśl wilka.

– Tak mało wiary – mruknął niemal ze smutkiem. – Ale zobaczymy, zobaczymy. Powiedz mi teraz, co wiesz o Wampyrach?

– Nic. Albo bardzo mało. Legenda, mit. Dziwaczni ludzie, którzy kryją się w ustronnych miejscach i wyskakują, żeby straszyć wieśniaków i małe dzieci. Niekiedy bywają niebezpieczni. Są mordercami, którzy wysysają nocą krew, głosząc, że daje im to siłę. Dla ruskiego ludu wieszczy, dla Bułgarów *obur*, a w ziemi Greków *vrykoulakas*. Takie miana przybierają sobie ci obłąkańcy. Ale jedno mają wspólne we wszystkich językach: są łgarzami i szaleńcami!

– Nie wierzysz? Spoglądałeś na mnie, widziałeś wilki, którym rozkazuję, poznałeś grozę, jaką wzbudzam w sercach Wlada i jego kompanów. I nadal mi nie wierzysz?

– Powiedziałem to już przedtem i powtórzę znowu. – Tibor po raz ostatni szarpnął łańcuchami. – Ludzie, których zabiłem, wszyscy pozostali martwi. Nie, nie wierzę.

Ferenczy wpatrywał się w swego więźnia gorejącym wzrokiem.

– I to nas różni – powiedział. – Gdyż ludzie, których ja zabijam, o ile mam chęć zabić ich w pewien sposób, nie pozostają martwi. Stają się nieumarli...

Wstał i przysunął się bliżej. Jego górna warga odchyliła się lekko z jednej strony, odsłaniając zakrzywiony, ostry jak igła kieł. Tibor odwrócił wzrok, unikając jego oddechu przykrego jak trucizna. I nagle poczuł się słaby, głodny i spragniony. Był pewien, że mógłby spać przez tydzień.

– Jak długo tu jestem? – zapytał.

– Cztery dni. – Ferenczy zaczął się przechadzać po lochu. – Od czasu, gdy piąłeś się po wąskiej ścieżce, minęły cztery noce. Twoim przyjaciołom nie sprzyjało szczęście, pamiętasz? Nakarmiłem cię i dałem wina. Okazało się jednak dla ciebie zbyt mocne! A potem, gdy, powiedzmy, odpoczywałeś, przyjazne mi stworzenia zaprowadziły mnie do tych, którzy spali. Wierny stary Arwos leżał martwy. Podobnie twój chudy kompan, Wołoch, roztrzaskany na ostrych głazach. Moje dzieci chciały ich dla siebie, ale znalazłem dla nieszczęśników inne przeznaczenie i przywlokłem ich tutaj. Ten – szturchnął stopą masywnego Wołocha – żył jeszcze. Spadł na Arwosa. Połamał się nieco, ale żył. Widziałem, że nie dotrwa do poranku, a potrzebowałem go, choćby po to, żeby czegoś ci dowieść. I tak jak w micie czy legendzie nasyciłem się nim. Piłem z niego, dając mu coś w zamian. Wziąłem jego krew, ofiarowując mu nieco mojej. Zmarł. Minęły trzy dni i trzy noce, które poświęciłem na pracę nad nim, i doszło do pewnego połączenia. Oraz do uleczenia. Połamane kości zaczęły się zrastać. Niedługo wstanie, jako jeden z Wampyrów, aby znaleźć się w szczupłych szeregach Elity, na zawsze jednak jako mój sługa! Jest nieumarły! – Ferenczy umilkł.

– Szaleniec! – stwierdził znów Tibor. Miał jednak coraz więcej wątpliwości. Ferenczy opowiadał o tych koszmarach z taką łatwością, bez wysiłku snując nowe wątki. „Nie może być tym, kim się mieni, z całą pewnością nie, ale wierzy w to, co mówi" – pomyślał przerażony.

Ferenczy usłyszał, że Tibor po raz kolejny pomawia go o obłęd, jednak zignorował to lub nie przyjął tych słów do wiadomości.

– Nazwałeś mnie „nienaturalnym" – rzekł. – Twierdzisz więc, że wiesz coś na temat natury. Czy mam słuszność? Czy rozumiesz życie, „naturę" wzrastania roślin?

– Moi rodzice uprawiali rolę – mruknął Tibor. – Widziałem, jak rosną rośliny.

– Dobrze! Wiesz zatem, że rządzą tym pewne zasady, choć czasem, wydawałoby się, nielogiczne. Pozwól, że sprawdzę twoją wiedzę. Odpowiedz mi: jeśli ktoś ma ulubioną jabłoń i boi się, że mu uschnie, jak może ją odtworzyć, zachowując aromat owoców?

– Zagadka?

– Zaspokój mą ciekawość, błagam.

– Są dwa sposoby. – Tibor wzruszył ramionami. – Przez zasianie albo przez ucięcie. Zasadź jabłko, a rozrośnie ci się drzewo. Ale jeśli chcesz zachować prawdziwy, pierwotny smak, musisz odciąć szczepy i zadbać o nie. To oczywiste: czym są szczepy, jeśli nie kontynuacją dawnego drzewa?

– Oczywiste? – Ferenczy uniósł brwi. – Może dla ciebie. Dla mnie jednak i dla większości tych, którzy nie uprawiają roli, oczywistym jest, że nasienie daje prawdziwy smak. Bo czym jest nasienie, jak nie jajkiem drzewa? Masz, rzecz jasna, rację, to szczep daje prawdziwy smak. Drzewo wyrosłe z pestek jest przecież wzbogacone o wpływ innych roślin! Jak owoc może nie ulec zmianie? „Oczywiste" dla tego, kto sadzi drzewa...

– Dokąd to wszystko wiedzie? – Tibor był coraz bardziej przekonany, że bojar oszalał.

– U Wampyrów – wyjaśnił pan zamku, przyglądając się Tiborowi – „natura" obywa się bez pomocy z zewnątrz, bez obcych wpływów. Nawet drzewo potrzebuje drugiego, by się odtworzyć, ale my, Wampyry, nie. Wymagamy jedynie... nosiciela.

– Nosiciela? – Masywne nogi Tibora nagle zadrżały. Wilgoć bijąca ze ścian spotęgowała jeszcze to uczucie.

– Powiedz mi teraz – ciągnął Faethor – co wiesz o łowieniu ryb?

– Co? O łowieniu ryb? Byłem synem chłopa, a teraz jestem wojownikiem. Cóż mógłbym wiedzieć o łowieniu ryb?

– Rybacy z krain Turków i Bułgarów parali się łowieniem na Morzu Greckim – mówił dalej Faethor, nie odpowiadając na pytanie. – Od niezliczonych lat nękała ich plaga rozgwiazd, których rozmnożyło się tak wiele, że uniemożliwiały połowy i rwały sieci swym wielkim ciężarem. Rybacy walczyli z nimi następująco: każdą złowioną rozgwiazdę zabijali i ćwiartowali, po czym ciskali rybom na pożarcie. Tyle że ryby nie jedzą rozgwiazd! A co gorsza, z każdego kawałka rozgwiazdy wyrasta nowy okaz! I „naturalnie" z każdym rokiem ich przybywało. Potem jakiś mądry rybak odkrył prawdę i zaczęli owe niechciane łupy zwozić na brzeg. Tam je palili i rozsypywali popioły w gajach oliwnych. I w ten sposób plaga ustąpiła, ryby wróciły, a oliwki stały się czarne i soczyste.

Ramieniem Tibora wstrząsnął nerwowy skurcz – skutek długiego wiszenia na łańcuchach.

– Powiedz mi teraz – zapytał Wołoch – co rozgwiazdy mają wspólnego z tobą i ze mną?

– Z tobą nic, jeszcze nie. Ale z Wampyrami... Cóż „natura" obdarzyła nas tą samą cechą! Jak możesz posiekać wroga, jeśli z każdej odrąbanej cząstki wyrasta nowe ciało? – Faethor wyszczerzył w uśmiechu rzędy żółtych zębów. – A jak zwykły człowiek może uśmiercić wampira? Widzisz teraz, dlaczego cię tak lubię, mój synu. Tylko bohater mógł przybyć tutaj, żeby zniszczyć niezniszczalne.

„Wbijali im kołki w serce i ucinali głowy... Albo jeszcze lepiej, ćwiartowali ich i palili szczątki... Nawet mała cząstka wampira może rozrosnąć się w ciele nieostrożnego człeka... Są jak pijawki, ale ssą od środka!" – pamięć Tibora przywołała znów słowa zasłyszane na kijowskim dworze.

– W leśnym podłożu – przerwał jego krwawe myśli Faethor – rośnie wiele pnączy. Szukają światła i wspinają się po wielkich drzewach, by dotrzeć do świeżego, czystego powietrza. Niektóre „głupie" pędy potrafią rozrastać się tak bardzo, że zabijają drzewa. W ten sposób i same giną. Zapewne widywałeś takie sceny. Inne wszak wykorzystują wielkie pnie jako swych nosicieli, dzielą z nimi powietrze, ziemię i światło. Wiodą wspólny żywot. Niektóre rośliny potrafią nawet być zbawieniem dla swoich drzew nosicieli. Ale nadchodzi susza. Drzewa usychają, czernieją, rozpadają się i nie ma już lasu. Jednakże pędy, ukryte w żyznej ziemi, czekają na swój dzień. I kiedy po pięćdziesięciu czy stu latach wyrosną nowe drzewa, pnącza znów zaczną wspinać się ku światłu. Któż jest silniejszy: drzewo o grubym pniu i mocnych konarach czy wątłe, miękkie łodygi o nieograniczonej cierpliwości? Jeżeli cierpliwość jest cnotą, Tiborze z Wołoszczyzny, Wampyry są najcnotliwszymi z istot, skoro przez stulecia...

– Drzewa, ryby, pnącza. – Pokręcił głową Tibor. – Majaczysz, Faethorze Ferenczy.

– Wszystko, co ci opowiedziałem – oznajmił bojar, nie dając się zbić z tropu – zrozumiesz... stopniowo. Ale nim to nastąpi, musisz uwierzyć we mnie. W to, czym jestem.

– Nigdy nie... – zaczął Tibor, ale nie dane mu było dokończyć.

– Och, uwierzysz! – syknął Ferenczy, a jego okropny język wściekle zafalował. – Teraz słuchaj: przygotowałem swe jajo. Stworzyłem je, nawet w tej chwili nabiera jeszcze kształtu. Każdy z Wampyrów w ciągu swego życia może złożyć tylko jedno jajo, zasiać tylko jedno ziarno, ma jedną szansę na odtworzenie prawdziwego owocu, jedną sposobność zaszczepienia swej odmiennej „natury" innej żywej istocie. Ciebie wybrałem na nosiciela mojego jaja.

– Twojego jaja? – Tibor skrzywił się, odsuwając się od bojara, na ile pozwalały mu łańcuchy. – Twojego ziarna? Tobie już nie sposób pomóc, Faethorze.

– Nie. – Ferenczy obnażył zęby, a jego wielkie nozdrza zadrgały. – To... tobie już nie sposób pomóc!

Przesunął się ku zwłokom starego Arwosa. Uniósł je jedną ręką jak pęk szmat i upchnął w skalnej niszy. Głowa starca zakolebała się.

– Nie mamy płci jako takiej – rzucił Faethor, przeszywając wzrokiem Tibora. – Jedynie płeć naszych nosicieli. Ale zwiększamy ich werwę po stokroć! Nie znamy żądz poza ich żądzami, które mnożymy bez końca. Możemy doprowadzić ich do skrajności w każdej z ich pasji i czynimy to, ale również leczymy ich rany, o ile owa skrajność przekroczyła granice możliwości ludzkiego ciała i krwi. A po wielu, wielu latach, nawet po stuleciach, człowiek i wampir łączą się w jedno. Nawet największy napór ich nie rozdzieli. Ja także byłem człowiekiem, ale dojrzałem do zespolenia. Ciebie też ono czeka, może za tysiące lat.

Raz jeszcze na próżno Tibor naparł na łańcuchy. Nie sposób było ich zerwać czy choćby nadwyrężyć. Każde ogniwo miało grubość kciuka.

– Wróćmy jednak do Wampyrów – ciągnął Faethor. – Tak jak w pospolitym świecie każdy rodzaj stworzenia dzieli się na szereg gatunków – są sowy, mewy i wróble czy lisy, ogary i wilki – różne są poziomy i cechy Wampyrów. Mówiliśmy o szczepach jabłoni. Sądzę, że łatwiej będzie ci myśleć o tym w ten właśnie sposób.

Pochylił się i odciągnął bezwładne, pozbawione przytomności ciało krępego Wołocha z wyrwy w posadzce. Rzucił na czarną ziemię zewłok Arwosa. Potem rozerwał postrzępioną koszulę Cygana i klęcząc spojrzał na Tibora.

– Czy dość tu światła, mój synu? Widzisz?

– Wyraźnie widzę szaleńca – potwierdził szorstko Wołoch.

Ferenczy odpowiedział mu skinieniem głowy i znów uśmiechnął się potwornie, a żółta kość jego zębów zalśniła w świetle latarni.

– To zobacz i to! – syknął.

Wciąż klęcząc przy żałosnym ciele starego Arwosa, skierował palec wskazujący ku obnażonej piersi Cygana. Tibor przyglądał się uważnie. Przedramię Faethora wysunęło się z rękawa szaty. Cokolwiek zamierzał teraz zrobić, nie mogło to kryć w sobie żadnej sztuczki, żadnego kuglarstwa.

Szczupłe, gładkie palce Ferenczyego zakończone były długimi, spiczastymi paznokciami. Tibor dostrzegł, że koniuszek wyciągniętego palca czerwienieje i zaczyna ociekać krwią. Różowy paznokieć pękł jak skorupka orzecha i niczym rozchwiane odrzwia zawisł luźno na pęczniejącym, rozpulsowanym palcu. Opuszka pokryła się nagle siecią niebieskich i szarozielonych żyłek, wijących się pod skórą. Żywe mięso spod paznokcia wyciągnęło się długą wypustką ku ciału martwego starca.

Pulsująca materia niewiele już miała wspólnego z palcem, stała się macką z jakiegoś obcego ciała, rozedrganą różdżką z żywej tkanki, sztywnym wężem odartym ze skóry. Dwa, trzy razy dłuższa niż poprzednio, wibrując, opuszczała się ukośnie ku miejscu przeznaczenia, którym było najwidoczniej serce umarłego. Tibor nie odrywał wzroku od tej sceny, wytrzeszczając oczy. Zamarł bez tchu, z rozdziawionymi ustami.

Po raz pierwszy w życiu poznał smak prawdziwego lęku. Tibor Wołoch, wódz niewielkiej i obdartej, ale bitnej armii, ponury i bezlitosny pogromca Picczyngów, nieustraszony jak dotąd. Do tej pory nie lękał się żadnego stworzenia. Dziki, które podczas łowów raniły myśliwych, niosąc im śmierć, nazywał warchlakami. Gdyby ktokolwiek rzucił mu wyzwanie, Tibor podjąłby je, zostawiając tamtemu wybór broni. Wszyscy o tym wiedzieli i nikt się nie ważył. W boju szedł zawsze na czele, atakował pierwszy i można go było znaleźć jedynie w największym zamęcie. Strach? To słowo było puste. Strach przed czym? Wyjeżdżając w bój, wiedział, iż każdy dzień może był dlań ostatnim. To go nie trwożyło. Tak mroczną pałał nienawiścią skierowaną przeciw najeźdźcom, przeciw wszystkim jego wrogom, że zaćmiewała strach, biorąc go w niewolę. Żadne zwierzę, człowiek czy groźba nie budziły w nim lęku, odkąd... od niepamiętnych czasów, od dzieciństwa, o ile kiedykolwiek był dzieckiem. Faethor Ferenczy jednak niósł w sobie coś innego. Tortury mogą jedynie okaleczyć, w końcu muszą przynieść śmierć, a po śmierci nie ma już miejsca na ból. To jednak, czym groził Ferenczy, zdawało się być wiecznym piekłem. Ledwie kilka chwil temu stanowiło jedynie dziwaczną mrzonkę, sen szaleńca, teraz wszakże...

Nie mogąc uwolnić oczu od tej sceny, Tibor jęknął. To, co się tu działo, paraliżowało go, czyniło bezsilnym.

– Tak, szczep – głos Faethora był teraz niski, drżący od mrocznych namiętności. – Szczep karmiący się splugawionym już ciałem, skażony rozkładem. Najniższa forma bytu Wampyrów. Nie osiągnie nic, nie mając żywego nosiciela.

Ale będzie żyła, żywiła się, w ukryciu rosła w siłę! Kiedy nie pozostanie już nic z Arwosa, schroni się w ziemi, by tam przeczekać. Niczym pnącze czekające na drzewo. Odcięte ramię rozgwiazdy, które nie umiera, ale czeka, aż rozrośnie się w nowe ciało, tyle że mój twór oczekuje ciała, które zasiedli! Bezmózgi, bezmyślny, będzie wciąż istotą o najprymitywniejszych instynktach. Ale mimo to przetrwa wieki. Aż znajdzie go jakiś nieostrożny człeczyna, aż on znajdzie takiego człowieka...

Niesamowity, krwawy, pulsujący palec dotknął ciała Arwosa i... wypuścił z siebie chorobliwie białe korzonki, które zagłębiły się w piersi Cygana jak robaki w glebie. Płatki pomarszczonego naskórka odpadły. Macka ujawniła błyszczące ząbki, zaczęła wgryzać się w ciało. Tibor wciąż nie mógł odwrócić wzroku. „Palec" Faethora pękł z cichym trzaskiem i pospiesznie zniknął w piersi trupa.

Ferenczy podniósł rękę. Przerwany palec kurczył się, nieokreślona materia oblekała się w ciało. Zniknęły zrakowaciałe odcienie. Stary paznokieć spadł na podłogę, a ciało natychmiast, na oczach Tibora, zaczęło pokrywać się nową, różową skorupą.

– I cóż, mój bohaterski synu, który przyszedłeś mnie zabić? – Faethor wstał powoli i wyciągnął rękę w kierunku bezkrwistej twarzy Wołocha. – Mógłbyś i to zabić?

Tibor odwrócił twarz, odchylił głowę, cofnął się, próbując nawet wcisnąć się w skałę, byle tylko uniknąć wymierzonego weń palca. Ale gospodarz zamku jedynie się roześmiał.

– Co? Myślisz, że mógłbym...? Ależ nie, nie ciebie, mój synu. Tak, mógłbym, bądź pewien! I na zawsze pozostałbyś mym sługą. Ale to byłby zaledwie drugi poziom Wampyrów, niegodny ciebie. Nie, dla ciebie zachowałem najwyższy zaszczyt. Otrzymasz moje jajo!

Tibor próbował znaleźć odpowiedź, ale w gardle zabrakło wilgoci, było suche jak pustynia. Faethor zaśmiał się znowu i cofnął swą straszliwą dłoń. Odwrócił się, żeby podejść do krępego Wołocha, skulonego na kamiennych płytach, oddychającego chrapliwie, z twarzą wtuloną w zakurzony kąt.

– On jest w tym drugim stadium – wyjaśnił dręczyciel Tibora. – Zabrałem mu coś i dałem w zamian coś innego. Ciało z mego ciała jest w nim teraz, leczy go i przemienia. Jego rany i połamane kości zrosną się. Będzie żył tak długo, jak zapragnie. Na zawsze jednak pozostanie mym niewolnikiem, będzie wypełniał mą wolę, posłuszny każdemu rozkazowi. Widzisz, on jest wampirem, ale nie ma umysłu wampira. Umysł pochodzi z jaja, a on nie wyrósł z nasienia, jest po prostu... szczepem. Kiedy się zbudzi, co wkrótce nastąpi, pojmiesz to.

– Pojmę? – Tibor odzyskał wreszcie choć ślad głosu. – Jak mógłbym to pojąć? Dlaczego powinienem to pojąć? Wiem tylko, że jesteś potworem! Arwos nie żyje, a mimo to... tak z nim postąpiłeś! Dlaczego? Żyć w nim mogą teraz tylko robaki.

– Nie – Ferenczy potrząsnął głową. – Jego ciało jest jak żyzna gleba albo szczodre morze. Pomyśl o rozgwiazdach.

– Wytworzysz nowego... nowego siebie? W nim? – ledwie wymamrotał Tibor.

– On zostanie pochłonięty – odpowiedział bojar. – Nowego mnie? Nie. Ja posiadam umysł. Tamten będzie go pozbawiony. Arwos nie może zostać nosicielem, gdyż jego mózg jest martwy, nie widzisz? Cygan jest pożywieniem, niczym więcej. Tamten, kiedy dorośnie, nie będzie podobny do mnie. Taki jedynie... jak to, co widziałeś. – Wyciągnął blady, świeżo ukształtowany palec.

– A co z tym drugim? – Tibor skinął głową w kierunku człowieka pochrapującego w kącie, czy też tego, co po nim pozostało.

– Kiedy go zabierałem, żył – powiedział Faethor. – Jego umysł był aktywny. To, co mu dałem, rośnie teraz w jego ciele i w jego umyśle. Owszem, umarł, ale tylko po to, by otworzyć sobie drogę do życia Wampyra, które nie jest życiem, ale półżyciem.

– Obłęd! – jęknął Tibor.

– A tego czeka inny los. – Ferenczy zniknął w cieniu, po drugiej stronie celi, gdzie nie w pełni sięgało światło. Z ciemności sterczały nogi i ramię drugiego wołoskiego wojownika. Faethor wyciągnął go na środek lochu.

– Ten będzie pokarmem dla nich obu. Aż ów bezmyślny skryje się w ziemi, a ten drugi zacznie tobie służyć.

– Służyć mi? – zdumiał się Tibor. – Tutaj?

– Nie dociera do ciebie nic z tego, co mówię? – Mroczny gospodarz skrzywił się. – Przeszło dwieście lat sam dbałem o siebie, chroniłem swe włości, wciąż sam i samotny w świecie, który się rozrastał, zmieniał, napełniał nowymi cudami. Zrobiłem to dla mego nasienia, gotowego teraz, by przekazać je dalej tobie. Pozostaniesz tutaj, podtrzymując przy życiu ten zamek, te ziemie i „legendę" o Ferenczym. Ja zstąpię między ludzi i pohulam! Czekają mnie tam wojny do wygrania, zaszczyty do zdobycia, tworzy się historia. Tak, czekają też kobiety do wzięcia!

– Zaszczyty? – Tibor odzyskał coś z dawnej odwagi. – Wątpliwe. Jak na stwora „samego i samotnego", dość dużo jednak zdajesz się wiedzieć o tym, co zachodzi w świecie.

Faethor obdarzył go najstraszliwszym ze swych uśmiechów.

– To kolejny sekret Wampyrów – zachichotał ohydnie, gardłowo. – Jeden z kilku. Innym jest usidlenie, którego skutki dostrzegłeś u starego Arwosa. Jego umysł tak był związany z moim, że mogliśmy ze sobą rozmawiać nawet z wielkiej odległości. Kolejny to sztuka nekromancji.

Nekromancja – Tibor słyszał już o tym. Wschodni barbarzyńcy mieli wśród siebie czarnoksiężników, otwierających brzuchy zmarłym, by z dymiących trzewi odczytywać sekrety ich żywotów.

– Tak – potwierdził Ferenczy, widząc błysk w oku Tibora. – Nekromancja. Wkrótce poznasz jej tajemnicę. Pozwoliła mi utwierdzić się w przekonaniu, że słusznie wybrałem ciebie na naczynie dla przyszłego Wampyra. Któż bowiem mógłby lepiej znać ciebie i twe czyny, twe siły i słabości, podróże i przygody niż były towarzysz? – Pochylił się i lekko przewrócił chudego Wołocha na plecy. Tibor zobaczył, co spotkało jego druha. Nie padł on ofiarą wilczej sfory, gdyż jego ciało nie zostało wyżarte. Tułów miał rozdarty od podbrzusza po gardziel, wszystkie jelita i organy wisiały luźno, zwłaszcza serce, uczepione na jednym nerwie, dosłownie wydarte. Miecz Tibora niejeden raz równie skutecznie patroszył ludzi i na wojowniku widok taki nie robił żadnego wrażenia. Ale jeżeli miał wierzyć Ferenczyemu, ten człowiek nie żył już, gdy się nad nim pastwiono, a owa potworna rana nie była dziełem miecza.

Tibor, drżąc, odwrócił wzrok od zmasakrowanego trupa i wbrew swojej woli popatrzył na dłonie Faethora. Paznokcie były ostre niczym noże. Co gorsza, zęby bojara przywodziły na myśl dłuta (Tiborowi kręciło się w głowie, był bliski omdlenia).

– Dlaczego? – zapytał szeptem Wołoch.

– Powiedziałem ci, dlaczego – zirytował się gospodarz. – Chciałem wiedzieć o tobie wszystko. Za życia był twym przyjacielem. Istniałeś w jego krwi, płucach i sercu. Po śmierci też służył ci lojalnie. Z trudem wydarłem jego sekrety. Zobacz, jak luźne są jego wnętrzności. Ha! Natrudziłem się, by poznać prawdę.

Tibor utracił władzę w nogach i zawisł na łańcuchach niczym ukrzyżowany.

– Jeśli mam umrzeć, zabij mnie od razu – wydusił z siebie. – Skończ z tym.

Faethor podpłynął bliżej, zatrzymując się na odległość ramienia.

– Pierwszy poziom bytu, najwyższe stadium wampira, nie wymaga śmierci. Możesz myśleć, że umierasz, kiedy nasienie zapuszcza w twój mózg korzonki, wnikające na oślep w rdzeń kręgowy, ale to nie jest śmierć. A później... – wzruszył ramionami. – Przekształcenie może się odbywać albo mozolnie, albo z szybkością błyskawicy. Tego nie sposób przewidzieć. Jedno jest pewne – ono nastąpi.

Krew Tibora po raz ostatni zawrzała w żyłach. Mógł jeszcze umrzeć z godnością.

– Skoro nie chcesz obdarzyć mnie porządną śmiercią, przyjmę ją od siebie!

Zaciskając zęby, szarpnął się w kajdanach tak zawzięcie, że z przegubów popłynęła krew. Walczył dalej, by pogłębić rany. Powstrzymał go dopiero przeciągły syk Ferenczyego, sprawiając, że Tibor zrezygnował z dzieła straszliwej samozagłady i spojrzał... w czeluść, w niezgłębioną otchłań.

Ohydna twarz zrobiła się jeszcze potworniejsza, niemal skręcała się w udręce łaknienia. Ferenczy był już tak blisko, że dosięgał go najlżejszy oddech Tibora. Wydłużone szczęki bojara rozwarły się, a w mroku, za rzędami zębów-sztyletów, zadrgał szkarłatny wąż.

– Ośmielasz się pokazywać mi swą krew? Gorącą krew młodości, krew, która jest życiem? – Krtań Faethora zadrgała w nagłym spazmie i Tibor miał wrażenie, że chwycą go torsje. Bojar złapał się za gardło, głucho charcząc. Zachwiał się. Odzyskał jednak panowanie nad sobą.

– Tiborze! – powiedział. – Nie wiem, czy jesteś już gotów, ale przywołałeś to, czego nie można odwrócić. Oto mój i twój czas. Czas jaja, ziarna. Spójrz! Spójrz!

Rozwarł potężne szczęki, a jego rozwidlony, trzepoczący język zagłębił się w krtani, wygięty niczym hak. Pochwycił coś i zaraz wydobył.

Tibor skulił się, ponownie tracąc dech. W rozwidleniu potwornego języka tkwiło nasienie wampira: przejrzysta, srebrnoszara kropla, lśniąca niczym perła, rozpulsowana na chwilę przed... przed zasianiem.

– Nie! – wychrypiał Tibor, broniąc się przed tym koszmarem. Obrona nie zdała się na nic. Poszukał w oczach Faethora zapowiedzi tego, co ma nadejść. Czyniąc to, popełnił straszliwy błąd. Usidlenie i hipnoza były sztukami, które Ferenczy zgłębił do końca. Oczy wampira, żółte i wielkie, stawały się z chwili na chwilę coraz większe.

– Mój synu – zdawały się mówić – chodź, ucałuj swego ojca.

Perłowa kropla nabiegła szkarłatem, a wargi Faethora zacisnęły się na ustach Tibora, rozwartych w krzyku, który mógł odtąd trwać wiecznie...

*
* *

Harry Keogh milczał już od kilku minut, ale Kyle i Quint wciąż siedzieli bez ruchu, owinięci w koce i przepełnieni grozą opowieści.

– To najbardziej... – zaczął Kyle.

– Nigdy w życiu nie słyszałem... – niemal równocześnie stwierdził Quint.

– *Musimy tu przerwać* – wtrącił Keogh, a w jego telepatycznym głosie zabrzmiała nuta napięcia. – *Mój syn nam przeszkadza, wkrótce obudzi się na czas karmienia.*

– Dwa umysły w jednym ciele – zamyślił się Quint, jeszcze zdumiony tym, co usłyszał. – Mówię o tobie, Harry. W pewien sposób nie różnisz się...

– *Nie mów tak!* – ponownie przerwał mu Keogh. – *W żaden sposób ich nie przypominam! Nawet pozornie. Ale słuchajcie, spieszę się. Macie mi coś do powiedzenia?*

Kyle okiełznał galopujące myśli, zmuszając je do powrotu na ziemię, do teraźniejszości.

– Jutro spotykamy się z Krakowiczem – rzekł. – Trochę się jednak niepokoję. Uzgodniliśmy, że w rozmowie wezmą udział wyłącznie ludzie z branży, nieco polityki odprężenia w dziedzinie badań psychotronicznych, ale Rosjanie włączyli w to przynajmniej jednego oprycha z KGB.

– *Skąd wiecie?*

– Mamy obstawę, ale ściśle tajną. Człowiek tamtych chce mieć nas na talerzu.

Widmo Keogha wyglądało na zakłopotane.

– *Za czasów Borowitza byłoby to nie do pomyślenia. Nienawidził ich! Mówiąc szczerze, wątpię, by i teraz było tak, jak sądzicie. Kontrola umysłów w stylu Andropowa i w naszym to dwie zupełnie różne sprawy. Mówiąc „w naszym", mam na myśli także rosyjskich wywiadowców paranormalnych. Alec, nie pozwól, żeby jutrzejsze spotkanie przerodziło się w pyskówkę. Musisz działać ręka w rękę z Krakowiczem. Zaoferuj mu swoją pomoc.*

– W czym? – obruszył się Kyle.

– *Krakowicz musi oczyścić grunt. A ty znasz przynajmniej jedno z pól działania. Możesz mu w tym pomóc.*

– Oczyścić grunt? – Kyle wstał z łóżka. Otulony ciasno kocem zbliżył się do zjawy. – Harry, musimy oczyścić grunt u siebie, w Anglii! Podczas gdy ja siedzę tu, we Włoszech, gdzieś tam panoszy się Julian Bodescu! To mi nie daje spokoju. Najchętniej wypuściłbym na niego swoich ludzi i...

– *Nie!* – zaprotestował Keogh. – *Nie, dopóki nie dowiemy się wszystkiego. Nie wolno ci ryzykować. W tej chwili Bodescu stanowi centrum małego ogniska, ale jeżeli zechce, rozniesie tę plagę.*

Kyle wiedział, że Keogh ma rację.

– W porządku – stwierdził – ale...

– *Nie mogę dłużej rozmawiać* – przerwała mu zjawa. – *Harry Junior zbyt mocno mnie przyciąga. Budzi się, bada swoje zdolności i chyba uważa mnie za jedną z nich.*

Narysowana światłem sylwetka zaczęła falować. Zamieniała się w rozwibrowany błękit.

– Harry, o jakim właściwie „gruncie" mówiłeś?

– *O Starym Stworze z ziemi.* – Głos Harry'ego przypominał zniekształcony sygnał radiowy. Hologram dziecka zajmujący dolną część jego torsu wyraźnie się wiercił i przeciągał.

„Ta rozmowa już kiedyś się zdarzyła!" – pomyślał Kyle.

– Powiedziałeś, że znamy przynajmniej jedno z jego pól działania. Pól? Myślisz o grobowcu Tibora? Przecież Ferenczy nie żyje.

– *Wzgórza... rozgwiazdy... pnącza... ukryte w ziemi...* – rozległ się głos.

– On jeszcze tam jest? – Kyle'owi zabrakło tchu.

Keogh początkowo przytakiwał, ale zmienił zdanie i pokręcił głową. Próbował jeszcze coś powiedzieć, ale jego zarys zadrżał i rozpadł się na mrowie jaskrawo niebieskich punkcików. Zniknął. Przez chwilę wydawało się jeszcze Kyle'owi, że umysł nekroskopa nie opuścił ich, ale to tylko Carl Quint drżał w oszołomieniu.

– Nie, nie Tibor. Jego już tam nie ma. Nie on, ale to, co po sobie pozostawił! – wyszeptał.

ROZDZIAŁ SIÓDMY

Godzina dwudziesta trzecia, pierwszy piątek września 1977. Alec Kyle i Carl Quint spieszyli przez brukowane zaułki Genui do spelunki „Frankie's Franchise" na spotkanie z Feliksem Krakowiczem.

O siedemset mil dalej, w angielskim hrabstwie Devonshire, była dziesiąta. Duszny, tak typowy dla babiego lata wieczór nie dobiegł jeszcze kresu. Julian Bodescu leżał nagi na łóżku w swym przestronnym pokoju na poddaszu Harkley House i rozważał wypadki ostatnich dni. Pod wieloma względami były to dni satysfakcjonujące, choć najeżone niebezpieczeństwami. Przedtem nie miał okazji poznać swoich sił, gdyż zarówno ludzie ze szkoły, jak i Georgina byli zbyt słabi, by mógł ich uznać za godnych partnerów. Dopiero Lake'owie stanowili prawdziwy sprawdzian, któremu jednak podołał bez większych trudności.

Najwięcej kłopotu sprawił mu George Lake, jedynie dlatego, że zaatakował niespodziewanie. Młodzieniec uśmiechnął się lekko, dotykając swego ramienia. Odczuwał chwilami tępy ból, ale nic poza tym.

„Wujek George" znajdował się teraz w lochach, ze swoją Anne. W podziemiach, do których należał, pod strażą Wlada. Straż nie była nawet konieczna, stanowiła jedynie dodatkowe zabezpieczenie. A Tamten... opuścił kadź i zaszył się w ziemi, w najmroczniejszej części piwnicy.

Pozostała jeszcze „matka" Juliana, Georgina. Przebywała w swoim pokoju, użalając się nad sobą, zdjęta nieustannym lękiem. Tak było już od roku, odkąd się nią zajął. Wszystko mogłoby potoczyć się inaczej, gdyby nie skaleczyła się w rękę. Ale zraniła się i pokazała mu krew. Coś go opętało, jak zawsze na widok krwi, tym razem jednak inaczej. Nie był w stanie tego kontrolować. Bandażując jej rękę, rozmyślnie wpuścił w ranę coś... z siebie. Georgina nic nie zauważyła. Dokonał tego niepostrzeżenie.

Chorowała przez dłuższy czas i właściwie nigdy w pełni nie doszła do siebie. Julian wiedział, że to się w niej rozwija i że on sam jest tego czegoś panem. Georgina była przerażona. Nigdy nie uważał jej za swą matkę. Wprawdzie wyszedł z jej łona, ale zawsze bardziej czuł się synem swego ojca, choć nie w potocznym rozumieniu. Dlatego też owego wieczoru wypytywał ją (po raz setny) o Ilię Bodescu, o to, gdzie i jak zmarł... I chcąc upewnić się, że pozna wszystkie szczegóły tej historii, wprowadził ją w najgłębszy z możliwych transów hipnotycznych.

I Georgina opowiedziała mu wszystko, a jego umysł pożeglował na wschód, ponad morzami, górami i równinami, ponad polami, miastami i rzekami, do miejsca pośród gór. Ujrzał niskie, pokryte lasem wzgórza, ułożone w kształcie krzyża. Krzyżowe wzgórza. Miejsce, które będzie musiał odwiedzić. Już wkrótce...

Będzie musiał, gdyż tam spoczywa odpowiedź. Miejsca te zawładnęły nim bez granic. Ale jego władza również nie miała granic. Moc, której sobie nie uświadamiał do powrotu George'a. Do jego powrotu z grobu na cmentarzu Blagdon, z krainy umarłych. Zdarzenie to początkowo zaszokowało go, potem wzbudziło ogromną ciekawość, a wreszcie – pozwoliło pojąć prawdę. Powiedziało Julianowi, czym jest. Nie kim jest, ale czym. A był czymś więcej, niż tylko synem Ilii i Georginy Bodescu.

Wiedział, że nie jest w pełni człowiekiem, że znaczna część jego istoty jest zdecydowanie nieludzka, i ta świadomość przyprawiała go o dreszcze. Potrafił hipnozą nakazywać ludziom, by spełniali wszystko, czego tylko zapragnął. Potrafił sam stworzyć nowe życie, a przynajmniej coś na kształt życia. Mógł zmienić żywe istoty, ludzi w takie stworzenia jak on sam. Nie posiadali wprawdzie jego siły, jego niesamowitych zdolności. Przemiana czyniła ich jego niewolnikami, dawała mu władzę absolutną.

Co więcej, był nekromantą: umiał otwierać ludzkie ciała, by wydobyć z nich tajemnice ich żywotów. Potrafił skradać się niczym kot, pływać jak ryba, szaleć jak pies. Przyszło mu do głowy, że mając skrzydła, mógłby nawet latać jak nietoperz. Jak nietoperz-wampir.

Na stoliczku nocnym, tuż obok łóżka, leżała książka w sztywnej oprawie, zatytułowana: *Wampiry. Fakty i fikcja.* Wyciągnął długopalcą dłoń, by dotknąć jej okładki, dotknąć nietoperza, wytłoczonego w czarnym płótnie. Według Juliana tytuł był łgarstwem, podobnie jak zawartość. Wiele z domniemanej fikcji okazało się prawdą (sam stanowił tego żywy dowód), a wiele z potencjalnych faktów – fikcją.

Na przykład światło słoneczne. Nie zabijało. Mogłoby, gdyby okazał się na tyle głupi, by wylegiwać się w zagajniku w upalny dzień dłużej niż minutę czy dwie. Sądził jednak, że zachodziła tu jakaś reakcja chemiczna. Na fotofobię cierpieli i zwyczajni ludzie. Grzyby rosną najlepiej pod warstwą słomy, w mgliste noce, u schyłku września. Czytał również, że gdzieś na Cyprze można znaleźć te same jadalne gatunki, które nigdy nie przebijają się na powierzchnię. Wypychają w górę wyschniętą ziemię, która pęka, wskazując miejscowym, gdzie należy ich szukać. Julian wystrzegał się promieni słońca, lecz się go nie lękał.

Uważał, że przesypianie dni w trumnie pełnej ziemi ojczystej to czysty obłęd. Czasami spał w ciągu dnia, ale jedynie dlatego, że nocą długo rozmyślał lub włóczył się po posiadłości. To prawda, wolał noc, gdyż wówczas, w ciemności albo w blasku księżyca, czuł się bliższy swemu źródłu, bliższy zrozumienia natury swego bytu.

I wreszcie wampirza żądza krwi: fałsz, przynajmniej w przypadku Juliana. Owszem, widok krwi poruszał go, działał na jego wnętrze, wzbudzał w nim pasję, ale picie krwi wprost z żył ofiary nie miało nic wspólnego z rozkoszą, opisywaną w tylu książkach. Po prostu lubił niedopieczone mięso, nawet w dużych ilościach, nigdy natomiast nie przepadał za warzywami. Z drugiej strony Tamten – stwór, którego Julian wyhodował w piwnicznej kadzi – chował się na krwi. Na krwi, na mięsie, na wszystkim, co żyje lub kiedyś żyło. Właściwie nie potrzebował jeść, ale mimo to pożerał wszystko, co mu podano. Pochłonąłby też George'a, gdyby młodzieniec go nie powstrzymał.

„Tamten..." – Julian zadrżał z rozkoszy. Tamten uznawał go za swojego pana. Wyrósł z niego i chłopak doskonale pamiętał, jak do tego doszło.

Wkrótce po tym, jak wydalono Juliana ze szkoły, zaczął mu się ruszać ząb. Był to ząb trzonowy, co wiązało się z okropnym bólem. Chłopak nie poszedł jednak do dentysty. Męcząc się z nim, którejś nocy wyrwał go, potem uważnie zbadał, dziwiąc się, że oto utracił cząstkę siebie. Białą kość, strzępek nerwu i czerwony korzeń. Położył go na stoliku, na parapecie okiennym. Rankiem usłyszał, jak ząb spadł na podłogę. Z rdzenia wysunęły się maleńkie białe pędy i ten, niczym jakiś krab pustelnik, uciekł przed porannym słońcem.

Zęby Juliana, z wyjątkiem trzonowych, były zawsze ostre jak noże i zakończone dłutowato, nie miały jednak w sobie nic nieludzkiego. Z pewnością nie przypominały zwierzęcych. Ten, który wyrósł na miejscu wyrwanego, był kłem. Od tamtej pory chłopak utracił już większość dawnych zębów. Wszystkie zostały zastąpione przez kły. Zwłaszcza zęby boczne. Szczęki także przeobrażały się, zmieniały swój kształt.

„Może ja jestem przyczyną tych zmian? Sam je powoduję? Umysł ponad materią. Ponieważ jestem zły" – myślał czasami.

Georgina niekiedy nazywała go złym, gdy był jeszcze dzieckiem i miała nad nim pewną władzę, wówczas kiedy nie akceptowała czegoś, co robił. Od momentu jego pierwszych eksperymentów z nekromancją. Od tamtej pory czegoś w nim nie akceptowała.

Georgina – „matka" – przerażone kurczę w jednej klatce z małym liskiem, obserwujące wzrost jego siły i zręczności. W miarę jak Julian dorastał, władza przechodziła w jego ręce. Dzięki jego oczom: wystarczyło, że spojrzał na Georginę i już stawała się bezradna. A poprzez praktykę stał się ekspertem w dziedzinie hipnozy. Pod tym przynajmniej względem książka nie kłamała: wampir był w stanie całkowicie zahipnotyzować ofiarę.

Zastanawiał się, co ze śmiertelnością czy też nieśmiertelnością, półżyciem? Tu nadal kryła się zagadka, tajemnica, sądził jednak, że wkrótce ją zgłębi. Teraz, kiedy zawładnął George'em, wiele mógł wyjaśnić, bowiem ten wiele miał jeszcze z człowieka. Owszem, wrócił z grobu, nieumarły, ale jego ciało było wciąż ludzkim ciałem. To, co w nie wniknęło, nie zdążyło się jeszcze rozrosnąć. W odróżnieniu od Tamtego, który miał mnóstwo czasu na swoją przemianę.

Julian, rzecz jasna, eksperymentował i na Tamtym. Doświadczenia wyjaśniały mu bardzo wiele. Jeżeli wierzyć literaturze, skuteczną bronią przeciwko wampirom był zaostrzony kołek. Tamten jednak ignorował drewniane ostrze, przyjmował je obojętnie. Tamten stawał się niekiedy spoisty; potrafił wykształcić u siebie zęby, szczątkowe ręce, nawet oczy. Przeważnie jednak jego tkanki były protoplazmatyczne, galaretowate – i cóż tu mówić o przebiciu kołkiem „serca" albo ucięciu „głowy"...

A jednak nie był niezniszczalny, nie był nieśmiertelny. Mógł umrzeć, mógł zostać zabity. Julian spalił jego cząstkę w piwnicznym piecu. Tamtemu się to nie spodobało. Młodzieniec czuł, że sam zareagowałby podobnie. To właśnie czasem go niepokoiło: gdyby go odnaleziono, gdyby ludzie poznali jego naturę, mogliby zagrozić mu ogniem. Zastanawiał się, któż jednak miałby wpaść na jego trop. A jeśli nawet by do tego doszło, któż dałby wiarę takiemu oskarżeniu? Policja nie była zbyt skłonna do wysłuchiwania historyjek o wampirach. Ale jednak wierzyła w lokalny „kult szatana", może więc uwierzyłaby i w to?

Na jego wargach znów pojawił się koszmarny uśmiech. Ów moment, w dzień po powrocie George'a, kiedy policjanci zastukali do drzwi. Z perspektywy czasu zdarzenie to wydawało się zabawne, choć wtedy Julianowi nie było do śmiechu. O mało nie popełnił wówczas straszliwego błędu – zbyt pochopnie stał się agresywny, gotów do obrony. Ale jego nerwowość przypisali cierpieniu po utracie „wujka". Nie mogli jednak poznać prawdy, pojąć, że George Lake znajduje się tuż pod nimi, dygoce i skomle w mroku piwnicy. A nawet gdyby to odkryli, niewiele mogliby począć. Ponieważ to, że George nie chciał leżeć w grobie, nie było winą Juliana.

I jeszcze jedna część legendy nie mijała się z prawdą: jeżeli wampir zabił w określony sposób ofiarę, to wracała do niego jako jeden z nieumarłych. George leżał w grobie przez trzy noce, czwartej zaś wydostał się na wolność. Zwyczajny człowiek, którego pochowano żywcem, nigdy by tego nie dokonał, ale wampir przebywający w George'u dał mu nawet więcej siły, niż było to konieczne. Wampir, będący cząstką Tamtego, który wpuścił w pierś George'a jedną ze swych niby-rąk i zatrzymał serce. Tamtego, który był częścią Juliana, jego zębem.

Jak żałośnie wyglądał George owej nocy, poraniony i zakrwawiony. Cały dom trząsł się od jego debilnych krzyków i szlochów, aż rozzłoszczony młodzieniec kazał mu się uciszyć i zamknął w piwnicy, w której pozostawał do tej pory.

Julian zapatrzył się w srebrną poświatę księżyca, wkradającego się przez szczelinę w zasłonach. Ponownie ujarzmił swoje myśli. Powrócił do pamiętnej wizyty policji.

Przyszli powiadomić go o wstrząsającym fakcie: o zbezczeszczeniu grobu George'a Lake'a przez nieznanego sprawcę lub sprawców i o zniknięciu zwłok.

– Czy pani Lake nadal przebywa w Harkley House? – zapytał jeden z policjantów.

– Tak, oczywiście, ale nie otrząsnęła się jeszcze po śmierci męża. O ile rozmowa z nią nie jest niezbędna, wolałbym sam przekazać jej tę wiadomość – odpowiedział młodzieniec. – Któż jednak mógłby dopuścić się tak odrażającego czynu? – dodał po chwili.

– Cóż, proszę pana, sądzimy, że w okolicy działa jedna z tych sekt, które bezczeszczą cmentarze i urządzają, hm, sabaty. Jacyś druidzi czy coś takiego. Wie pan, wyznawcy diabła. Tym razem jednak posunęli się za daleko! Proszę się nie martwić, w końcu ich wyłapiemy. Ale wdowie proszę przekazać to łagodnie, zgoda?

– Oczywiście, oczywiście. I dziękuję, że powiadomili nas panowie o tym, choć to takie koszmarne. Nie zazdroszczę panom roboty – uprzejmie i zapraszając do wyjścia, dziękował Julian.

– Praca jak praca, proszę pana. Przykro nam, że nie możemy zakomunikować nic pomyślnego. Dobrej nocy...

Znów dał się ponieść myślom, musiał więc raz jeszcze skupić się na „legendzie" o wampirach. Lustra. Wampiry nie znoszą luster, gdyż nie mogą ujrzeć w nich siebie. Uważał, że to fałsz, choć było w tym coś z prawdy. Julian przeglądał się w lustrze. Czasem jednak, gdy spoglądał w swe odbicie, zwłaszcza nocą, widział w nim więcej, niż mogliby dostrzec inni. Wiedział bowiem, na co patrzy – na coś obcego rodzajowi ludzkiemu. I zastanawiał się wtedy, czy inni, widząc jego odbicie, też zobaczyliby prawdę: potwora w ludzkim ciele.

Pozostawała jeszcze kwestia wampirzych żądz, sposobu, w jaki wykorzystywał kobiety. Bodescu posmakował już krwi – i nie tylko krwi – kobiet i odkrył w niej taką pełnię aromatów, jak w dojrzałym czerwonym winie. Podniecała go, ale nie na tyle, by się w niej zatracał. Georgina, Anne, Helen – próbował krwi wszystkich trzech. Chwilami marzył, że w przyszłości, kiedy nadejdzie pora, spróbuje jeszcze soku życia wielu innych.

Jego podejście do spożywania krwi intrygowało go jednak. Jeśli był prawdziwym wampirem, krew musiałaby stanowić siłę napędową jego życia, a jednak nie stanowiła. Sądził, że może przemiana wciąż trwała. Może w trakcie dalszych zmian ludzka część jego osoby zacznie zanikać, aż stanie się w pełni wampirem. Albo – pełnokrwistym.

Według niego więcej w tym było pożądania niż żądzy krwi. O wiele więcej. I nic dziwnego, że w książkach kobiety tak łatwo ulegały urokom wampirów. Zwłaszcza po pierwszym razie, bowiem jedynie w ramionach wampira kobieta mogłaby spełnić się do końca.

Julian przekręcił się na bok i popatrzył na leżącą blisko niego dziewczynę. Kuzynka Helen była bardzo ładna i do niedawna tak niewinna. Nie całkiem czysta, ale prawie. Zastanawiał się, kim był ten, który pozbawił ją dziewictwa... Właściwie nie miało to jakiegokolwiek znaczenia. Tamten nie zabrał jej nic, a dał bardzo mało.

Teraz wiedziała, co znaczy spełnienie. Wiedziała, że Julian, gdyby tylko zechciał, mógłby napełnić ją aż do granic wytrzymałości jej wnętrza.

Z krtani młodzieńca wydobył się chichot, podszedł do ust niczym żółć. Nie tylko Tamten był w stanie wypuszczać macki. Bodescu powstrzymywał się od śmiechu i ze zwodniczą delikatnością pogładził chłodne, krągłe pośladki Helen.

Nawet uśpiona, śniąca sny przeklęte, zadrżała pod dotykiem jego ręki. Dostała gęsiej skórki. Oddech dziewczyny przeszedł w jękliwe dyszenie. Pogrążyła się w hipnotycznym śnie. Od hipnozy blisko było do telepatii.

Nigdzie, w całej literaturze – wyjąwszy sporadycznie sugestie w co lepszej prozie – nie natrafił Julian na wzmiankę, że wampiry są w stanie nawet na dużą odległość panować nad innymi swą wolą i czytać ich myśli. U niego ta umiejętność nie rozwinęła się jeszcze w pełni (jak zresztą i pozostałe zdolności), nie mógł jednak zaprzeczyć jej istnieniu. Ofiara, choć raz dotknięta, choć raz podporządkowana jego mocy, na zawsze pozostawała dla niego otwartą księgą, czytelną nawet z daleka. Nawet w tej chwili, sięgając w pewien sposób swym umysłem, coś czuł. Odbierał prymitywne, puste „myśli" Tamtego. Nie, nawet nie to: po prostu dotykał jego instynktownego poczucia istnienia, jakiejś zwierzęcej czujności. Świadomość Tamtego nie wyrastała ponad świadomość ameby. Bodescu był w stanie ją wyczuć jedynie dlatego, że Stwór stanowił kiedyś jego cząstkę.

Teraz, gdy pokonał – czy też zniewolił – Helen, Anne, George'a i Georginę, mógł odbierać myśli całej czwórki. Pozwolił swej zewnętrznej sondzie opuścić Tamtego i powędrować dalej. Znalazł Anne, śpiącą gdzieś na dole, w jakimś mrocznym, zimnym i wilgotnym kącie. Znajdował się tam też George – nie spał.

Julian wiedział, że wkrótce będzie musiał coś z nim zrobić. George nie zachowywał się tak, jak powinien. Stawiał jakiś opór. Początkowo młodzieniec w pełni nad nim panował, tak jak nad kobietami. Ale teraz...

Bodescu skupił się na umyśle George'a, wpełznął cicho w jego myśli i... znalazł się w otchłani czarnej nienawiści, roziskrzonej błyskawicami czerwonej wściekłości. Odkrył tam również żądzę, tak bestialską, że ledwie mógł w to uwierzyć, i to nie tylko żądzę krwi, ale i... zemsty.

Wycofał swoją jaźń, zanim „wuj" zdołał ją wyczuć. Pałał nienawiścią. Pomyślał, że będzie musiał zakończyć sprawę George'a wcześniej, niż zamierzał. Już postanowił, że go wykorzysta, zaplanował, w jaki sposób, teraz jednak był zmuszony do wyznaczenia dodatkowego terminu. Na przykład – następnego dnia. Opuścił niepodejrzewającą niczego istotę, wściekle miotającą się po piwnicach i...

Włosy zjeżyły mu się na karku. Opuścił nogi na podłogę i wstał. Wiedział, że to nie mogła być żadna z kobiet, a z George'em dopiero co się rozstał. Ktoś znajdujący się w pobliżu rozmyślał o Harkley House i o nim. Młodzieniec zbliżył się do zasłon, rozsunął je na sześć cali i spojrzał z niepokojem w noc.

Gdzieś tam, na terenie posiadłości. Stare, podupadające zabudowania, żwirowa ścieżka, zarośla i zagajnik. Wysoki mur, okalający teren, brama, droga za bramą, wijąca się srebrna wstążka w świetle księżyca, dalej żywopłot. Bodescu zmarszczył nos, węsząc nieufnie, jak pies spotykający obcego. „Tak, jest ktoś obcy... ukryty w żywopłocie!" – myśl przeszyła jego umysł. Światło księżyca odbite w szkle, bladoczerwony żar papierosa. Ktoś kryjący się w cieniu obserwował Harkley, obserwował Juliana.

Znając już położenie przybysza, młodzieniec skierował tam swe myśli... i natrafił na umysł, Ale dotykał go tylko przez chwilę, przez ułamek chwili! Czyjeś psychiczne okiennice zamknęły się niczym stalowe szczęki potrzasku. Okulary, a może lornetka, zniknęły, żar papierosa zgasł, a sam człowiek, cień człowieka, przepadł w mroku.

„Wlad! – rozkazał w myśli Julian. – Idź, znajdź go. Sprowadź mi go, kimkolwiek jest!"

I gdzieś tam w dole, w krzakach nieopodal zejścia do lochów, obudził się owczarek. Nasłuchiwał przez chwilę, po czym wielkimi susami puścił się w stronę podjazdu i bramy.

Z jego gardzieli, niczym głuchy grzmot, wydobył się pomruk, niezbyt przypominający warczenie zwyczajnego psa.

*

* *

Darcy Clarke miał nocną zmianę pod Harkley House. Był telepatą wysokiej klasy. Los obdarzył go także niezwykłymi zdolnościami samozachowawczymi. Dziwaczny, wrodzony dar, nad którym Clarke nie miał żadnej kontroli i który nieustannie czuwał nad jego bezpieczeństwem: totalne przeciwieństwo podatności na wypadki, pozwalające wieść „zaczarowany" żywot. Co, przy tej okazji, było jak najbardziej na miejscu.

Clarke miał zaledwie dwadzieścia pięć lat, ale to, czego nie dał mu wiek, nadrabiał zapałem. Stanowił idealny materiał na żołnierza – powinność stanowiła dla niego wszystko. I właśnie powinność trzymała go pod Harkley House od siedemnastej do dwudziestej trzeciej. Dokładnie o dwudziestej trzeciej zauważył, że szczelina w zasłonach jednego z sypialnych okien powiększyła się.

Generalnie nic to nie oznaczało. W domu przebywało pięcioro ludzi i Bóg jeden wie, co jeszcze. Nie było zatem żadnego powodu, żeby twierdzić, że w tajemniczym domu nie ma oznak życia. Uśmiechając się krzywo, Clarke skorygował swój błąd: oznak półżycia. W pełni wtajemniczony, wiedział już, że mieszkańcy Harkley byli czymś więcej, niż mogło się wydawać. Ledwie jednak podregulował lornetkę z noktowizorem, żeby się wszystkiemu przyjrzeć, odczuł coś dziwnego, coś, co trafiło go z impetem błyskawicy.

Oczywiście, wiedział, że ktoś w tym domu, najprawdopodobniej młodzieniec, posiada duże zdolności paranormalne. Fakt ten nie budził żadnych wątpliwości już od czterech dni, od chwili gdy Clarke i reszta zespołu po raz pierwszy ujrzeli to miejsce. Nawet początkujące medium mogło wyczuć, że ten stary budynek tchnie niesamowitością. I nie tylko niesamowitością, ale i złem. Tego wieczoru, kiedy ledwie zapadł zmrok, Clarke wyczuł nasilenie tej aury. Fale ciemnych emanacji wylewały się z budynku jak z myślowego rynsztoku. Do tej pory Clarke pozwalał im przepływać obok siebie, unikając jakiegokolwiek kontaktu, teraz jednak, gdy w szczelinie pomiędzy zasłonami pojawiła się ciemna sylwetka, na której skupił wzrok... coś wdarło się do jego głowy, dotykając umysłu. Talent, równy co najmniej jego zdolnościom, sondował jego myśli. Nie ów talent wszakże go zaskoczył – w to bawił się już z kolegami z INTESP, którzy wciąż ćwiczyli wchodzenie w cudze myśli – ale naga, nieokiełznana, zwierzęca wrogość, pozbawiająca go tchu, zmuszająca do cofnięcia się i zatrzaśnięcia wrót paranormalnej wrażliwości. Obcy umysł, zachłanny jak bulgocący wir czarnego trzęsawiska.

Clarke zbyt szybko przeszedł do obrony i dlatego nie wykrył żadnych śladów bezpośredniego zagrożenia, nie odebrał rozkazów, które Julian wydał swemu owczarkowi alzackiemu. Popełnił błąd, ale jego naczelny talent, niezrozumiały jeszcze dla nikogo, działał niezawodnie. Minęła dwudziesta trzecia, a instrukcje, jakie otrzymał Clarke, określały wszystko dokładnie: powinien natychmiast wracać do tymczasowej bazy w hotelu w Paington i złożyć raport. Obserwacja domu miała być wznowiona następnego dnia o szóstej rano. Clarke zdusił obcasem papierosa i schował lornetkę.

Samochód zostawił na ścieżce przecinającej żywopłot i ogrodzenie, o dwadzieścia pięć jardów dalej. Oparł dłoń na górnej poprzeczce płotu, szykując się do przejścia, ale zmienił zdanie. Choć nie zdawał sobie z tego sprawy, zadziałał tu jego ukryty dar. Clarke, zamiast wspinać się na ogrodzenie, pospieszył do samochodu skrajem pola, brodząc w wysokiej trawie. Źdźbła, chłoszczące jego spodnie, były wilgotne, ale nie zwracał na to uwagi. Spieszył się, pragnąc jak najszybciej opuścić to miejsce. Zważywszy na to, czego przed chwilą doznał, uważał swoje pragnienie za jak najbardziej naturalne. Nie zwrócił nawet uwagi na to, że dopadł do samochodu, niemal biegnąc.

I właśnie wtedy, wpychając klucz w zamek w drzwi, usłyszał, jak nadbiega coś jeszcze. Dotarł do niego szmer miękkich łap uderzających o drogę, potem zgrzyt pazurów, kiedy coś ciężkiego przeskakiwało przez płot w miejscu, gdzie przed chwilą siedział. Ale Clarke był już w samochodzie i zatrzaskiwał za sobą drzwi, wpatrując się rozszerzonymi oczami w mrok. Serce mu łomotało.

A w dwie sekundy później Wlad uderzył w samochód.

Uderzył tak silnie, przednimi łapami, przedpiersiem i łbem, że okienko w drzwiach od strony Clarke'a pokryło się pajęczyną pęknięć. Huknęło jak przy uderzeniu młotem i Clarke pojął, że kolejne natarcie rozbije szkło do reszty, pozostawiając go bez szans na obronę. Zobaczył jednak napastnika i nie miał najmniejszego zamiaru siedzieć bez ruchu i czekać, aż to nastąpi.

Przekręcił kluczyk w stacyjce, zapalając silnik, i cofnął wóz, by uwolnić maskę spod zwieszających się na nią gałęzi. Drugi skok Wlada, wymierzony w to samo okno, rozciągnął psa na masce, tuż przed przednią szybą. Dopiero teraz młody agent pojął, jak trafny okazał się jego wybór. Biegnąc drogą, szanse miałby znikome.

Pysk Wlada był dziką maską czarnej nienawiści, wykrzywionym, warczącym, ociekającym pianą uosobieniem obłędu. Żółte ślepia o szkarłatnych źrenicach wpatrywały się w Clarke'a, pałając taką nienawiścią, że pomimo dzielącej szyby niemal czuł bijący z nich żar. Ale wrzucił już pierwszy bieg, wydostając się na drogę.

Samochód szarpnął i skoczył w przód, a pies stracił równowagę. Przetoczył się przez skraj maski, spadając w mrok żywopłotu. Clarke wyjechał na drogę. W lusterku widział, jak owczarek wyłazi z krzewów i otrząsa się, gapiąc się wściekle na uciekający samochód. Po chwili Clarke minął zakręt i stracił z oczu Wlada.

Nie martwił się tym zbytnio. Prawdę powiedziawszy, gasząc silnik na parkingu hotelowym w Paington, drżał jeszcze. Opadł na siedzenie i z trudem wyjął z paczki papierosa, którego potem wypalił do samego filtra. Dopiero wtedy zamknął samochód i poszedł złożyć raport...

*

* *

„Frankie's Franchise" była ze wszech miar marną knajpą. Gościła głównie szczury portowe, prostytutki i ich alfonsów, handlarzy prochów, jednym słowem, genueński półświatek. Panował w niej niemożliwy hałas. Stara amerykańska szafa grająca wywrzaskiwała z mocą huraganu surowe „Tutti Frutti" Little Richarda. W całym lokalu nie znalazłoby się miejsca wolnego od jazgotu muzyki, ale w każdej z sześciu łukowato sklepionych wnęk można było przynajmniej usłyszeć swoje myśli. I dlatego „Frankie's" idealnie nadawała się na to spotkanie: nikt nie zdołałby tu skoncentrować się na tyle, by wtargnąć w tajemnice czyjejś rozmowy.

Alec Kyle, Carl Quint, Feliks Krakowicz i Siergiej Gulcharow siedzieli przy małym, kwadratowym stoliku, mając za plecami bezpieczne ściany wnęki. Wschód i Zachód mierzyły się wzrokiem znad swoich drinków. Co ciekawsze, po jednej stronie Kyle i Quint pili wódkę, a po przeciwnej Krakowicz i Gulcharow sączyli amerykańskie piwo.

Rozpoznali siebie bez trudu: nikt inny we „Frankie's Franchise" nie pasował do znanych wcześniej opisów. Wygląd zewnętrzny nie był tu wszakże jedynym miernikiem. Rzecz jasna, nawet pomimo wszechobecnego gwaru trzy media potrafiły wyczuć swe aury psychiczne. Porozumieli się skinieniami głów, po czym zaopatrzeni we wzięte z baru drinki udali się do pustej wnęki. Niektórzy starzy bywalcy obdarzyli ich ciekawskimi spojrzeniami: twardziele zerkali czujnie, mrużąc oczy, prostytutki przyglądały się badawczo.

Przez kilka minut siedzieli w milczeniu. W końcu Krakowicz rozpoczął rozmowę.

– Nie przypuszczam, że mówicie moim językiem – rzekł z topornym, lecz niedrażniącym akcentem. – Ale ja mówię po waszemu. Wprawdzie słabo. To mój przyjaciel, Siergiej –

przedstawił swojego towarzysza, przechylając głowę nieco w bok. – On bardzo, bardzo słabo zna angielski. Nie ma zdolności paranormalnych.

Kyle i Quint przenieśli wzrok na Gulcharowa. Zobaczyli w miarę przystojnego młodego człowieka, o krótko ściętych blond włosach, szarych oczach i silnych dłoniach, skrzyżowanych luźno na blacie, przy szklance z piwem. Wyglądało na to, że chłopak czuje się nieswojo w zachodnim ubraniu, niezbyt dobrze zresztą dopasowanym.

– To prawda – Quint zmrużył oczy, odwracając się znów do Krakowicza. – Tego daru mu brakuje, ale jestem przekonany, że posiada mnóstwo innych pożytecznych cech.

Rosjanin uśmiechnął się oszczędnie i kiwnął głową. Wyglądał na niezbyt zadowolonego.

Kyle przyglądał się Krakowiczowi, zapisując w pamięci jego wygląd. Szef rosyjskiego wywiadu paranormalnego zbliżał się do czterdziestki. Miał przerzedzone czarne włosy, przenikliwe zielone oczy i pociągłą, niemal zapadłą twarz. Był średniego wzrostu, szczupły. „Oprawiony królik" – określił go w myślach Kyle. Ale jego wąskie, blade wargi znamionowały stanowczość, a wysokie czoło mówiło o wybitnej inteligencji.

Kyle wywarł na Krakowiczu podobne wrażenie: mężczyzna o kilka lat młodszy od Rosjanina, inteligentny, uzdolniony. Szatyn o bujnej fryzurze. Postawny, może z odrobiną nadwagi, ale przy jego wzroście nie miało to znaczenia. Oczy piwne, zęby równe i białe, osadzone w trochę szerokich ustach, nieco przekrzywionych na prawo. Grymas ten mógłby świadczyć o cynizmie, ale jak stwierdził Krakowicz, nie odnosiło się to do Kyle'a.

Quint, dla odmiany, wydawał się o wiele bardziej agresywny, choć doskonale nad sobą panował. Miał skłonność do szybkiego wyciągania wniosków, słusznych czy też nie. Zapewne też równie szybko działał. Kierował się wówczas bardziej rozsądkiem niż emocjami. To dostrzegało się w jego twarzy i sylwetce, a Krakowicz słynął z trafnego odczytywania charakterów. Quint prężył się giętki jak kot. Nie było w nim nic masywnego, czuło się raczej napięcie zwiniętej sprężyny. Żadnej nerwowości, po prostu wrodzona umiejętność szybkiego myślenia i działania. Patrzył rozbrajająco niebieskimi oczami, które nie pomijały żadnego szczegółu. Miał około trzydziestu pięciu lat, nieco przerzedzone włosy. Krakowicz mógł stwierdzić, że Quint, wybitnie wrażliwy na zjawiska ponadzmysłowe, jest wykrywaczem.

– Siergiej Gulcharow został wyszkolony jako moja ochrona – wyjaśnił w końcu Krakowicz. – Ale nie w kategoriach waszej albo naszej sztuki. Ma umysł innego typu. Mógłby się uprzeć, że z nas czterech on jeden jest tu „normalny". Co nie jest korzystne. – Spojrzał nieufnie na Kyle'a. – Mieliśmy się spotkać na równych prawach, bez zaplecza?

Muzyka przycichła nieco. Miejsce rock and rolla zajęła włoska ballada.

– Krakowicz – odezwał się Kyle, patrząc twardo i zniżając głos. – Lepiej powiedzmy sobie wprost. Masz rację, układ był taki, że mieliśmy się spotkać we dwóch. Każdy z nas mógł sobie dobrać człowieka. Ale żadnych telepatów. To, co mamy sobie do powiedzenia, powiemy, ale nikt nie powinien podsłuchiwać naszych myśli. Quint nie jest telepatą, a wykrywaczem. Nie oszukaliśmy więc. A jeżeli chodzi o waszego człowieka – Gulcharowa, tak? – Quint twierdzi, że jest on czysty, więc wy również nie oszukujecie. Na to przynajmniej wygląda, choć twój trzeci człowiek to inna sprawa!

– Mój trzeci człowiek? – Krakowicz usiadł prosto, wyglądając na autentycznie zaskoczonego. – Nie mam...

– Masz – wtrącił Quint. – Z KGB. Widzieliśmy go. Prawdę mówiąc, jest w tej chwili tutaj, we „Frankie's Franchise".

To było dla Kyle'a nowiną. Spojrzał na Quinta.

– Jesteś pewien?

– Nie rozglądaj się teraz, ale siedzi w tamtym kącie z genueńską kurwą – potwierdził Quint. – Przebrał się i wygląda, jakby dopiero co zszedł ze statku. Niezła maskarada, ale poznałem go, ledwie tu weszliśmy.

Krakowicz spojrzał kątem oka w podanym kierunku, powoli pokręcił głową.

– Nie znam go – powiedział. – To nic dziwnego, żadnego z nich nie znam. Nie cierpię ich! Ale... jesteście pewni? Skąd ta pewność?

Kyle może dałby się złapać na ten lep, ale nie Quint.

– Siedzimy w tym samym interesie, co wy, towarzyszu – postawił sprawę jasno. – Tyle że mamy na was haka. Jesteśmy lepsi. On jest z KGB.

Krakowicz nie krył swej furii. Nie na Quinta był wściekły, ale na położenie, w jakim się teraz znalazł.

– Nie do zniesienia! – warknął. – Przecież pierwszy sekretarz dał mi swoje... – Niemal wstał, odwracając się w stronę tamtego, barczystego mężczyzny w marnym ubraniu i koszuli bez kołnierzyka. Kark agenta wyglądał na równie gruby jak udo Krakowicza. Na szczęście gość patrzył teraz w inną stronę, pogrążony w rozmowie z prostytutką.

Zanim Krakowicz zdołał wyrzucić z siebie całe oburzenie, Kyle wszedł mu w słowo.

– Wierzę ci, że go nie znasz. Zrobiono to za twoimi plecami. Siadaj więc, zachowuj się naturalnie. To chyba jasne, że nie możemy tu rozmawiać. Niezależnie od tego, że jesteśmy obserwowani, diabelnie tu głośno. I na Boga, równie dobrze może nas teraz ktoś podsłuchiwać.

Rosjanin raptownie usiadł. Wyglądał na zaniepokojonego. Rozejrzał się nerwowo.

– Podsłuch? – Przypomniał sobie teraz kłopoty, jakie jego dawny szef, Borowitz, miał z elektronicznymi pluskwami.

– Niewykluczone – potwierdził Quint. – Ten tutaj albo was śledzi, albo z góry wiedział, gdzie się spotkamy.

– To wymyka się z rąk – parsknął Krakowicz. – Nie jestem w tym dobry. I co teraz?

Kyle popatrzył na Krakowicza. Wiedział już, że Rosjanin nie udaje. Uśmiechnął się.

– Ja też nie jestem w tym dobry. Posłuchaj, jesteśmy do siebie podobni, Feliksie. Ja prognozuję. Nie znam waszego określenia na to. Ja... hm... przepowiadam przyszłość? Niekiedy odbieram wyraźnie obrazy tego, co wkrótce się zdarzy. Rozumiesz?

– Oczywiście – odpowiedział Rosjanin. – Mam niemal identyczny dar. Tyle że ja zazwyczaj otrzymuję ostrzeżenia. A zatem?

– A zatem widzę, jak się dogadujemy. A ty?

Krakowicz odetchnął z ulgą.

– Ja też – wzruszył ramionami. – A przynajmniej żadnych przeciwwskazań. – Rosjaninowi brakowało czasu, a istniało jeszcze tyle rzeczy, które musiał poznać, tyle pytań, na które powinien znaleźć odpowiedź. Anglik mógł być jedynym człowiekiem, który umiał tak wiele wyjaśnić.

– To co robimy?
– Czekamy – wyjaśnił Quint. Wstał, podszedł do baru i zamówił nowe drinki. Zamienił kilka słów z barmanem. Potem wrócił do stolika, niosąc tacę ze szklankami.
– Kiedy ten gość za barem da znać, pryskamy stąd.
– Co? – zdziwił się Kyle.
– Taksówką – uśmiechnął się chłodno Quint. – Właśnie ją zamówiłem. Pojedziemy... na lotnisko! Po drodze będzie można pogadać. A w porcie lotniczym znajdziemy wygodne, zaciszne miejsce w barze i dokończymy rozmowę. Nawet jeżeli nasz koleżka i tam nas wytropi, nie odważy się podejść zbyt blisko. A jeśli się pokaże, zabierzemy się w jakieś inne miejsce.
– Świetnie! – ucieszył się Krakowicz.
W pięć minut później taksówka pojawiła się za oknem i cała czwórka pospiesznie opuściła lokal. Kyle wychodził ostatni. Obejrzawszy się, zauważył, że człowiek z KGB powoli wstaje, a na jego twarzy złość miesza się z rozczarowaniem.
Rozmawiali w samochodzie i na lotnisku. Zaczęli mniej więcej na dwadzieścia minut przed północą, a skończyli o drugiej trzydzieści. Mówił głównie Kyle, wspomagany przez Quinta. Krakowicz słuchał uważnie i tylko od czasu do czasu przerywał, by coś potwierdzić lub poprosić o wyjaśnienie kwestii nie do końca zrozumiałych.
– Harry Keogh był najlepszym z naszych ludzi – zaczął Kyle. – Posiadał zdolności, o jakich przedtem nikomu się nie śniło. Jeżeli uwierzycie w moje słowa, będziemy mogli pomóc wam w dużej sprawie, jaka was czeka w Rosji i Rumunii. A teraz... chcesz się dowiedzieć czegoś o Borowitzu i o jego śmierci? O Maksie Batu i o jego zgonie? O... ludzkich skamielinach, które pewnej nocy obróciły w perzynę Zamek Bronnicy? Mogę ci to wszystko opowiedzieć. A co więcej, mogę opowiedzieć ci o Dragosanim...
Minęły niemal trzy godziny.
– Dragosani był więc wampirem. Takich jak on jest więcej. U was i u nas. Wiemy, gdzie się znajduje przynajmniej jeden z nich. A nawet jeśli nie sam wampir, to coś, co po sobie pozostawił. Co może być równie złe. Uważam, że trzeba to zniszczyć. Możemy wam w tym pomóc. Nazwij to, jak

chcesz, na przykład odprężeniem, skoro mamy do czynienia z niebezpieczeństwem, które grozi nam wszystkim. A jeśli nie chcecie naszej pomocy, będziecie musieli załatwić to sami. My chcemy pomóc, dzięki temu możemy się czegoś nauczyć. Spójrz prawdzie w oczy, Feliksie, to sprawa większa niż przepychanki polityczne na linii Wschód – Zachód. Gdyby to była epidemia, pracowalibyśmy razem, prawda? Przemyt narkotyków? Katastrofa morska? Jasne, że tak. Przyznaję tu i teraz, że problem, z jakim mamy do czynienia w Anglii, może okazać się bardziej skomplikowany niż się spodziewamy. Im więcej nauczymy się u was, tym większe będą nasze szanse. Szanse nas wszystkich...

Krakowicz od dłuższego czasu milczał.

– Chcecie pojechać ze mną do ZSRR i... i wykończyć to coś? – zapytał w końcu Krakowicz.

– Nie do ZSRR – rzekł Quint. – Do Rumunii. To też wasze terytorium.

– Obaj? Szef i wysoki rangą członek waszego Wydziału E? Nie za wiele ryzykujecie?

– Nie – Kyle potrząsnął głową. – Nie wydaje mi się. Zresztą kiedyś trzeba zacząć komuś ufać. My już to zrobiliśmy, więc czemu nie pójść na całość?

– A może potem ja pojadę z wami? – zaproponował Krakowicz. – Zobaczyć, jaki macie problem?

– Jak sobie życzysz.

Krakowicz zamyślił się.

– Wiele mi powiedziałeś – stwierdził. – I może rozwiązałeś za mnie pewne ważne sprawy. Ale nie określiłeś dokładnie, gdzie w Rumunii znajduje się to coś.

– Jeśli chcesz pojechać tam osobiście – odparł Kyle – powiem ci. Może nie dokładnie, gdyż sam nie znam dokładnego położenia, ale na tyle blisko, że zdołasz odnaleźć to miejsce. Pracując razem, załatwilibyśmy to szybciej.

– A poza tym – zastanawiał się Krakowicz – nie zdradziłeś, skąd o tym wszystkim wiesz. Trudno mi przyjąć, co słyszę, skoro nie znam źródła.

– Opowiedział mi to Harry Keogh – wyjaśnił Kyle.

– Keogh od dawna nie żyje – zaoponował Rosjanin.

– Tak – wtrącił Quint. – Utrzymywaliśmy z nim kontakt aż do samego końca.

– Ach? – Krakowicz nagle wstrzymał oddech. – Był aż tak dobry? Taki talent telepatyczny musi być... bardzo rzadki.

– Unikat – stwierdził Kyle.

– A wasi go zabili! – zarzucił Krakowiczowi Quint.

Rosjanin szybko odwrócił się w jego stronę.

– Dragosani go zabił. A on zabił Dragosaniego... prawie.

– Prawie? – Teraz Kyle przestał oddychać. – Powiadasz, że...

Krakowicz podniósł dłoń.

– Ja skończyłem robotę, którą zaczął Keogh – uspokoił Anglików. – Opowiem wam o tym. Ale twierdzicie, że Keogh do samego końca kontaktował się z wami?

„I nadal się kontaktuje" – pomyślał Alec. Ten sekret jednak zachował dla siebie.

– Tak – odpowiedział.

– Możesz więc opisać, co wydarzyło się tamtej nocy?

– Ze szczegółami – stwierdził Kyle. – Czy to cię przekona, że cała historia, którą ci przedstawiłem, jest prawdą?

Krakowicz pokiwał głową.

– Wyłonili się z nocy i sypiącego śniegu – zaczął Kyle. – Zombi, ludzie martwi od czterystu lat, a Harry szedł na czele. Kule nie mogły ich powstrzymać, ponieważ i tak nie żyli. Kosiliście ich ogniem z broni maszynowej, ale ich strzępy sunęły dalej. Wdarli się na pozycje waszej obrony, wyciągali zawleczki granatów, atakowali swą zardzewiałą bronią, szablami i toporami. To byli Tatarzy, nieustraszeni wojownicy, tym bardziej nieustraszeni, że nie mogli umrzeć po raz wtóry. Harry okazał się nie tylko telepatą. Pośród innych jego talentów kryła się także teleportacja. Teleportował się prosto do kwatery Dragosaniego. Zabrał ze sobą kilku Tatarów. Tam właśnie doszło do ostatecznej rozprawy pomiędzy nim a Dragosanim, a równocześnie w pozostałej części zamku...

– W pozostałej części zamku – podjął Krakowicz z trupiobladą twarzą – panowało... piekło! Byłem tam. Przeżyłem to. A ze mną kilku innych. Reszta zginęła straszliwą śmiercią! Keogh był... jakimś potworem. Mógł przywoływać zmarłych!

– Nie tak strasznym potworem, jak Dragosani – rzekł Kyle. – Ale chciałeś mi opowiedzieć, co zdarzyło się po śmierci Keogha. Jak skończyłeś robotę, którą on zaczął. Co miałeś na myśli?

– Dragosani był wampirem – powiedział Krakowicz niemal do siebie. – Tak, oczywiście masz rację. – Opanował się. – Posłuchaj. Razem z Siergiejem sprzątnęliśmy to, co zostało z Dragosaniego. Pozwól, że ci pokażę, jak zareaguje, kiedy mu o tym przypomnę i kiedy powiem mu, że takich jak Dragosani żyje więcej. – Odwrócił się do swego milczącego towarzysza i pospiesznie wyszeptał coś po rosyjsku.

Siedzieli w parszywym barze, oświetlonym migoczącymi neonówkami, w niemal pustej poczekalni. Barman zakończył pracę przed dwiema godzinami i od tego czasu ich szklanki były puste. Reakcja Gulcharowa była szybka i gwałtowna. Zbladł i odsunął się od swojego szefa, niemal spadając ze stołka. Jak tylko Krakowicz skończył mówić, młody Rosjanin przewrócił z brzękiem pustą szklankę na kontuar.

– *Niet, niet!* – wydyszał, broniąc się przed tym, co usłyszał. Na jego twarzy pojawiła się dziwna mieszanina furii i odrazy. Potem, stopniowo podnosząc głos, przechodzący niemal w przenikliwy pisk, zaczął coś wykrzykiwać po rosyjsku, co mogłoby niepotrzebnie zwrócić uwagę otoczenia.

Krakowicz złapał go za ramię i potrząsnął. Gulcharow uspokoił się.

– Teraz zapytam go, czy przyjmujemy waszą pomoc – poinformował Anglików Krakowicz. Znów odezwał się do młodego mężczyzny i tym razem Gulcharow dwukrotnie skinął zamaszyście głową.

– *Da, da!* – sapnął z zapałem, dorzucił jeszcze kilka niezrozumiałych dla Anglików słów.

Krakowicz uśmiechnął się lekko.

– Mówi, że powinniśmy przyjąć każdą pomoc, jaką zdołamy tylko uzyskać – przetłumaczył. – Musimy zabić te potwory, wykończyć je! Zgadzam się z nim... – Potem opowiedział tym najdziwniejszym z sojuszników, co wydarzyło się w Zamku Bronnicy po bitwie z Harrym Keoghiem.

A kiedy skończył, zapanowała długa cisza.

– Czyli umowa stoi? Działamy razem? – zapytał w końcu Quint.

– Nie ma innego wyjścia. I nie ma też czasu do stracenia – potwierdził Krakowicz.

– A jak się do tego zabierzemy? – Quint zwrócił się do Kyle'a.

– Jeżeli się uda – odpowiedział szef – pójdziemy prostą drogą. Bez żadnych typowych...

W jego słowa wtrącił się metaliczny, zafałszowany pogłosami dźwięk magnetofonu. Jakiś zaspany głos, mówiący po angielsku, wzywał pana Kyle'a do telefonu na stanowisko przyjęć.

Twarz Krakowicza stężała. „Któż mógł wiedzieć, że Kyle jest na lotnisku?" – zadawał sobie w myśli pytanie.

Anglik wstał, wzruszając ramionami, jakby zaskoczony. Sytuacja stawała się niezręczna. Dzwonić mógł tylko Brown. Zastanawiał się, jak to wyjaśnić Krakowiczowi. Quint wszakże raz jeszcze stanął na wysokości zadania.

– Cóż. Twój piesek gończy łaził za tobą wszędzie, a teraz wygląda na to, że i my dorobiliśmy się swojego – zwrócił się do Rosjanina.

Krakowicz skrzywił się przytakująco.

– Bez żadnych typowych, co? Wiedzieliście o tym? – powtórzył słowa Kyle'a bez nuty sarkazmu.

– To nie nasza robota. – Quint nie był całkiem szczery. – Jedziemy na tym samym wózku, co wy.

Gulcharow, na rozkaz Krakowicza, odprowadził Kyle'a na stanowisko przyjęć. Quint i Krakowicz zostali sami.

– Może to wszystko jest nam na rękę? – zastanawiał się Anglik.

– Tak? – Krakowicz znów się skrzywił. – Śledzą nas, szpiclują, podsłuchują, faszerują pluskwami, a ty twierdzisz, że to nam na rękę?

– Chodzi o to, że obaj z Kyle'em jesteście śledzeni – wyjaśnił wykrywacz. – To wyrównuje szanse. I może zdołamy doprowadzić do tego, że jeden szpicel skasuje drugiego.

– Nie chcę mieć do czynienia z gwałtem – zaniepokoił się Krakowicz. – Jeśli coś się przytrafi temu psu z KGB, znajdę się w tarapatach.

– Ale gdybyśmy zdołali przytrzymać go przez dzień lub dwa? Nic mu się nie stanie, kompletnie nic, tylko że go przyblokujemy.

– No nie wiem...

– Żeby dać ci czas na utorowanie nam drogi do Rumunii. Wiesz – wizy, pieniądze. Jeżeli szczęście nam dopisze, załatwimy całą sprawę w dzień lub dwa.

– Możliwe, ale chcę mieć gwarancję. Żadnej mokrej roboty – zgodził się wreszcie Krakowicz. – Powiadacie, że on jest z KGB. Jeżeli to prawda, jest Rosjaninem. Ja również jestem z Rosji. Jeżeli zniknie...

Quint potrząsnął głową, łapiąc Feliksa za kościsty łokieć.

– Obaj znikną! – podkreślił. – Ale tylko na parę dni. Żebyśmy mogli opuścić Genuę i zająć się naszymi sprawami.

– Zgoda, o ile zdołacie to rozegrać bezpiecznie – ustąpił Krakowicz.

Kyle i Gulcharow wrócili. Anglik stał się czujny.

– Dzwonił niejaki Brown – wyjaśnił. – Najwidoczniej nas obserwuje. Mówi, że wasz ogon z KGB trafił na nasz ślad i jedzie tutaj – zwrócił się do Krakowicza. – A przy okazji, ten gość z KGB jest dość znany. Nazywa się Teo Dołgich.

Krakowicz pokręcił głową i wzruszył ramionami, wyglądając na zdziwionego.

– Nigdy o nim nie słyszałem.

– Dostałeś numer Browna? – zaciekawił się Quint. – Możemy nawiązać z nim kontakt?

Kyle uniósł brwi.

– Obecnie tak – potwierdził. – Powiedział, że służy nam pomocą, o ile zrobi się trefnie. Dlaczego pytasz?

Quint uśmiechnął się zimno.

– Towarzyszu, byłoby dobrze, gdybyś uważnie posłuchał, co powiem – zwrócił się do Krakowicza. – Skoro ta sprawa i ciebie nieco dotyczy, zacznij pracować nad swoim alibi. Od tej chwili współpracujesz z wrogiem. Jedyną pociechę może stanowić fakt, że będziesz walczył przeciwko większemu wrogowi. – Uśmiech zniknął z jego twarzy, od tej chwili wykrywacz mówił ze śmiertelną powagą. – Dobra, oto, co proponuję...

W sobotę rano, o ósmej trzydzieści, Kyle zadzwonił do hotelu, w którym zatrzymali się Krakowicz i Gulcharow. Słuchawkę podniósł młodszy z Rosjan. Coś mruknął i przekazał ją swojemu szefowi, który właśnie wstał. W tym samym czasie Quint telefonował do Browna z hotelu Genovese. O dziewiątej piętnaście Kyle ponownie zadzwonił do Krakowicza i umówił się na drugie spotkanie: mieli zobaczyć się za godzinę przed wejściem do „Frankie's Franchise" i stamtąd ruszyć dalej.

To spotkanie nie było niczym nowym, stanowiło część planu, opracowanego poprzedniej nocy. Kyle przypuszczał, że telefon w jego pokoju jest na podsłuchu i chciał, żeby Teo Dołgich dowiedział się o wszystkim odpowiednio wcześnie i zaczął działać. Coś się szykowało – Kyle i Quint odbierali to psychicznym „szóstym zmysłem".

Rzecz jasna, że kiedy opuszczali hotel Genovese, tuż przed dziesiątą, aby udać się w stronę doków, byli śledzeni. Wprawdzie Dołgich trzymał się w tyle, ale to nie mógł być nikt inny. Kyle i Quint podziwiali jego wytrzymałość: pomimo zarwanej nocy wciąż działał jak dużej klasy fachowiec. Tym razem wcielił się w rolę stoczniowca w ciemnoniebieskim kombinezonie, z torbą pełną narzędzi i dwudziestoczterogodzinną szczeciną, okalającą okrągłą, czujną twarz.

– Ten facet musi mieć cholernie wielką szafę – stwierdził Kyle, kiedy wchodzili w wąskie, uśpione jeszcze uliczki dzielnicy portowej. – Nie chciałbym nosić jego walizek.

Quint pokręcił głową.

– Nie sądzę – powiedział. – Raczej mają tu gdzieś metę, niewykluczone, że również jeden ze statków kotwiczących w porcie. Jednym słowem, załatwiają mu zmianę odzieży na każdą okazję.

– Wiesz – zauważył Alec, spoglądając na niego z ukosa – jestem pewien, że lepiej byłoby cię przerzucić do MI5. Masz do tego smykałkę.

– To mogłoby być interesujące hobby – Carl uśmiechnął się. – Konwencjonalne szpiegostwo. Ale dobrze mi tu, gdzie jestem. Miejsce prawdziwych talentów jest w wydziale paranormalnym. Gdyby nasz drogi Dołgich miał zdolności telepatyczne, znaleźlibyśmy się w nie lada tarapatach.

Kyle baczniej spojrzał na swego towarzysza, jednak zaraz się rozluźnił.

– Ale nie ma, bo wykrylibyśmy go bez pomocy Browna. Nie, to tylko jeden z ich wywiadowców, zresztą niezły. Uważałem go za grubą rybę, ale to prawdopodobnie największe zadanie, jakie otrzymał w życiu.

– Które, o ile się nam poszczęści, nie przyniesie mu pochwał – dodał drwiąco Quint. – Ale ja nie uważałbym go za płotkę. Okazał się przecież na tyle ważny, że go wpisano do komputera firmy Browna.

*
* *

Carl Quint nie mylił się. Teo Dołgich pod żadnym względem nie był płotką. Włączenie go do tej roboty dowodziło „szacunku", jakim Jurij Andropow darzył radziecki Wydział E. Gdyby Krakowicz doniósł Breżniewowi o dalszych ingerencjach wywiadu w jego pracę, szefa KGB czekałaby ciężka przeprawa.

Dołgich miał trzydzieści kilka lat. Pochodził z Syberii, z rodziny drwali-komsomolców. Był zagorzałym komunistą, dla którego poza partią i państwem niewiele istniało. Szkolono go w Berlinie, Bułgarii, Palestynie i Libii. Później powrócił tam jako instruktor. Stał się ekspertem w dziedzinie uzbrojenia (zwłaszcza uzbrojenia Bloku Zachodniego), a także specjalistą od terroryzmu, dywersji, technik śledczych i inwigilacji. Oprócz rosyjskiego władał łamanym włoskim i dość dobrze mówił po niemiecku oraz angielsku. Jednakże jego umiejętności, a także skłonności, sprawdzały się najlepiej, kiedy w grę wchodziło morderstwo. Teo Dołgich był bowiem urodzonym zabójcą.

Z uwagi na zwartą budowę ciała, Dołgich z daleka mógł wydawać się niski i krępy. W rzeczywistości miał prawie metr osiemdziesiąt wzrostu i ważył około stu kilogramów. Umięśniony, o mocnych szczękach, zamykających pyzatą twarz, przykrytą wiechciem nierównych czarnych włosów, Dołgich był „ciężki" pod każdy względem. Jego japoński instruktor z moskiewskiej Szkoły Sztuk Walki KGB powiedział kiedyś:

„Towarzyszu, jesteś za ciężki do tej gry. Nadmiar masy pozbawia cię szybkości i zwinności. Najlepiej chyba sprawdziłbyś się w sumo. Z drugiej strony, nie bardzo obrosłeś w tłuszcz, ale za to twoje mięśnie są w świetnej formie. Jako że wpojenie tobie dyscypliny, niezbędnej w sztuce samoobrony, byłoby najprawdopodobniej stratą czasu, skoncentruję się na nauczeniu ciebie sposobów zabijania, do czego, jak sądzę, masz wszelkie predyspozycje, nie tylko fizyczne, ale i psychiczne".

Podążając teraz za zwierzyną, zagłębiając się w kręte jak labirynt uliczki i zaułki dzielnicy portowej, Dołgich czuł, jak krew mu pulsuje w żyłach, i marzył o robocie w swoim stylu. Zirytowany nocną bieganiną, z radością wykończyłby Anglików, którzy obsesyjnie ciągnęli do najpaskudniejszej części miasta.

Oddaleni od niego o trzydzieści jardów, Kyle i Quint skręcili nagle w brukowany zaułek, pozbawiony światła przez górujące nad nim domy. Dołgich przyśpieszył, zbliżył się do wylotu zaułka i przeszedł z szarej mżawki w duszny mrok, przesycony smrodem śmieci, niewywożonych od czterech czy pięciu dni. Ta okolica nie przebudziła się jeszcze po hucznej piątkowej nocy. Gdyby Dołgich musiał pozbawić życia angielskich agentów, nie mógłby sobie wymarzyć lepszego miejsca.

Słysząc odgłos kroków, Rosjanin zmrużył małe, okrągłe oczka i odszukał w mroku dwa cienie, znikające za rogiem. Odczekał sekundę, potem ruszył ich śladem. Stanął jednak jak wryty, wyczuwając w pobliżu ruch, czyjąś milczącą obecność.

Z ukrytych w cieniu drzwi dobiegł do niego grobowy głos.

– Cześć, Teo. Nie znasz mnie, ale ja ciebie świetnie znam!

Japończyk miał rację: Dołgich był zbyt powolny. Zaciskając zęby w oczekiwaniu na tępe uderzenie pałki lub niebieskawy błysk tłumika na lufie pistoletu, odwrócił się w kierunku głosu i cisnął ciężką torbę z narzędziami. Wysoki cień oberwał prosto w pierś, stęknął i odtrącił torbę na bok. Szczęknęła na bruku. Oczy Dołgicha oswajały się z mrokiem. Z pochyloną głową, niczym człowiek-torpeda, rzucił się w stronę ciemnego zarysu drzwi.

Brown uderzył go dwukrotnie, zadał dwa perfekcyjnie wymierzone ciosy, obliczone na to, by go ogłuszyć, a nie zabić. Ażeby zyskać całkowitą pewność, jeszcze zanim Dołgich zdołał upaść, Brown wbił głowę Rosjanina w deski drzwi, łamiąc je.

W chwilę później wyłonił się z cienia, zerkając w dół zaułka. Był zadowolony, że wszystko poszło dobrze. Towarzyszyły mu jedynie krople deszczu i smród ze śmietników. Brown, szeroko uśmiechnięty, szturchnął nogą bezwładne ciało Dołgicha.

Ważył mniej więcej tyle co Rosjanin, był jednak o trzy cale wyższy i o pięć lat młodszy. Były członek SAS, wyszkolony w sposób, którego nikt nie nazwałby przyjemnym. Prawdę mówiąc, gdyby nie pewna skaza w jego psychice, zapewne pozostałby w SAS.

Znów się uśmiechnął, potem skulił się, wtulając głębiej w sztormiak. Wepchnąwszy dłonie w kieszenie, pospieszył po samochód...

ROZDZIAŁ ÓSMY

W tę samą sobotę w południe, Julian Bodescu uznał, że ma już dość tego swojego „wujka”, George'a Lake'a. Doszedł do wniosku, że nadszedł czas, by go wykorzystać. Cel był prosty: pragnął dowiedzieć się, jak można zabić wampira, jak kogoś z nieumarłych uczynić zdecydowanie martwym, na zawsze, bezpowrotnie, i jak najlepiej zabezpieczyć się samemu przed takim losem.

Wampiry można było zniszczyć ogniem, to już wiedział. Ale słyszał też o innych metodach wyliczanych w tak zwanej „fantastyce”. George stanowił idealny materiał do badań. Daleko lepszy niż Tamten, który miał w sobie więcej z nowotworu niż ze zdrowej inteligencji.

Odkrył, że kiedy wampir wraca ze świata umarłych, jest silniejszy niż przedtem.

Młodzieniec dał Georginie, Anne i Helen coś z siebie. Nie zabił ich. Teraz należały do niego. George'a zabił, a przynajmniej spowodował jego śmierć, ale George do niego nie należał. Był mu posłuszny, to prawda, przynajmniej jak dotąd. Jednak wyzwolił się już spod wpływów początkowego szoku, stawał się silniejszy i coraz bardziej głodny.

Borykając się z bezsennością, Julian dwukrotnie w ciągu nocy zrywał się w popłochu przekonany, że coś mu zagraża. I za każdym razem docierały do niego miękkie, ostrożne ruchy Lake'a, uwięzionego w piwnicy. Ten mężczyzna krążył w ciemności, nękany przez ból i wrzące myśli. I przez potworne pragnienie.

Pił z żył kobiety, swojej własnej żony, ale jej krew nie smakowała mu; wzmocniła go, ale innej krwi łaknął.

Tej, która krążyła w żyłach Juliana. Młodzieniec wiedział o tym, że George prędzej czy później wykorzysta nadarzającą się okazję, by go zabić albo też wysączyć mu Anne do cna. Wówczas miałby przeciwko sobie już dwa wampiry. To rozchodziło się jak zaraza, drżał na samą myśl, iż to on jest źródłem i on ją roznosi.

Istniał jeszcze jeden powód, dla którego George musiał zostać unicestwiony. Gdzieś na zewnątrz, w blasku słońca, pośród lasów i pól, łąk i wiosek, znajdowali się ludzie, którzy nawet w tej chwili mieli dom pod obserwacją. Jego zmysły i wampirze moce za dnia słabły, ale nadal rejestrował obecność milczących obserwatorów. Byli w pobliżu i trochę go niepokoili.

Ktoś odwiedził go w nocy. Napuścił więc na niego Wlada, ale pies zawiódł. Julian nie domyślał się, kim był ten człowiek i dlaczego obserwował dom.

Wątpił w to, że ludzie dostrzegli powrót George'a, albo widzieli, jak wampir opuszczał grób. Sądził, że przecież policja, w swej naiwności, nie omieszkałaby o tym wspomnieć. Chociaż może to właśnie policjanci, zaniepokojeni reakcją na wieść o ohydnym zbezczeszczeniu grobu, obserwowali jego dom.

Zastanawiał się, co będzie, jeżeli Lake zdoła się wyrwać którejś nocy. Był teraz wampirem, i to coraz silniejszym – w końcu Wlad nie zdoła go powstrzymać.

Zdecydował ostatecznie, że lepiej, żeby George zginął. Żeby przepadł bez śladu, grzebiąc ze sobą wszelkie dowody, wszelkie świadectwa działającego tutaj zła. Tym razem miał umrzeć śmiercią wampira, od której nie będzie już odwrotu.

Na tyłach domu wznosił się wielki, kamienny komin, wsparty u dołu przyporą, wyrastającą ponad szczyty dachu. Brał swój początek z podziemi, z ogromnego, żelaznego pieca, pozostałości po minionych pokoleniach. Choć w całym domu założono centralne ogrzewanie, przy piecu leżał jeszcze zwał zakurzonego koksu, gniazdo myszy i pająków. Dwa razy w życiu, kiedy zima była wyjątkowo mroźna, Julian rozpalał w tym piecu ogień, wpatrując się w rozżarzone do czerwoności żelazo grubego, cylindrycznego przewodu, łączącego się z ceglaną podstawą komina. Piec wspaniale ogrzewał tyły domu. Teraz musiał zejść ponownie do piwnic i napocić się nieco, by znów rozpalić ten antyk, choć z innych niż dotychczas powodów. Wysiłek powinien jednak się opłacić.

W jednym z pokoi na tyłach znajdowały się drzwi zapadowe, które, z uwagi na obecność George'a, młodzieniec zabił deskami. Do lochów zejść można było jedynie z zewnątrz, a tam, jak zwykle, warował Wlad. Julian wziął z kuchni gruby, ociekający krwią stek i zaniósł go psu. Podczas gdy owczarek, warcząc, rozszarpywał swoje jadło, zszedł po wąskich schodkach z jednej strony rampy i otworzył drzwi.

Od momentu zagłębienia się w mrok miał może pół sekundy na odebranie ostrzeżenia przed tym, co czekało go w piwnicy. Wystarczająco wiele czasu.

Umysł George'a Lake'a był kipielą szkarłatnej nienawiści. Więził w sobie nadmiar uwalniających się teraz emocji: żądzę, wstręt do samego siebie, nadludzki głód, niesmak, palącą zazdrość, ale przede wszystkim – nienawiść do Juliana. I to żółć sącząca się z umysłu George'a dotknęła myśli Juliana, wyprzedzając o ułamek chwili spadający cios. Młodzieniec z krzykiem zanurkował w ciemność, uchylając się przed uderzeniem.

Początkujący, na wpół obłąkany wampir nie wziął pod uwagę, że ciemność, w której od niedawna przyszło mu żyć, była dla Juliana czymś doskonale znanym. Bodescu zauważył przyczajonego za drzwiami George'a i dojrzał szybujący łukiem oskard. Przesunął się pod pędzące, zardzewiałe, złowrogie ostrze narzędzia, wszedł w środek zataczanego przez nie kręgu i zacisnął stalowe palce na krtani napastnika. Drugą ręką wyrwał oskard, odrzucając go na bok. Wbił kilkakrotnie kolano w podbrzusze George'a.

Zwyczajnego człowieka pokonałby w ten sposób, ale George Lake nie był już zwyczajnym człowiekiem, nie był nawet człowiekiem. Zepchnięty na kolana, spojrzał gniewnie na młodzieńca, oczyma niczym węgle rozpalone podmuchem miecha. Wampir, którego szare, nieumarłe ciało nie odczuwało już bólu, znalazł siły do dalszej walki. Rozprostował nogi, napierając na młodzieńca. Uderzył w jego przedramię, by zerwać uchwyt. Zdumiony Bodescu poczuł, że odpada w tył. Zobaczył, jak George rzuca się, by rozerwać mu gardło.

Raz jeszcze poczuł strach, pojmując, że jego „wujek" dorównuje mu niemal siłą. Uchylił się przed natarciem George'a, obalił go pchnięciem i porwał z kamiennej posadzki oskard. Zważył morderczą broń w potężnych dłoniach i ruszył w kierunku wstającego wroga. I nagle z ciemności wyłoniła się Anne, droga „ciocia" Anne. Bełkocąc coś, rzuciła się pomiędzy chłopaka i swego nieumarłego męża.

– Och, Julianie! – zawyła. – Julianie! Proszę, nie zabijaj go. Nie... znowu!

Naga i lepka od brudu, przykucnęła tam, z rozwianymi włosami, z oczyma pełnymi zwierzęcego błagania. Bodescu odtrącił ją na bok, akurat gdy George natarł po raz wtóry.

– George – wysyczał młodzieniec przez zaciśnięte zęby. – Dwa razy już tym we mnie godziłeś. Zobaczymy teraz, jak się tobie to spodoba!

Gubiąc płatki rdzy, oskard uderzył w czoło George'a. Wbił się o półtora cala nad trójkątem utworzonym przez oczy i nos. Dzika siła ciosu powstrzymała impet wampira, unosząc go jak marionetkę.

– Gak! – stęknął George, kiedy jego oczy zalały się krwią, a z nosa bryznął szkarłat. Uniósł ramiona pod kątem czterdziestu pięciu stopni, a jego dłonie trzepotały, jakby podłączył się do źródła prądu.

– Guk-ak-arghh! – wymamrotał. Potem zwalił się w tył jak ścięte drzewo, uderzając plecami o posadzkę. Oskard wciąż tkwił w jego głowie.

Anne przyczołgała się do George'a i skowycząc, runęła na jego dygoczące ciało. Służyła wprawdzie Julianowi, ale to George był przecież jej mężem. Przeistoczył się z winy jej siostrzeńca, nie z własnej.

– George, och, George! – wyła. – Mój biedny, drogi George!

– Złaź z niego! – warknął na nią Julian. – Pomóż mi.

Zaciągnęli George'a do pomieszczenia z piecem. Rękojeść oskarda obijała się o nierówną podłogę. Stanąwszy przed zimnym paleniskiem, oparł stopę na krtani wampira i wyrwał oskard z jego czaszki. Otwór w czole wypełnił się krwią i żółtoszarą bryją, ale oczy wciąż były otwarte, dłonie trzepotały, a jedna z pięt stukała o posadzkę w spazmatycznym rytmie.

– Och, on umrze, on umrze! – Anne załamywała brudne ręce i łkając, tuliła rozwaloną głowę George'a.

– Nie umrze. – Młodzieniec rozpalał piec. – I oto właśnie chodzi, głupia kreaturo. Nie może umrzeć, przynajmniej nie od tego. To, co w nim jest, wyleczy go. Pewnie pracuje teraz nad jego zmiażdżonym mózgiem. Mógłby być jak nowo narodzony, może nawet wspanialszy, ale na to nie mogę pozwolić.

Palenisko zostało przygotowane. Julian zapalił zapałkę, przytknął ją do papieru i otworzył żelazne drzwiczki, by dać płomieniom powietrza, po czym zamknął drzwi pieca.

– George – usłyszał westchnienie Anne.

Od jakiegoś czasu nie docierało do niego uporczywe stukanie pięty wampira o posadzkę...

Bodescu odwrócił się najszybciej jak potrafił, ale Stwór, który był jego dziełem, i tak spadł na niego, wbijając go w drzwi pieca.

Młodzieniec z trudem wziął oddech, próbując utrzymać tamtego z dala od swej krtani. Przez krew i śluz pokrywający wykrzywioną twarz wpatrywały się w niego straszliwe oczy George'a; zęby, przypominające maleńkie sztylety, kłapały; ręce na oślep waliły w ciało Juliana. Uszkodzony mózg ledwie funkcjonował, ale już skryty wewnątrz wampir zasklepiał ranę. Nienawiść wrzała tak silnie jak przedtem.

Chłopak zebrał siły i odepchnął George'a. Tamten, nie panując nad nieskoordynowanymi ruchami kończyn, runął na kupę koksu. Zanim zdołał się ponownie podnieść, Bodescu rozejrzał się w mroku i ruszył po oskard.

– Julianie! Julianie! – Anne próbowała mu przeszkodzić.

– Złaź mi z drogi! – odepchnął ją na bok.

Ignorując George'a, pełzającego za nim z wyciągniętymi szponiastymi rękoma, skoczył pod łukowate wejście, gdzie kamienne ściany były najmasywniejsze. Nie zwlekając, uderzył trzonkiem oskarda o mur. Rękojeść pękła na ukos, a pordzewiałe ostrze poszybowało w ciemność. Zdrętwiałe ręce młodzieńca ściskały teraz niemal doskonały kołek: osiemnaście cali twardego drewna, zwężone na końcu, o nierównym, ale zabójczo ostrym wierzchołku.

Miał zamiar zbadać wampirzą żywotność.

George zdołał się jakoś podnieść. Z rozjarzonymi oczami szedł za Julianem niczym potworny robot.

Młodzieniec zerknął na posadzkę. Tworzyły ją grube kamienne płyty, powypychane gdzieniegdzie przez jakąś działającą od spodu siłę. Oczywiście dzieło Tamtego, bezmyślnie ryjącego wszystko wokoło. George zbliżał się coraz bardziej, potykając się co krok. Wydawał charkotliwe odgłosy, w których trudno było doszukać się słów. Julian odczekał, aż okaleczony wampir zrobi jeszcze jeden niepewny krok, po czym sam ruszył do przodu i wbił kołek w pierś George'a.

Drewniany szpic przeszył płótno cmentarnej koszuli nieumarłego i wdarł się pomiędzy jego żebra, gubiąc po drodze drzazgi. Przebił jego serce, niemal je przepołowił. George łapał powietrze jak ryba przeszyta ościeniem, usiłował bezskutecznie chwycić kołek. W żaden sposób nie był w stanie go wyciągnąć. Julian obserwował, jak się zatacza. Patrzył z niedowierzaniem, niemal z podziwem i zastanawiał się, czy zabicie jego przyszłoby komuś równie trudno. Przypuszczał, że tak. W końcu George bardzo się o to starał.

Chłopak jednym kopnięciem w galaretowate nogi przewrócił „wujka" i ruszył na poszukiwanie odłamanego ostrza oskarda. W chwilę później wrócił, a George wił się jeszcze w milczeniu, usiłując wyrwać kołek z piersi. Młodzieniec złapał go za jedną z dygoczących nóg i zawlókł nad wąski pasek czarnej ziemi, widoczny między dwiema płytami posadzki. Ukląkł przy nim i używając resztki oskarda jako młotka, przepchnął kołek na wylot, przez ciało George'a, prosto w ziemię. Drewno zaklinowało się między kamieniami. George został przyszpilony niczym egzotyczny żuk. Z jego piersi sterczały zaledwie dwa, może trzy cale kołka, krwi wypłynęło niewiele. Oczy wampira były wciąż otwarte szeroko jak wrota, na ustach pojawiła się biała piana, przestał się jednak ruszać.

Julian wstał, wycierając dłonie w spodnie. Udał się na poszukiwanie Anne. Znalazł ją skuloną w ciemnym kącie, skomlącą i drżącą. Wyglądała jak odrzucona lalka. Zawlókł kobietę do pomieszczenia z piecem i wskazał szuflę.

– Dorzucaj do ognia – rozkazał. – Chcę, żeby było tu goręcej niż w piekle, a jeśli nadal nie wiesz, jak tam jest, mogę urządzić ci piekło! Chcę, żeby piec żarzył się do czerwoności. I w żadnym wypadku nie zbliżaj się do George'a. Zostaw go w spokoju. Rozumiesz?

Kiwnęła głową, zaskowyczała i skuliła się jeszcze bardziej.

– Wrócę – powiedział, zostawiając ją przy piecu, w którym zaczynało już huczeć.

– Zostań! Waruj! – wychodząc, zwrócił się do Wlada.

Poszedł do domu. Będąc już na piętrze, usłyszał, że coś się dzieje w pokoju matki. Zajrzał do środka. Georgina krążyła po pokoju, załamując ręce i łkając. Zobaczyła go.

– Julianie? – Głos jej drżał. – Och, Julianie! Co się stanie z tobą? Co się stanie ze mną?

– Co miało się stać, już się stało – odparł zimno, bez śladu uczuć. – Mogę ci nadal ufać, Georgino?

– Ja... ja nie wiem, czy mogę sama sobie ufać – odpowiedziała niepewnie.

– Matko. – Użył tego słowa, nie zastanawiając się nad nim. – Czy chcesz podzielić los George'a?

– O Boże! Dziecko, nie mów, proszę...

– Jeżeli chcesz – uciął – można to załatwić. Pamiętaj o tym.

Zostawił ją i poszedł do swego pokoju. Helen usłyszała, że nadchodzi. Westchnęła, słysząc jego ciche, pewne kroki. Rzuciła się na łóżko. Kiedy otwierał drzwi, podciągnęła sukienkę, odsłaniając dolne partie swego ciała. Nic więcej na sobie nie miała. Zobaczył ją, wyraz jej twarzy: próbowała uśmiechem przebić białą maskę przerażenia.

– Zakryj się, dziwko! – polecił.

– Myślałam, że lubisz mnie taką! – zawołała. – Och, Julianie, nie karz mnie. Proszę cię, nie rób mi krzywdy!

Patrzyła, jak podchodzi do szafki, wyciąga klucz i otwiera górną szufladę. Kiedy odwrócił się do niej, na jego twarzy malował się chorobliwy uśmiech, a w dłoniach spoczywał lśniący, nowy toporek. Miał siedmiocalowe ostrze i był ciężki jak siekiera.

– Julianie! – wyszeptała Helen. Usta miała wyschnięte na wiór. Zsunęła się z łóżka i cofnęła się. – Ja...

Pokręcił głową, zanosząc się niesamowitym śmiechem. Potem stał się obojętny.

– Nie – powiedział. – To nie dla ciebie. Jesteś bezpieczna, dopóki... mi służysz. A służysz mi. Wiele musiałbym dać, by znaleźć inną, taką świeżą i słodką jak ty.

Wyszedł, bezszelestnie zamykając drzwi za sobą.

Opuściwszy ponownie dom, zauważył kolumnę niebieskiego dymu, bijącą z komina na zapleczu. Uśmiechnął się do siebie, kiwając głową. Anne nie ociągała się w pracy. Jednakże w chwili, gdy przypatrywał się dymowi, puszyste, wrześniowe chmury rozstąpiły się i przez szczelinę uderzyło słońce. Jasne, gorące, palące.

Wydał z siebie wściekłe warknięcie. Kapelusz został w domu. Mimo to słońce nie powinno tak palić. Czuł, że jest poparzony. Spoglądając na nagie przedramię, nie widział jednak pęcherzy ani innych śladów oparzenia.

Chyba wiedział, co to oznacza: wewnętrzna przemiana nabierała tempa, wchodząc w ostatnie stadium. Kuląc się przed słońcem i zaciskając zęby, by nie wrzeszczeć z bólu, pobiegł z powrotem do podziemi.

Anne pracowała przy piecu. Jej piersi i pośladki lśniły od potu, oblepione gdzieniegdzie brudem. Popatrzył na nią i pomyślał, że kiedyś była „damą". Ledwie zbliżył się do niej, rzuciła szuflę i cofnęła się. Ostrożnie odłożył toporek, tak by nie stępić jego ostrza, i ruszył w jej stronę. Widok Anne w tym stanie, spłoszonej i nagiej, rozgrzanej, spoconej i pełnej lęku, wzbudził w nim żądzę.

Wziął ją na kupie koksu, napełniając sobą, czymś z wampira kryjącego się w jego wnętrzu, aż wykrzyczała swe niezmierne przerażenie – swą niepojętą rozkosz? – kiedy jego nieludzka macka spenetrowała jej wnętrze.

Po wszystkim zostawił ją, wyczerpaną i obolałą, na bryłach koksu i poszedł obejrzeć George'a.

Odkrył, że Tamten również go ogląda. Ze szczelin pomiędzy wysadzonymi w górę płytami wypełzły ciastowate języki i macki protoplazmatycznego cielska, wiążąc George'a z posadzką. Tamtym nie kierowała żadna ciekawość, nienawiść czy też lęk (wyjąwszy może instynktowny strach przed najdrobniejszym promieniem światła), rządził nim głód. Nawet ameba, która wie tyle co nic, czuje potrzebę jedzenia. I gdyby Julian nie powrócił na czas, Tamten z pewnością pochłonąłby George'a, pożarłby go. Nie sposób byłoby go przekonać, że George nie jest pokarmem.

Julian spojrzał gniewnie na flakowate, ślepe wypustki Tamtego, na jego drżące paszcze i niewidzące oczy. Ostra myśl młodzieńca wwierciła się w zakończenia nerwów potwora.

– Zostaw go! Precz!

Nawet jeśli Tamten nie był w stanie zbyt wiele zrozumieć, usłyszał młodzieńca. Macki i inne dziwolągi szarpnęły się w tył, jak smagnięte palnikiem, i przy wtórze nieprzyjemnych mlaśnięć zniknęły w ziemi. Zajęło im to zaledwie sekundę czy dwie.

Julian był ciekaw, jak bardzo stwór się rozrósł, jakiż to ogrom wypełniał sprasowaną ziemię pod domem...

Młodzieniec podniósł toporek i przykucnął przy George'u. Położył dłoń na jego torsie, tuż pod sterczącym kołkiem. Od razu wyczuł we wnętrzu wampira konwulsyjny ruch. Coś wiło się tam, jak dźgnięta gąsienica. George mógł wyglądać na martwego, powinien być martwy, ale był nieumarły.

To coś, co w nim żyło, co kiedyś należało do Juliana, dorosło i władało teraz umysłem oraz ciałem George'a. Sam kołek nie wystarczał. Nie było to jednak zbytnią niespodzianką. Bodescu powątpiewał w jego skuteczność.

Uniósł toporek i wytarł lśniące ostrze w podwinięty rękaw koszuli. Coś drgnęło w szarej, okaleczonej twarzy George'a. Żółte oczy poruszyły się w krwawo obrzeżonych orbitach, śledząc jego ruchy. Teraz Julian miał do czynienia nie tylko z ciałem wampira w ciele George'a, ale i z umysłem wampira w jego umyśle, wżartym weń jak ucztująca pijawka.

Chłopak zadał trzy szybkie uderzenia – twarde cięcie, wymierzone w szyję George'a, z największą łatwością przechodzące przez ciało i kość. Po chwili głowa ofiary potoczyła się na bok.

Podniósł ją za włosy i zajrzał do wnętrza odciętej szyi. We włóknistej bryi skryło się przed nim coś szarozielonego. Stwór wydawał się jedynie obleczony w powłokę z ludzkiego ciała, jak w skorupę, albo mające go chronić przebranie. Podobnie było z korpusem: kiedy Julian podważył kolanem bezgłowy kadłub, coś na kształt węża ześliznęło się szybko w głąb krwawego szybu, otwartego przez toporek.

Możliwe, że rozcięty na dwie części wampir skonałby po jakimś czasie, ale jak dotąd nie był martwy. Pozostawał zatem jeden pewny sposób, wypróbowany i unicestwiający bez reszty. Ogień.

Julian kopnięciem skierował głowę w stronę pieca. Przetoczyła się obok Anne, nadal leżącej bez sił i zdjętej przerażeniem, odbierającym niemal zmysły. Kobieta widziała wszystko, co robił. Głowa odbiła się od pieca i znieruchomiała. Chłopak przyciągnął tam kadłub, po czym otworzył drzwiczki. Wnętrze pieca jarzyło się żółto i pomarańczowo, żar buchał, a nowy podmuch powietrza sprawił, że ogień zahuczał jeszcze głośniej.

Młodzieniec bez wahania podniósł głowę zabitego i wrzucił ją do pieca, tak daleko, jak tylko się dało. Potem oparł korpus George'a o otwarte drzwiczki i wepchnął go, ramionami do przodu, w rozszalałe piekło. Na końcu miał wsunąć nogi i stopy, które zaczynały już wierzgać. Użył całej swej siły, by je ujarzmić, ale wreszcie wepchnął je za krawędź drzwi, które z impetem zatrzasnął. Niemal natychmiast otworzyły się ponownie, pchnięte przez spaloną, parującą stopę. Musiał raz jeszcze wepchnąć kończynę do środka i zamknąć drzwiczki. Tym razem zdążył zasunąć rygiel. Hukowi ognia przez długie sekundy towarzyszył nerwowy łomot.

Po jakimś czasie przycichł. Jego miejsce zajął przeciągły syk. W końcu było słychać jedynie ogień. Bodescu stał jeszcze przez chwilę, pogrążony w myślach, po czym odwrócił się...

*

* *

W tę samą sobotę, o dwudziestej trzeciej, Alec Kyle, Carl Quint, Feliks Krakowicz i Siergiej Gulcharow lecieli nocnym samolotem Al Italia do Bukaresztu. Lądowanie miało nastąpić po północy.

Z całej czwórki najbardziej pracowicie spędził ów dzień Krakowicz, organizując wszystko, co było niezbędne, by umożliwić wjazd dwóch Anglików do kraju podporządkowanego ZSRR. Załatwił to stosunkowo prosto: telefonując do swego zastępcy w Zamku Bronnicy, niejakiego Iwana Gerenki, z poleceniem przekazania szczegółów wiele mogącemu pośrednikowi z otoczenia Breżniewa. Poprosił także, aby w razie potrzeby zapewniono mu maksymalną pomoc ze strony radzieckich „towarzyszy" w marionetkowej Rumunii. Rumuni wciąż zachowywali pewien dystans i nigdy nie można było mieć absolutnej pewności co do ich współpracy... Rozmowy telefoniczne pomiędzy Genuą a Moskwą zajęły Krakowiczowi całe popołudnie, ale uzgodnił wszystko, co chciał.

Ani słowem jednakże nie wspomniał o Teo Dołgichu. W normalnych okolicznościach złożyłby skargę na samej górze, samemu Breżniewowi, ale tym razem sprawa wyglądała inaczej. Na to, że Dołgich został usunięty jedynie czasowo, nie na stałe, Krakowicz miał tylko słowo Kyle'a. Dopóki unikał wszelkich wzmianek o agencie KGB i jego poczynaniach, wszystko grało. A jeśli Dołgich był rzeczywiście bezpieczny i tylko okresowo „unieruchomiony"... znajdzie się jeszcze dość czasu na wytoczenie zarzutów pod adresem Andropowa. Krakowicz ciekaw był tylko, jakim cudem KGB tak szybko wpadło na trop ich potajemnego wypadu do Włoch. Zastanawiał się, czy Wydział E znajdował się pod stałą obserwacją KGB.

Alec Kyle również przeprowadził rozmowę międzypaństwową. Połączył się z oficerem dyżurnym INTESP. Rozmowa miała miejsce w późnych godzinach popołudniowych, kiedy było już niemal pewne, że Anglicy będą towarzyszyć Rosjanom w drodze do Rumunii.

– Czy to Grieve? Jak idą sprawy, John? – zapytał Kyle.

– Alec? – usłyszał. – Spodziewałem się, że zadzwonisz.

John Grieve obdarzony był dwoma talentami.

Pierwszym był dar widzenia na dużą odległość: Grieve miał w sobie coś z kryształowej kuli. Jedyny problem wiązał się z tym, że musiał wiedzieć, gdzie i na co patrzy, inaczej nie dostrzegał nic. Talent ten nie działał na oślep, musiał mieć jasno wytyczony cel.

Druga zdolność czyniła Grieve'a podwójnie cennym. Może była tylko inną płaszczyzną pierwszego talentu, ale przy pewnych okazjach stawała się zbawienna. Grieve był telepatą, lecz niezbyt typowym. Tyle że i ten dar musiał ukierunkowywać: był w stanie czytać myśli osoby, z którą przebywał twarzą w twarz lub rozmawiał, nawet przez telefon, o ile tego kogoś znał. Johna Grieve'a nie sposób było oszukać, zbędny stawał się też automatyczny szyfrator. Dlatego właśnie Kyle zlecił mu na czas swej nieobecności stały dyżur w kwaterze.

– John – zapytał Kyle – co tam w domu? *Co się dzieje na farmie w Devonshire?* – dodał w myślach.

– No, wiesz... – odpowiedź Grieve'a nie niosła w sobie nadmiaru pewności.

– Możesz to wyjaśnić? *Co jest? Ale uważaj, jak odpowiadasz.*

– No cóż, młody J.B. – wyjaśnił dyżurny. – Wygląda na to, że jest sprytniejszy, niż założyliśmy. Jest zbyt dociekliwy. Za wiele widzi i słyszy, by mogło mu to wyjść na dobre.

– Tak, trzeba mu to przyznać – Kyle próbował bagatelizować sprawę. – *Mówisz, że jest utalentowany? Telepatia?* – dociekał w myślach.

– Też tak sądzę – zgodził się Grieve, sugerując duże prawdopodobieństwo tego faktu.

– *O Jezu! Namierzył nas?* Ale miewaliśmy już ciężkich klientów – powiedział Kyle. – A nasi sprzedawcy posiadają wstępne dane... *Jak są uzbrojeni?*

– Owszem, posiadają standardowy zestaw – stwierdził dyżurny oficer. – Ale mimo to sprawa jest nieco kłopotliwa, powiadam ci! Poszczuł psem jednego z naszych ludzi. Na szczęście, żadnych szkód. Tak się złożyło, że był to stary D.C., a wiesz, jaki on jest ostrożny! Trudno będzie tamtego przycisnąć.

– Wiesz, John, lepiej przeczytaj dossier naszego cichego wspólnika. To sprzed ośmiu miesięcy. *Pierwsza materializacja Keogha.* Nasi ludzie mogą potrzebować wszelkiej dostępnej pomocy. Standartowy zestaw nie wystarczy. To coś, o czym powinienem był pomyśleć wcześniej, ale nie doceniłem sprytu młodego J.B. *Pistolety kalibru dziewięć milimetrów mogą go nie powstrzymać, jego i pozostałych domowników. W aktach Harry'ego Keogha jest opisane coś, co jak sądzę, mogłoby im podołać. Trzeba uzbroić oddział w kusze!*

– Jak chcesz, Alec. Zaraz się tym zajmę – w głosie Grieve'a nie było śladu zaskoczenia. – A co u was?

– Nie jest źle. Myślimy o wyjeździe w góry, planujemy to na dzisiejszy wieczór. *Lecimy z Krakowiczem do Rumunii. Facet jest w porządku, przynajmniej mam taką nadzieję! Jak tylko dowiem się czegoś konkretnego, dam wam znać. Może wówczas będziecie już w stanie zająć się Bodescu. Ale nie róbcie nic, dopóki nie dowiemy się wszystkiego, co tylko możliwe, o grożącym wam niebezpieczeństwie.*

– Szczęściarz! – uznał Grieve. – W góry, tak? Są piękne o tej porze roku. No ale niektórzy z was muszą pracować. Wyślij mi kartkę, dobra? I uważaj na siebie.

– Nawzajem – Kyle mówił lekko i beztrosko, ale jego myśli nie mogły uwolnić się od niepokoju. – *Na Boga, upewnij się, że nasi chłopcy w Devonshire wiedzą, w co grają! Gdyby coś miało się stać, ja...*

– Robimy, co możemy, by utrzymać się z dala od kłopotów – przerwał mu dyżurny. – Nie porywamy się na zbyt wiele.

– OK. *Będę w kontakcie. Powodzenia.* – Kyle odłożył słuchawkę.

Przez dłuższą chwilę stał nieruchomo, wpatrzony w telefon, zagryzając wargi. Sprawy nabierały tempa, czuł to.

A kiedy z sąsiedniego pokoju wyszedł Quint, przed chwilą jeszcze smacznie drzemiący, jedno spojrzenie na jego twarzy utwierdziło jeszcze Kyle'a w tym przekonaniu. Quint wyglądał dość marnie, był spięty. Postukał się w skroń.

– Coś się tutaj rusza – stwierdził. – Tutaj.

Kyle kiwnął głową.

– Wiem – odpowiedział. – Mam wrażenie, że sprawy ruszają się na całego...

*
* *

W mieszkaniu w Hartlepool, należącym kiedyś do Harry'ego Keogha, w pokoju z oknem wychodzącym na cmentarz, zasypiał Harry Junior. Jego matka, Brenda Keogh, uciszyła malca i usypiała go teraz cichymi mruczankami. Maluch miał zaledwie pięć tygodni, ale był bystry. Na świecie działo się mnóstwo ciekawych rzeczy, które chciał poznać. Chciał tak bardzo, że wyglądało na to, iż do procesu dorastania podejdzie z najwyższą powagą. Czuła to w nim: jego umysł był jak gąbka, chłonął nowe wrażenia, nowe doznania, łaknął wiedzy. Dzieciak rozglądał się wokoło oczami swego ojca i marzył o zawładnięciu całym światem.

Tak, tylko dziecko Harry'ego Keogha mogło być takie. Brenda cieszyła się, że je ma. Gdyby tak był z nią jeszcze Harry. W pewnym sensie miała go jednak przy sobie, w postaci ich wspólnego dziecka. W rzeczywistości miała go w o wiele większym stopniu, niż mogła przypuszczać.

Jaką właściwie funkcję pełnił ojciec dziecka w wywiadzie brytyjskim (Brenda sądziła, że to dla nich pracował), tego nie wiedziała. Wiedziała jednak, że zapłacił za nią życiem. Nie doceniono jego poświęcenia, przynajmniej oficjalnie. Co miesiąc wprawdzie, w zwyczajnych kopertach, przychodziły czeki zaopatrzone w krótkie pisma przewodnie, określające te pieniądze jako „wdowią rentę". Brenda nie mogła uwolnić się od zdumienia – Harry musiał być wysoko ceniony. Kwoty, na które opiewały czeki, były dość wysokie. W każdej normalnej pracy zarobiłaby najwyżej połowę tego. A co cudowniejsze, mogła dzięki temu poświęcić cały swój czas małemu Harry'emu.

– Biedny, mały Harry – zanuciła miękkim, północnym dialektem bardzo starą kołysankę, której nauczyła się od swojej matki. – Bez mamusi, bez tatusia, urodzony gdzieś w kopalni.

No, może nie aż tak źle, ale bez Harry'ego było dość marnie. A do tego... Brendę dręczyło niekiedy poczucie winy.

Widziała męża po raz ostatni przed niespełna dziewięcioma miesiącami, a już się z tym pogodziła. Czuła, że to niedobrze. Niedobrze, że już przestała płakać, że nie poświęciła mu zbyt wielu łez, a najgorsze było to, że dołączył do rzeszy tych, którzy go tak kochali. Umarłych, od dawna pogrążonych w rozpadzie i rozkładzie.

Jeżeli nawet moralnie było to uzasadnione, błąd krył się w logice tej sytuacji, w jej założeniach. Brenda nie czuła, że jej mąż nie żyje. Gdyby zobaczyła jego ciało, byłoby pewnie inaczej, ale cieszyła się, że nie musiała go oglądać. Martwy nie byłby już Harrym.

Po chwili uwolniła się od tych ponurych myśli i opuszkiem palca dotknęła okrągłego noska niemowlaka.

– Bęc! – powiedziała, ale bardzo cicho. Mały Harry już spał...

*

* *

Harry poczuł, że wir, wsysający go w umysł niemowlęcia, znika. Stwierdził, że maleńki rozum pogrąża się we śnie, odnalazł więc drzwi między wymiarami, przeskoczył przez nie i raz jeszcze popłynął przez Doskonałą Ciemność kontinuum Möbiusa. Czysty umysł unosił się w metafizycznym nurcie, wolnym od fałszu masy i grawitacji, gorąca i chłodu. Upajał się pływaniem w wielkim, czarnym oceanie, rozciągającym się od „nigdy" do „zawsze" i od „nigdzie" do „wszędzie". Tutaj mógł udać się w przeszłość równie szybko, jak w przyszłość.

Stąd mógł trafić w każde miejsce i w każdy czas. Wszystko było kwestią wykorzystania właściwego kierunku, użycia odpowiednich drzwi. Otworzył drzwi czasu i zobaczył niebieskie światła miliardów żywych mieszkańców ziemi, ciągnące się jasnymi smugami w niewyobrażalne, wiecznie rozszerzające się przyszłości. Harry wybrał kolejne drzwi. Niezliczone, błękitne nici żywotów odbiegały od niego, skupiając się w odległym, oślepiającym, jasnoniebieskim punkcie. Te drzwi wiodły do czasu minionego, do absolutnego początku ludzkiego życia. Nie tego jednak szukał. Wiedział zresztą, że żadne drzwi nie są właściwe; po prostu ćwiczył swój dar, swoje moce, to wszystko.

To byłoby wszystko, gdyby nie miał misji do wypełnienia... Była niemal identyczna z tą, która kosztowała go utratę ciała i nie znalazła jeszcze finału. Harry odrzucił na bok wszystkie inne myśli i doznania, użył swej nieomylnej intuicji, by udać się w odpowiednim kierunku, wołając tego, którego, jak przypuszczał, tam znajdzie.

– Tibor? – jego zew poszybował w czarną próżnię. – Odpowiedz mi tylko, a znajdę cię i będziemy mogli porozmawiać.

Minęła chwila. Sekunda albo milion lat, w kontinuum Möbiusa nie było między nimi różnic. Zmarłym było to obojętne. I nagle...

– *Ach-ch-ch!* – usłyszał. – *Czy to ty, Harry?*

Głos Starego Stwora spoczywającego w ziemi był dla niego drogowskazem. Idąc jego tropem, Harry odnalazł drzwi Möbiusa i przeszedł przez nie.

...Na wzgórzach była północ i w obrębie dwustu mil cała Rumunia już spała. Materializacja Harry'ego i widma niemowlęcia nie miała właściwie szans, gdyż nie było tu nikogo, kto mógłby ich zobaczyć. Ale sama świadomość, że byłby widzialny, gdyby znalazł się ktoś taki, dawała Harry'emu poczucie cielesności. Nawet jako błędny ognik czułby, że jest kimś, a nie tylko telepatycznym głosem, duchem. Przeniósł się nad obalone bloki, pod zdruzgotane wejście do przybytku, który był ongiś grobowcem Tibora Ferenczyego, i uformował wokół siebie nikłą otoczkę światła. Potem skierował swój umysł na zewnątrz, w noc i ciemność.

Obdarzony ciałem, Harry dygotałby nieco. Przebiegłyby go dreszcze, ale tylko pod wpływem chłodu, nie zaś mrocznych sił. Gdyż nieumarłe zło, pogrzebane tu przed pięcioma wiekami, teraz było naprawdę martwe. Zastanawiał się, czy całe zło już znikło i czy rzeczywiście było... martwe. Harry

Keogh wciąż dowiadywał się czegoś o potwornej zawziętości, z jaką ów wampir trzymał się życia.

– Tibor – powiedział Harry – jestem tu. Wbrew radom rzesz umarłych, wróciłem tu, by z tobą porozmawiać.

– *Ach-ch-ch! Harry, jesteś pociechą, mój przyjacielu. Zaiste, jesteś moją jedyną pociechą. Umarli szepczą w swoich grobach, rozmawiają o tym i o tamtym, ale mnie unikają. Ja, samotny, naprawdę jestem... osamotniony! Bez ciebie pozostałaby tylko niepamięć...*

Harry wątpił w prawdziwość słów Tibora. Jego nadludzkie zmysły ostrzegły go, że kryje się tu coś jeszcze. Czeka na swój czas coś wciąż niebezpiecznego. To podejrzenie wolał jednak przed nim zataić.

– Obiecałem ci – rzekł. – Powiesz mi to, co chcę wiedzieć, a ja w zamian nie zapomnę o tobie. Znajdę czas, żeby tu przyjść i porozmawiać z tobą, choćby przez chwilę albo dwie.

– *Bo ty jesteś dobry, Harry. Bo ty jesteś życzliwy. Podczas gdy moi pobratymcy, umarli, są nieżyczliwi. Wciąż żywią do mnie urazę!*

Harry znał perfidię Starego Stwora spoczywającego w ziemi; znał sposób, w jaki za wszelką cenę będzie unikał poruszenia głównej kwestii, zasadniczego celu wizyty Harry'ego. Wampiry bowiem są krewniakami Szatana, mówią jego językiem, znającym tylko kłamstwa i oszustwa. Tibor raz jeszcze spróbuje ominąć główny temat rozmowy, uskarżając się tym razem na „nieuczciwe" traktowanie go przez Ogromną Większość. Harry nie miał zamiaru tego tolerować.

– Nie masz powodu do skarg – powiedział. – Znają cię, Tiborze. Ile żywotów przeciąłeś, by przedłużyć lub wesprzeć własny? Zmarli nie wybaczają, gdyż utracili to, co mieli najcenniejszego. W swoim czasie byłeś wielkim złodziejem życia: niosłeś nie tylko śmierć, ale i półżycie. Nie możesz się dziwić, że cię odrzucają.

– *Żołnierz zabija* – odpowiedział Tibor. – *Ale czyż odwracają się od niego, jeśli to on ginie? Oczywiście nie! Zapraszają go do stada. Kat zabija, zabija wściekły maniak, a także rogacz, gdy odkryje innego w swym łożu. Czy ich się odrzuca? Może za życia, niektórych z nich, ale nie kiedy życie już przeminie. Gdyż wtedy wchodzą w nowy stan. Ja, za życia, czyniłem to, co musiałem czynić, i zapłaciłem za to śmiercią. Czy muszę nadal płacić?*

– Chcesz, żebym bronił przed nimi twojej sprawy? – Harry nawet w połowie nie mówił poważnie.

– *Nie rozważałem tego. Ale teraz, skoro ty wspomniałeś...* – Tibor okazał się niezwykle przebiegły.

– Śmieszne! – krzyknął Harry. – Igrasz słowami, igrasz ze mną, a nie po to tu przyszedłem. Miliony innych pragną porozmawiać ze mną otwarcie, a ja tracę swój czas dla ciebie. Cóż, dostałem nauczkę. Nie będę cię więcej nękał.

– *Harry, czekaj!* – W głosie Tibora Ferenczyego zabrzmiała panika, która dotarła do Harry'ego dosłownie zza grobu. – *Nie odchodź, Harry! Któż będzie ze mną rozmawiał, skoro... nie ma innego nekroskopa?*

– Dobrze by było, gdybyś pamiętał o tym fakcie.

– *Ach-ch-ch! Nie groź mi, Harry. Czymże jestem, czym byłem, jak nie pradawną istotą, pogrzebaną przedwcześnie? Jeżeli było ci ze mną trudno, wybacz mi. Chodź, powiedz mi, czego ode mnie chcesz?*

– W porządku. Tylko jednego, uznałem twoją historię za bardzo interesującą. – Harry dał się ułagodzić.

– *Moją historię?*

– Twoją opowieść o tym, jak stałeś się tym, czym jesteś. O ile sobie przypominam, doszedłeś do momentu, kiedy Faethor uwięził cię w swoim lochu i przekazał lub złożył w tobie...

– *...Swoje jajo!* – przerwał mu Tibor. – *Perłowe nasienie Wampyra! Pamięć służy ci dobrze, Harry Keogh! Mnie również. Zbyt dobrze...* – W jego głosie zabrzmiała nagle gorycz.

– Wolisz nie kontynuować tej historii?

– *Wolałbym jej nigdy nie zaczynać! Ale jeżeli to niezbędne, by cię tu zatrzymać...* – Harry nie odpowiedział, po prostu czekał.

– *Widzę, że to niezbędne* – jęknął były wampir. – *Zgoda.*

I po długiej chwili, wypełnionej posępną ciszą, Tibor podjął opowieść...

*

* *

Wyobraź sobie ów dziwny, stary zamek w górach: jego mury, spowite mgłą, łuk przewieszony nad wąwozem, wieżyce sięgające niczym kły ku wschodzącemu księżycowi. I wyobraź sobie jego pana: potwora, który dawniej był człowiekiem. Istotę, która zwała się Faethorem Ferenczym.

Opowiedziałem, jak mnie... pocałował. Ale nigdy przedtem żaden ojciec nie całował tak swego syna! Złożył we mnie jajo, o tak! I jeśli kiedyś myślałem, że blizny i rany odniesione w walce są bolesne...

Otrzymać nasienie wampira to niemal być w agonii. Wampir wybiera nosiciela bardzo uważnie i przemyślnie. Ten nieszczęśnik musi być silny, musi być chytry, najlepiej zimny i gruboskórny. Przyznaję, właśnie taki byłem. Czyż mogłem być inny, wiodąc takie życie?

I tak doświadczyłem grozy złożenia we mnie tego jaja, które natychmiast wypuściło maleńkie macki i kolce, by dostać się w głąb mojego gardła, do mego wnętrza. Szybko? Ta istota była rtęcią! A nawet szybsza niż rtęć! Nasienie wampira może przeniknąć przez człowieka jak woda przez piasek. Faethor nie musiał uciekać się do tego przerażającego pocałunku, on po prostu pragnął mnie przerazić! I udało mu się.

Jego jajo przeszło przez moje ciało, z krtani na zwieńczenie mego kręgosłupa, badając go, tak jak mysz bada zagłębienie w ścianie, ale mysz o łapach palących jak kwas! Za każdym razem, kiedy dotykało nagich zakończeń moich nerwów, przechodziły przeze mnie nowe fale bolesnej agonii! Ha! Jak wiłem się i szarpałem, jak miotałem się w łańcuchach! Ale nie trwało to długo. Wreszcie stwór znalazł sobie miejsce. Nowo narodzony, łatwo się męczył. Myślę, że usadowił się w mych jelitach, które natychmiast skręciły się, przysparzając mi takiego bólu, że z wrzaskiem błagałem o łaskę śmierci! Kolce jednak ukryły się i stwór usnął.

Agonia ustąpiła w jednej chwili, tak szybko, że miało to w sobie coś ze śmierci. I ja również usnąłem, rozkoszując się brakiem bólu...

Kiedy się zbudziłem, odkryłem, że leżę skulony na posadzce, oswobodzony z kajdan i łańcuchów. Nic mnie nie bolało. Mimo iż wiedziałem, że w celi panuje mrok, wszystko widziałem tak wyraźnie, jak w najjaśniejszy dzień. Początkowo nie zrozumiałem tego; na próżno szukałem otworu, przez który wpadało światło, próbowałem wspiąć się po nierównych ścianach, by znaleźć ukryte okno lub jakąś inną szczelinę. Bez rezultatu.

Przedtem jednakże, przed ową próżną próbą ucieczki, zetknąłem się z innymi, którzy dzielili ze mną tę ponurą celę. A raczej z tym, co po nich pozostało.

Najpierw był stary Arwos, leżący bezwładnie tak, jak zostawił go Faethor. Tak mi się przynajmniej wydawało. Podszedłem do niego, obejrzałem jego szare ciało, wyschniętą pierś, widoczną pod strzępami podartej, szorstkiej koszuli. I położyłem na niej dłoń, szukając ciepła świadczącego o życiu lub choćby najsłabszych uderzeń serca. Wydawało się bowiem, że chuda pierś Cygana lekko zadrgała.

Jak tylko moja dłoń oparła się na nim, Arwos zapadł się! Cały się zapadł jak pusty strąk, jak ostatnie liście, gdy na nie stąpnąć! Pod klatką piersiową, która też zaraz obróciła się w proch, nie było nic. Twarz również się rozsypała, uwolniona przez lawinę, spowodowaną rozpadem ciała; te stare, niepiękne rysy stały się pyłem! Na końcu rozpadły się członki, osiadając, podczas gdy tam klęczałem, niczym przedziurawione bukłaki! W ułamku chwili starzec stał się kupą pyłu z małymi odłamkami kości i skrawkami starej skóry; wciąż odziany w grube, cygańskie szmaty.

Zafascynowany, wpatrywałem się w to, co niegdyś było Arwosem. Przypomniałem sobie wężowy palec, który oddzielił się od dłoni Ferenczyego i wniknął w ciało Cygana. Czyżby ten robak dokonał takiego zniszczenia? Czy Arwosa pochłonął ów maleńki kawałek Faethorowego ciała? A jeśli tak, to co z samym robakiem? Gdzie się podział?

Nie czekałem długo na odpowiedź.

– Tak, Tiborze, zjedzony – stwierdził głuchy głos. – Nakarmił sobą tego, który krąży teraz w ziemi pod twoimi stopami!

Z cienia wyłonił się mój stary kompan z Wołoszczyzny, ten o krótkich, grubych nogach i potężnym torsie. Zwano go Ehrigiem, kiedy był jeszcze człowiekiem.

Przypatrując się mu, nie dostrzegłem w nim nic znajomego. Był jak obcy przybysz, roztaczający wokół siebie obcą aurę. Może zresztą nie tak obcą, gdyż wydawało mi się, że poznaję tę emanację. Była to mroczna obecność Ferenczyego. Do niego teraz należał Ehrig!

– Zdrajca! – zawołałem, krzywiąc się. – Stary Ferenczy uratował ci życie, a ty z wdzięczności ofiarowałeś mu je. A ile razy, w ilu bitwach ja ci je uratowałem, Ehrigu?

– Dawno temu straciłem rachubę, Tiborze – ochryple odpowiedział tamten, o oczach okrągłych jak talerze, osadzonych w zapadniętej, pociągłej twarzy. – Akurat tyle, żebyś wiedział, że nigdy z własnej woli nie obróciłbym się przeciwko tobie.

– Co? Powiadasz, że nadal jesteś moim człowiekiem? – zaśmiałem się jadowicie. – Ale zalatujesz Ferenczym! A może obróciłeś się przeciwko mnie nie z własnej woli, co? – I jeszcze ostrzej dodałem: – Po cóż by cię Faethor ratował, jak nie po to, byś mu służył?

– Nie wyjaśnił ci tego? – Ehrig podszedł bliżej. – Nie uratował mnie dla siebie. Mam służyć tobie najlepiej jak potrafię, kiedy on opuści to miejsce.

– Ten Ferenczy jest obłąkany! – rzuciłem. – Zwiódł ciebie, nie widzisz? Czy zapomniałeś, po co tu przyszliśmy? Przyszliśmy go zabić! Ale popatrz teraz na siebie: wychudzony, oszołomiony, słabowity jak niemowlę. Jak ktoś taki może mi służyć?

Ehrig zbliżył się jeszcze bardziej. Jego wielkie oczy były niemal puste, nie mrugały. Nerwy w jego twarzy i szyi skakały i drgały, jakby ktoś pociągał za sznurki.

– Słabowity? Źle oceniasz moc Ferenczyego, Tiborze. To, co we mnie włożył, wyleczyło me ciało i kości. I uczyniło mnie silnym. Mogę służyć ci tak dobrze, jak dotąd, bądź pewien. Sprawdź mnie tylko.

Teraz ja zachmurzyłem się, potrząsając głową w nagłym zdumieniu. Niektóre z jego słów miały sens, koiły także moje wściekłe myśli.

– Wedle wszelkich prawideł, powinieneś rzeczywiście być martwy – zgodziłem się. – Twe kości były strzaskane, a ciało rozdarte. Powiadasz, że Ferenczy jest panem takich mocy? Przypominam sobie teraz, że powiedział, iż po uleczeniu będziesz jego sługą. Jego, słyszałeś? Jak więc doszło do tego, że stoisz tu, mówiąc, iż nadal jestem twym panem i wodzem?

– On jest panem wielu mocy, Tiborze – odpowiedział Ehrig. – I rzeczywiście jestem jego sługą, do pewnego stopnia. On jest wampirem, a teraz i ja jestem w jakiejś mierze wampirem. Ty również...

– Ja? – rozsierdziłem się. – Ja jestem panem samego siebie! On coś mi zrobił, ofiarował, wpuścił we mnie coś z siebie, zapewne trującego, a mimo to stoję tu niezmieniony. Ty, Ehrigu, mój niegdysiejszy przyjacielu i wojowniku, mogłeś ulec, ale ja pozostałem Tiborem z Wołoszczyzny!

Ehrig dotknął mego łokcia. Odsunąłem się.

– U mnie przemiana była szybka – powiedział. – Stała się szybsza dzięki ciału Ferenczyego, stopionemu z moim, które pracowało nad mym uleczeniem. Zdruzgotane członki zostały wzmocnione jego ciałem. Ale to Ferenczy związał mnie w całość, a tym samym przywiązał mnie do siebie. Będę wypełniał jego wolę, to prawda. Na szczęście nie żąda ode mnie niczego poza tym, bym pozostał tutaj z tobą.

Kiedy tak przemawiał ponurym głosem, krążyłem po lochu, szukając drogi ucieczki. Próbowałem nawet wspiąć się na ściany.

– To światło – szepnąłem. – Skąd ono pochodzi? Jeśli światło znajduje tu dojście, ja znajdę wyjście.

– Tu nie ma światła, Tiborze – oznajmił snujący się za mną Ehrig. Głos miał prawdziwie grobowy. – Oto dowód magii Ferenczyego. Ponieważ należymy do niego, dzielimy jego moce. Tu wciąż panuje najgłębsza ciemność. Tyle że podobnie jak nietoperz z twojego sztandaru i sam Faethor, ty również widzisz w nocy. Co więcej, jesteś kimś wyjątkowym. Nosisz jego jajo. Staniesz się równie wielki, jak sam Ferenczy, a może nawet większy. Ty jesteś Wampyrem!

– Jestem sobą! – wściekłem się. Złapałem Ehriga za gardło.

I teraz, kiedy przyciągnąłem go bliżej, zauważyłem po raz pierwszy żółty blask jego oczu. To były ślepia zwierzęcia. Jeśli nie łgał, też takie miałem. Ehrig nie stawiał oporu. Jak tylko zwiększyłem nacisk, padł na kolana.

– I co teraz? – krzyczałem. – Czemu nie walczysz? Pokaż mi swą cudowną siłę! Powiedziałeś, że mam cię sprawdzić, i teraz trzymam cię za słowo. Umrzesz, Ehrigu. Tak, a po tobie twój nowy pan, w chwili, gdy wetknie swój psi nos do tej celi! Ja przynajmniej nie zapomniałem, po co tu przybyłem.

Złapałem kawał łańcucha, który więził mnie przy ścianie i owinąłem go wokół szyi Ehriga. Zdrajca zakrztusił się, zduszony, wywalił język, ale nadal się nie opierał.

– Bezużyteczne, Tiborze – sapnął, kiedy zwolniłem nieco uścisk. – To wszystko bezużyteczne. Duś mnie, zadław, złam kręgosłup. Wyleczę się. Nie możesz mnie zabić!

Cisnąłem go na bok, pognałem do wielkich dębowych drzwi i załomotałem w nie. Odpowiedziało mi jedynie echo. Zdesperowany, znów odwróciłem się do Ehriga.

– A zatem – wydyszałem – jesteś świadom zmiany, jaka w tobie zaszła. Oczywiście, skoro dla mnie jest jasna, tym jaśniejsza musi być dla ciebie. Wyjaśnij mi więc, czemu ja jestem taki sam, jak przedtem? Nie czuję różnicy. Zapewne nie przekształciłem się zbytnio?

Ehrig wstał z łatwością, pocierając gardło. Łańcuch odcisnął się na jego szyi, mimo to zdrajca nie ucierpiał zbyt wiele. Oczy płonęły jak przedtem, głos miał tak samo ponury.

– Jak powiadasz – odparł – przekształciłem się, jak żelazo przekształca się w piecu. Ale z tobą sprawa jest inna, bardziej subtelna. W tobie rozwija się nasienie wampira. Wszczepia się w twój umysł, w serce, w twoją krew. Jesteście dwoma stworzeniami w jednej skórze, powoli stopicie się w jedno, zjednoczycie się.

To samo powiedział mi Faethor. Oparłem się o wilgotną ścianę.

– A zatem moje przeznaczenie nie należy już do mnie – jęknąłem.

– Ależ tak, Tiborze, należy! – wołał z zapałem Ehrig. – Teraz, kiedy śmierć już ci nie zagraża, możesz żyć wiecznie! Masz szansę osiągnąć potęgę, jakiej nie zaznał nikt przed tobą! I jakież to przeznaczenie?

– Potężny? W służbie Ferenczyego? – Potrząsnąłem głową. – Chciałeś rzec: bezsilny! Nie, dopóki mam jeszcze własną wolę, znajdę jakiś sposób. – Walnąłem się w pierś, krzywiąc się niemiłosiernie. – Ile czasu pozostało jeszcze do chwili... gdy ten stwór w moim wnętrzu zacznie mi rozkazywać? Do chwili, w której gość zawładnie gospodarzem?

Wydawało mi się, że Ehrig powoli i ze smutkiem pokręcił głową.

– Usilnie robisz trudności – zganił mnie. – Faethor przypuszczał, że tak będzie, gdyż jesteś dziki i uparty. Będziesz panem samego siebie, Tiborze! Stwór w twoim wnętrzu nie może istnieć bez ciebie, a ty bez niego. Przedtem byłeś zaledwie człowiekiem, obarczonym ludzkimi ułomnościami, teraz zaś...

– Milcz! – poleciłem mu. Moja pamięć podszepnęła mi coś potwornego. – Powiedział mi... powiedział... że jest bezpłciowy. Wampyry nie mają płci jako takiej. A ty mówisz o moich „ludzkich ułomnościach"?

– Jako jeden z Wampyrów – cierpliwie tłumaczył Ehrig, co z pewnością Ferenczy nakazał mu czynić – będziesz miał płeć nosiciela. Tak, jesteś nosicielem! Będą cechowały cię wszystkie twoje żądze, twa wielka siła i chytrość, wszystkie twe namiętności, ale zwiększone po wielekroć! Wyobraź sobie, jak przechytrzasz swoich wrogów, albo jak walczysz, bezgranicznie silny, albo jak niezmordowany będziesz w łożu!

Wszystko we mnie zawrzało.

– Ha! A skąd zyskam pewność, że to moje namiętności? Całkiem moje? To już nie będę ja! – Skandując te słowa, tłukłem pięścią w ścianę, aż ze startych kostek popłynęła krew.

– Ależ to będziesz ty – powiedział Ehrig, podchodząc bliżej. Wpatrywał się w moją skrwawioną rękę, oblizując wargi. – Tak, gorąca krew. Wampir za chwilę wyleczy ci ranę. Ale pozwól ją najpierw opatrzyć. – Wziął mnie za rękę i próbował zlizać słoną krew.

Odepchnąłem go.

– Trzymaj przy sobie swój wampirzy język! – krzyknąłem.

I czując nagły dreszcz zgrozy, dopiero wtedy pojąłem, czym się stał. I czym stawałem się ja. Widziałem w jego twarzy tę nienaturalną żądzę i nagle przypomniałem sobie, że przecież było nas trzech...

Przeszukałem cały loch, zajrzałem we wszystkie kąty i zasnute pajęczynami cienie – moje przemienione oczy przenikały nawet najgłębszy mrok. Szukałem wszędzie, ale nie udało mi się znaleźć tego, co pragnąłem. Potem wróciłem do Ehriga. Zobaczył wyraz mej twarzy i zaczął się cofać.

– Ehrigu – powiedziałem, zbliżając się do niego. – Powiedz mi teraz, błagam, co się stało z nieszczęsnym, rozszarpanym ciałem Wasiliego? Gdzie są zwłoki naszego dawnego towarzysza, szczupłego, niepohamowanego... Wasiliego?

Ehrig potknął się o coś leżącego w kącie. Stracił równowagę i upadł na stosik kości, oczyszczonych niemal do bieli. Ludzkich kości.

Po dłuższej chwili odzyskałem głos.

– Wasili?

Ehrig potwierdził i odczołgał się ode mnie, zmykając po posadzce jak krab.

– Ferenczy, on... on nas nie nakarmił – skomlał.

Zwiesiłem głowę i odwróciłem się z niesmakiem. Ehrig zdołał wstać i podszedł do mnie.

– Trzymaj się z dala – ostrzegłem go cichym, pełnym odrazy głosem. – Dlaczego nie rozszczepiłeś jego kości, by wyssać z nich szpik?

– O nie! – powiedział Ehrig, jakby wyjaśniał coś dziecku. – Ferenczy kazał, bym zostawił kości dla... dla tego spod ziemi, który rozwinął się w starym Arwosie i go pożarł. Przyjdzie po nie, gdy wszystko się uspokoi. Kiedy będziemy już spali...

– Spali? – warknąłem, odwracając się do niego. – Myślisz, że zasnę? Tutaj? W jednej celi z tobą?

Odszedł z opuszczonymi ramionami.

– Dumny z ciebie człowiek, Tiborze. Byłem taki sam. Mówi się, że duma poprzedza upadek. Twój czas jeszcze nadejdzie. A co do mnie, nie skrzywdzę ciebie. Nawet gdybym się odważył, gdyby mój głód był aż tak silny... ale nie, nie odważę się. Ferenczy pociąłby mnie na kawałki i każdy z nich spalił. Tak zagroził. Poza tym, kocham cię jak brata.

– Tak jak kochałeś Wasiliego? – skrzywiłem się. Spojrzał na mnie przepraszająco. Nie znalazł odpowiedzi.

– Zostaw mnie w spokoju – warknąłem jeszcze. – Muszę wiele przemyśleć.

Udałem się do jednego kąta, Ehrig do drugiego. I siedzieliśmy tam w milczeniu.

Mijały godziny. W końcu zasnąłem. Śniło mi się, choć wiele z tego nie pamiętam, może na szczęście, że słyszę dziwne szmery i odgłosy ssania. I trzaski, jakby miażdżono coś kruchego.

Kiedy się obudziłem, kości Wasiliego już nie było.

ROZDZIAŁ DZIEWIĄTY

Do bezcielesnego umysłu Harry'ego Keogha nie docierał już głos dawnego wampira. Od dłuższego czasu nie padło żadne słowo, były tylko sekundy ciszy, na które Harry nie mógł sobie pozwolić. W każdej chwili mógł zostać ściągnięty przez swego syna-niemowlaka, poprzez labirynt kontinuum Möbiusa, na poddasze w Hartlepool. Skoro jednak czas był tak ważny dla Harry'ego, o ileż ważniejszy był dla całej ludzkości.

– Zaczyna mi być ciebie żal, Tiborze – stwierdził Harry, a jego siła życia, unosząca się niczym neonowy świetlik nad ciemną polaną, nasyciła się intensywniejszym błękitem. – Widzę teraz, jak bardzo się broniłeś, jak opierałeś się temu, czym w końcu się stałeś.

– *Już od chwili, gdy nasienie Faethora wstąpiło w moje ciało, w mój mózg, byłem skazany* – odezwał się Ferenczy. – *Rosło we mnie, i to rosło szybko. Najpierw uwidoczniło się w moich uczuciach, w moich pasjach. Powiedziałem „uwidoczniło się", ale ja tego nie dostrzegłem. Czy czujesz, jak twe ciało goi się po cięciu lub uderzeniu? Czy odbierasz, jak rosną ci włosy lub paznokcie? Czy człowiek, który stopniowo pogrąża się w obłędzie, wie, że wariuje?*

Ledwie głos wampira ucichł, do umysłu Harry'ego wdarł się nowy, z każdą chwilą silniejszy dźwięk – krzyk zawodu, furii. Harry spodziewał się, że kiedyś go usłyszy. Wiedział, że Tibor Ferenczy nie jest jedynym mieszkańcem owych ciemnych wzgórz. W świadomości nekroskopa pojawiły się nagle słowa formułowane przez ów nowy, ale jemu znany od dawna umysł.

– *Ty stary łgarzu! Ty stary diable!* – krzyknęła zapalona nagle iskra, rozwścieczony duch Borysa Dragosaniego. – *Ha! Ileż w tym ironii! Nie dość, że jestem martwy, to jeszcze mam za towarzysza potwora, budzącego we mnie najwyższą odrazę! I co gorsza, wiem, że mój największy kiedyś wróg, człowiek, który mnie zabił, jest jedyną żywą istotą mogącą dosięgnąć mnie po śmierci! Ha, ha! Przebywać tutaj, słyszeć raz jeszcze głosy tej dwójki, jeden wymagający, a drugi zalotny, zwodniczy, załgany. Znając próżność owych wysiłków, wciąż tęsknić, palić się... do uczestnictwa w tej rozmowie! O Boże, jeśli kiedykolwiek był jakiś Bóg, czy nikt ze mną nie porozmawiaaaa?*

– *Nie zważaj na niego* – rzekł natychmiast Tibor. – *On majaczy. Wiesz doskonale, Harry, miałeś w tym swój udział, że zabijając mnie, zabił i siebie. Rozumu może pozbawić ta jedna myśl, a biedny Borys od początku był półobłąkany...*

– *Doprowadzono mnie do obłędu!* – zawył Dragosani. – *Uczyniła to ta brudna, kłamliwa, odrażająca pijawka spod ziemi. Harry Keogh, wiesz, co mi zrobił?*

– Wiem o kilku rzeczach, które ci zrobił – odpowiedział Harry. – Tortury, psychiczne czy fizyczne, zdają się bez reszty wypełniać czyny takich stworów jak ty, żywych czy martwych. Albo nieumarłych!

– *Masz rację, Harry!* – zza grobu wydobył się jeszcze jeden głos. Cichy szept, skażony jednak czymś nikczemnym. – *Są nad wyraz okrutni i żadnemu z nich nie można zaufać! Byłem asystentem Dragosaniego, jego przyjacielem. To mój palec uruchomił grot, który przebił serce Tibora i usidlił go tu w grobie, pół w środku, pół na zewnątrz. Ja byłem tym, który podał Dragosaniemu sierp, by ściął łeb potworowi! I jak mi za to odpłacił? Ha, Dragosani! Jak możesz prawić o łgarstwach, zdradzie i ohydzie, kiedy ty sam...*

– *Byłeś potworem!* – Dragosani uciszył zarzuty Maksa Batu własnym oskarżeniem. – *Ja miałem prosty powód: nosiłem w sobie nasienie Tibora. Ale co z tobą, Maks? Co? Jakiż człowiek może być tak zły, by zabijać spojrzeniem?*

Batu, który za życia znał tajemnicę Złego Oka, rozsierdził się.

– *Posłuchaj tego wielkiego kłamcy, tego złodzieja!* – syknął. – *Poderżnął mi gardło, wysączył krew, zbezcześcił mego trupa, by wydrzeć tajemnicę. Odebrał mi moc, by samemu zabijać, jak ja zabijałem. Ha! Niewiele dobrego mu to przyniosło. Teraz przyszło nam dzielić między siebie to ponure wzgórze. Tak, Tibor, Dragosani i ja, cała trójka odepchnięta przez roje umarłych...*

– Słuchajcie uważnie, wszyscy – odezwał się Harry, nim znowu zaczęli. – Cierpicie zatem niesprawiedliwie? Cóż, może i tak, kara jest zbyt mała w porównaniu z tym, co sami czyniliście. Maks, ilu ludzi zabiłeś swym Złym Okiem, zatrzymując ich w pół kroku i mnąc ich serca jak papier? Czy wszyscy byli złymi ludźmi? Czy zasługiwali na śmierć? I to tak okropną? Nie, przynajmniej jeden z nich był moim przyjacielem, najlepszym człowiekiem, jakiego zdarzyło mi się spotkać.

– *Szef waszego brytyjskiego Wydziału E?* – Batu szybko zmienił ton. – *To Dragosani kazał mi go zabić.*

– *Taką mieliśmy misję!* – przerwał Dragosani. – *Nie udawaj niewiniątka, Mongole! Przedtem też zabijałeś.*

– *Rozkazał także zabić Ladislau Giresciego* – stwierdził Batu. – *Jednego ze swych rodaków, całkowicie niewinnego! Giresci znał bowiem sekret Dragosaniego, wiedział, że on jest wampirem!*

– *Stanowił zagrożenie dla... dla państwa!* – wybuchł Dragosani. – *Ja tylko pracowałem dla Matki Rosji i...*

– Pracowałeś tylko dla siebie – uciął Harry. – Prawda jest taka, że chciałeś stać się wielki w Wołoszczyźnie, a nawet w świecie! Kłam, jeśli musisz, Dragosani, gdyż to cecha wampirów, ale nie okłamuj siebie. Rozmawiałem z Grigorijem Borowitzem, pamiętasz? On także zginął w imię Matki Rosji? Szef twojego Wydziału E?

– *Wpadłeś, Dragosani* – zachichotał ponuro Tibor. – *Nadziany na własne kolce!*

– Nie drwij, Tiborze – Harry jeszcze bardziej zniżył głos. – Byłeś równie zły, a może nawet gorszy od nich obu.

– *Ja? Dlaczego? Spoczywam w ziemi od pięciuset lat! Jakież szkody może wyrządzić biedny stwór uwięziony w ziemi, któremu towarzyszą jedynie robaki?*

– A co czyniłeś przez pięćset lat poprzedzających złożenie cię do grobu? – zapytał Harry. – Obaj dobrze wiemy, że przez całe wieki Wołoszczyzna drżała na dźwięk twego imienia! Ziemia była czarna od przelanej przez ciebie krwi. I nie wiń o wszystko Faethora Ferenczyego. Nie cała wina spoczywa na jego barkach. Wiedział, jaki jesteś, inaczej by cię nie wybrał...

– *I po to tu przyszedłeś?* – spytał po chwili Tibor. – *Przemawiać, oskarżać i demaskować?*

– Nie, przyszedłem się uczyć – rzekł Harry. – Słuchaj, nie umiem kłamać tak dobrze, jak ty. Nawet za dobrych czasów kiepski był ze mnie łgarz. Pewien jestem więc, że odkryłbyś, iż próbuję cię zwieść. Dlatego powiem ci prosto...

– *No więc?* – chciał wiedzieć Dragosani. – *Powiedz mu prosto, jeśli chcesz.*

Harry zignorował go, odczekał kilka sekund.

– Tiborze – powiedział wreszcie – przed chwilą pytałeś, jakie szkody wyrządziłeś, spoczywając tu przez ostatnie pięćset lat.

– *Powiem ci, jakie szkody!* – Dragosani nie dał się zignorować. – *Popatrz tylko na mnie. Byłem niewinnym dzieckiem, a on nauczył mnie sztuki nekromancji. Później, jako młodzieńca, zwiódł mnie hipnozą i łgarstwem. Kiedy stałem się mężczyzną, złożył we mnie swe wampirze jajo, a kiedy dojrzało, on...*

– Twoje losy nic mnie nie obchodzą! – przerwał mu Harry. – Ani one, ani żadna z kalumni, jakie miotasz na Tibora czy na kogokolwiek innego.

– *Kalumnie?* – Dragosani był wściekły.

– Cisza! – Harry stracił cierpliwość. – Ucisz się natychmiast albo odejdę, pozostawiając was na wieki pogrążonych w samotności. Całą trójkę.

Zapadła ponura cisza.

– Świetnie – rzekł Harry. – A teraz, jak mówiłem, nie obchodzą mnie zbytnio zbrodnie Tibora, a zwłaszcza domniemane zbrodnie, wymierzone przeciwko tobie, Borysie Dragosani. Obchodzi mnie jednak, co uczynił innej osobie. Myślę tu o kobiecie, Georginie Bodescu, która trafiła tu wraz z mężem pewnej zimy. Nastąpił wypadek i mężczyzna zmarł. Zmarł tutaj, w tym miejscu. Kobieta była w ciąży i zemdlała na widok jego krwi. A potem...

– *Tak?* – zapytał Tibor z narastającym zainteresowaniem. – *Już ci to przecież opowiedziałem. Chcesz mi teraz powiedzieć... mówisz, że mi się udało?*

– *Uważaj, Harry Keogh!* – wtrącił się Dragosani. – *Nic więcej mu nie mów. Ja też słyszałem tę historię, kiedy ten stary łgarz ci ją opowiadał. Jeśli tamto poczęte dziecko wyrosło na mężczyznę, będzie sługą Tibora! Tak, nawet jeśli jego pan jest martwy! Nie rozumiesz? Ten stary diabeł znów chce zaznać życia – w ciele i umyśle nowego ucznia.*

– *Ty... psie!* – zawył Tibor. – *Jesteś Wampyrem! Czy nic to dla ciebie nie oznacza? Możemy walczyć między sobą, ale obcym nie ujawniamy naszych tajemnic. Bądź po wsze czasy przeklęty, Dragosani!*

– *Już jestem, stary durniu!* – warknął Dragosani.

– No cóż – westchnął Harry. – Widzę, że tracę cenny czas. A skoro tak, życzę wam...

– *Czekaj!* – w głosie Tibora płonęła niecierpliwość. – *Nie możesz tak sobie odejść, powiedziawszy mi tylko trochę. To... nieludzkie!*

– Ha! – parsknął Harry.

– *Zawrzyjmy zatem układ. Ja dokończę swą opowieść, a ty powiesz mi, czy dziecko urodziło się i czy żyje. I... jak żyje. Zgoda?*

Harry uznał, że powiedział już zbyt wiele, by teraz taić resztę. Musiał poznać jeszcze cztery zasadnicze sprawy. Po pierwsze, pełny zakres wampirzych mocy. Po drugie, sposób, w jaki Tibor zamierzał wykorzystać Juliana Bodescu. Dragosani zdawał się sądzić, iż Tibor może zmartwychwstać w ciele Bodescu. Po trzecie, co jeszcze wydarzyło się przed tysiącem lat w zamku Ferenczyego, tak by stało się jasne, czy kryje się tam jeszcze coś złego. I po czwarte, jak można unicestwić wampira.

Co do ostatniego punktu, Harry sądził dotąd, iż odkrył to przed ośmioma miesiącami, kiedy wypowiedział wojnę Zamkowi Bronnicy. Spoglądając wstecz, widział jedynie wyraźnie, że śmierć Dragosaniego była wynikiem serii szczęśliwych przypadków. Dragosani oślepł, jego oczy zniszczył odbity impuls psychiczny, w chwili gdy talent, skradziony Maksowi Batu, za sprawą jednego z zombi obrócił się przeciw niemu. Harry bowiem zabrał ze sobą swych martwych Tatarów, siłę uderzeniową, mającą go wspierać w tym boju. I to jeden z zombich, przywołanych z torfowiska, w którym spoczywali, ściął głowę Dragosaniemu. Inny drewnianym kołkiem przyszpilił do jego piersi pasożytniczego wampira, próbującego opuścić ciało. Zapewne Harry sam nie dałby sobie z tym rady. Prawdę mówiąc, jedyny jego wyczyn miał swe źródło w mistrzowskim opanowaniu Kontinuum Möbiusa: kiedy serie z broni maszynowej przecięły go niemal w pół, umknął z konającego ciała, wlokąc za sobą umysł Dragosaniego. W Kontinuum Möbiusa wepchnął nekromantę w drzwi czasu minionego, które doprowadziły Dragosaniego do grobu Tibora.

Dragosani, zwabiając Tibora, by go zabić, nie przypuszczał nawet, że tym samym ciosem określa i swój los. A bezcielesny umysł Harry'ego ruszył przed siebie, odnalazł nić życia swego syna i złączył się z nią, spoczywając wraz z dzieckiem w łonie Brendy, w oczekiwaniu na narodziny. Była jego kochanką, potem żoną, teraz zaś, w pewnym sensie, mógł uznać ją za swoją matkę. Za swą drugą matkę.

Bał się pomyśleć, co by się jednak stało, gdyby zostawił umysł Dragosaniego w jego ciele, na zamku i jak długo ciało byłoby jeszcze trupem. Pozostawały jedynie przypuszczenia...

Jedno jeszcze ciekawiło Harry'ego, zastanawiał się, jak niedobitki rosyjskiego Wydziału E uporały się z pozostałościami po bitwie, gdzie podziali się jego Tatarzy. Rosjanie musieli być blisko obłędu, przeżyli absolutny koszmar. Harry przypuszczał, że kiedy oddalił się z zamku drogą Möbiusa, Tatarzy ponownie pogrążyli się w ciszy.

Harry miał nadzieję, że Feliks Krakowicz wyjaśnił to już Kyle'owi, więc i on się o tym dowie. Teraz istniały pilniejsze sprawy. A przede wszystkim rozmyślał, ile może powiedzieć Tiborowi o Julianie Bodescu. Ostatecznie uznał, że bardzo mało. Ale z drugiej strony, dawny wampir zdoła sobie prawdopodobnie wszystko dopowiedzieć. Jeżeli tak, dalsze trzymanie faktów w tajemnicy mijało się z celem.

– Świetnie – rzekł wreszcie Harry. – Umowa stoi.

– *Głupcze* – zawołał natychmiast Dragosani. – *Przeceniłem cię, Harry Keogh. Myślałem, że jesteś sprytniejszy. A mimo to próbujesz targować się z samym Diabłem! Widzę teraz, że w naszym małym starciu miałem po prostu pecha. Jesteś takim samym głupcem, jakim ja byłem kiedyś.*

Harry nie zwracał na niego uwagi.

– A zatem, reszta opowieści, Tiborze, i to szybko. Nie wiem, ile mi jeszcze zostało czasu...

*

* *

Kiedy stary Ferenczy przyszedł po raz pierwszy, nie byłem jeszcze gotów na spotkanie z nim. Spałem. Wątpliwe zresztą, bym – wyczerpany i wygłodzony – był w stanie cokolwiek zdziałać. O nadejściu bojara dowiedziałem się, słysząc trzaśnięcie ciężkich, dębowych drzwi i zgrzyt opuszczanej sztaby. W koszyku, tuż pod drzwiami, piszczały i wierciły się cztery żywe, w pełni opierzone kurczaki o spętanych skrzydłach. Wstałem i ruszyłem ku drzwiom, ale Ehrig wyprzedził mnie o krok.

Złapałem go za ramię, odrzuciłem w bok i pierwszy dopadłem do koszyka.

– Cóż to ma znaczyć, Faethorze? – krzyknąłem. – Kurczęta? Myślałem, że wampiry żywią się lepszym mięsem!

– Karmimy się krwią! – zawołał zza drzwi, chichocząc. – Zwyczajnym mięsem, jeżeli zachodzi taka konieczność, ale to krew daje nam prawdziwe życie. Ptactwo jest dla ciebie, Tiborze. Rozedrzyj gardła i napij się do syta. Wyciśnij je do cna. I jeśli chcesz, zewłoki daj Ehrigowi, a tym, co zostanie, zadowoli się twój „kuzyn" spod posadzki.

Usłyszałem, że wspina się po kamiennych stopniach.

– Faethorze, kiedy zacznę pełnić swoje obowiązki? A może zmieniłeś zdanie, uznając, że wypuszczenie mnie jest nazbyt niebezpieczne? – zawołałem.

Kroki zamarły.

– Wypuszczę cię, kiedy będę gotów – dotarł do mnie jego stłumiony głos. – I kiedy ty będziesz gotów...

Znów zachichotał, tym razem bardziej gardłowo.

– Gotowy? Już jestem na tyle gotowy, by mnie lepiej traktowano! – dodałem jeszcze. – Powinieneś był sprowadzić mi dziewczynę. Dziewczynę można nie tylko zjeść!

Przez moment było cicho, potem znów się odezwał.

– Jak już będziesz panem samego siebie, zrobisz, co zechcesz. – W jego głosie brzmiał chłód. – Ja nie jestem kocicą, dostarczającą swym młodym tłuste myszy. Dziewczyna, chłopak, kozioł – krew to krew, Tiborze. A co do pożądania: przyjdzie na nie czas później, kiedy pojmiesz prawdziwe znaczenie tego słowa. Na razie oszczędzaj siły.

I odszedł.

Ehrig zdążył porwać koszyk i zmykał z nim chyłkiem. Szturchnąłem go tak, że protestując, runął na podłogę. Potem spojrzałem na przerażone ptaki i skrzywiłem się. Ale... byłem głodny, a mięso to mięso. Nigdy nie należałem do wybrednych, a te ptaki miały dość ciała. Co więcej, wampir w moim wnętrzu niszczył wszystko, co wiązało się z dobrymi obyczajami, grzecznością i cywilizowanym zachowaniem. Zresztą, cóż mnie łączyło z cywilizacją? Jako wołoski wojownik byłem zawsze w dwóch trzecich barbarzyńcą!

Zjadłem; podobnie ten pies, Ehrig. A później, kiedy spaliśmy, pojawił się mój „kuzyn".

Gdy znów się przebudziłem – silniejszy, rześki, podbudowany sutym posiłkiem – zobaczyłem tego stwora, bezmyślną, zrodzoną z ciała wampira istotę, kryjącą się w ciemnej ziemi pod posadzką. Nie wiem, czego się spodziewałem. Faethor wspominał o pnączach, ukrytych w glebie. I tak to wyglądało. Po części.

Jeżeli oglądałeś kiedyś gąbczastą ośmiornicę, widziałeś coś podobnego do potwora, który się zrodził z palca Ferenczyego i utuczył na ciele Cygana Arwosa. Trudno byłoby mi określić jego rozmiary, gdyby jednak przetworzyć ludzkie ciało w ciastowatą masę... bardzo by się rozrosło. Oglądałem przekształcone ciało Arwosa.

Błądzące po omacku „ręce" tej istoty były niezwykle rozciągliwe. Pojawiło się ich całe mnóstwo i nie brakło im siły. Oczy stwora były przedziwne: zjawiały się i znikały, kształtowały się i odkształcały, zerkały z ukosa i mrugały, ale powątpiewałem w to, że coś widzą. Miałem nawet wrażenie, że są ślepe. A może widziały tak, jak widzi noworodek, nic nie rozumiejąc.

Kiedy jedna z „rąk" stwora wynurzyła się z gleby blisko mego leża, zakląłem głośno i kopnąłem ją. Jak szybko zniknęła w ziemi! Nie wiem, jak długo miało to trwać, ale od tamtej pory wampirzy twór unikał mnie. Może wyczuwał, że jestem wyższą formą tego samego gatunku, co on! Pamiętam, że ta myśl przyprawiała mnie o dreszcze...

Faethor miał w sobie coś ohydnego: był przemyślny, chytry jak lis i śliski jak węgorz. Tak go oceniałem, pogrążając się w coraz większej rozpaczy. Oczywiście, był Wampyrem! Nie należało spodziewać się po nim niczego innego. Jednym słowem, nie sposób było go zaskoczyć. Spędziłem godziny, czatując na niego za dębowymi drzwiami z łańcuchem w dłoniach, lękając się odetchnąć, by mnie nie usłyszał. Ale piekło zamarzłoby wcześniej, niż on zjawiłby się w takiej chwili. Ha! Wystarczyło jednak, abym zasnął... i budził mnie kwik prosięcia albo szelest spętanego gołębia. I tak mijały dni, a może tygodnie...

Jedno muszę przyznać, po pierwszym dniu Stary Diabeł nie dał mi już odczuć nadmiernego głodu. Sądzę teraz, że ów początkowy okres niedosytu miał pozwolić wampirowi na opanowanie mojego ciała. Stwór nie dostawał żadnego innego pokarmu, musiał więc zadowolić się mymi pokładami tłuszczu, wiążąc się ze mną coraz bardziej. Ja natomiast zyskiwałem dostęp do jego siły. Ledwie jednak zadzierzgnęła się owa więź, Ferenczy zaczął nas znów tuczyć. Nie bez kozery używam tego zwrotu.

Wraz z jedzeniem pojawiał się niekiedy dzban czerwonego wina. Początkowo, mając w pamięci to, jak Faethor mnie odurzył, poiłem najpierw Ehriga, by ujrzeć jego reakcję. Ale poza tym, że wino rozwiązywało mu język, nie zauważyłem nic innego. Później nie dawałem już Ehrigowi trunku, wypijałem wszystko sam. I tak właśnie założył ów stary diabeł.

Przyszła raz pora, kiedy po posiłku poczułem straszne pragnienie i wychyliłem dzban jednym haustem – a potem zatoczyłem się i runąłem. Znowu zatruty! Faethor za każdym razem robił ze mnie głupca. Moja wampirza siła pomogła mi jednak nieco, nie utraciłem świadomości, ale leżąc w gorączce, zastanawiałem się, jaki jest cel tego posunięcia. Ha! Posłuchaj tylko, a wyjawię ci, do czego zmierzał Faethor Ferenczy.

Dziewczyna, chłopak, kozioł – to prawda, ale nie zdradził mi, że ze wszystkich impulsów rozkoszy, ze wszystkich zdrojów nieśmiertelności, ze wszystkich kwiatów pełnych nektaru, wampiry najbardziej cenią sobie jedno źródło – czerwony strumień krwi innego wampira! I tak, gdy jego wino rozłożyło mnie jeszcze bardziej, pojawił się Faethor.

– Chcę przez to osiągnąć dwie rzeczy – rzekł, kucając przy mnie. – Po pierwsze, od dawna nie karmiłem się własnym gatunkiem, a wielce jestem spragniony. Po drugie, twardy z ciebie człowiek, który nie podda mi się bez walki. Niech więc stanie się, jak chcę. To powinno pozbawić cię żądła.

– Co... co robisz? – wyskrzeczałem, próbując podnieść ołowiane ramiona i osłonić się przed nim. Nie dałem rady, byłem słaby jak kocię. Nawet me gardło z trudnością formułowało najprostsze słowa.

– Co robię? Zasiadam do wieczerzy! – odrzekł radośnie. – Cóż za jadłospis! Krew silnego męża doprawiona krwią wampirzego młokosa!

– Chcesz... pić... z mego gardła? – Patrzyłem na niego strwożony, a wszystko przed moimi oczami falowało.

Uśmiechnął się lekko, najpotworniejszym jednak uśmiechem, jaki u niego widziałem, i zdarł ze mnie ubranie. Potem dotknął mnie swymi przerażającymi, długopalcymi dłońmi i pomacał moje ciało, marszcząc brew. Szukał czegoś. Przewrócił mnie na bok, dotknął kręgosłupa, nacisnął raz jeszcze, mocniej.

– Oto puchar, największa nagroda! – stwierdził.

Chciałem się skulić, ale nie mogłem. Skuliłem się w duchu, może wampirze dziecko w moim wnętrzu uczyniło to samo, ale na zewnątrz czułem jedynie dreszcze. Chciałem też coś powiedzieć, ale to było ponad moje siły. Z drżących warg wydostał się jedynie jęk.

– Tiborze – rzekł Stary Diabeł, głosem tak spokojnym, jak gdyby wiódł uprzejmą rozmowę – mój synu, wiele się jeszcze musisz nauczyć. O mnie, o sobie, o Wampyrach. Jeszcze nie jesteś dość baczny, nie dostrzegasz wszystkich tajemnic, jakimi cię obdarzyłem. Ale będziesz tym, czym ja jestem. I wszystkie moce, jakie ja posiadam, staną się twoim udziałem. Trochę już zobaczyłeś i nauczyłeś się, zobacz zatem coś więcej i doświadcz tego!

Nadal podtrzymywał mnie na boku, ale uniósł mą głowę tak, że mogłem zobaczyć jego twarz. Odzyskałem ostrość widzenia, obraz był nawet wyraźniejszy niż przedtem. Moje członki i korpus równie dobrze mogły być odlane z ołowiu, ale umysł miałem tak wyczulony, że niemal odbierałem w sobie przemianę, jakiej uległ nachylony nade mną potwór. Faethor dla jakichś przyczyn wyostrzył moje zmysły, zwiększył mą wrażliwość.

– Teraz patrz – syknął. – Obserwuj!

Skóra na jego twarzy, i tak porowata i chropawa, przeszła szybką metamorfozę. Wpatrując się w nią, pomyślałem, że nie dowiedziałem się właściwie, jak on wygląda. Nie wiem tego do tej pory. Był taki, jaki chciał mi się objawić!

Pory jego twarzy rozwarły się szeroko, skórę upstrzyły szczeliny. Szczęki, i tak nienaturalnie wielkie, wydłużyły się jeszcze z trzaskiem, przywodzącym na myśl darcie płótna. Skórzaste wargi wywinęły się, wypychając do przodu paszczę, szkarłatne dziąsła i krzywe, ostre zęby. Oglądałem te zęby już przedtem, ale nie w całej okazałości. A przemiana wciąż trwała.

Ulegały jej szczęki, koszmarny zarys twarzy. Faethor przypominał teraz wielkiego nietoperza, a może wilka lub oba te stwory, gwałtownie jednak zmierzał do czegoś więcej niż podobieństwo. Nie był nietoperzem ani wilkiem, ale jakimś stadium pośrednim między nimi. Ludzka postać stanowiła jedynie skorupę, kokon kryjący w sobie poczwarę. I teraz ów kokon pękał.

Zęby wampira stały się stromymi, wykrzywionymi lodowcami ścierającymi się w czerwonym oceanie dziąseł. Jego paszcza krwawiła, potworne zęby, niczym najostrzejsze z noży, wypychały się w górę, rozrywając ciało, a za nimi pojawiały się granie połyskliwych chrząstek. Spoglądając w tę czeluść, która zdominowała resztę twarzy, pojąłem, że mógłby zewrzeć szczęki na mym licu, zdzierając ciało do kości. Nie to jednak było jego celem.

Żółte ślepia, płonące nad rozedrganymi jamami jego nozdrzy, wpatrywały się we mnie, krwawe kły wydłużały się wciąż, sięgając niemal poza potężną dolną szczękę. Szablastozęby teraz Faethor był wreszcie gotów. Nim przewrócił mnie twarzą do dołu, zauważyłem, że owe niesamowite kły są wydrążone – miały ssać moją krew!

Sparaliżowany, nic nie mogłem uczynić. Nawet krzyczeć. A co gorsza, już go nie widziałem. Czułem jednak, jak jego wprawne dłonie badają me plecy. Miałem wrażenie, że wije się coś w mym wnętrzu, coś, co, jak odkrył Faethor, przywarło do mego kręgosłupa. A potem poczułem, jak wielkie zębiska potwora przebijają me ciało niczym gwoździe, unieruchamiając niedojrzałego pasożyta, skręcającego się w agonii. Ta agonia była również moją, obaj tak samo cierpieliśmy i żaden z nas nie mógł tego znieść. Ferenczy uwrażliwił mnie, by ból był jeszcze straszliwszy. I niech przeklęte będzie jego zgniłe serce, udało mu się to! Potem zapadłem w ciemność.

Przez długi czas nic nie czułem.

O co, jak możesz przypuszczać, nie miałem żalu...

*
* *

Odzyskawszy przytomność, w pierwszej chwili pomyślałem, że jestem sam. Ale potem usłyszałem dobiegające z mrocznego kąta skomlenia Ehriga i przypomniałem sobie wszystko. Przyjaźń, która nas łączyła, krwawe bitwy, w których razem braliśmy udział. Był wspaniałym druhem, gotowym do poświęcenia dla mnie życia, tak jak ja dla niego.

Może i on sobie przypomniał, i dlatego skomlał. Tego nie wiedziałem. Wiedziałem jednak, że kiedy Ferenczy zacisnął szczęki na moim kręgosłupie, jego nie było w pobliżu...

Stwierdzenie, że go poturbowałem, nie oddałoby sprawiedliwości owej karze. Bez pomocy wampirzego nadzienia zapewne by skonał. Możliwe, że zamierzałem go zabić, potwierdzić tego nie mogę, gdyż cały epizod zatarł się w mej pamięci. Pamiętam tylko, że gdy skończyłem, Ehrig nie czuł już mych uderzeń, a ja byłem kompletnie wyczerpany. Ale, rzecz jasna, wyzdrowiał, ja zresztą też. I obmyśliłem nową strategię.

Potem... nadeszły okresy snu, budzenia się, jedzenia. Życie zewnętrzne zamykało się niemal w tych czynnościach. Dla mnie były to także okresy wyczekiwania, cierpliwego i milczącego snucia planów. A Ferenczy wciąż usiłował tresować mnie jak dzikiego psa.

Zaczynało się zawsze tak samo: podchodził cicho do drzwi i nasłuchiwał. Dziwna rzecz, zawsze wiedziałem, że tam jest. To, że się bałem, oznaczało, iż czyha. Czasami czułem, jak dotyka skrajów mego umysłu, pragnąc chytrze narzucić się moim myślom. Pamiętam, jak z daleka kontaktował się ze starym Arwosem, i robiłem, co mogłem, by zamknąć przed nim umysł. Chyba mi się powiodło, gdyż po jakimś czasie zacząłem odczuwać rozczarowanie, które nie było moim.

Stosował system nagród. Jeśli okazywałem się „dobry" i posłuszny, dostawałem jedzenie.

– Tiborze, mam dla ciebie parę wspaniałych prosiaków! – wołał wtedy przez drzwi.

– Faethorze, ojcze mój, konam z głodu! Nakarm mnie, błagam, bo inaczej będę zmuszony pożreć tego psa, z którym mnie tutaj zamknąłeś. A któż mi wtedy będzie służyć, jak już odejdziesz w świat, a ja otoczę opieką twe ziemie i zamek?

Wtedy robił szczelinę w drzwiach i wsuwał jadło do wnętrza. Wystarczało jednak, bym stanął zbyt blisko drzwi, i ani Ferenczyego, ani jadła nie oglądałem przez trzy, cztery dni.

I tak „słabłem", ciskałem coraz mniej obelg, zaczynałem błagać. O żywność, o swobodę poruszania się po zamku, o świeże powietrze i światło, o wodę, bym mógł się wykąpać, ale głównie o najkrótsze nawet odseparowanie mnie od Ehriga, który budził we mnie już taki wstręt, jak w każdym człowieku to, co wydalił. Co więcej, udawałem, że jestem coraz słabszy fizycznie, spędzałem coraz więcej czasu „śpiąc" i mniej ochoczo się budziłem.

Nadeszła w końcu chwila, że Ehrig nie zdołał mnie dobudzić i niczym pies załomotał w drzwi, wrzaskiem wzywając swego prawdziwego pana! Faethor przyszedł. Zanieśli mnie na mury nad krytą salą, w której kiedyś gościłem. Tam ułożyli mnie na świeżym powietrzu, pod pierwszymi nocnymi gwiazdami, bladymi widmami na nieboskłonie, którego nie oglądałem już od tak dawna. Słońce, niczym bezbarwny pęcherz, zachodziło za góry, posyłając ostatnie promienie w kierunku skalnych iglic górujących nad wieżami zamku.

– Cóż, zapewne łaknie powietrza – stwierdził Faethor. – A może i jest trochę wygłodzony! Masz jednak słuszność, Ehrigu, wydaje się słabszy, niż powinien być. Pragnąłem tylko złamać jego wolę, a nie jego witalność. Mam proszki i sole, które powinny go otrzeźwić. Zaczekaj tu, aż je przyniosę. I uważaj na niego!

Zszedł na dół przez drzwi w podłodze, zostawiając Ehriga na straży. Obserwowałem to wszystko spod przymkniętych powiek. Ledwie Ehrig pobłądził gdzieś myślą, w okamgnieniu znalazłem się przy nim! Zaciskając jedną dłoń na jego grdyce, drugą wydobyłem zza pazuchy rzemień, który wyciągnąłem przedtem z mego buta. Planowałem, że zacisnę go na krtani Ferenczyego, ale cóż było robić? Oplótłszy Ehriga nogami, by uniemożliwić mu kopanie, zarzuciłem pętlę na jego szyję i zaciągnąłem ją, po czym, zrobiwszy jeszcze jeden splot, zawiązałem ciasno rzemień. Ehrig próbował się podnieść, ale trzasnąłem jego głową w kamienny parapet tak mocno, że usłyszałem trzask pękającej czaszki. Bydlak zwiotczał w mych rękach. Ułożyłem go na belkach podłogi.

Drzwi miałem za plecami i, rzecz jasna, Ferenczy ten właśnie moment wybrał na swój powrót. Zasyczał wściekle i skoczył na mnie lekko niczym młokos, ale młokos o żelaznych rękach, którymi chwycił mnie za włosy i ciało pomiędzy szyją a ramieniem. Mimo iż był silny, stary Faethor wyszedł nieco z wprawy! Ja natomiast byłem równie sprawny, jak po ostatniej bitwie z Pieczyngami.

Rąbnąłem go kolanem w krocze i wbiłem głowę w jego wielką szczękę tak silnie, że usłyszałem chrzęst zębów. Puścił mnie i opadł na belki. Skoczyłem na niego. Tyle tylko, że w miarę narastania jego złości rosła też jego siła. Wezwawszy na odsiecz swą wampirzą naturę, odrzucił mnie z łatwością, niczym snopek siana! Poderwał się, gotów do ataku. Sunął teraz za mną, wypluwając połamane zęby, krew i przekleństwa.

Pojąłem wtedy, że go nie pokonam gołymi rękami, i rozejrzałem się, szukając w ulotnym świetle zmierzchu jakiejś broni. Znalazłem kilka.

Na wysokich blankach, osłaniających zamek od tyłu, umieszczono rząd okrągłych brązowych zwierciadeł, zawieszonych pod różnymi kątami. Dwa czy trzy z nich łapały ostatnie, słabe promienie słońca i odbijały je gdzieś w dolinę. Urządzenia sygnalizacyjne Ferenczyego. Cygan Arwos mówił, że stary Ferengi nie przepada za zwierciadłami ani za słońcem. Nie wiedziałem dokładnie, co miał na myśli, ale przypomniało mi się coś ze starych obozowych legend. Tylko w ten sposób mogłem sprawdzić, czy Faethor jest na to wrażliwy.

Zanim zdołał mnie dopaść, popędziłem przez dach, unikając miejsc, w których belki wydawały się nazbyt zdradliwe. Biegł za mną wielkimi susami, niczym ogromny wilk, ale stanął jak wryty, kiedy zerwałem z haka zwierciadło i odwróciłem się w jego stronę. Żółte ślepia Faethora rozwarły się szeroko. Wyszczerzył zakrwawione zęby, przypominające teraz las połamanych wieżyc. Syknął, a jego rozwidlony język zamigotał między szczękami jak błyskawica.

Uniosłem w dłoniach zwierciadło, z miejsca poznając, czym ono jest. Trzymałem toporną tarczę z brązu, zapewne stary puklerz Waregów. Znalazłem z tyłu uchwyt na dłoń. Tak, wiedziałem, jak jej użyć. Szkoda, że nie wieńczył jej kolec! I nagle, przypadkowo, polerowany brąz wychwycił zbłąkany promień tarczy słonecznej, ginącej za górami i posłał go prosto w oblicze Ferenczyego. Pojąłem, co chciał rzec stary Arwos.

Czując żar słonecznego blasku, wampir skulił się. Zapadł się w sobie, osłonił rozczapierzonymi dłońmi twarz i cofnął się o krok. Natarłem na niego, waląc puklerzem w jego twarz i kopiąc go w lędźwie raz za razem, zmuszając go, by się bardziej cofnął. Kiedy próbował mnie zaatakować, łapałem promień słońca i posyłałem mu go w zęby, nie pozwalając, by doszedł do siebie.

I tak przegnałem go przez cały dach, kopnięciami, uderzeniami tarczy i oślepiającymi promieniami słońca. W pewnej chwili noga bojara zapadła się w przegniłe belki, ale wydobył ją i cofnął się dalej, tocząc pianę i klnąc wściekle. Dotarł wreszcie do parapetu, za którym rozciągało się osiemdziesiąt stóp powietrza, niżej zaś skraj wąwozu i dalsze trzysta stóp niemal stromego stoku, najeżonego gęsto rosnącymi, spiczastymi drzewami. Daleko w dole wił się potok. W sumie – powód do koszmarnego zawrotu głowy.

Faethor zerknął za krawędź parapetu, potem zmierzył mnie wzrokiem pełnym ognia, a może lęku. I właśnie w tym momencie słońce zaszło.

Zmiana nastąpiła natychmiast. Zrobiło się ciemniej, a Ferenczy nadął się niczym wielki, trujący grzyb. Jego twarz wykrzywiła się w potwornym uśmiechu triumfu, który zaraz zdusiłem ostatnim, miażdżącym uderzeniem tarczą.

Faethor przeleciał przez parapet.

Nie mogłem uwierzyć, że go dostałem. To wydawało się bajką. Jeszcze gdy spadał, dopadłem do skraju muru i spojrzałem w dół. I wtedy wydarzyło się... najdziwniejsze. Widziałem go jako ciemną plamę, spadającą w jeszcze większą ciemność. Ale nagle owa plama zmieniła swój kształt. Wydało mi się, że słyszę chrzęst, jakby rozciągało się coś potężnego, jakby trzaskały kostki ogromnych palców, a spadająca ku wąwozowi i drzewom sylwetka rozwinęła się nagle niczym wielka płachta. Nie opadała już tak szybko, nawet nie pionowo. Zdawała się szybować jak liść, odlatywać od murów zamku, poza wąwóz.

Zaświtało mi, że Faethor, obdarzony pełnią swej mocy, mógłby rzeczywiście polecieć, opuścić dach, umykając przede mną. Zaskoczyłem go jednak, a przez wstrząs spowodowany upadkiem stracił cenne chwile. Zbyt późno uległ owej wielkiej przemianie, zbyt późno rozpostarł się jak żagiel, by usidlić wiatr. Kiedy jeszcze wpatrywałem się weń oszołomiony, uderzył o jakiś konar. Ciemna plama, wirując, zwaliła się na gałęzie. Usłyszałem serię trzasków, krzyk i odległy, ostateczny huk. Potem nastąpiła cisza...

Przez długie chwile jeszcze próbowałem przeniknąć mym słuchem narastający mrok. Nic.

I roześmiałem się. Och, jak się śmiałem! Tupałem i waliłem dłońmi w parapet. Dostałem tego starego bękarta, tego Starego Diabła. Naprawdę go dostałem!

Przestałem się śmiać. To prawda, zrzuciłem go z muru. Ale... czy go zabiłem?

Owładnęła mną panika. Nikt chyba nie wiedział więcej ode mnie o tym, jak trudno jest zabić wampira. Charczący, drżący ze strachu Ehrig był na to żywym dowodem. Pospieszyłem do niego. Twarz miał siną, rzemień zagłębił się w jego opuchniętym ciele. Ale czaszka, nadwyrężona w miejscu, w którym zetknęła się z murem, znów była twarda. Kiedy wampir znów się ocknie? Tak czy inaczej, nie mogłem mu ufać. Nie, jeżeli zamierzałem zrobić to, co musiało nastąpić. Byłem zdany tylko na siebie.

Pospiesznie zniosłem Ehriga do naszej celi pod jedną z wież. Tam porzuciłem go i zablokowałem drzwi. Może wampirzy pomiot spod ziemi znajdzie go i pochłonie, nim Ehrig dojdzie do siebie? Nie wiedziałem tego i nie obchodziło mnie to.

Potem obszedłem cały zamek, zapalając lampy i świece, gdzie tylko udało mi się je znaleźć. Od stu lat ruina nie zaznała takiej światłości. Może zresztą nigdy nie jarzyła się takim blaskiem, jakim ja ją obdarzyłem?

Zamek miał dwa wejścia: jedno przez zwodzony most i bramę, z którego skorzystałem, przychodząc tutaj pod strażą wilków Faethora, i które teraz zabezpieczyłem, oraz drugie, wiodące z wąskiej półki na ścianie skalnej od zaplecza, poprzez kryty pomost z belek wątpliwej wytrzymałości, do okna w ścianie drugiej wieży. Zapewne była to droga ucieczki, z której Ferenczyemu nigdy nie przyszło skorzystać. Jeżeli jednak mógł tamtędy wyjść, mógł również wejść. Znalazłem olej, zalałem nim deski, podpaliłem pomost i pozostałem tam dość długo, by się upewnić, że płonie.

Przystawałem niekiedy przy strzelnicach, by popatrzeć na noc. Początkowo dostrzegałem jedynie księżyc i gwiazdy, zbłąkane pasma chmur i srebrzystą dolinę, muskaną czasem przez przelotne cienie. Rozświetlając i zabezpieczając zamek, uświadomiłem sobie jednak, że w dole coś się dzieje. Jakiś wilk w oddali zaniósł się żałobnym wyciem, potem skowyt docierał już z bliższej odległości, a w końcu wyło mnóstwo wilków. Drzewa w wąwozie stały się atramentowo czarne, złowieszcze niczym brama do świata podziemi.

W pierwszej wieży znalazłem drzwi, zamknięte na sztabę i klucz. Może skarbiec? Odciągnąłem zasuwę i pchnąłem je ramieniem. Nie sposób było sprostać im bez klucza, który wyjęto z potężnego zamka i gdzieś ukryto. Przyłożyłem ucho do dębowych desek: z wnętrza dobiegł ukradkowy szelest i... szept?

Może i dobrze, że te drzwi pozostawały zamknięte. Może nie zamknięto ich przed złodziejami, ale żeby coś zatrzymać w środku?

Wspiąłem się do sali, w której Faethor mnie odurzył. Znalazłem swą broń w miejscu, w którym ostatnio ją widziałem. Co więcej, zdjąłem ze ściany potężny topór o długiej rękojeści. Potem, uzbrojony po zęby, wróciłem pod zamkniętą izbę. Tam załadowałem kuszę i umieściłem ją pod ręką, po czym wetknąłem miecz w szczelinę w podłodze, by móc od razu go uchwycić. Ująłem w obie dłonie topór i zataczając wielki łuk, rąbnąłem nim w drzwi. Mój cios naruszył wąską deskę, ale jednocześnie strącił ze skrytki na nadprożu pordzewiały, żelazny klucz.

Pasował do zamka. Już miałem go przekręcić i wejść do izby, kiedy...

Tyle wilczego wycia! I takie głośne, że nawet tutaj docierał do mnie ów potępieńczy chór. Coś się szykowało...

Zrezygnowałem z otwarcia drzwi, zabrałem broń i pospieszyłem kręconymi schodami na wyższy poziom. Wilcze wycie dobiegało ze wszystkich stron, ale najsilniej brzmiało na tyłach zamku. Dość szybko odkryłem, że dobiega od strony płonącego pomostu. Dotarłem tam w samą porę, by ujrzeć, jak jego ogniste szczątki walą się w dół, rozświetlając ciemny wąwóz. Na wąskiej półce, po drugiej stronie rozpadliny, tłoczyły się wilki Faethora.

A za nimi, ukryty w cieniu skały... sam Ferenczy? Włosy zjeżyły mi się na karku. Stał wykrzywiony, niczym dziwacznie zgięty cień. Połamany przez swój upadek? Podniosłem kuszę, ale nie było go już w zasięgu mego wzroku. A może mi się zdawało? Wilki jednak były dość prawdziwe, a wódz ich hordy, ogromny zwierz, stał na krawędzi półki, mierząc wzrokiem szczelinę.

Musiałby przeskoczyć z trzydzieści stóp, co było możliwe, gdyby uzyskał wolną przestrzeń na półce. Ledwie o tym pomyślałem, co mniejsze wilki ustąpiły, znikając w cieniu. Robiły mu miejsce na rozbieg. Przywódca hordy cofnął się znacznie, zawrócił i pognał wielkimi susami w kierunku zamku. Skoczył i w pół lotu napotkał mój bełt, który utkwił dokładnie w jego sercu. Martwy, obił się o krawędź muru i stoczył się w niepamięć. Kiedy podniosłem wzrok, reszta sfory znikała w ciemności.

Wiedziałem jednak, że Ferenczy tak łatwo nie ustąpi.

Wyszedłem na mury i znalazłem tam dzbany oleju oraz kotły, umocowane tak, by można było je przechylić. Rozpaliwszy ogień pod kotłem, napełniłem każdy z nich do połowy olejem i zostawiłem, by tłuszcz zaczął wrzeć. Potem wróciłem pod zamkniętą izbę.

Dochodząc tam, dostrzegłem, że w wybitej przez topór szczelinie wije się szczupła, kobieca ręka, desperacko usiłująca dosięgnąć klucza. Więzień? Kobieta? Przypomniałem sobie słowa starego Arwosa: „Świtę? Sługi? Nikogo nie ma! Może kobietę, dwie, ale żadnych mężów". Tu pojawiała się jakaś sprzeczność – jeżeli ta kobieta była służką, czemu pozostawała w zamknięciu? Żeby uniknąć zagrożenia, skoro w domu pojawił się obcy? Nie pasowało to jednak do tego domostwa.

Żebym ja uniknął zagrożenia?

Przez szczelinę w drzwiach zerkało na mnie oko. Usłyszałem westchnienie i ręka zniknęła we wnętrzu. Nie zwlekając, przekręciłem klucz i otworzyłem drzwi kopnięciem.

Dwie kobiety. Kiedyś musiały być dość ładne.

– Kim... kim ty jesteś? – Jedna z nich zbliżyła się do mnie, nieco zaciekawiona. – Faethor nie mówił nam, że będzie...

Podeszła bliżej, przyjrzała mi się, nie kryjąc fascynacji. Odpowiedziałem jej spojrzeniem. Była blada jak widmo, ale w zapadłych oczach palił się ogień. Rozejrzałem się po izbie. Posadzka przykryta była swojskimi tkaninami, na ścianach wisiały stare zarobaczywiałe gobeliny, poza dwiema sofami i stołem nie było tu mebli. Nie było też okien ani innego źródła światła poza żółtą poświatą, płynącą ze srebrnego świecznika, stojącego na blacie. Pokój urządzony był oszczędnie, ale w porównaniu z resztą zamku okazale. Wydawał się też bezpieczny.

Druga kobieta rozłożyła się na sofie, dość lubieżnie. Wpatrywała się we mnie natarczywie, ale ją zignorowałem. Pierwsza podeszła do mnie. Nieufny, powstrzymałem ją na długość miecza.

– Nie ruszaj się, pani, bo cię zakłuję!

Wściekła się, spojrzała na mnie i syknęła przez ostre jak igły zęby. Teraz i druga kobieta podniosła się z sofy niczym kotka. Obserwowały mnie czujnie, zważały na mój miecz.

– Co z Faethorem? Gdzie on jest? – odezwała się pierwsza, tym razem twardo i lodowato.

– Wasz pan? – zapytałem, wycofując się za drzwi. Z pewnością były wampirzycami. – Przepadł. Macie teraz nowego pana, mnie!

Pierwsza rzuciła się na mnie bez ostrzeżenia. Dałem jej podejść, po czym zdzieliłem rękojeścią miecza. Upadła mi w ramiona. Odepchnąłem ją na bok i zatrzasnąłem drzwi tuż przed nosem drugiej. Zasunąłem sztabę, przekręciłem klucz i schowałem go. Wampirzyca uwięziona wewnątrz szalała i syczała. Podniosłem jej ogłuszoną siostrę, zaniosłem ją do lochu i wrzuciłem za drzwi.

Ehrig przypełzł do mnie. Usunął jakoś rzemień z szyi, białej i spuchniętej, wyglądającej tak, jakby ktoś przejechał nożem po całym jej obwodzie. Jego potylica była dziwnie guzowata, zniekształcona jak u dziwoląga albo kretyna. Ledwo mówił i zachowywał się jak dziecko. Może uszkodziłem mu mózg, a wampir nie zdążył go naprawić?

– Tiborze – wykrztusił zdumiony. – Mój przyjacielu, Tiborze! A Ferenczy? Zabiłeś go?

– Zdradziecki psie! – Skrzywiłem się. – Masz, zabaw się z tym.

Zwalił się na jęczącą kobietę.
– Przebaczyłeś mi! – zawołał.
– Nie, ani teraz, ani nigdy! – odrzekłem. – Zostawiam ją tu, gdyż jest o jedną za dużo. Ciesz się, póki możesz.
Kiedy blokowałem sztabą drzwi, zaczynał już zdzierać z niej i z siebie brudne szmaty.
Wchodząc po spiralnych schodach, znów usłyszałem wilki. Ich pieśń niosła w sobie nutę triumfu. Co teraz?
Jak szaleniec pognałem przez zamek. Masywne wrota u podnóża wieży były zabezpieczone, pomost spalony. Gdzie Ferenczy przypuści swój następny atak? Wypadłem na blanki – w samą porę!
Nad zamkiem krążyło mnóstwo maleńkich nietoperzy. Widziałem je, roje szybujące na tle księżyca, słyszałem chór przenikliwych pisków. Czy tak miał przybyć Faethor: szybując niczym wielki nietoperz, rozpostarte w płachtę cielsko, spadające w ciemności, by mnie zagarnąć? Skuliłem się, patrząc z lękiem w sklepienie nocnego nieba. Nie, na pewno nie. Zranił się podczas upadku i nie doszedł jeszcze do siebie na tyle, żeby podjąć tak wielki wysiłek. Musiała być jeszcze jakaś droga, której nie znałem.
Nie zważając na nietoperze opadające na mnie falami, baczące jednak, by mnie nie zaatakować i nie zderzyć się ze mną, podszedłem do zewnętrznej ściany i spojrzałem w dół. Nie wiem, dlaczego to zrobiłem – żeby wspiąć się na tak stromy mur, trzeba było być kimś więcej niż zwyczajnym człowiekiem. Mogłem wyjść na głupca – Ferenczy nie był wszak zwyczajnym człowiekiem!
Zobaczyłem go: piął się po murze niczym ogromna jaszczurka, potwornie wolno, przywierając płasko do kamieni. Tak, jaszczurka. Jego dłonie i stopy były teraz wielkie jak misy. Przysysały się do ściany. Strwożony, wytężyłem wzrok. Faethor nie dostrzegł mnie jeszcze. Pomrukiwał cicho, a wielka, talerzowata ręka z mlaśnięciem oderwała się od ściany i sięgnęła wyżej. Palce były długie jak sztylety i złączone błoną. Szpony, mogące obedrzeć człowieka do kości równie łatwo jak kurczaka!
Rozejrzałem się w popłochu. Kotły bulgocącego oleju umieszczone były na przeciwległych krańcach dachu, gdzie zawieszony w powietrzu dwór łączył się z wieżami. Któż

bowiem mógłby przypuszczać, że wróg wpełznie pod wiszący tak wysoko pomost, spróbuje wedrzeć się tamtędy, mając pod sobą jedynie przepaść i czekającą w niej pewną śmierć?

Dopadłem do najbliższego kotła i uchwyciłem dłońmi jego krawędź. Potworny ból! Metal rozgrzał się niemiłosiernie.

Zdjąłem pas, na którym wisiał miecz, i przewlokłem go przez rusztowanie podtrzymujące kocioł. Spróbowałem zawlec całe to urządzenie na miejsce, z którego przybiegłem. Olej chlustał na boki, jedna gorąca kropla spadła na mój but. Potem któraś z podpór rusztowania uwięzła w przegniłej desce i musiałem przystanąć, by ją wyciągnąć. Całe urządzenie chybotało wciąż i tarło o belki dachu, nie miałem więc wątpliwości – Faethor musiał słyszeć ów hałas i domyślał się, co robię. W końcu jednak dociągnąłem kocioł na miejsce, z którego wypatrzyłem bojara.

Ostrożnie wychyliłem się za parapet i niemal zderzyłem się z ogromną, błoniastą łapą, która, mijając o cale moją twarz, przyssała się do szczytów blanków!

Och, zadrżałem wtedy! Rzuciłem się na dźwignię kotła, szarpnąłem ją wściekle i ujrzałem, jak wielkie, gorące naczynie przechyla się nad murem. Bryzgi oleju jęły ściekać po zewnętrznej ścianie kotła. Trafiły na palenisko i zajęły się ogniem. Mój but stanął w płomieniach! Nad parapetem pojawiła się twarz Ferenczyego. Rozszalałe płomienie odbijały się w jego oczach. Zęby, znowu całe, połyskiwały biało w rozdziawionych szczękach. Ohydny język się miotał.

Wrzeszcząc, napierałem wciąż na dźwignię. Kocioł przechylił się jeszcze bardziej, zalewając Ferenczyego strugą płonącego oleju.

– Nie! – zaskrzeczał wampir, głucho jak pęknięty dzwon. – Nie!!! Nie!... Nieee...

Niebiesko-żółty ogień nie miał dlań żadnych względów, zignorował ów krzyk przerażenia. Ogarnął wampira, zapalił go jak pochodnię. Faethor oderwał jeszcze ręce od ściany, próbując mnie pochwycić, ale odskoczyłem poza ich zasięg. Wtedy znów wrzasnął i odepchnąwszy się od ściany, skoczył w przepaść.

Obserwowałem tę ognistą kulę, przeszywającą mrok i obracającą go w jasny dzień. Wciąż miałem w uszach wrzask Ferenczyego. Wierne nietoperze podlatywały do niego całymi stadami, usiłując drobnymi ciałami stłumić płomienie, jednakże pęd powietrza odrzucał je z powrotem. Wampir walił się w dół jak pochodnia, a jego krzyk, niczym zardzewiałe ostrze, ciął moje nerwy. Nawet płonąc, Faethor próbował rozwinąć swe skrzydła i znów usłyszałem ów straszliwy odgłos cierpienia. Rozkoszą napawała mnie myśl, jakiego bólu musiał zaznać Ferenczy, kiedy wyschnięta skóra pękała, zamiast się rozciągać, a w powstałe szczeliny wnikał płonący olej!

A jednak niemal postawił na swoim. Znów porwał się do lotu i znów uderzył w drzewo. Wirując i łamiąc gałęzie, zniknął wśród pni.

Zostawił po sobie kilka iskier i płonących strzępów, unoszących się na wietrze, stado opalonych nietoperzy tłoczących się teraz niezdarnie na tle księżyca i nikły swąd zwęglonego mięsa. To wszystko.

Mimo iż nie byłem jeszcze przekonany o jego śmierci, wiedziałem, że tej nocy nie wróci. Nadszedł czas, by uczcić mój triumf.

Ugasiłem ogień, który ogarnął suche belki, zakryłem dopalające się węgle i zmęczony zszedłem do komnat Faethora. Znalazłem mnóstwo dobrego wina, które najpierw ostrożnie sączyłem, a potem piłem z ochotą. Nadziałem na rożen bażanty i skubiąc suchy chleb oraz spłukując go winem, czekałem, aż się upieką. A potem zrobiłem sobie królewską ucztę. Tak, suty to był posiłek, pierwszy od długiego czasu, a mimo to... czegoś mi brakowało. Nie bardzo wiedziałem czego. Byłem głupi, wciąż jeszcze uważałem się za człowieka. Choć, pod pewnymi względami, byłem jeszcze człowiekiem, mężczyzną!

Wziąłem ze sobą kamienny dzban dobrego wina i zszedłem chwiejnie do zamkniętej izby. Kobieta nie miała ochoty mnie przyjąć, ale nie zważałem na to. Wziąłem ją wiele razy. Wchodziłem w nią na tyle sposobów, ile tylko byłem w stanie wymyślić. A kiedy już usnęła, wyczerpana, ja także mogłem zasnąć.

I tym sposobem zamek Faethora Ferenczyego przeszedł w moje ręce...

ROZDZIAŁ DZIESIĄTY

Błękitna aura Harry'ego Keogha płonęła jasno pośród ruin grobowca Tibora, a jego bezcielesny umysł czuwał nad upływającym czasem. W Kontinuum Möbiusa czas znaczył niewiele, ale tutaj, u podnóża Karpat, był bardzo realny, a opowieść dawnego wampira nie znalazła jeszcze swego kresu. Najważniejsza dla Harry'ego, Kyle'a i INTESP część miała dopiero nadejść, lecz Harry był zbyt mądry, by uciekać się do bezpośrednich pytań o to, czego pragnął się dowiedzieć. Mógł jedynie nalegać, by Tibor doprowadził swoją historię do gorzkiego końca.

– Mów dalej – ponaglił go, kiedy milczenie wampira zaczęło się przedłużać.

– *Co? Mam mówić dalej?* – zdziwił się Tibor. – *Cóż można jeszcze dopowiedzieć? Wiesz już wszystko.*

– A mimo to chciałbym usłyszeć resztę. Czy pozostałeś w zamku, jak przykazał Faethor, czy też wróciłeś do Kijowa? Kres twych dni zastał cię tu, na Wołoszczyźnie, pośród tych wzgórz. Jak do tego doszło?

– *Nadszedł chyba czas, żebyś ty coś mi opowiedział. Zawarliśmy układ, Harry.* – Tibor westchnął po tych słowach.

– *Ostrzegałem cię, Harry Keogh!* – wtrącił się duch Borysa Dragosaniego. – *Nigdy nie układaj się z wampirem. Za każdym razem Diabeł bierze zapłatę...*

Harry wiedział, że Dragosani ma słuszność. Poznał spryt Tibora z pierwszej ręki: trzeba było wielkiego sprytu, żeby pokonać Faethora Ferenczyego.

– Umowa jest umową – rzekł. – Kiedy Tibor skończy, i ja powiem swoje. No już, Tiborze, posłuchajmy reszty opowieści.

– *Niech i tak będzie* – rzekł wampir. – *Oto, co było dalej...*

*

* *

Coś mnie obudziło. Zdawało mi się, że usłyszałem, jak ktoś rąbie drzewo. Umysł i ciało nie doszły jeszcze do siebie po nocnych wyczynach – wyczynach, z których jednym zaledwie było pokonanie Faethora – ale mimo to wyrwałem się ze snu. Leżałem nagi na sofie owej damy. Kobieta odeszła od zamkniętych drzwi. Zbliżyła się do mnie, dziwnie uśmiechnięta, trzymając dłonie za plecami. Mój otumaniony umysł nie dostrzegł żadnego powodu do niepokoju. Gdyby chciała uciec, bez trudu mogła odnaleźć klucz w moich szmatach. Ledwie jednak usiadłem, wyraz jej twarzy zmienił się, nasycił nienawiścią i żądzą. Nie ludzką żądzą, jakiej doświadczyła tej nocy, ale nienaturalnym łaknieniem, właściwym wampirom. Zobaczyłem jej ręce. Jedna z nich zaciśnięta była na dębowej drzazdze, wyrwanej z roztrzaskanej deski w drzwiach. Ostry, drewniany sztylet!

– Nie wbijesz kołka w me serce, pani – rzekłem, wytrącając drzazgę z jej dłoni.

Ubierając się, słyszałem syki i warkot, dobiegające z kąta, w który wepchnąłem wampirzycę. Wyszedłem z izby i zamknąłem drzwi na klucz. Będę musiał nauczyć się ostrożności. Kobieta mogła bez trudu wyślizgnąć się z izby i otworzyć bramę Faethorowi – o ile jeszcze żył. Najwidoczniej bardziej zależało jej na skończeniu ze mną niż na zadbaniu o niego. Może i był jej panem, ale nie można powiedzieć, że sprawiało jej to przyjemność!

Sprawdziłem zabezpieczenia zamku. Wszystko wyglądało tak, jak to zostawiłem. Potem zajrzałem do Ehriga i drugiej kobiety. Początkowo myślałem, że walczą, ale myliłem się...

Poszedłem na mury. Przez ciemne chmury, ciężkie od deszczu, słabo prześwitywało słońce. Wydawało mi się, że krzywi się na mój widok. Dotyk jego promieni, muskających me nagie ramiona i kark, nie wzbudził we mnie zachwytu i z przyjemnością po chwili zszedłem na dół. Pojąwszy, że jestem panem własnego czasu, poświęciłem go na dokładniejsze zbadanie zamku.

Szukałem łupów i znalazłem je. Trochę złota, bardzo starego, głównie talerze i kielichy, mieszek klejnotów, szkatułę, pełną pierścieni, naszyjników, bransolet i innych cudów z najcenniejszych kruszców. Dosyć, by zapewnić mi dostatnie życie, a przynajmniej czas, który przeżyłbym, będąc człowiekiem. Odkryłem też, że zamek pełen jest pustych izb, wyżartych przez korniki mebli, robaczywych kobierców, przesyconych atmosferą smutku i rozkładu. Przytłaczała mnie ta aura, postanowiłem więc wyruszyć w drogę, jak tylko będzie to możliwe. Ale najpierw musiałem zyskać pewność, że Ferenczy nie czyha gdzieś na mnie.

Wieczorem najadłem się i zapadłem w drzemkę przed paleniskiem, w komnacie Faethora. Nadciągająca noc przyniosła ze sobą drażniące, uciążliwe myśli, nieokreślony niepokój. Wilki znów wyły, ale ich skowyt zdawał się smętny i odległy. Nietoperze nie pojawiły się. Ogień mnie usypiał...

– *Tiborze, mój synu!* – odezwał się jakiś głos. – *Strzeż się!*

Zbudziłem się natychmiast, podniosłem się i chwyciłem za miecz.

– *Ha, ha, ha!* – roześmiał się ten sam głos, ale nikogo nie widziałem.

– Któż to? – krzyknąłem, wiedząc już, z kim mam do czynienia. – Wyjdź, Faethorze. Wiem, że tu jesteś!

– *Nic nie wiesz. Podejdź do okna.*

Rozejrzałem się spłoszony. Salę wypełniały cienie, tańczące w blasku ognia, ale poza mną nie było w niej nikogo. I nagle dotarło do mnie, że słysząc głos Ferenczyego, właściwie go nie „usłyszałem". Przyszedł do mnie jako myśl, cudza myśl.

– *Podejdź do okna, głupcze!* – powtórzył głos. Raz jeszcze przeszedł mnie dreszcz.

Poruszony, podszedłem do okna, szarpnąłem zasłony na bok. Na zewnątrz pojawiły się gwiazdy i wschodził księżyc, a od strony odległych szczytów dobiegło wilcze wycie.

– *Patrz!* – domagał się głos. – *Patrz!*

Odwróciłem głowę, ulegając chyba jego woli. Podniosłem wzrok na odległe pasmo górskie, rysujące się czernią na tle zachodzącego szybko słońca. Nagle coś tam błysnęło, chwytając ostatnie promienie i wypuszczając je w moją stronę. Oślepiony ich blaskiem, zasłoniłem oczy ramieniem i umknąłem chwiejnie.

– *Ha, ha! Zobacz, jak to boli, Tiborze. Skosztuj swego własnego leku. Słońce, które ongiś było twoim przyjacielem, już nim nie jest.*

– Nie bolało! – krzyknąłem w próżnię, podchodząc znów do okna i wygrażając pięścią. – Zaskoczyło mnie tylko. To naprawdę ty, Faethorze?

– *A któż by inny? Myślałeś, że jestem martwy?*

– Pragnąłem twojej śmierci!

– *Zatem słabo pragnąłeś.*

– Któż ci towarzyszy? – zapytałem, dopasowując się do tej dziwnej rozmowy. – Twoje kobiety należą teraz do mnie. Kto bawi się zwierciadłem, nadając sygnały, Faethorze? Ty wolisz trzymać się z dala od słońca.

Zwierciadło znów błysnęło. Odsunąłem się na bok.

– *Moi idą tam, gdzie ja* – odpowiedział głos. – *Będą dbali o me popalone, sczerniałe ciało, aż znów stanie się całe. To starcie wygrałeś, Tiborze, ale bitwa jeszcze nierozstrzygnięta.*

– Miałeś szczęście, stary bękarcie! – stwierdziłem. – Następnym razem, nie będzie ci tak sprzyjać.

– *Posłuchaj teraz.* – Zignorował mą chełpliwość. – *Wznieciłeś mój gniew. Zostaniesz za to ukarany. Stopień kary zależy od ciebie. Jeśli zostaniesz na straży moich ziem, zamku i wszystkiego, co do mnie należy, dopóki nie wrócę, może okażę ci łaskę. Opuścisz mnie...*

– I co?

– *I poznasz, czym jest wieczna udręka w piekle. To ci przysięgam ja, Faethor Ferenczy!*

– Faethorze, jestem panem samego siebie. Nawet jeśli to coś we mnie miało ci służyć, nigdy nie nazwę cię swym władcą. Musisz to już wiedzieć, zrobiłem bowiem, co mogłem, by cię zniszczyć.

– *Tiborze, wciąż tego nie pojmujesz, ale dałem ci wiele, ogromną potęgę. I dałem ci również ogromną słabość. Pospolici ludzie po śmierci spoczywają w spokoju. Przynajmniej większość...*

Groził mi czymś i wiedziałem o tym. To kryło się w jego głosie. Szeptał, że jestem skazany.

– Co masz na myśli? – zapytałem.

– *Przeciwstaw mi się, a sam to odkryjesz. Przysiągłem. A teraz żegnaj!*

Już go nie było.

Zwierciadło raz jeszcze zamigotało, jak gwiazda na odległej grani, a potem również znikło...

*

* *

Miałem już dość wampirów i wampirzyc. Zamknąłem swą kochankę w lochu, wraz z jej siostrą, Ehrigiem i potworem spoczywającym w ziemi, i usadowiłem się przy ogniu w komnacie Faethora, by się przespać. Nadszedł świt i nic mnie już tutaj nie trzymało. Z wyjątkiem... Tak, pewne sprawy musiałem jeszcze załatwić. Ferenczy zagroził mi, a ja nie zostawiałem gróźb bez odpowiedzi.

Wyszedłem z zamku, upolowałem z kuszy dwa tłuste króliki i zaniosłem je do lochu. Pokazałem je Ehrigowi, powiedziałem mu, czego chcę i że musi mi w tym pomóc. We dwóch mocno związaliśmy i zakneblowaliśmy kobiety, porzucając je w jednym z kątów celi. Potem, pomimo głośnych protestów Ehriga, i jego spętałem, zatykając mu usta. Dołączył do kobiet. Rozprułem brzuchy królikom i rzuciłem ich szkarłatne zwłoki na czarną glebę, w miejscu, z którego wydarto kamienne płyty.

Pozostało mi czekać, ale nie trwało to długo. Po chwili, znęcona świeżą krwią, wyłoniła się ohydna macka. Rozpychając grudki ziemi, przebiła się na powierzchnię i w okamgnieniu zdobyłem to, co chciałem. Zostawiłem kobiety i Ehriga w pętach, zablokowałem sztabą drzwi i udałem się na parter wieży. Schody, wiodące do lochu, oplatały kamienną kolumnę. Obłożyłem ją połamanymi wcześniej meblami, usypałem wokół niej stos. Obszedłem zamek, łamiąc wszystkie sprzęty, jakie znalazłem, i obdzielając nimi wieże. Potem skąpałem w oleju belki dachu, rozlałem go w głównej sali oraz w innych izbach i spłukałem nim schody. Upłynęło pół ranka, nim skończyłem tę pracę.

Dźwigając swój łup, opuściłem zamek. Odszedłem kawałek, by przyjrzeć się mu po raz ostatni, a potem zawróciłem i podłożyłem ogień pod drzwi i zwodzony most. Nie oglądając się już więcej, ruszyłem w drogę powrotną do Mufo Aldo Ferenc Jaborow.

Około południa napotkałem swych pięciu Wołochów, szukających mnie. Zauważyli, że schodzę ze zbocza, i zaczekali w skalnej wnęce u podnóża ściany.

– Witaj, Tiborze – rzekł ich przywódca, kiedy dołączyłem do nich. Rozejrzał się. – Nie ma z tobą Ehriga i Wasiliego?

– Zginęli. – Wskazałem głową szczyt. – Tam. – Spojrzeli w owym kierunku i zobaczyli kolumnę dymu, bijącą w niebo na kształt jakiegoś dziwnego grzyba. – Dom Ferenczyego – wyjaśniłem. – Podpalony przeze mnie.

Potem spojrzałem na nich bardzo surowo.

– Dlaczego tak zwlekaliście z poszukiwaniami? Ile czasu minęło? Pięć, sześć tygodni?

– To przez tych przeklętych Cyganów – warknął zapytany. – Kiedy zbudziliśmy się rano, po waszym odejściu, wioska była niemal opustoszała. Zostały tylko kobiety i dzieci. Próbowaliśmy dowiedzieć się, co się stało, ale wyglądało na to, że nikt nic nie wie lub nie chce nam powiedzieć. Odczekaliśmy dwa dni, potem ruszyliśmy waszym śladem. Ale na drodze czekali tamci Cyganie. Nas było pięciu, ich przeszło pięćdziesięciu. Zatarasowali drogę i mieli przewagę. Kryli się za skałami. – Niechętnie wzruszył ramionami, próbując nie wyglądać na zakłopotanego. – Tiborze, nie mogliśmy ryzykować dla kogoś, kto mógł już nie żyć!

– A jednak wyruszyliście? – zapytałem spokojnie.

– Ponieważ odeszli. – Znów wzruszył ramionami. – Kiedy nas zatrzymali, zawróciliśmy do tak zwanej „wioski". Wczoraj rano zaczęły ją opuszczać kobiety i dzieci. Wymykały się pojedynczo i parami, małymi grupkami, tędy i owędy. Milczały i wyglądały smętnie, jakby szły na pogrzeb lub coś w tym rodzaju! Gdy słońce stanęło w zenicie, wioska była już pusta, pozostał jedynie stary, zdziadziały wódz, „książę", jak o sobie mówił, ze swoją babą i garstką wnucząt. Nic nie gadał, wyglądał zresztą na półgłówka. Ruszyliśmy więc sami, bacząc, gdzie się skryć w razie napaści, i odkryliśmy, że mężczyźni odeszli. Postanowiliśmy więc, że was poszukamy. Choć, prawdę mówiąc, od dawna już mieliśmy cię za martwego!

– Byłem tego bliski – odrzekłem. – Ale żyję. Masz. – Rzuciłem mu skórzaną sakwę. – Będziesz ją niósł. A ty dźwigaj to. – Wręczyłem innemu swoje łupy. – Jest ciężkie, a ja już dość z tym przeszedłem. Zadanie, które nas tu przywiodło, zostało wykonane. Dziś przenocujemy w wiosce, jutro zaś wracamy do Kijowa, na spotkanie z kłamliwym, podstępnym, nikczemnym kniaziem Włodzimierzem Światosławiczem!

– Och! – Mój rozmówca odsunął od siebie sakwę na długość wyciągniętej ręki. – Tam jest jakieś zwierzę. Rusza się.

Zaśmiałem się ponuro.

– Tak, uważaj na nie, a wieczorem wsadź je z workiem do jakiejś skrzynki. I lepiej śpij z dala od niej...

Zeszliśmy do wioski. Idąc, słyszałem, jak rozmawiają, głównie o problemach, jakie mieli z Cyganami. Wspomnieli o puszczeniu wioski z dymem. Nie chciałem nawet o tym słyszeć.

– Nie – zakazałem im. – Cyganie są na swój sposób lojalni. Lojalni wobec swego pana. Zresztą odeszli, i to na dobre. Jakiż więc zysk z palenia pustej wioski?

Nie wspomnieli o tym więcej...

Tego wieczoru zaszedłem przed chatę starego cygańskiego księcia i wywołałem go. Wyszedł na chłód i powitał mnie. Podszedłem bliżej. Spojrzał na mnie baczniej i usłyszałem, że zaparło mu dech.

– Stary wodzu – powiedziałem. – Moi ludzie chcieli spalić wieś, ale ich powstrzymałem. Nie mam zatargów z tobą ani z Cyganami.

Był niemal brązowy i pomarszczony jak stary pień, bezzębny i przygarbiony. Miał skośne, ciemne oczy i chyba słaby wzrok, byłem jednak pewien, że mnie widział. Dotknął mnie trzęsącą się dłonią i złapał mocno nad łokciem.

– Wołoch? – zapytał.

– Jestem Wołochem i wkrótce wrócę do mej ojczyzny – odpowiedziałem.

– Ty – Ferengi! – To nie było pytanie.

– Zwę się Tibor – oznajmiłem. I pod wpływem jakiegoś impulsu dodałem: – Tak, Tibor... Ferenczy.

Znów skinął głową.

– Ty... Wampyr?

Chciałem zaprzeczyć, ale się zawahałem. Jego wzrok wwiercił się w moje oczy. Stary Cygan wiedział. Ja również, teraz już byłem pewien.

– Tak – potwierdziłem. – Wampyr.

Raptownie nabrał powietrza, wypuścił je powoli.

– Dokąd pójdziesz, Tiborze Wołochu, synu Starego? – zapytał.

– Jutro wyruszam do Kijowa – odpowiedziałem posępnie. – Mam tam sprawę. A potem – do domu.

– Sprawę? – zarechotał. – Ach, sprawę!

Puścił moje ramię i spoważniał.

– Ja także ruszę na Wołoszczyznę. Tam jest wielu Cyganów. Potrzebujesz Cyganów. Znajdę cię tam.

– Świetnie – odpowiedziałem.
Cofnął się, odwrócił i zniknął w swojej chacie...

*
* *

Kiedy wyłoniliśmy się z lasu pod Kijowem, był już wieczór. Znalazłem na podgrodziu oberżę, gdzie mogliśmy wypocząć i kupić bukłak wina. Wysłałem czterech z mej piątki do miasta. Wkrótce wrócili, wiodąc za sobą co znaczniejszych wojowników z mojej wieśniaczej armii, a przynajmniej tych, którzy w niej zostali. Połowę Włodzimierz znęcił na swą stronę, walczyła teraz przeciw Pieczyngom, reszta jednak pozostała mi wierna, czekała w ukryciu na mój powrót.

W mieście przebywała zaledwie garstka wojów Wlada; nawet straż pałacową wysłał na tę wojnę. Księcia chroniła nieliczna grupa, jego przyboczni. Oto część nowin, reszta brzmiała jeszcze bardziej obiecująco: tego dnia miała się odbyć w pałacu mała uczta na cześć jakiegoś służalczego bojara. Wysłałem sobie zaproszenie.

Do pałacu przybyłem sam, a przynajmniej tak to musiało wyglądać. Przemierzyłem ogród, kierując się dobiegającymi z wielkiej sali odgłosami hulanki i wybuchami śmiechu. Zbrojni zastąpili mi drogę. Przystanąłem, przyglądając się im.

– Kto idzie? – spytał dowódca straży.

– Tibor z Wołoszczyzny, książęcy wojewoda – przedstawiłem się. – Kniaź wysłał mnie w pewnej misji, z której właśnie wracam.

Całą drogę do pałacu brodziłem w błocie, rozmyślnie. Kiedy byłem tutaj poprzednio, Wlad kazał mi przyjść w najlepszym stroju, bez broni, byłem wykąpany i lśniący. Teraz zaś stałem przed nimi w pełnym rynsztunku, nieogolony i brudny, a moje kosmyki były w nieładzie. Cuchnąłem gorzej niż wieśniak i byłem z tego rad.

– Chcesz wejść tam w takim stanie? – zdumiał się dowódca straży. Zmarszczył nos. – Człowieku, wykąp się, załóż świeże szaty i zostaw broń!

– Twoje imię? – Spojrzałem nań groźnie.

– Co takiego? – Cofnął się o krok.

– Dla księcia. Utnie jaja każdemu, kto przeszkodzi mi tej nocy. A jeśli ci ich brak, zadowoli się twą głową! Nie pamiętasz mnie? Poprzednim razem przyszedłem do cerkwi, niosąc worek kciuków. – Pokazałem mu skórzaną sakwę.

Pobladł.

– Teraz pamiętam. Ja... powiadomię kniazia. Zaczekaj tu.

Złapałem go za ramię, przyciągnąłem do siebie. Rozchyliłem zęby w wilczym uśmiechu.

– Nie, ty tu zaczekasz! – syknąłem.

Spomiędzy drzew wyłonił się tuzin mych ludzi, przekazujących sobie wzajemnie znak ciszy. Szybko uporali się ze strażnikami.

Ruszyłem dalej, bez przeszkód wchodząc do pałacu i do wielkiej sali. Co prawda dwóch potężnych wojowników księcia zaczepiło mnie pod drzwiami, ale odepchnąłem ich tak silnie, że niemal upadli, i zanim zdołali cokolwiek uczynić, znalazłem się pomiędzy biesiadnikami. Wyszedłem na środek sali. Przystanąłem, powoli rozejrzałem się, marszcząc brwi. Gwar ucichł. Nastało niespokojne milczenie. Gdzieś tam zachichotała jakaś dama, ale zaraz umilkła.

Tłum cofnął się przede mną. Kilka pań bliskich było omdlenia. Czuć mnie było łajnem, ale dla moich nozdrzy zapach ten był świeży i piękny, daleko wspanialszy niż odór dworaków.

Ludzie rozstąpili się i zobaczyłem księcia, siedzącego za stołem zastawionym jadłem i napitkiem. Kiedy mnie zauważył, uśmiech zniknął z jego twarzy jak ołowiana maska. Rozpoznał mnie w końcu. Poderwał się.

– Ty!

– Nie kto inny, mój kniaziu. – Skłoniłem się, po czym stanąłem prosto.

Nie mógł znaleźć właściwych słów. Twarz mu purpurowiała.

– To jakiś żart? Idź precz... precz! – Wskazał drżącą ręką drzwi. Zobaczyłem, że zaczynają otaczać mnie wojownicy z dłońmi na rękojeściach mieczy. Dopadłem do stołu Wlada, skoczyłem na blat i wydobyłem swe ostrze, kierując je ku piersi kniazia.

– Powiedz, by się nie zbliżali! – warknąłem.

Podniósł ręce i strażnicy cofnęli się. Kopniakiem rozrzuciłem misy i puchary, robiąc na stole miejsce. Rzuciłem tam swą sakwę.

– Są tu twoi greccy księża?

Przytaknął i wskazał ich. Podeszli, okryci swoimi mnisimi szatami. Ręce im dygotały i szwargotali coś po swojemu. Było ich czterech.

Książę pojął w końcu, że jego życie wisi na włosku. Zerknął na ostrze miecza, oparte lekko o jego pierś, spojrzał na mnie, zacisnął zęby i usiadł. Mój miecz wciąż mu towarzyszył. Pobladły kniaź opanował się wreszcie.

– Co to ma znaczyć, Tiborze? Chcesz, by cię oskarżono o zdradę? Odłóż miecz i porozmawiajmy – powiedział, przełykając ślinę.

– Miecz zostanie tam, gdzie jest, a czasu starczy jedynie na moją przemowę – odparłem.

– Ale...

– Posłuchaj teraz, kijowski kniaziu. Wysłałeś mnie na pewną śmierć i dobrze o tym wiedziałeś. Co? Ja i siedmiu mych ludzi przeciwko Faethorowi Ferenczyemu i jego Cyganom? Przedni żart! Korzystając z mej nieobecności, mogłeś przekabacić mych wojów, a gdyby, jakimś cudem, mi się powiodło... tylko byś na tym zyskał. Gdybym zaś nie podołał zadaniu, na co liczyłeś, niewielką poniósłbyś stratę. – Spojrzałem gniewnie. – To była zdrada!

– Ale... – powtórzył drżącymi wargami.

– Ale oto tu stoję, żywy i cały, a gdybym się nieco mocniej oparł na mieczu i zabił cię, prawo byłoby za mną. Nie twoje prawo, ale moje. Och, nie trwóż się, nie zamierzam cię zabić. Wystarczy, że wszyscy tu obecni dowiedzą się o twojej zdradzie. A co do mego „zadania", pamiętasz jeszcze, co rozkazałeś mi uczynić? Powiedziałeś: „Dostarcz mi głowę Ferenczyego, jego serce i sztandar". W tej właśnie chwili jego sztandar powiewa nad pałacowym murem. Jego i mój, gdyż uznałem go za swój własny. Jeżeli chodzi o głowę i serce, spisałem się jeszcze lepiej. Przyniosłem ci samo sedno Ferenczyego!

Wzrok kniazia Włodzimierza padł na leżącą przed nim sakwę, a jeden z kącików jego ust zadrgał nieco.

– Otwórz to – poleciłem mu. – Wysyp. A wy, kapłani, podejdźcie tu bliżej. Zobaczycie, co wam przyniosłem.

Pośród szeregów dworzan i gości wypatrzyłem zbliżających się ludzi o zawziętych twarzach. Nie mogłem już przedłużać tej wizyty. Niedaleko od miejsca, gdzie stałem, wysokie okno otwierało drogę na balkon, a dalej był już tylko ogród. Drżące dłonie Włodzimierza niemal dotykały sakwy.

– Otwórz ją! – warknąłem, szturchając go mieczem. Podniósł worek, szarpiąc za rzemień, i wywalił jego zawartość na stół. Wszyscy wpatrywali się w nią ze zgrozą.

– Samo sedno Ferenczyego! – syknąłem.

Strzęp nie był większy od szczenięcia, ale miał ohydny kolor i kształty rodem z koszmarnego snu. Właściwie nie kształty, a ich potworne zarysy. Mógł być ślimakiem, płodem, jakimś dziwacznym smokiem. Wił się w świetle, wysuwając ruchliwe palce i jedno oko. Potem pojawiła się paszcza o krzywych, ostrych zębach. Oko było miękkie i wilgotne od śluzu. Rozglądało się, a paszcza kłapała.

Wlad siedział nieruchomo, blady jak trup, z groteskowym grymasem na twarzy. Roześmiałem się, kiedy wampirzy pomiot podpełzł w jego stronę, a kniaź wrzasnął i przewrócił się wraz z krzesłem. Stwór nie zamierzał uczynić mu krzywdy, w ogóle nic nie zamierzał. Większy i głodny, mógłby okazać się niebezpieczny. I nawet na tym etapie byłby groźny, przebywając w ciemnej izbie, sam na sam ze śpiącym człowiekiem, ale nie tutaj, w pełnym świetle. Wiedziałem o tym, ale tej wiedzy brakowało Włodzimierzowi i jego dworakom.

– *Vrykoulakas, vrykoulakas!* – rozwrzeszczeli się greccy kapłani. Mimo iż zaledwie garstka wiedziała, co znaczy to słowo, w sali zapanował wściekły popłoch. Kobiety wrzeszczały, mdlały, wszyscy uciekali od wielkiego stołu, goście tłoczyli się przy drzwiach. Przyznać jednak należało, że Grecy wiedzieli, co trzeba robić. Jeden z nich złapał za sztylet i przygwoździł potwora do stołu. Ten natychmiast spłynął z ostrza, jak woda. Kapłan przybił go po raz wtóry.

– Przynieście ogień, spalcie to! – krzyczał.

Osłonięty przez wszechobecny zamęt, zeskoczyłem ze stołu, rzuciłem się do okna i dalej, na niski balkon. Kiedy przelatywałem nad balustradą, spadając do ogrodu, w oknie za mną pojawiły się dwie groźne twarze. Przyboczni wojownicy Wlada, teraz kiedy niebezpieczeństwo już minęło, stali się dzielni i zaciekli. Tyle że dla nich nie minęło. Obejrzałem się. Wypadli obaj na balkon.

Sprawnie potrząsali mieczami, a ja przypadłem do ziemi. Nad mą głową świsnęły strzały, wypuszczone z ciemnego ogrodu. Jeden ze strażników został trafiony w krtań, drugi w czoło. Z sali dobiegły teraz ryki, ale nikt więcej mnie nie ścigał. Uśmiechnięty szeroko odszedłem...

Obozowaliśmy tej nocy w lesie za miastem. Wszyscy moi ludzie spali, nie wystawiłem straży. Nikt się nie zbliżył.

W świetle poranka przejechaliśmy powoli przez miasto, potem skręciliśmy, kierując się na zachód, na Wołoszczyznę. Mój nowy sztandar trzepotał jeszcze na maszcie, nad pałacowym murem. Wyglądało na to, że nikt nie śmiał go zdjąć, póki byliśmy w pobliżu. Zostawiłem im go na pamiątkę: Smoka ujeżdżanego przez Nietoperza i górujący nad nimi, jaskrawoczerwony diabelski łeb, znak rodu Ferenczyego. Następne pięćset lat spędziłem pod tym godłem...

*

* *

– *I to już koniec mojej opowieści* – rzekł Tibor. – *Twoja kolej, Harry Keogh.*

Harry poznał odpowiedź na kilka pytań, ale wciąż nie wiedział wszystkiego.

– Zostawiłeś Ehriga i kobiety płomieniom na żer – stwierdził Harry z niesmakiem. – Kobiety-wampirzyce, to chyba jeszcze mogę zrozumieć. Choć czy tak trudno było dać im godną śmierć? Czy naprawdę musiały... spłonąć? Mogłeś ułatwić im odejście. Mogłeś...

– *Uciąć im głowy?* – W głosie Tibora nie było żadnej troski. Tak jakby wzruszył ramionami.

– A Ehrig? Był przecież twoim przyjacielem!

– *Kiedyś tak. Ale tysiąc lat temu panowały trudne czasy, Harry. Co więcej, mylisz się – nie zostawiłem ich płomieniom na żer. Przebywali głęboko pod wieżą. Połamane meble, z których usypałem stos wokół głównej kolumny, miały doprowadzić do jej zawalenia, do zasypania jej na zawsze. Nie, nie spaliłem ich, po prostu – pogrzebałem!*

Słysząc posępny, złowieszczy ton Tibora, Harry wzdrygnął się.

– To jeszcze gorzej – powiedział.

– *Chciałeś rzec: lepiej* – zaoponował Potwór. – *O wiele lepiej, niż zamierzałem. Nie miałem wówczas pojęcia, że będą żyli tam wiecznie. Ha, ha! Czujesz grozę tego, Harry? Są tam nawet w tej chwili. Owszem, jako mumie, ale na swój sposób żywi. Wyschnięci do cna, kawałki starych kości, skóry, chrząstek i...*

Tibor umilkł nagle. Wyczuł duże zainteresowanie Harry'ego, ów ciepły, a jednocześnie wykalkulowany sposób, w jaki nekroskop zdobywał wszelkie informacje i analizował je. Harry więc spróbował wycofać się troszkę, zamknąć swój umysł przed dawnym wampirem. Tibor i to wyczuł.

– *Odniosłem wrażenie, że powiedziałem już zbyt wiele* – oznajmił. – *Pewnym wstrząsem jest dla mnie świadomość, że nawet ktoś martwy musi strzec swych myśli. Twoje zainteresowanie moimi losami nie jest przypadkowe, Harry. Co się za nim kryje?*

Dragosani, milczący już od jakiegoś czasu, wybuchnął śmiechem.

– *Czyż to nie oczywiste, Stary Diable?* – zapytał. – *Przechytrzył cię. Dlaczego się tym interesuje? Bo na świecie są wampiry, na jego świecie, i to teraz! Oto jedyna odpowiedź. Harry Keogh przybył tu, żeby wyciągnąć od ciebie wszystko, co ich dotyczy. Musi to zgłębić – dla dobra swojej organizacji, dla dobra świata. I powiedz mi teraz, czy naprawdę musi ci jeszcze tłumaczyć, co dzieje się z tym niewiniątkiem, które przeciągnąłeś na swoją stronę, gdy było jeszcze w matczynym łonie? Już ci to powiedział! Ten chłopiec żyje i jest wampirem!* – Głos Dragosaniego ucichł.

Pod nieruchomymi drzwiami, gdzie jedynie poświata Harry'ego zakłócała ciemność, sygnalizując rozgrywający się tu dramat, zapadła cisza. Przerwał ją raz jeszcze Tibor.

– *Czy to prawda? On żyje? Czy jest...?*

– Tak – powiedział Harry. – Żyje, jako wampir, jak dotąd.

Tibor zignorował sugestie zawarte w ostatnich słowach.

– *Ale skąd wiesz, że jest... Wampyrem?*

– Stąd, że jego zło już się objawiło. I dlatego właśnie musimy z nim skończyć, ja oraz inni, działający w imię tej sprawy. Musimy go zniszczyć, zanim „przypomni" sobie o tobie i wyruszy, by cię odnaleźć. Dragosani powiedział, że chcesz znów wejść pomiędzy żywych, Tiborze. Jak zamierzasz tego dokonać?

– *Dragosani to zadziorny głupiec, o niczym nie ma pojęcia. Ogłupiłem go i ty go ogłupiłeś, na tyle skutecznie, że doprowadziło go to do klęski. Nawet dziecko może zrobić z niego durnia! Nie zważaj na niego.*

– *Ha!* – krzyknął Dragosani. – *Ja głupcem? Posłuchaj mnie, Harry Keogh, a powiem ci dokładnie, jak ten stary, chytry diabeł zamierza wykorzystać to, co stworzył. Najpierw...*

– *Milcz!* – rozsierdził się Tibor.

– *Nie mam zamiaru!* – zawołał Dragosani. – *Tobie zawdzięczam to, że jestem tutaj jako duch, nicość! Mam leżeć spokojnie, kiedy ty szykujesz się do wyjścia? Posłuchaj, Harry. Kiedy ten młodzik...*

Tibor nie dał mu powiedzieć więcej. Wszystko zagłuszył potworny psychiczny harmider, taka eksplozja telepatycznego skowytu, że Harry nie zdołał wyłowić z niej nawet jednego słowa. Tiborowi pomagał w tym Maks Batu. Martwy Mongoł sprzymierzył się z dawnym wampirem przeciwko temu, który go zabił.

Telepatyczna kakofonia narastała wciąż, była nie do zniesienia. Za życia Maks Batu potrafił koncentrować swą nienawiść w spojrzeniu, które niosło śmierć. Nawet w grobie nie utracił nic ze swej zdolności koncentracji. Psychiczny jazgot, wytworzony przezeń, był straszliwszy niż wrzaski Tibora. A skoro nie wchodzi tu w grę wysiłek fizyczny, Mongoł mógł to zapewne ciągnąć w nieskończoność. Dragosani był, dosłownie, zakrzykiwany.

Harry spróbował jeszcze przekrzyczeć całą trójkę.

– Jeśli odejdę teraz, nie wrócę, możecie być tego pewni!

Wiedział jednak, że ta groźba straciła jakąkolwiek wartość. Tibor walczył wrzaskiem o życie, o takie życie, jakiego nie zaznał od pięciuset lat, od dnia swego pogrzebu. Nawet gdyby tamci umilkli, on wyłby nadal.

Zresztą było już zbyt późno.

Harry poczuł pierwsze szarpnięcie siły, której nie potrafił się oprzeć, siły, która przyciągała go, jak biegun północny igłę kompasu. Harry Junior znów się wiercił, budził się o stałej porze karmienia. Na najbliższą godzinę ojciec będzie musiał stopić się ponownie z id swego maleńkiego syna.

Szarpanie nasilało się, zamieniało się w zagarniający Harry'ego odpływ. Nekroskop odnalazł drzwi Möbiusa i ruszył ku nim.

W chwili, gdy wchodził w kontinuum, zbudziło się coś ukrytego pod ziemią, zasłaną szczątkami grobowca. Przypuszczał, że może to wszechobecny chaos myślowy wyczuł znaczenie tej chwili. W każdym razie coś poruszyło się i Harry Keogh to zobaczył. Wielkie kamienne bloki zostały zepchnięte na bok, korzenie drzew trzasnęły głośno, przesuwało się pod nimi coś masywnego. Ziemia wybuchła czarnymi grudami, ustępując przed macką, niemal tak grubą jak beczka, i strzeliła na wysokość wierzchołka drzew. Macka roztrąciła najwyższe gałęzie, po czym znów zniknęła w glebie.

Harry zarejestrował tę scenę i przeszedł przez drzwi, zanurzając się w Kontinuum Möbiusa. Mimo iż bezcielesny, drżał jeszcze, kiedy mknął przez hipotetyczne dotąd przestrzenie ku umysłowi swego syna. „Rzeczywiście, trzeba oczyścić grunt!" – uniósł myśl w swej jaźni.

*

* *

Niedziela, godzina dziesiąta.

Bukareszt. Biuro Wymiany Kulturalnej i Naukowej z ZSRR mieściło się pod kopulastym dachem gmachu dawnego muzeum, nieopodal Uniwersytetu Rosyjskiego. Umundurowany wartownik, ziewając, otworzył kutą bramę i czarny volkswagen wyjechał na spokojną ulicę, kierując się na autostradę wiodącą do Pitesti.

Samochód prowadził Siergiej Gulcharow, obok niego siedział Feliks Krakowicz, a w tyle ulokował się Alec Kyle, Carl Quint i nad wyraz chuda Rumunka w średnim wieku, której ostre rysy łagodziły nieco okulary. Nazywała się Irma Dobresti i była wysokiej rangi urzędniczką Ministerstwa Gospodarki Terenowej oraz wierną uczennicą Matki Rosji.

Jako że Dobresti mówiła po angielsku, Kyle i Quint musieli bardziej niż zwykle zważać na słowa. Nie obawiali się wprawdzie, że mogliby zdradzić coś na temat swojej misji, gdyż Rumunka wiedziała o niej dostatecznie wiele, ale lękali się, iż nieopatrznie napomkną coś o samej kobiecie. Nie, żeby byli złośliwi czy nieokrzesani, ale Rumunka stanowiła wyjątkowy okaz.

Czarne włosy miała spięte w kok, jej ubranie przypominało mundur: ciemnoszare buty, spódnica, bluzka i marynarka. Nie miała makijażu ani biżuterii, a jej wyraziste rysy miały w sobie coś męskiego. Jeśli brać pod uwagę kobiece krągłości oraz inne wdzięki, Natura chyba wykreśliła Irmę Dobresti ze swej pamięci. Ukazujący żółte zęby uśmiech był czymś, co Rumunka zapalała i gasiła niczym przyćmione światło, a jej nieliczne wypowiedzi dowiodły, że głos miała nieprzyjemny, mówiła zaś bez ogródek, zawsze trafiając w sedno.

– Jeśli nie jestem chuda – powiedziała, próbując nawiązać rozmowę i popełniając jednocześnie dość pospolity błąd gramatyczny – taka długa jazda byłaby bardzo niewygodna.

Anglicy popatrzyli po sobie. Quint uśmiechnął się uprzejmie.

– To prawda – stwierdził. – Twoja chudość jest bardzo praktyczna.

– Świetnie. – Skinęła głową.

Samochód opuścił miasto i wyjechał na autostradę...

Kyle i Quint spędzili noc w hotelu Dunarea, w samym centrum miasta. Krakowicz natomiast większą jej część poświęcił na nawiązanie kontaktów i „dogrywanie" szczegółów. Rankiem, wymizerowany i z podkrążonymi oczami, pojawił się w hotelu w porze śniadaniowej. Gulcharow zawiózł ich potem do Biura Wymiany Kulturalnej i Naukowej, gdzie Dobresti otrzymywała właśnie od radzieckiego oficera łącznikowego szczegółowe instrukcje. Jeszcze w nocy spotkała się z Krakowiczem. Teraz zaś zmierzali na wieś szlakiem, który Krakowicz znał dość dobrze.

– Właściwie – powiedział, tłumiąc ziewnięcie – nic dziwnego, że tu przybyłem. – Odwrócił się, by spojrzeć na swych gości. – Znam te tereny. Po tej aferze w Zamku Bronnicy Leonid Breżniew powołał mnie na stanowisko szefa Wydziału E i polecił dowiedzieć się wszystkiego, co tylko można... o owym wydarzeniu. Podejrzewałem, że u korzeni wszystkiego tkwił Dragosani. Przyjechałem więc tutaj.

– Chcesz powiedzieć, że podążałeś jego starym tropem? – upewnił się Kyle.

– Ilekroć miał urlop, Dragosani przyjeżdżał zawsze tu, do Rumunii – potwierdził Krakowicz. – Nie miał tu już rodziny ani przyjaciół, a mimo to wciąż wracał.

– Urodził się tutaj – zauważył Quint. – Rumunia była jego domem.

– I miał tu kiedyś kogoś bliskiego – dodał cicho Kyle.

Krakowicz znów ziewnął i spojrzał na Kyle'a.

– Na to by wyglądało. Tak przy okazji, zwykł nazywać ten kraj Wołoszczyzną, a nie Rumunią. Wołoszczyzna to państwo, o którym wielu już zapomniało. Ale nie Dragosani.

– Dokąd właściwie jedziemy? – spytał Kyle.

– Liczyłem na to, że wy mi powiecie! – zdziwił się Krakowicz. – Mówiliście o Rumunii i o miejscowości u podnóża gór, w której Dragosani spędził dzieciństwo. Tam właśnie jedziemy. Zatrzymamy się we wsi, którą bardzo lubił, niedaleko trasy Corabia – Calinesti. Powinniśmy dotrzeć tam za jakieś dwie godziny. Potem opierać się będziemy już tylko na naszych domniemaniach. – Wzruszył ramionami.

– Nie jest tak źle – zaprotestował Kyle. – Jak daleko będzie z miejsca naszego pobytu do Slatiny?

– Do Slatiny? Około...

– Sto dwadzieścia kilometrów – powiedziała Irma Dobresti. Krakowicz podał jej wcześniej nazwę miejsca, do którego zmierzali, trudną i niezrozumiałą dla Anglików, ale jej dobrze znaną. Kiedyś mieszkała tam jej kuzynka. – Mniej więcej półtora godziny jazdy.

– Chcecie jechać prosto do Slatiny? – spytał Krakowicz. – A co właściwie jest w Slatinie?

– Wystarczy, jak pojedziemy tam jutro – odpowiedział Kyle. – Wieczór poświęcimy na układanie planów. A co do Slatiny...

– Dokumenty – wtrącił Quint. – Zapewne urzęduje tam lokalny archiwariusz?

– Przepraszam? – Krakowicz nie znał tego słowa.

– Osoba, która rejestruje śluby i narodziny – wyjaśnił Kyle.

– I zgony – dodał Quint.

– Zaczynam rozumieć – stwierdził Krakowicz. – Ale popełniacie błąd, jeżeli sądzicie, iż małomiasteczkowe rejestry będą sięgać aż pięćset lat wstecz, do czasów śmierci Tibora Ferenczyego.

– Nie w tym rzecz – wyjaśnił Kyle. – Mamy swojego wampira, pamiętasz? Wiemy, że... hm, swój początek bierze stąd. Wiemy też mniej więcej, jak to się stało. Chcemy odkryć, gdzie zmarł Ilia Bodescu. Bodescu zatrzymali się w Slatinie, potem on miał jakiś wypadek na nartach, gdzieś na wzgórzach. Gdyby udało nam się znaleźć kogoś, kto brał udział w odnalezieniu jego ciała, bylibyśmy o krok od zlokalizowania grobowca Tibora. Stary wampir jest pogrzebany dokładnie tam, gdzie zmarł Ilia Bodescu.

– Wspaniale – uznał Krakowicz. – Powinny być jakieś raporty milicyjne, zeznania, może nawet wyniki sekcji.

– Wątpliwe – Irma Dobresti pokręciła głową. – Dawno zmarł ten człowiek?

– Przed osiemnastu, dziewiętnastu laty – odparł Kyle.

– Zwyczajny zgon, wypadek. – Dobresti wzruszyła ramionami. – Nic podejrzanego, nie robili sekcji. Ale raporty milicyjne, tak. Oraz karetka pogotowia. Oni też robią raporty.

Kyle zaczynał ją lubić.

– Słuszne rozumowanie – rzekł. – A wydobycie tych raportów od lokalnych władz będzie należało do pani...

– Nie pani. Proszę nazywać mnie Irma. – Obdarzyła go żółtozębym uśmiechem.

Jej sposób bycia zaintrygował Quinta.

– Irmo, nie uważasz, że to trochę dziwne, iż polujemy na wampira?

Zerknęła na niego spod uniesionych brwi.

– Moi rodzice pochodzą z gór – wyjaśniła. – Gdy byłam mała, czasem opowiadali o wampirze. Ludzie w Karpatach jeszcze w to wierzą. Kiedyś były tam wielkie niedźwiedzie. I tygrysy szablastozębne. Przedtem, wielkie jaszczury, dinozaury, tak? Już nie ma, ale były. Mówicie, że moi rodzice mieli rację, były wampiry. Dziwne? Nie, nie sądzę. Gdzie łatwiej o wampiry, niż w Rumunii?

– Rumunia zawsze miała w sobie coś z wyspy – uśmiechnął się Krakowicz.

– Prawda – zgodziła się Dobresti. – Ale to czasem źle. Świat jest wielki. Mali nie mają siły. Odcięcie to zastój. Nie dochodzi nic nowego.

Kyle kiwnął głową. „A bez niektórych starych spraw można się wspaniale obejść...” – pomyślał.

*
* *

Brenda Keogh miała trudną noc.

Nasyciwszy się, Harry Junior nie chciał ponownie zasnąć. Nawet nie marudził, po prostu nie chciał spać.

Po godzinie czy dwóch kołysania go, tulenia i nucenia kołysanek, położyła wreszcie dziecko i sama wróciła do łóżka.

O szóstej znów się obudził, zgodnie z planem, domagając się zmiany pieluszki i kolejnego karmienia. Widziała po jego wykrzywionej buzi i zaciśniętych piąstkach, że jest zmęczony. Nie spał przez całą noc i Brenda nie miała pojęcia, dlaczego. Ale dobry był z niego dzieciak! Nie płakał, dopóki nie zgłodniał i nie poczuł, że mu mokro, przeleżał całą noc w łóżeczku, zajmując się swoimi sprawami, jakiekolwiek by one nie były.

Nawet teraz usilnie pragnął nie spać i uczestniczyć w życiu świata, ale jego ziewanie powiedziało matce, że malec temu nie podoła. Na godzinę przed świtem Harry znów zapadł w sen. Świat musiał poczekać. Niezależnie od tego, jak szybko rozwija się umysł człowieka, ciało rośnie wolniej...

*
* *

Ledwie jego maleńki synek zasnął, Harry Senior poczuł się znów wolny. Uderzyła go pewna myśl, jedna z najdziwniejszych, jakie miał w swoim dość przecież przedziwnym życiu.

„Żeruje na mnie! – pomyślał. – *Ten mały łotrzyk wdziera się w mój umysł, w moje doświadczenia. Może je swobodnie badać, gdyż jest ich mnóstwo, a ja nie mogę go nawet dotknąć, ponieważ w jego umyśle wciąż panuje pustka!”.*

Odłożył tę niezwykłą koncepcję na później. Teraz, uwolniony przez Harry'ego Juniora, musiał udać się w pewne miejsce, porozmawiać z pewnymi umarłymi ludźmi. Istniały sprawy, o których tylko on wiedział. Wiedział na przykład, że zmarli zamieszkują inną strefę i podczas swego samotnego niby-bytu kontynuują to, co robili za życia.

Pisarze tworzyli arcydzieła, których nigdy nie mieli wydać, w których każdy wers był doskonały, każdy akapit wyszlifowany, a każde opowiadanie stanowiło klejnot. Kiedy czas nie stanowi problemu i nie istnieją terminy, nie popełnia się błędów. Architekci projektowali w wyobraźni nowe miasta, wspaniałe światy, łączące swą rzeźbą oceany i kontynenty, gdzie każda cegła, iglica czy podniebna autostrada miały swe bezbłędnie określone miejsce, a żaden najdrobniejszy szczegół nie został pominięty lub spartaczony. Matematycy nadal szukali Definicji Wszechświata, redukując wszystko do symboli, których nigdy nie mieli nanieść na papier, za co ludzie ze świata żywych powinni być im wdzięczni. A Wielcy Myśliciele nieustannie pracowali, przewyższając dalece wszystko, do czego doszli za życia.

Tak toczyły się losy Ogromnej Większości. Dopóki nie pojawił się Harry Keogh, Nekroskop.

Umarli natychmiast go docenili. Nadał ich bytowi nowe znaczenie. Przedtem każdy z nich zamieszkiwał świat składający się jedynie z jego własnych, ucieleśnionych myśli, nie mając kontaktu z innymi. Byli jak domy bez drzew, okien i telefonów. Harry ich połączył. Żywym nie sprawiało to żadnej różnicy (nie mieli nawet o tym pojęcia), ale dla zmarłych miało niezmierne znaczenie.

Jednym z nich był Möbius, matematyk i myśliciel, który pokazał Harry'emu, jak korzystać z odkrytego przez niego kontinuum. Uczynił to chętnie, gdyż, jak wszyscy zmarli, z miejsca pokochał nekroskopa. A kontinuum Möbiusa dało Harry'emu dostęp do czasów, miejsc i umysłów, do których na przestrzeni całej historii człowieka nie dotarła żadna inna inteligencja.

Harry wiedział o kimś, kogo życiem rządziła jedyna obsesja – zbieranie mitów, legend i wszelkiej innej wiedzy na temat wampirów. Człowiek ten zwał się Ladislau Giresci. Nekroskop był ciekaw, jak wiedzie mu się teraz, po śmierci. Girešciego zabił Złym Okiem Maks Batu, tylko dlatego, że tak rozkazał Dragosani. Owszem, zabił człowieka, ale nie jego życiową pasję, fascynację wampirami. To, co za życia Girešciego było jego obsesją, musiało rozwijać się i po śmierci.

Harry stracił już szansę na rozmowy z Tiborem, a tamten z pewnością nie dopuściłby go do Dragosaniego. Trzeba było zatem postawić na Ladislau Giresciego. Inną kwestią było, jak do niego dotrzeć. Harry nigdy nie spotkał tego Rumuna, nie znał terenu, z którym związany był jego duch, polegać musiał więc na zmarłych, na tym, że oni wskażą mu kierunek.

Po drugiej stronie ulicy przebiegającej obok mieszkania Brendy, kiedyś Harry'ego i Brendy, znajdował się kilkusetletni cmentarz, na którym spoczywało wielu przyjaciół Harry'ego. Większość z nich znał bezpośrednio, dzięki dawniejszym rozmowom. Popłynął teraz ku rzędom tabliczek i chylących się ze starości nagrobków, a jego umysł przyciągnęły myśli zmarłych, tworzących wielką cmentarną wspólnotę. Wyczuli go od razu, wiedzieli, że to on. Któż by inny?

– *Harry!* – odezwał się ich rzecznik, były inżynier kolejnictwa, który całe życie spędził w Stockton i zmarł w tysiąc dziewięćset trzydziestym ósmym. – *Dobrze znów z tobą rozmawiać. Miło, że nie zapomniałeś o nas.*

– Co u ciebie? – zaciekawił się Harry. – Nadal projektujesz pociągi?

– *Zaprojektowałem pociąg!* – potwierdził. – *Chcesz, żebym ci go opisał?*

– Niestety, nie dzisiaj. – Harry'emu było autentycznie przykro. – Obawiam się, że muszę dać prymat interesom.

– *Wykrztuś to wreszcie, Harry!* – zawołał drugi głos, były policjant z czasów Sir Roberta Peela. – *Jak możemy ci pomóc?*

– Są tu was setki – stwierdził Harry. – Ale czy jest ktoś z Rumunii? Chcę się tam udać, ale potrzebuję kierunków i rekomendacji. Jedyni ludzie, jakich znam, są... źli.

Z ogólnego gwaru, jaki nastąpił po tych słowach, Harry wyłowił jeden głos, zwracający się bezpośrednio do niego. Głos dziewczynki, słodki i delikatny.

– *Ja znam Rumunię* – odezwała się. – *Przynajmniej trochę. Przyjechałam stamtąd po wojnie. Czasy były wtedy ciężkie, więc bracia wysłali mnie do ciotki mieszkającej tutaj. To dziwne, ale przejechałam taki szmat drogi tylko po to, by się przeziębić i umrzeć! Byłam bardzo młoda.*

– A czy znasz kogoś stamtąd, kto mógłby mi pomóc? – Harry nie chciał ujawniać, jak bardzo pali się do tej wyprawy, ale nie sposób było z tym walczyć. – To bardzo ważne, zapewniam cię.

– *Ależ moi bracia z radością cię poprowadzą, Harry* – powiedziała natychmiast. – *Dzięki tobie możemy się... znów porozumiewać. Wszyscy ci tyle zawdzięczamy...*

– Jeśli pozwolisz – rzekł Harry – kiedyś wrócę porozmawiać z tobą. Obawiam się, że teraz brakuje na to czasu. Jak zwą się twoi bracia?

– *Jan i Dmitri Syzestu* – odpowiedziała. – *Zaczekaj, przywołam ich* – zawołała, a jej bracia odpowiedzieli. Słychać ich było bardzo słabo, jak kogoś telefonującego z drugiej półkuli. Harry uzyskał wprowadzenie.

– Mówcie do mnie, a znajdę drogę do was – zawołał do braci.

Przeprosił swych przyjaciół z cmentarza w Hartlepool, znalazł drzwi czasoprzestrzenne i wniknął przez nie do kontinuum Möbiusa.

– Janie, Dmitri? Jesteście tam jeszcze?

– *Jesteśmy tu, Harry. Pomagać komuś takiemu, jak ty, to dla nas zaszczyt.*

Harry nastawił się na nich i przez inne drzwi wszedł w szary, rumuński świt. Znalazł się na łące nieopodal obracającego się w ruinę muru, poznaczonego śladami po kulach. Pasły się tu kucyki. Nie widziały go, rzecz jasna, stały więc nieruchomo, dygocąc lekko, a na ich sierści połyskiwały krople rosy. Przy każdym parsknięciu z ich nozdrzy wydobywały się obłoki ciepłego powietrza. W oddali, w miarę, jak wstawało słońce, gasły ostatnie światła miasta.

– Gdzie jesteśmy? – Harry zwrócił się do braci Syzestu.

– *To miasto nazywa się Cluj* – wyjaśnił starszy z braci, Jan. – *Jesteśmy na polu. Byliśmy więzieni jako wrogowie polityczni i uciekliśmy stamtąd. Ścigali nas z karabinami, dopadli właśnie tutaj, jak usiłowaliśmy wspiąć się na ten mur. Powiedz nam teraz, Harry Keogh, jak możemy ci pomóc.*

– Cluj? – W głosie Harry'ego pojawił się cień rozczarowania. – Powinienem trafić na południowy wschód, w góry.

– *To proste* – ucieszył się młodszy brat, Dmitri. – *Nasi rodzice leżą na cmentarzu w Pitesti. Przed chwilą z nimi rozmawialiśmy.*

– *To prawda* – potwierdził głębszy, bardziej surowy głos, dochodzący z daleka. – *Zapraszamy cię do nas, Harry, o ile zdołasz znaleźć drogę.*

Harry znów się pożegnał – może nieco pospiesznie, ale bardzo serdecznie – i wszedł w kontinuum Möbiusa. W moment później był już na zamglonym cmentarzu w Pitesti.

– *Kogo właściwie szukasz?* – zapytał Franz Syzestu.

– Nazywa się Ladislau Giresci – wyjaśnił Harry. – Wiem tylko tyle, że umarł niedawno w swym domu w pobliżu miasta Titu.

– *Titu?* – powtórzyła Anna Syzestu. – *To pięćdziesiąt kilometrów stąd! Co więcej, pogrzebano tam naszą przyjaciółkę.* – Była dumna, że może pomóc nekroskopowi. – *Greta, słyszysz mnie?*

– *No pewnie!* – odpowiedział nowy głos, ostry i jędzowaty. – *Mam tu tego człowieka.*

– *I proszę!* – stwierdziła Anna Syzestu. – *Jeśli chcesz znaleźć kogoś w Titu, zwróć się tylko do Grety Mirnosti. Ona zna wszystkich!*

– *Harry Keogh?* – włączył się męski głos. – *Jestem Ladislau Giresci. Chcesz tu przyjść czy wolisz rozmawiać na odległość?*

– Już idę! – oznajmił Harry. Podziękował rodzinie Syzestu i udał się do Titu, na kwaterę Giresciego.

– Zechce mi pan pomóc? Jestem prawie pewien, że to leży w pańskiej mocy – zapytał znawcę wampirów.

– *Młody człowieku* – rzekł Giresci – *jeśli się nie mylę, wiem, co cię tu sprowadza. Wprawdzie już kiedyś zapłaciłem życiem za udzielanie informacji o wampirach, ale jeśli tylko mogę ci pomóc, Harry Keogh, zrobię to. Powiedz, w czym rzecz.*

– Tym, który pytał o wampiry, był Borys Dragosani, tak? – upewnił się Harry. Wyczuł, że tamten dygoce. Giresci mógł nie mieć ciała, ale mimo to zadrżał na wzmiankę o Dragosanim.

– *Tak, właśnie on* – potwierdził Rumun. – *Dragosani. Kiedy spotkałem go po raz pierwszy, nie wiedziałem jeszcze, że jest jednym z nich. Sam nie w pełni to pojmował, ale zło było już w nim.*

– Nasłał Maksa Batu, który zabił cię Złym Okiem?

– Tak, wówczas już zdawał sobie sprawę z tego, czym się stał. Tego właśnie najbardziej boi się wampir, że ludzie odkryją jego prawdziwą naturę. Każdy, kto coś podejrzewa, musi umrzeć. I dlatego ten mały Mongoł zabił mnie, po czym ukradł moją kuszę.

– Zaniósł ją Dragosaniemu. Borys użył jej, by zabić Tibora Ferenczyego.

– *Przynajmniej posłużyła dobremu celowi! Pamiętaj jednak, że wspominając o Tiborze, mówisz o prawdziwym wampirze!* – podkreślił Giresci. – *Gdyby Dragosani, tak zafascynowany złem, istniał, żywy czy nieumarły, tak długo jak Tibor, świat zapadłby na nieuleczalną chorobę!*

– Przykro mi – powiedział Harry – ale w takich potworach nie znajduję nic monumentalnego. Istniał zresztą jeden większy niż Tibor, ten, który zrodził się przed nim i go przeżył. Zwał się Faethor, a Tibor przyjął po nim nazwisko. I słusznie, gdyż to Faethor uczynił go wampirem. Mówię, oczywiście, o Faethorze Ferenczym.

Głos Ladislau Giresciego przeszedł teraz w najcichszy szept.

– *To prawda, od niego właśnie zaczęło się moje zainteresowanie nieumarłymi. Towarzyszyłem bowiem Faethorowi w chwili jego śmierci. Wyobraź sobie, ja i potwór liczący przynajmniej trzynaście stuleci!*

– Właśnie ci dwaj mnie interesują – zapalił się Harry. – Tibor i Faethor. Za życia byłeś znawcą wampirów. Nie przejmując się tym, że ludzie źle mówili o twojej obsesji i mieli cię za ekscentryka, studiowałeś mity i legendy o wampirach, całą tajemną wiedzę. Badałeś te sprawy do samego końca. Sądzę też, że śmierć nie przerwała tych studiów. Dokąd więc doprowadziły cię twe poszukiwania, Ladislau? Jak doszło do tego, że Tibora pochowano na krzyżowych wzgórzach? Co działo się z Faethorem przez ostatnie tysiąc lat? Muszę to wiedzieć, wymaga tego sprawa, którą się obecnie zajmuję. A od tej sprawy zależy, czy świat przetrwa i uchroni się od obłędu.

– *Rozumiem* – stwierdził Giresci z powagą. – *Nie sądzisz jednak, Harry, że powinieneś porozmawiać z kimś bardziej kompetentnym? Sądzę, że dałoby się to załatwić...*

– Co? – zdumiał się Harry. – Z kimś bardziej kompetentnym od ciebie? Istnieje ktoś taki?

– *Achhh!* – westchnął nowy, pełen mocy głos. Był równie czarny jak noc i głęboki jak podwaliny piekieł, zdawał się dochodzić równocześnie zewsząd i znikąd. – *O tak, Harrry, jest, a właściwie był, ktoś taki. Ja! Nikt nie wie o Wampyrach więcej ode mnie, gdyż nikt nie żył równie długo. Tak długo, że gdy śmierć przyszła, gotów byłem na spotkanie z nią. Owszem, walczyłem z nią, możesz być tego pewien, ale kres tej walki wyszedł mi tylko na dobre. Odnalazłem spokój. I wdzięczny jestem Ladislauowi Giresciemu za to ostateczne, litościwe uwolnienie. A skoro on, jak słyszę, darzy cię najwyższym szacunkiem, podobnie jak inni umarli, ja również nie mogę postąpić inaczej. Chodź zatem do mnie, Harry Keogh, i pozwól, by na twe pytania odpowiedział prawdziwy znawca.*

Takiej propozycji Harry nie mógł odrzucić. Oczywiście, z miejsca pojął, z kim ma do czynienia. Zastanawiał się teraz, czemu sam wcześniej na to nie wpadł. A przecież to było najprostsze rozwiązanie.

– Idę, Faethorze – powiedział. – Za chwilę się u ciebie zjawię...

ROZDZIAŁ JEDENASTY

Na peryferiach Ploeszti, od strony Bukaresztu, po dziś dzień oglądać można ruiny, ponurą pamiątkę po ostatniej wojnie. Wypalone skorupy domów przywodzą na myśl na wpół pogrzebane kamienne trupy. Dziwnie wyglądają latem, kiedy leje po bombach porastają krzakami i kwieciem, a po strzaskanych ścianach pnie się powój, zakrywający rany zielenią. Wystarczy jednak, że nadejdzie zima, i śnieg ujawnia owe zniszczenia, zamieniając rzeczywistość tych okolic w monochromatyczny obraz. Rumuni nie myśleli nawet o odbudowaniu tych domów ani o stawianiu nowych w ich sąsiedztwie.

Tu właśnie, podczas nalotu na Bukareszt i Ploeszti, Faethor Ferenczy poniósł wreszcie śmierć z rąk Ladislau Giresciego. Przybity do podłogi swego gabinetu przez rozszczepiony uderzeniem bomby legar, czuł lęk przed szalejącym wokół niego ogniem, gdyż wampiry płoną bardzo wolno. Giresci, zatrudniony w Obronie Cywilnej, zauważył, że bomba trafiła w budynek, wszedł więc w ogarnięte pożarem ruiny. Próbował uwolnić Faethora. Bezskutecznie. To było ponad jego siły.

Wampir wiedział, że jest skończony. Nadludzkim wysiłkiem woli nakazał Giresciemu przyspieszyć ów koniec. Trzeba było uciec się do starych sposobów. Jako że Faethor był już przybity kołkiem, Giresci musiał jedynie uciąć mu głowę. Płomienie dokonały reszty i stary wampir obrócił się w popiół.

To, czego Giresci doświadczył w owym domu grozy, pozostało w nim na resztę życia. I właśnie dlatego stał się autorytetem w dziedzinie wampiryzmu. Potem Ladislau Giresci również dołączył do grona umarłych, ale Faethor wciąż czuł się jego dłużnikiem. I z tego powodu gotów był udzielić Harry'emu Keoghowi wszelkiej możliwej pomocy. Istniała wszakże i druga przyczyna owej przychylności. Harry Keogh wystąpił przeciwko Tiborowi z Wołoszczyzny.

W chwili, gdy Harry Keogh, idąc śladem umysłu Faethora, opuścił Kontinuum Möbiusa, by zjawić się w porośniętej krzakami i pnączami ruinie, będącej ostatnim schronieniem wampira, do zimy było jeszcze daleko. Lato dopiero przechodziło w jesień, drzewa były jeszcze zielone, jednakże chłód, jaki owionął Harry'ego, przeciętnemu człowiekowi przywiódłby na myśl zimę. Ale Harry'emu daleko było do przeciętności. Wiedział, że to psychiczny chłód, powiew lodowatego wiatru, przenikający duszę. Chłód, jaki zawsze towarzyszył spotkaniom z nadnaturalną Mocą. Taką właśnie siłę miał w sobie Faethor Ferenczy.

– *Umarli dobrze o tobie mówią* – stwierdził grobowym głosem wampir. – *Kochają cię nawet! Trudno to zrozumieć komuś, kto nigdy nie zaznał miłości. Nie jesteś jednym z nich, a mimo to cię kochają. Może dlatego, że, podobnie jak oni, nie masz ciała.* – W głosie Faethora zabrzmiała nuta ponurego humoru. – *Cóż, rzec by można, że jesteś... nieumarły.*

– Jeśli nauczyłem się czegoś na temat wampirów – odpowiedział niewzruszenie Harry – to przede wszystkim tego, że uwielbiają one zagadki i zabawy słowem. Nie przyszedłem tu jednak, żeby się bawić. Mimo to wyjaśnię twoje wątpliwości. Dlaczego umarli mnie kochają? Ponieważ przynoszę im nadzieję. Ponieważ nie chcę im szkodzić, ale czynić dobro. Ponieważ dzięki mnie są czymś więcej niż tylko wspomnieniem.

– *Inaczej mówiąc, jesteś „czysty"?* – Słowa wampira ociekały sarkazmem.

– Nigdy nie byłem „czysty" – odparł Harry. – Rozumiem jednak, o co ci chodzi, i sądzę, że jesteś bliski prawdy. Wyjaśniałoby to również, dlaczego nie chcą mieć nic wspólnego z tobą. W tobie nie ma życia, jest tylko śmierć. Nawet za życia byłeś umarły. Byłeś śmiercią! Śmierć szła z tobą krok w krok. Nie porównuj mojego stanu z półżyciem. Jestem wciąż bardziej żywy, niż ty byłeś kiedykolwiek. Ledwie tu przybyłem, jeszcze zanim się odezwałeś, zauważyłem coś. Czy wiesz, co?

– *Ciszę?*

– Właśnie. Żadnego piania kogutów. Żadnych ptasich treli. Nie bzyczą tu nawet pszczoły. Krzaki są gęste i zielone, ale nie owocują. Nic i nikt nie chce się do ciebie zbliżyć, nawet teraz. Dzieci Natury wyczuwają twoją obecność. Nie mogą z tobą rozmawiać, tak jak ja to czynię, ale wiedzą, że tu jesteś. I zamykają się przed tobą. Nawet martwy, wciąż jesteś zły. Nie drwij więc z mojej „czystości”, Faethorze. Ja nigdy nie będę sam.

– *Jak na kogoś, kto szuka mojej pomocy, niezbyt kryjesz swe uczucia...*

– Jesteśmy zupełnie różni – stwierdził Harry – ale mamy wspólnego wroga.

– *Tibora? Dlaczego więc spędziłeś z nim tyle czasu?*

– Tibor jest źródłem zagrożenia – wyjaśnił Harry. – Jest też – lub był – twoim wrogiem. Liczyłem na to, że dowiem się od niego pewnych rzeczy, i po części mi się to udało. Ale już więcej nic mi nie powie. Ty zaoferowałeś swoją pomoc i gotów jestem ją przyjąć. Nie udawajmy jednak przyjaciół.

– *Nieskazitelny* – powiedział Faethor. – *Dlatego tak cię kochają. Masz jednak rację: Tibor był i jest moim wrogiem. Jak bardzo bym go nie ukarał, tej kary nie będzie nigdy dość. Pytaj więc, o co chcesz. Odpowiem na wszystko.*

– Powiedz mi zatem – zapalił się znów Harry – co się działo z tobą po tym, jak strącił cię, płonącego, z murów zamku?

– *Będę się streszczał* – odpowiedział Faethor – *gdyż czuję, że to tylko część tego... Cofnij się myślami o tysiąc lat...*

*

* *

Tibor Wołoch, którego nazywałem synem, któremu oddałem nazwisko i herb, któremu powierzyłem mój zamek, włości oraz moc Wampyrów, zranił mnie boleśnie. Boleśniej nawet, niż przypuszczał. Przeklęty niewdzięcznik!

Spadałem w płomieniach z murów mego zamku, poparzony i ślepy. Niezliczone me sługi, nietoperze, ginęły w ogniu, nie chcąc mnie opuścić, ale nie zdołały zdusić tych płomieni. Zanim spadłem, przebiłem się przez drzewa i krzewy, koziołkowałem po stromym zboczu wąwozu, rozdzierany przez konary i skały. Ale roślinność nieco spowolniła mój upadek, który znalazł kres w płytkim stawie, gdzie zgasły wreszcie płomienie, bliskie stopienia mego wampirzego ciała.

Oszołomiony, o krok od prawdziwej śmierci, zdołałem wezwać mych wiernych Cyganów z doliny. Wiem, że rozumiesz, co mam na myśli, Harry Keogh. Obaj posiadamy dar rozmawiania z ludźmi na znaczną odległość. Rozmawiania przy pomocy myśli, tak jak czynimy to teraz. I Cyganie przyszli.

Wydobyli moje ciało z chłodnej, kojącej wody i zajęli się nim. Ponieśli mnie przez góry na zachód, do królestwa Węgier. Chronili mnie przed wybojami i wstrząsami, ukrywali przed potencjalnym wrogiem, osłaniali przed palącymi promieniami słońca. I wreszcie znaleźli miejsce, w którym mogłem odpocząć. Ha! Długi to był odpoczynek: czas na dojście do siebie, na przekształcenie, czas wymuszonej bezczynności.

Powiedziałem, że Tibor mnie zranił. Jak bardzo mnie zranił! Byłem srodze poturbowany. Wszystkie kości połamane: kręgosłup, kark, czaszka i kończyny. Wgnieciona klatka piersiowa, serce i płuca poszarpane. Skóra popalona, rozdarta przez ostre gałęzie i głazy. Wampir w mym wnętrzu, zajmujący większą część mego ciała, był pomiażdżony, poparzony i okaleczony. Leczenie trwało tydzień? Miesiąc? Rok? Nie, sto lat! Wiek, który przespałem, śniąc o krwawej albo czarnej jak noc zemście!

Ten długi okres rekonwalescencji spędziłem w niedostępnej górskiej warowni, bardziej przypominającej jaskinię niż zamek. Pielęgnowali mnie wszyscy moi Cyganie, później ich synowie i wnuki. A także ich córki. Powoli dochodziłem do siebie. Wampir we mnie wyleczył swe ciało, a potem zaczął leczyć mnie. Ja, Wampyr, znów mogłem chodzić i zajmować się magią, stałem się silniejszy i bardziej przerażający. Opuściłem orle gniazdo i zacząłem planować swą życiową przygodę, jakby zdrada Tibora nastąpiła zaledwie dzień wcześniej, a wszystkie me obrażenia były jedynie zesztywnieniem stawów.

Świat, który ujrzałem, wydawał mi się potworny: wszędzie wrzały wojny i cierpieli ludzie. Szalały zarazy. Tak, potworny, ale to tylko dodawało smaku memu życiu. Byłem wszak Wampyrem...

Na granicy z Wołoszczyzną postawiłem sobie zameczek niemal nie do zdobycia i osiadłem tam niczym jakiś bojar. Stanąłem na czele hordy Cyganów, Węgrów i miejscowych Wołochów. Płaciłem im dobrze, dawałem dom i jadło, uznali mnie więc za swego pana i wodza. Cyganie, rzecz jasna, poszliby za mną na kraniec świata i czynili to! Nie z miłości, ale powodowani jakimś dziwnym uczuciem, które tkwi w dzikiej piersi każdego Cygana. Mówiąc wprost, byłem Mocą, z którą zawarli przymierze. Zmieniłem imię: nazywałem się wtedy Stefan Ferrenzig, co było mianem dość pospolitym w tych stronach. To jednak tylko pierwsze z mych imion. W trzydzieści lat po całkowitym dojściu do siebie stałem się „synem" Stefana, Piotrem, po następnych trzydziestu latach Karlem, później zaś – Grigorem.

Nikt nie powinien żyć za długo, a zwłaszcza przez stulecia. Rozumiesz?

Zazwyczaj unikałem wypadów na Wołoszczyznę. Żył tam pewien człek, którego siłę i okrucieństwo sławiono szeroko: tajemniczy najemnik, wojewoda imieniem Tibor, dowodzący niewielką armią w służbie wołoskich książątek. Nie miałem ochoty na spotkanie z tym, który winien był strzec mych ziem i majątku! Nie, nie miałem ochoty na to spotkanie, jeszcze nie! Wątpliwe było, że mnie rozpozna, gdyż zmieniłem wygląd. Obawiałem się jednak, iż na jego widok nie zdołałbym się opanować. A to mogło być fatalne w skutkach, gdyż w okresie, który poświęciłem na leczenie, Tibor był nadzwyczaj aktywny i umacniał się. Stał się nawet kimś w rodzaju zakulisowego władcy Wołoszczyzny. Miał również swoich świetnie wyszkolonych Cyganów i dowodził książęcymi wojskami, ja natomiast otoczony byłem niewprawnym w boju motłochem, czeredą Cyganów i chłopstwem. Nie, moja zemsta musiała zaczekać. Czymże jest czas dla Wampyra?

Przez kolejne sześćdziesiąt lat odliczałem dni, z których każdy niósł mi jedynie powszednie sprawy. Byłem wyciszony, skryty. Zyskałem w owym czasie dostęp do wspaniałych wojowników, chętnych do walki za pieniądze, zaciekłych najemników, głowiłem się więc, jak ich wykorzystać. Kusił mnie najazd na Tibora i jego Wołochów, ale mimo to wolałem uniknąć otwartej walki. Chciałem, by ten pies klęczał przede mną, gotów znieść wszystko, co tylko dlań wymyślę. Nie chciałem jednak spotkania na polu bitwy, gdyż z pierwszej ręki poznałem siłę i chytrość Tibora. Zapewne uważał mnie za umarłego i najlepsze, co mogłem zrobić, to utwierdzić go w tym przekonaniu. Mój czas miał dopiero nadejść.

Czułem jednak niepokój, ograniczenie, ucisk. Byłem pełen żądz, silny, posiadałem pewną władzę, ale nie znajdowałem sposobu, by dać upust mojej energii. Porzuciłem więc swój kraj, rzucając się w wir wydarzeń.

Dowiedziałem się o wielkiej krucjacie Franków przeciw muzułmanom. W dwa lata po tym, jak świat wszedł w trzynasty wiek chrześcijaństwa, okręty, wypełnione wojskiem, przybyły do Zary. Początkowo krzyżowcy zamierzali zaatakować Egipt, ówczesny ośrodek potęgi islamu, ale ich wojska od dawna żywiły niechęć do Bizancjum. Stary doża wenecki, który zapewnił im flotę, sam będąc wrogiem Bizantyjczyków, skierował ją najpierw na Węgry. Zara, od niedawna we władaniu Węgrów, w listopadzie 1202 roku została zdobyta i złupiona przez Wenecjan i krzyżowców. W tym samym czasie zmierzałem właśnie do tego miasta, wiodąc doborową drużynę mych poddanych. Król węgierski, „mój pan", nie czynił mi przeszkód, wierząc, że poprę go w walce z krzyżowcami. Ja jednak, ledwie znalazłem się w Zarze, sprzedałem swe usługi zwycięzcom, przyjmując krzyż, co od początku było mym zamiarem.

Uznałem, że najlepiej przemierzę świat, podróżując wraz z krzyżowcami, ale wydarzenia nie potoczyły się tak szybko, jak tego pragnąłem. Wenecjanie i Frankowie podzielili już między siebie zagarnięte w mieście łupy – owszem, spierali się o nie i walczyli, ale starcia te rychło ustały – i doża oraz Bonifacy z Montferrat, wiodący wyprawę, postanowili, że przezimujemy w Zarze.

Pierwotnym celem czwartej krucjaty było oczywiście zniszczenie islamu. Wielu krzyżowców wierzyło jednak, że przez cały okres trwania Świętych Wojen Bizancjum zdradzało chrześcijan. I nagle Konstantynopol znalazł się w kleszczach, a przynajmniej w zasięgu ich mściwej pasji. Co więcej, Konstantynopol był bogatym miastem. Wściekle bogatym! Piekielnie bogatym! Perspektywa takiego łupu przesądziła sprawę. Egipt miał zaczekać, cały świat miał zaczekać, gdyż celem stała się teraz stolica Cesarstwa!

Powiem krótko. Pożeglowaliśmy do Konstantynopola wiosną, zatrzymując się parokrotnie po drodze. Pod cesarską stolicą znaleźliśmy się w czerwcu. Przyjmę, że orientujesz się nieco w historii. Całe miesiące i lata borykaliśmy się z wątpliwościami natury moralnej, religijnej i politycznej, uniemożliwiającymi zdobycie miasta. Z czasem jednak żądze i pazerność przeważyły. Porzucono wszelkie plany związane z dalszą wyprawą przeciwko niewiernym. Papież Innocenty III, w dużej mierze odpowiedzialny za zwołanie krucjaty, obłożył Wenecjan ekskomuniką już za złupienie Zary, teraz zaś rozsierdził się jeszcze bardziej, ale w owych dniach nowiny, jak armie, wędrowały powoli. A Konstantynopol stawał się w oczach krzyżowców klejnotem i kresem wyprawy. Każdy z nas pragnął jego cząstki. Zawarto porozumienie w kwestii podziału łupów i...

...I w początkach kwietnia 1204 roku przypuściliśmy atak! Wreszcie kalkulacje polityczne i pobożne brednie zostały odłożone na bok, w imię tego, po co tu przybyliśmy.

Ach! Jak radowało się moje dzikie serce! Każde włókno mej istoty drżało. Złoto było nie do pogardzenia, ale chodziło mi przede wszystkim o krew. Krew przelewaną, krew pitą, krew krążącą w rozpalonych żyłach!

Powiem ci, z czym przyszło nam się zmierzyć. Grecy, chcąc uniemożliwić nam lądowanie pod murami, ustawili swe okręty na Złotym Rogu. Walczyli zawzięcie, ale na próżno, choć ich wysiłki nie całkiem poszły na marne. Grecki ogień to potworna sprawa, zapala się i płonie nawet w wodzie! Ich katapulty miotały go na nasze okręty. Ludzie, miast tonąć, płonęli w morzu. Mnie też poparzyło, prawe ramię, pierś i plecy spalone miałem niemal do kości. Ale przecież już raz padłem ofiarą płomieni, i to podpalony przez mistrza! Zwykłe oparzenia nie mogły mnie wyłączyć z tej zabawy. Ból dodał mi tylko skrzydeł. To był mój dzień.

Możesz zastanawiać się, co ze słońcem: jakim sposobem ja, Wampyr, walczyłem w jego palącym blasku? Nosiłem czarny, rozwiany płaszcz, wzorem muzułmańskich wodzów, a głowę chronił mi hełm ze skóry i żelaza. O ile tylko było to możliwe, walczyłem, mając słońce za plecami. Kiedy zaś nie brałem udziału w boju, a wierz mi, oprócz wojaczki wiele było tam do zrobienia, trzymałem się, rzecz jasna, w cieniu. Krzyżowcy, widząc mnie i moich Cyganów w walce, czuli strach! Do tej pory ignorowani, uważani za motłoch, zwiększający tylko liczebność, mięso dla miecza i ognia, teraz staliśmy się dla Franków i Wenecjan demonami, wojownikami z piekła rodem. Musieli być radzi, że jesteśmy po ich stronie. Tak przynajmniej sądziłem...

Ale nie pozwól mi zbaczać z tematu. Dokonaliśmy wyłomu w murze strzegącym dzielnicy Blachernae. Jednocześnie wybuchł w niej pożar. Obrońcy pogubili się, wpadli w panikę. Zmiażdżyliśmy ich i wtargnęliśmy na opustoszałe ulice, gdzie czekały nas zaledwie potyczki niewarte nawet wzmianki.

Kogóż bowiem mieliśmy przeciwko sobie? Greków, którzy dawno stracili ducha walki, oraz niezdyscyplinowane wojska, głównie najemne, osłabione latami złego dowodzenia. Oddziały Słowian i Pieczyngów, bojowe, dopóki były szanse na zwycięstwo oraz dobry żołd; Franków, którzy – rzecz jasna – stali przed trudnym wyborem; gwardię wareską, złożoną z Dunów; i Anglików uważających cesarza Aleksego III za uzurpatora, miernego zarówno jako męża stanu, jak i wojownika. Pozostawało nam jedynie rżnąć ich bez umiaru. Ci, którzy nie chcieli umrzeć, pierzchali. Nie mieli innego wyboru. Po kilku godzinach doża oraz weneccy i frankijscy panowie zajęli Wielki Pałac! Wydali zaraz nowe rozkazy; powiedzieli opętanym wojną i łupami krzyżowcom, że Konstantynopol należy do nich, i dali im trzy dni na spustoszenie miasta. Powiedzieli im, że są zwycięzcami, więc nic, co uczynią, nie zostanie uznane za zbrodnię. Wojownicy mogli zrobić ze stolicą, jej mieszkańcami i majątkiem, co im się żywnie podoba. Wyobrażasz sobie, co spowodowały takie rozkazy?

Przez dziewięćset lat Konstantynopol był ośrodkiem cywilizacji chrześcijańskiej, a w ciągu trzech dni stał się dnem piekła! Wenecjanie, ceniący dzieła sztuki, wynosili tonami greckie rzeźby i inne cacka, a kruszców i skarbów nabrali tyle, że niemal potopili własne statki. Frankowie zaś, podobnie jak Flamandowie i inni zaciężni krzyżowcy, w tym ja i moi Cyganie, pragnęli jedynie niszczyć. I sialiśmy zniszczenie!

Jeżeli czegoś nie dało się unieść lub pociągnąć, druzgotaliśmy to na miejscu. W obfitujących w wino piwnicach podsycaliśmy nasz obłęd, zatrzymywaliśmy się jedynie, by pić, gwałcić i mordować, po czym znów wracaliśmy do łupienia. Nie oszczędzaliśmy niczego ani nikogo. Żadna dziewica nie uszła nienaruszona, a tylko nieliczne zachowały życie. Jeżeli kobieta okazywała się za stara, by dźgnąć ją ciałem, dźgaliśmy stalą, a żadna nie była za młoda. Pustoszyliśmy klasztory, wykorzystując zakonnice jak nałożnice – pamiętaj, chrześcijanki!

Mężczyznom, którzy zostali bronić swych domów i rodzin, rozpruwaliśmy brzuchy i zostawialiśmy ich na ulicach, ściskających parujące trzewia, póki nie pomarli. Ogrody i place pełne były martwych mieszkańców miasta, głównie kobiet i dzieci. A ja, Faethor Ferenczy, znany Frankom jako Czarny albo Czarny Grigor, Węgierski Diabeł, znajdowałem się zawsze w środku, w samym środku. Przez trzy dni syciłem się tym, a żądzom mym nie było końca.

Nie wiedziałem wówczas, że koniec, mój koniec, kres mojej chwały, potęgi i rozgłosu nadchodzi. Zapomniałem o głównej regule Wampyrów: nie rzucaj się zbytnio w oczy. Bądź silny, ale nie mocarny. Bądź pożądliwy, ale nie dorównuj legendarnym satyrom. Wymagaj szacunku, ale nie czci. A przede wszystkim, nie pozwól, by twoi towarzysze albo ci, którzy uważają się za twoich przełożonych, zaczęli się ciebie bać.

Byłem wszak poparzony przez grecki ogień i to mnie rozwścieczyło. Pożądliwy? Za każdego zabitego przez siebie mężczyznę brałem kobietę, nawet i trzydzieści w ciągu dnia i nocy! Moi Cyganie spoglądali na mnie jak na jakiegoś boga albo diabła. A w końcu... w końcu i krzyżowcy zaczęli się mnie lękać. Wszystkie mordy, gwałty i świętokradztwa, jakie popełnili, nie liczyły się, to moje wyczyny przysparzały im złych snów.

Tak, gorąco pragnęli kozła ofiarnego.

Jestem przekonany, że zostałbym skazany, nawet gdyby nie doszło do świątobliwych protestów Innocentego, do drżenia rąk i okrzyków zgrozy. Ale potoczyło się to w taki właśnie sposób. Papież był rozeźlony złupieniem Zary, początkowo ucieszony Konstantynopolem, a w końcu, gdy usłyszał o dokonanych tam zbrodniach, przerażony. Umywał ręce, odcinając się od całej krucjaty. Wyprawa ta, nic niemająca wspólnego z pomocą prawdziwym rycerzom chrześcijaństwa, walczącym z islamem, miała na celu, jak się wydawało, jedynie łupienie chrześcijańskich terytoriów. Zważywszy jeszcze na bluźnierstwa i zbrodnicze postępowanie krzyżowców w świątyniach Konstantynopola...

Powtarzam, potrzebowali kozła ofiarnego i nie musieli go daleko szukać. Pewien „krwiożerczy najemnik zwerbowany w Zarze" doskonale nadawał się do tej roli. W potajemnych zaleceniach Innocenty napisał, że wszyscy bezpośrednio odpowiedzialni za „wyjątkowe akty nadmiernego i nieludzkiego okrucieństwa" nie mają prawa zyskać „ani chwały, ani bogactwa, ani ziemi" za swe barbarzyństwo. Dobrzy i uczciwi ludzie nie tylko nie powinni wymieniać ich imion, ale i „wymazać je na zawsze z rejestrów". Owym wielkim grzesznikom nie należało okazywać „ani szacunku, ani też względów", gdyż dowiedli swoimi czynami, że są „warci jedynie wzgardy". Ha! To było coś więcej niż ekskomunika – to był wyrok śmierci!

Ekskomunika... Przyjąłem w Zarze krzyż jedynie ze względów praktycznych. Nic dla mnie nie znaczył. Krzyż to symbol, nic więcej. Wkrótce miałem jednak znienawidzić ów symbol.

Zająłem wraz z Cyganami duży dom na przedmieściach spustoszonej stolicy. Dawniej szacowny pałac, teraz był pełen wina, łupów i kobiet. Inni najemnicy zagrabiony dobytek przekazywali swym panom, by tamci dokonali ustalonego podziału zdobyczy, ja jednak tak nie postąpiłem. Wszak jeszcze nie otrzymaliśmy żołdu! Może popełniłem błąd, decydując się na to. Nasze łupy stanowiły dodatkowy bodziec, skłaniający krzyżowców do zdrady.

Nadeszli nocą – i to, z kolei, był ich błąd. Jestem, czy też byłem, wampirem, noc to mój żywioł. Jakiś wampirzy instynkt ostrzegł mnie, że nie wszystko jest w porządku. Kiedy zaatakowali, nie spałem, a stałem na czatach. Zbudziłem mych ludzi i stawiliśmy im czoła. Nie wyszło to nam jednak na dobre: napastnicy mieli znaczną przewagę, a moi Cyganie, wzięci z zaskoczenia, nie zdołali się jeszcze w pełni obudzić. Kiedy w pałacu wybuchł pożar, wiedziałem już, że przegrałem. Gdybym nawet zdołał wybić wszystkich nieprzyjaciół, stanowiliby oni i tak jedynie cząstkę wielkiej armii. Prawdopodobnie zagrali w kości z dziesięcioma innymi drużynami o przywilej zabicia mnie i ograbienia, a jeżeli domyślali się, czym w istocie jestem, na co wskazywało użycie ognia, moja sytuacja stawała się beznadziejna.

Zabrałem złoto i mnóstwo klejnotów, po czym uleciałem w noc. Po drodze wziąłem do niewoli jednego z napastników.

Był Frankiem, do tego młokosem. Skończyłem z nim szybko, nie miałem czasu na zabawę. Przed śmiercią jednak wyznał mi wszystko, co wiedział o tej napaści. Tego dnia znienawidziłem krzyż i wszystkich, którzy go noszą, żyją w jego cieniu lub pod jego wpływem.

Żaden z moich Cyganów nie zdołał się stamtąd wydostać. Później dowiedziałem się, iż dwóch z nich pojmano i wzięto na spytki. W owym czasie przebywałem już daleko, wpatrzony w tę złowieszczą łunę. Jako że krzyżowcy otoczyli pałac ciasnym pierścieniem, przyjąłem, że uznali mnie za ofiarę płomieni. I dobrze, nie miałem zamiaru rozwiewać ich złudzeń.

Tym oto sposobem znalazłem się sam, z dala od domu. Czyż jednak nie pragnąłem ujrzeć świata?

Powiedziałem przed chwilą, że byłem daleko od domu. Spoglądając na odległość, jaka dzieliła mnie od moich włości, trudno uznać to stwierdzenie za trafne. Gdzież jednak naprawdę był mój dom? Przez jakiś czas nie mogłem pokazywać się na Węgrzech, Wołoszczyzna nie była dla mnie odpowiednim miejscem, a mój stary zamek, spoglądający z góry na Ruś, obrócono w ruinę. Cóż zatem miałem czynić? Na świecie jest jednak mnóstwo miejsca!

Szczegółowa opowieść o mych dalszych losach trwałaby zbyt długo. Ograniczę się więc do wyliczenia moich czynów i wędrówek, przy czym będziesz musiał mi wybaczyć i samemu wypełnić pewne luki albo zbytnie przeskoki w czasie.

O północy nie mogło być mowy, podobnie jak o zachodzie. Ruszyłem na wschód. Był rok 1204. Czy muszę ci tłumaczyć, kto wsławił się w Mongolii dwa lata później? Oczywiście nie myślę tu o Temudżynie, zwanym potem Dżyngis-chanem! Dołączyłem do niego wraz z drużyną Ujgurów i pomagałem mu jednoczyć ostatnie krnąbrne plemiona Mongołów aż do chwili całkowitego zjednoczenia owej krainy. Dowiodłem, że jestem zdolnym wodzem, zyskując tym pewien szacunek chana. Nie wysilając się zbytnio, zdołałem zmienić swe rysy na tyle, żeby wyglądać na swojaka. Właściwie powinienem był rzec: nadałem memu wampirzemu ciału nową formę. Chan wiedział oczywiście, że nie jestem Mongołem, ale przynajmniej byłem do zniesienia. W późniejszym okresie miał zresztą pod swymi rozkazami tylu najemników, że przestałem być wyjątkiem.

Wyruszyłem z nim na wyprawę przeciwko Chińczykom, razem przekroczyliśmy Wielki Mur, a po śmierci chana wróciłem tam, by dopilnować całkowitej zagłady Cesarstwa Chińskiego. Scedowałem swą „wierność" na wnuka Dżyngisa, Batu. Mogłem zaproponować swe usługi któremukolwiek z mongolskich chanów, ale Batu chciał podbić Europę! A powrót w skórze mongolskiego generała to nie to samo, co przybycie samotnego tułacza!

Zimą z tysiąc dwieście trzydziestego siódmego na ósmy najechaliśmy Ruś, pustosząc podczas błyskawicznie przeprowadzonej kampanii co ważniejsze księstwa. W 1240 wzięliśmy szturmem Kijów i obróciliśmy go w popiół. Stamtąd uderzyliśmy na Polskę i Węgry. Europę uratowała jedynie śmierć wielkiego chana Ogotaja w roku 1241. Nastąpiły wtedy spory o schedę i skończyły się wyprawy na zachód.

Nadeszła pora, by Fereng, pod takim bowiem znano mnie imieniem, raz jeszcze „zmarł". Pozwolono mi wrócić do mej nieznanej nikomu ojczyzny, leżącej daleko na zachodzie, a mój „syn" stanął u boku Hulagu, by walczyć przeciwko asasynom i kalifatowi. Jako Fereng Czarny, syn Ferenga, wojownik Hulagu, brałem udział w wybiciu asasynów i przyczyniłem się do upadku Bagdadu w roku 1258. Niestety, już w dwa lata później pod Ain-Dżalut, w tak zwanej Ziemi Świętej, ponieśliśmy miażdżącą klęskę w starciu z mamelukami. Nadszedł punkt zwrotny w dziejach Mongolii.

Mongołowie rządzili Rusią do końca czternastego wieku, jednakże ze słowa „rządzić" wynika słowo „pokój", a ja bez reszty zasmakowałem w wojnach. Jeszcze przez czterdzieści lat tłumiłem w sobie ten apetyt, po czym rozstałem się z Mongołami i ruszyłem gdzie indziej szukać wielkich czynów...

Walczyłem teraz za islam! Stałem się Otomanem, Turkiem! Ha! Cóż to znaczy być najemnikiem? Tak, stałem się *ghazi*, wojownikiem islamu walczącym przeciw wielobóstwu i niemal na dwa stulecia me życie zamieniło się w niekończącą się rzekę krwi i śmierci! Za czasów Bajazeta Wołoszczyzna stała się naszym lennem, które Turcy nazywali Eflak. Mogłem tam wrócić i poszukać Tibora, który schronił się ze swymi Seklerami w górach Transylwanii, byłem jednak zajęty wojowaniem w innych stronach. W połowie piętnastego wieku utraciłem tę szansę. Pod rządami Mohammeda I granice państwa otomańskiego kurczyły się. W 1431 cesarz rzymski narodu niemieckiego, Zygmunt, obdarzył Wlada II z Wołoszczyzny Smoczym Nakazem – licencją na zniszczenie niewiernych Turków. A jakim narzędziem posłużył się Wlad podczas owej „świętej wojny"? Kto stanowił jego główną broń? Oczywiście – Tibor!

Dziwna rzecz, ale opowieści o czynach Tibora słuchałem zawsze z niemałą dumą. Wyrzynał nie tylko pogańskich Turków, ale i Węgrów, Niemców oraz innych chrześcijan, i to tysiącami! Był nieodrodnym synem swego ojca! Gdyby jeszcze nie był tak nieposłuszny... Na nieszczęście, nieposłuszeństwo nie było jego jedyną wadą. Podobnie jak ja pod koniec krucjaty, nie zachowywał ostrożności niezbędnej Wampyrom. Seklerzy go uwielbiali, stawiał się więc na równi ze swymi seniorami, wołoskimi książętami, a jego wyczyny przynosiły mu sławę. Krótko mówiąc, na każdym kroku rzucał się w oczy. Wampir nie może rzucać się w oczy, o ile ceni swą długowieczność.

Tibor był szalony. Okrucieństwo zaślepiło go. Kolejni książęta: Wlad zwany Palownikiem, Radu Szczodry i Mircea Mnich, jemu pozostawiali obronę Wołoszczyzny i rozprawę z wrogiem, zadania, którymi się rozkoszował i w których był najlepszy. Jeden z najbardziej osławionych przez historyków zbrodniarzy, Palownik, po dziś dzień cierpi niezasłużenie: był rzeczywiście okrutnikiem, ale przypisuje mu się wyczyny Tibora! Imię wojewody, podobnie jak moje, wymazano z pamięci, ale groza jego czynów żyć będzie wiecznie!

Pozwól, że opowiem, co było dalej. Zbyt długo już żyłem wśród Turków, zdradziłem więc ich sprawę, która i tak chyliła się ku upadkowi, jak to zazwyczaj bywa, i powróciłem na Wołoszczyznę. Dobrze wybrałem moment – Tibor zabrnął już za daleko, Mircea zaś właśnie odziedziczył tron i obawiał się swego demonicznego wojewody. Na to od dawna czekałem.

Przekroczywszy Dunaj, wypuściłem w dal me wampirze myśli. Gdzież byli moi Cyganie? Czy jeszcze mnie pamiętali? Trzysta lat to szmat czasu. Trwała jednak noc, a ja byłem władcą nocy. Moje myśli, niesione ciemnym wiatrem, przebyły całą Wołoszczyznę i zanurzyły się w cieniu gór. Uśpieni Rumuni, leżąc przy ogniskach, usłyszeli mnie i przebudzili się, patrząc po sobie w zdumieniu. Znali legendy, przechodzące z pokolenia na pokolenie, które głosiły, że kiedyś powrócę.

W 1206 wrócili do domu dwaj moi Cyganie, ci sami wojownicy, których tchórzliwi krzyżowcy wzięli na spytki w noc wielkiej zdrady i którym później darowano życie. Wrócili, głosząc niesamowitą legendę. A teraz wracałem ja, już nie jako legenda.

– Ojcze, cóż mamy uczynić? – szepnęli w noc moi poddani. – Mamy wyjść ci na spotkanie, władco?

– Nie – odpowiedziałem im przez dzielące nas rzeki, lasy i mile. – Muszę najpierw sam zakończyć pewien zatarg. Idźcie w Karpaty i doprowadźcie mój dom do porządku, tak bym miał gdzie osiąść, kiedy zrobię swoje.

Wiedziałem, że posłuchają.

Następnie udałem się do Targowiste odwiedzić Mirceę. Tibor wojował wówczas na węgierskiej granicy, dostatecznie daleko. Pokazałem księciu kawałek żywego wampirzego mięsa, wzięty z mego własnego ciała, twierdząc, że należy do Tibora. Widząc, że książę bliski jest omdlenia, spaliłem ów strzęp. To zdradziło mu jeden sposób na zabicie wampira. Opowiedziałem mu też o drugim: o kołku i dekapitacji. Potem zapytałem, czy nie wydało mu się dziwne, że Tibor żyje od przynajmniej trzech stuleci? Nie – odpowiedział książę – gdyż nie o jednym człowieku mowa, ale o kilku następujących po sobie. Wszyscy tworzyli tę samą legendę i wszyscy przyjmowali imię Tibor. Wszyscy też od wieków walczyli pod tym samym sztandarem: wizerunkiem Diabła, Nietoperza i Smoka.

Roześmiałem się wtedy. Co? Wszak przestudiowałem ruskie kroniki i wiedziałem doskonale, że ten sam człowiek, właśnie on, był przed trzystu laty bojarem w Kijowie! Fakt, że przeżył tyle stuleci, potwierdzał tylko me domniemanie. Tibor był niesytym wampirem, a teraz, najwidoczniej, pożądał tronu Wołoszczyzny!

Książę zapytał mnie o dowód potwierdzający moje zarzuty.

– Widziałeś jego wampirze ciało.

– To mogło być ohydne mięso każdego innego wampira – odpowiedział.

Ale ja poświęciłem życie polowaniu na wampiry i niszczeniu tych, które wytropiłem. W pogoni za tymi potworami zjeździłem Chiny, Mongolię, Turcję i Ruś, poznając języki tych krain. Kiedy Tibora zraniono w walce, znalazłem się na miejscu, by zdobyć i zachować kawałek jego ciała, który rozrósł się w to, co właśnie pokazałem księciu. Jakie jeszcze dowody musiałbym dostarczyć?

Wystarczy. On również słyszał różne plotki, miał pewne podejrzenia, wątpliwości...

Książę już przedtem lękał się Tibora, ale to, co mu wówczas opowiedziałem, nie mijając się zbytnio z prawdą, wyjąwszy może królewskie ambicje Tibora, wprawiło go w stan najgłębszego przerażenia. Jak mógłby skończyć z tym potworem?

Wyjaśniłem mu, jak. Miał pod jakimkolwiek pretekstem ściągnąć Tibora na dwór, na przykład, by obdarzyć go wielkimi zaszczytami! Tak, to powinno wystarczyć. Wampiry są przeważnie istotami próżnymi; zręczne pochlebstwa zdobywają ich względy. Mircea miał przekazać Tiborowi, że pragnie go uczynić wodzem całej wołoskiej armii, wielmożą o władzy ustępującej jedynie książęcej.

– Władzy? Już ją posiada!

– Powiedz mu zatem, że w grę wchodzi możliwość odziedziczenia tronu.

– Co takiego? – zastanawiał się książę. – Musiałbym zasięgnąć rady.

– To śmieszne! – stwierdziłem. – Tibor może mieć sojuszników pośród twych doradców. Nie znasz jego siły?

– Mów dalej...

– Kiedy się zjawi, będę tutaj. Niechaj przyjedzie sam, zostawiwszy swe wojska na węgierskiej granicy, by kontynuowały bój. Później będziesz mógł przesłać im nowe rozkazy, powierzyć dowództwo pomniejszym, bardziej zaufanym wodzom. Przyjmiesz go sam, nocą.

– Sam? Nocą? – Mircea był do cna przerażony.

– Musisz z nim wypić. Dam ci wino, które go odurzy. Jest silny, więc nie zabije go żadna ilość wina. Może nawet nie pozbawi go przytomności. Ale zaćmi jego zmysły, uczyni go ociężałym, po pijacku bezmyślnym.

Będę w pobliżu, z czterema czy pięcioma najbardziej zaufanymi członkami twojej gwardii. Uwięzimy go, nagiego, w miejscu, które wskażesz. W jakimś specjalnym miejscu, na terenie pałacu. Kiedy słońce wzejdzie, pojmiesz, że uwięziłeś wampira. Promienie słońca będą dlań źródłem męczarni! To samo w sobie nie stanowi jednak koronnego dowodu, a przecież nie powinniśmy działać pochopnie. Związanemu, rozchylimy szczęki. Zobaczysz jego język, rozwidlony jak u węża i czerwony od krwi.

Zaraz potem przebijemy jego serce kołkiem z twardego drewna. To go unieruchomi. A potem – do trumny go i dalej, w jakieś ustronne miejsce. Pochowamy go gdzieś, gdzie nikt go nie znajdzie, w miejscu, które od tej pory będzie zakazane.

– Czy to się uda?

Ręczyłem za mój plan. I udało się! Dokładnie jak zaplanowałem.

Z Targowiste na krzyżowe wzgórza jest może ze sto mil. Tibora przewieziono tam tak szybko, jak tylko było to możliwe. Całą drogę szli z nami świątobliwi mężowie, a ich egzorcyzmy dzwoniły mi w uszach tak, że myślałem, iż mnie zemdli. Byłem odziany w prosty ciemny habit, na czoło nasunąłem kaptur. Nikt nie widział mojej twarzy, wyjąwszy Mirceę i garstkę dworaków, których zaczarowałem albo, jak to się dzisiaj mówi, zahipnotyzowałem.

Z kamieni znajdujących się na wzgórzu zbudowano toporne mauzoleum. Nieoznaczone imieniem ani tytułem, ani też innymi symbolami, wznosiło się nisko nad ziemią, czyniąc ową mroczną polanę na tyle niesamowitą, by odstraszyło to ciekawskich. Po latach ktoś wyrył w kamieniu herb Tibora, być może jako dodatkowe ostrzeżenie. A może trafił tu jakiś wierny wojewodzie Cygan czy też Sekler i oznaczył to miejsce, nazbyt lękliwy lub nazbyt głupi, by móc go uwolnić.

Za daleko jednak sięgnąłem myślami.

Przywieźliśmy więc Tibora na Podkarpacie i tam opuściliśmy go do wykopanego w ciemnej ziemi dołu, głębokiego na cztery czy pięć stóp. Wołoch owinięty był grubymi łańcuchami z żelaza i srebra, a drewniany kołek skutecznie więził go w trumnie. Leżał więc blady, z zamkniętymi oczami, każdemu wydawałby się trupem. Ale nie mnie.

Nadchodziła noc. Powiedziałem żołnierzom i księżom, że zejdę na dół, by uciąć Tiborowi głowę i przygotować ognisko, które posłuży do spalenia go, a gdy już wypali się do cna, zasypię grób. Dodałem też, że to niebezpieczne czary, którymi posłużyć się mogę jedynie w świetle księżyca. Jeśli więc cenią swe dusze, powinni się natychmiast oddalić. Wycofali się, by czekać na mnie u podnóża stoku.

Wstał cienkorogi księżyc. Spojrzałem z góry na Tibora.

– Doszło więc wreszcie do tego, mój synu. Smutny, smutny to dzień dla zaślepionego ojca, który obdarzył niewdzięcznego syna olbrzymią mocą, doszczętnie później roztrwonioną. Syna, który nie przestrzegał zaleceń swego ojca i stoczył się przez to na samo dno. Zbudź się, Tiborze, pozwalając również zbudzić się temu, co jest w tobie, gdyż wiem, że nie umarłeś.

Moje słowa sprawiły, że lekko uniósł powieki, a potem, pojąwszy nagle, co się stało, szeroko otworzył oczy. Odrzuciłem kaptur, by mógł mi się przyjrzeć i uśmiechnąłem się w sposób, którego nie mógł zapomnieć. Zobaczył mnie i przeraził się. Potem zobaczył, gdzie jest, i wrzasnął! Och, jak wrzasnął!

Sypnąłem nań garść ziemi.

– Litości! – krzyknął głośno.

– Litości? Czyż nie jesteś Tiborem Wołochem, który otrzymał nazwisko Ferenczy i miał strzec włości Wampyra Faethora pod nieobecność tegoż? A jeśli tak, co robisz tutaj, z dala od miejsca, w którym winieneś przebywać?

– Litości! Litości! Nie ucinaj mi głowy, Faethorze!

– Nie zamierzam! – Sypnąłem jeszcze trochę ziemi.

Pojął, co mam na myśli, co mam zamiar uczynić, i oszalał. Szarpał się i dygotał, niemal wyrwał z ciała kołek. Wsunąłem do grobu długi, mocny drąg i dobiłem nim ów palik, przeszywając dno trumny. Wieko leżało z boku, na dnie dołu. Co? Miałbym go zakryć i nie oglądać już przerażonej, obłąkanej ze strachu twarzy?

– Ależ jestem Wampyrem! – wrzasnął.

– Mogłeś być – powiedziałem. – Tak, mogłeś być! Teraz jesteś niczym.

– Stary draniu! Jak ja cię nienawidzę! – Szalał, mając krew w oczach, w nozdrzach, w rozdziawionych ustach.

– Wzajemnie, mój synu.

– Boisz się. Lękasz się mnie. Oto jest przyczyna!

– Przyczyna? Pragniesz poznać przyczynę? Co słychać w moim zamku? Co z mymi górami i ciemnymi lasami, z moimi ziemiami? Powiem ci: przeszło wiek były we władaniu chanów. A gdzie ty wówczas byłeś, Tiborze?

– To prawda! – krzyknął przez ziemię, którą cisnąłem mu w twarz. – Lękasz się mnie!

– Gdyby miało to być prawdą, z pewnością uciąłbym ci głowę. – Uśmiechnąłem się. – Nie, po prostu nienawidzę cię bardziej niż innych. Pamiętasz, jak mnie spaliłeś? Przez sto lat cię przeklinałem, Tiborze. Teraz kolej, abyś ty mnie przeklinał przez wieczność. Albo do chwili, gdy staniesz się zimny jak głaz, pogrążony w mrocznej ziemi.

I kończąc na tym, zasypałem grób.

Kiedy nie mógł już krzyczeć wniebogłosy, wrzeszczały jego myśli. Upajałem się każdym jego okrzykiem. A potem rozpaliłem małe ognisko, by zwieść żołnierzy i kapłanów. Jako że noc była chłodna, grzałem się przy nim przez godzinę. A potem zszedłem ze wzgórza.

– Żegnaj, mój synu – powiedziałem do Tibora. Następnie wykluczyłem go ze swych myśli, podobnie jak wykluczyłem go ze świata, na zawsze...

*

* *

– I tak zemściłeś się na Tiborze – stwierdził Harry, kiedy Faethor umilkł. – Pogrzebałeś go żywcem lub jako nieumarłego po wsze czasy. Cóż, może zaspokoiło to twe zbrodnicze instynkty, ale światu nie przysłużyłeś się zbytnio, pozwalając mu zachować głowę, Faethorze. Omamił Dragosaniego i złożył w nim swe wampirze nasienie, skaził też ledwie poczętego Juliana Bodescu, który już objawił się jako wampir. Wiedziałeś o tym?

– *Harry* – rzekł Faethor – *za życia byłem mistrzem telepatii, a po śmierci...? Umarli nie chcą ze mną rozmawiać i nie mogę ich za to winić, ale nic nie powstrzymuje mnie przed wsłuchiwaniem się w ich rozmowy. Mógłbym się upierać, że na swój sposób i ja jestem nekroskopem. Czytałem myśli wielu z nich. Niektóre bardzo mnie interesowały, zwłaszcza myśli tego psa, Tibora. Tak, po śmierci znów zainteresowałem się jego sprawami. Wiem o Borysie Dragosanim i Julianie Bodescu.*

– Dragosani nie żyje – powiedział Harry, całkiem niepotrzebnie. – Rozmawiałem z nim jednak i zdradził mi, że Tibor zamierza za pośrednictwem Bodescu wrócić między żywych. Jak to możliwe? Tibor jest martwy, nie nieumarły, ale najzupełniej martwy, w stanie rozkładu, skończony.

– *Coś z niego nadal trwa.*

– Myślisz o wampirzej tkance? Bezmyślnej protoplazmie, ukrytej w ziemi, odciętej od światła, pozbawionej świadomości i woli? Jak Tibor mógłby ją wykorzystać, skoro nie jest w stanie jej rozkazywać?

– *Interesujące pytanie* – rzekł Faethor. – *Korzeń Tibora, jego zabłąkana macka, odcięta i pozostawiona samopas, wydaje się być doskonałym przeciwieństwem nas obu. My jesteśmy bezcieleśni, żywe umysły, odłączone od materii. A czym jest... tamto? Żywym ciałem pozbawionym umysłu?*

– Nie mam czasu na zagadki ani zabawy słowne, Faethorze – przypomniał Harry.

– *Nie bawię się, ale odpowiadam na twoje pytania* – obruszył się Faethor. – *Przynajmniej częściowo. Jesteś inteligentnym człowiekiem. Nie potrafisz dopowiedzieć sobie reszty?*

To dało Harry'emu do myślenia. Dwa bieguny. Czy Faethor chciał zasugerować, że Tibor tworzy dla siebie miejsce w istocie o podwójnej naturze? Stronę fizyczną miał zapewnić Julian, a Tibor – tchnąć w nią wampirzego ducha? Faethor słuchał uważnie, jak Harry rozważa ów problem.

– *Brawo!* – stwierdził wampir.

– Zachwyt jest nie na miejscu – zauważył Harry. – Jeszcze nie znalazłem odpowiedzi. A jeśli nawet, to jej nie pojąłem. Nie rozumiem, w jaki sposób osobowość Tibora miałaby rządzić ciałem Juliana. Przynajmniej dopóki włada nim umysł Juliana.

– *Brawo!* – powtórzył Faethor, ale Harry wciąż nic widział rozwiązania.

– Wyjaśnij to – zażądał, przyznając się do klęski.

– *Gdyby Tibor zdołał zwabić Bodescu na krzyżowe wzgórza* – powiedział wampir – *a tam jego macka, protoplazmatyczna wypustka, którą wyhodował, być może specjalnie do tego celu, połączyłby się z chłopakiem...*

– Tworząc hybrydę?

– *A dlaczego nie? Bodescu już teraz ma w sobie coś z Tibora. Już jest pod jego wpływem. Jedyną przeszkodą, jak słusznie zauważyłeś, jest umysł Bodescu. Odpowiedź jest prosta. Wampirza tkanka Tibora, znalazłszy się w ciele chłopaka, pożre jego umysł, robiąc miejsce Wołochowi!*

– Pożre! – Harry'ego aż rzuciło.

– *Dosłownie!*

– Ale... ciało ludzkie, pozbawione umysłu, natychmiast umiera!

– *Ludzkie tak, o ile się go sztucznie nie podtrzyma. Tyle tylko, że Bodescu nie jest już człowiekiem. Tu mieści się sedno twojego problemu. Julian jest wampirem. Przeistoczenie Tibora zajmie zaledwie ułamek sekundy. Julian Bodescu wybierze się na krzyżowe wzgórza i pozornie z nich wróci. A w rzeczywistości...*

– Powróci Tibor!

– *Brawo!* – stwierdził po raz trzeci Faethor, z nutą sarkazmu w głosie.

– Dzięki – powiedział Harry, nie zważając na ironiczny ton wampira. – Wiem teraz, że jestem na właściwym tropie, a moi przyjaciele obrali słuszny tok działania. Już tylko jedno pytanie pozostaje bez odpowiedzi.

– *Tak?* – W głosie Faethora znów brzmiało mroczne rozbawienie, jakiś cień drwiny. – *Sprawdźmy, czy zgadnę. Pragniesz dowiedzieć się, czy ja, Faethor Ferenczy, podobnie jak Tibor Wołoch, zostawiłem po sobie coś czatującego w ziemi. Mam rację?*

– Wiem, że masz – przyznał Harry. – Na ile się orientuję, to naturalne zabezpieczenie Wampyrów, na wypadek nagłej śmierci.

– *Harry, byłeś ze mną szczery i polubiłem ciebie za to. Teraz pora na moją szczerość. Nie tylko Tibor wpadł na taki pomysł. Choć muszę przyznać, że mu tego zazdroszczę! Co do mych „wampirzych szczątków" nie mylisz się. Coś ze mnie pozostało. Może nawet więcej. „Coś ze mnie" nie jest tu jednak najtrafniejszym określeniem, gdyż obaj wiemy, że dla mnie nie ma już drogi powrotnej.*

– A to... a tamci, którzy pozostali w twoim zamku, uwięzieni przez Tibora?

– *Sprawa prostej dedukcji.*

– Nie chcesz, wzorem Tibora, wykorzystać owych szczątków, by znowu ożyć?

– Naiwny jesteś, Harry. Prawdopodobnie zrobiłbym to, gdybym mógł. Tylko jak? Umarłem tutaj i nie mogę opuścić tego miejsca. Co więcej, mam świadomość, że zniszczycie to, co Tibor pogrzebał w moim zamku przed tysiącem lat, o ile coś tam jeszcze jest. Pomyśl, Harry, przed tysiącem lat! Nawet ja nie mam pojęcia, czy w takich okolicznościach wampirza protoplazma przetrwałaby tak długo.

– Ale mogłaby przetrwać. Czy to... cię nie interesuje?

Harry usłyszał coś w rodzaju westchnienia.

– Coś ci powiem, Harry. Chcesz, to wierz. Znalazłem wreszcie spokój. Przynajmniej – wewnętrzny. Przeżyłem swoje i to mi wystarcza. Mając tysiąc trzysta lat, zrozumiałbyś to. Może uwierzysz mi, jeśli ci powiem, że nawet twoja obecność burzy mi spokój. Ale nie przeciągaj struny. Mój dług wobec Ladislau Giresciego został wreszcie spłacony. Żegnaj...

– Żegnaj, Faethorze – rzekł Harry po krótkiej chwili milczenia.

I znużony, dziwnie ociężały odnalazł drzwi czasoprzestrzenne, by wrócić do Kontinuum Möbiusa...

Rozmowa Harry'ego Keogha z Faethorem Ferenczym nie trwała ani o chwilę za długo. Harry Junior, budząc się, zażądał, by umysł ojca powrócił na miejsce. Wyrwany z kontinuum Möbiusa przez coraz silniejsze id swego syna, Harry mógł jedynie czekać, aż syn znów zaśnie, czekać, aż nadejdzie wieczór.

*
* *

W chwili gdy Harry Junior zapadał w sen, w Anglii była siódma trzydzieści, a w Rumunii – o dwie godziny później i całkiem ciemno.

Łowcy wampirów wynajęli pokoje w staroświeckiej gospodzie na peryferiach Ionesti. Tam właśnie, w wygodnym, wyłożonym dębową boazerią saloniku, ustaliwszy plany na poniedziałek, sączyli ostatnie drinki, by wcześniej zakończyć ten dzień. Taki przynajmniej mieli zamiar. Brakowało jedynie Irmy, która udała się do Pitesti, by sfinalizować pewne wcześniejsze ustalenia. Wolała osobiście dopilnować ich realizacji. Wszyscy byli zgodni, że braki w urodzie i wdzięku nadrabiała skutecznością.

Harry Keogh, materializując się, znalazł ich przed kominkiem, ze szklankami w dłoniach. Carl Quint pierwszy odebrał jego przybycie. Wyprostował się nagle w fotelu, rozlewając śliwowicę. Pobladły, rozglądał się po pokoju oczami wielkimi jak spodki. Wstał, ale nadal wyglądał na przytłoczonego.

– Och, och – wydusił z siebie.

Gulcharow nie rozumiał, co się dzieje, ale Krakowicz również coś wyczuł. Zadrżał.

– Co? Co? – zapytał. – Zdaje mi się, że tu jest...

– Masz rację – uciął Kyle, biegnąc do drzwi pokoju, by je zamknąć i zgasić niemal wszystkie światła. Zostawił tylko jedną lampkę. – Ktoś tu jest. Tylko spokojnie. Nadchodzi.

– Co? – powtórzył Krakowicz, wypuszczając z ust obłok pary. Wyraźnie się ochłodziło. – Kto... nadchodzi?

Quint wziął głęboki wdech.

– Feliksie – powiedział – uprzedź lepiej Siergieja, że nie ma powodu do paniki. Ten, który nas odwiedzi, to przyjaciel, choć pierwsze spotkanie z nim może spowodować mały szok.

Krakowicz powiedział coś do Gulcharowa. Młody żołnierz odstawił szklankę i powoli wstał. I właśnie wtedy pojawił się Harry.

Przyjął typową dla siebie postać, tyle że dziecko nie znajdowało się już w pozycji embrionalnej, ale siedziało na wysokości jego brzucha. Nie obracało się też wokół własnej osi, zdawało się być oparte o Harry'ego. Oczy miało zamknięte, jakby medytowało. Było też zdecydowanie jaśniejsze, podczas gdy poświata Harry'ego nieco przygasła.

Krakowicz, uporawszy się z początkowym szokiem, rozpoznał przybysza.

– O mój Boże! – wykrzyknął. – Duch, dwa duchy! Jednego z nich poznaję. To Harry Keogh!

– To nie duch, Feliksie – stwierdził Kyle, chwytając Rosjanina za ramię. – A właściwie coś więcej niż duch, ale nie ma się czego obawiać, zapewniam cię. Czy z Siergiejem wszystko w porządku?

Grdyka Gulcharowa drgała nerwowo, ręce mu się trzęsły, a oczy wychodziły z orbit. Gdyby mógł, uciekłby, ale nogi odmawiały mu posłuszeństwa. Krakowicz kazał mu usiąść, wyjaśniając, że wszystko gra. Siergiej nie uwierzył mu, ale mimo to usiadł.

– Masz pole do popisu, Harry – oznajmił Kyle.

– Wielkie nieba! – zawołał Krakowicz. Sam wpadał w popłoch, ale starał się zachować spokój ze względu na Gulcharowa. – Czy ktoś mi to wyjaśni?

Keogh popatrzył na Rosjan.

– Ty jesteś Krakowicz – zwrócił się do Feliksa. *– Masz paranormalną wrażliwość, co ułatwia sprawę. Twój przyjaciel nie ma jednak tego daru. Docieram do niego z dużym trudem.*

Krakowicz kłapnął ustami jak ryba, nie znajdując słów, po czym opadł na krzesło obok Gulcharowa. Przejechał językiem po wyschniętych wargach i spojrzał na Kyle'a.

– To... to nie duch?

– Nie jestem duchem – odpowiedział Harry. *– Łatwo się jednak pomylić. Niestety, brak mi czasu, by to wytłumaczyć. Skoro już mnie zobaczyłeś, może Kyle zrobi to za mnie? Ale potem. To, co mam do powiedzenia, jest dość ważne.*

– Feliksie – odezwał się Kyle. – Spróbuj przez chwilę niczemu się nie dziwić. Uznaj to wszystko za fakt zaistniały i postaraj się skupić na tym, co powie Harry. Przy najbliższej okazji wyjaśnię ci pewne sprawy.

Rosjanin kiwnął głową i wziął się w garść.

Harry opowiedział im wszystko, czego dowiedział się od ostatniej rozmowy z Kyle'em. Bardzo się streszczał, zajęło mu to nie więcej niż pół godziny. Potem spojrzał na Kyle'a.

– Co w Anglii? – zapytał.

– Jutro w południe będę się kontaktował ze swymi ludźmi – odpowiedział szef INTESP.

– A dom w Devonshire?

– Sądzę, że pora tam wkroczyć.

– Zgadzam się. Kiedy zaczynacie akcję na krzyżowych wzgórzach? – zapytał Keogh.

– Jutro mamy je obejrzeć – odparł Kyle. – A potem... we wtorek, za dnia!

– Pamiętajcie tylko, co powiedziałem. To, co Tibor zostawił po sobie, jest ogromne!

– Ale bezrozumne. I, jak powiedziałem, załatwimy to w dzień.

– Proponuję, byście w tym samym czasie załatwili sprawę Harkley House i Bodescu. Julian z pewnością wie już, czym

jest, i zbadał swe wampirze moce, choć, o ile wiemy, nie posiada sprytu i zawziętości Tibora albo Faethora. Tamci zazdrośnie strzegli swych wampirzych sekretów. Nie tworzyli zbędnych wampirów, gdzie popadło. Z drugiej strony, Julian Bodescu działa na żywioł i to czyni go swoistą bombą zegarową! Starczy go spłoszyć, a potem popełnić jakiś błąd, pozwalając mu się wymknąć, i już pójdzie na całość, niczym pożar albo nowotwór złośliwy – ostrzegało ich widmo Keogha.

Kyle wiedział, że Harry ma rację.

– Zgadzam się z tobą. Trzeba zestroić w czasie obie akcje – rzekł. – A nie obawiasz się tego, że Bodescu dotrze do Tibora, zanim my zrobimy swoje?

– *Może i tak?* – zadumała się zjawa. – *O ile jednak wiemy, Bodescu nie ma pojęcia o krzyżowych wzgórzach i o tym, co tam pochowano. Teraz inna sprawa. Czy twoi ludzie wiedzą, co należy zrobić? Nie każdy ma na to dość ikry. To paskudna robota. Stare metody – kołek, dekapitacja, ogień – innych sposobów nie ma. Nic innego nie skutkuje. Tego nie załatwi się w rękawiczkach. Ogień w Harkley musi być potężny. Fajerwerk! Z uwagi na piwnice...*

– Z uwagi na to, że nie wiemy, co się tam kryje? Zgoda. W czasie jutrzejszej rozmowy przypomnę im jeszcze o tym. Jestem przekonany, że już do tego doszli, ale ostrożności nigdy dość. Cały dom musi trafić szlag, od piwnic w górę! I trochę też... w dół.

– *Świetnie* – stwierdził Harry. Umilkł. Coś go trapiło, jak aktora potrzebującego wsparcia suflera. – *Pewni ludzie, umarli, liczą, że podziękują im za pomoc. Nie wymyśliłem też jeszcze, jak wyrwać się z ograniczeń, które narzuca mi mój syn. To coraz poważniejszy problem. Jeśli więc wybaczycie...* – kończył wizytę Harry.

Kyle zrobił krok do przodu. Wydało mu się nagle, że na zawsze rozstaje się z Harrym Keoghem. Chciał wyciągnąć rękę, ale wiedział, że dłoń nic tam nie napotka. A przynajmniej nic cielesnego.

– Harry – powiedział. – Podziękuj im i w naszym imieniu. To znaczy, twoim przyjaciołom.

– *Podziękuję* – odparło widmo. Uśmiechnęło się blado i zniknęło w nagłym rozbłysku.

Przez dłuższy czas trwała cisza. Nie zakłócały jej nawet oddechy. Potem Kyle zapalił światło, a Krakowicz zaczerpnął powietrza.

– A teraz... sądzę, że się zgadzacie, iż jesteście mi winni wyjaśnienie? – westchnął Krakowicz.

Kyle musiał się z tym zgodzić...

*
* *

Harry Keogh zrobił wszystko, co było w jego mocy. Reszta spoczywała w rękach ludzi obdarzonych ciałem, a przynajmniej takich, którzy mieli jeszcze ręce zdolne to przejąć.

Płynąc przez Kontinuum Möbiusa, Harry czuł presję tamtego umysłu. Jego syn, nawet śpiąc, przyciągał go z niesamowitą siłą. Harry Junior zaciskał pętlę, a Harry Senior był pewien, że nie mylił się co do niemowlaka: dzieciak wchłaniał jego umysł, wysysał z niego wiedzę, przyswajał sobie jego id. Harry już wkrótce będzie musiał zdecydować się na ostateczną ucieczkę. Ciekaw był, co z niego zostanie, jeśli mały go wchłonie. Bał się, że przestanie istnieć, stając się paranormalnym talentem swego syna.

Korzystając z Kontinuum Möbiusa, Harry mógł wnikać w przyszłość i poznawać odpowiedzi na nurtujące go pytania. Wolał wszak nie znać wszystkich rozwiązań, gdyż przyszłość zdawała się być nienaruszalna. Nawet nie chodziło o to, że poczułby się w jakiejś mierze oszustem, po prostu powątpiewał w to, że poznanie przyszłości daje mądrość.

Przyszłość, podobnie jak przeszłość, była już ustalona. Gdyby Harry dopatrzył się w niej czegoś niekorzystnego, próbowałby to zmienić, nawet mając świadomość beznadziejności swych wysiłków. A to jeszcze bardziej skomplikowałoby jego i tak dość niesamowity byt.

Jedyne, na co mógł sobie pozwolić, to sprawdzenie, czy czeka go jakakolwiek przyszłość. A to dla Harry'ego Keogha było najprostszym z ćwiczeń.

Wciąż walcząc z presją swego syna, znalazł drzwi przyszłości i otworzył je, wpatrując się w niezgłębioną przestrzeń. Na tle subtelnie zmieniającej odcienie ciemności czwartego wymiaru niezliczone linie ludzkich żywotów przechodziły z błękitu w szafirową mgiełkę, określając czas trwania tych, które już istniały, i tych, które miały się dopiero pojawić. Linia Harry'ego brała swój początek z jego bezcielesnej istoty, z umysłu, jak sądził, i zdawała się biec w przyszłość nieomal bez końca. Zauważył jednak, że tuż za drzwiami Möbiusa ciągnęła się równolegle do drugiej nici, jak bliźniacze pasmo autostrady, oddzielone barierką. Owa druga linia życia, zdaniem Harry'ego, należała do Harry'ego Juniora.

Oderwał się od drzwi i skoczył w przyszłość, podążając śladem obu nici. Szybszy od nich, już po chwili wyprzedził nieco czas. Ze smutkiem doświadczył kresu wielu linii, które po prostu gasły, wiedział, że to oznacza śmierć. Ale widział też inne, zapalające się jasno jak gwiazdy i wyciągające się zaraz w neonowe włókna. Te oznaczały narodziny, początki nowego życia. I tak posuwał się do przodu. Czas rozstępował się przed nim, jak morze przed płynącym statkiem, po czym zwierał się i ponownie zasklepiał.

Nagle, mimo iż pozbawiony ciała, Harry odczuł lodowaty powiew z boku. Nie mogło to być doznanie fizyczne, a zatem musiało płynąć z ducha. Oczywiście, pośród panoramy pędzących linii życia wytropił jedną wyróżniającą się jak rekin w ławicy tuńczyków. Szkarłatną linię – znak wampira.

Owa nić, jakby z własnego wyboru, kierowała się ku liniom obu Harrych. Nekroskop wpadł w popłoch. Szkarłatne pasmo było coraz bliżej, w każdej chwili mogło przeciąć bieg jego i Harry'ego Juniora. I wtem...

Nić życia małego Harry'ego raptownie oderwała się od linii ojca, zmieniając kierunek i niknąc w oceanie innych błękitnych pasm. A włókno Harry'ego Seniora poszło za jego przykładem, uniknęło groźnego pchnięcia wampirzego bytu, skręcając desperacko w inną stronę. Przypominało to manewry kierowców na jakimś nieziemskim torze wyścigowym. Ostatni ruch Harry'ego był wszakże wykonany na oślep, niemal instynktownie, toteż jego nić zdawała się gnać teraz bezwładnie przez plątaninę przyszłych czasów.

W chwilę później Harry zobaczył coś niemożliwego, co miało i jego dotyczyć – zderzenie! Nie wiadomo skąd wyłoniła się nagle nowa błękitna nić, wyblakła, postrzępiona, niknąca. Oba pasma ulegały chyba jakiemuś niepojętemu wzajemnemu przyciąganiu. Zlały się wreszcie w jedną jaskrawobłękitną linię, o wiele jaśniejszą i szybszą niż wszystkie inne. Przez moment Harry poczuł obecność, a może tylko niknące echo obecności, innego umysłu, wchodzącego w jego własny. Ale zaraz i to wygasło, a jego nić nieprzerwanie sunęła dalej.

Zobaczył wystarczająco wiele. Przyszłość powinna iść swoim torem. Rozejrzał się, znalazł drzwi i wyszedł z czasu w otchłań Kontinuum Möbiusa. Mały Harry natychmiast złapał go. Harry nie bronił się, pozwolił zaciągnąć się do domu. Do domu mieszczącego się w umyśle jego syna, przeżywającego teraz w Hartlepool wczesny niedzielny wieczór jesieni 1977 roku.

Zamierzał wprawdzie porozmawiać z nowymi przyjaciółmi z Rumunii, ale to musiało zaczekać. Nie bardzo też wiedział, co sądzić o „zderzeniu” z przyszłością kogoś innego. Był jednak pewien, że na moment przed wygaśnięciem echa tamtego umysłu rozpoznał, z kim ma do czynienia.

I to było najdziwniejsze...

ROZDZIAŁ DWUNASTY

Genua to miasto kontrastów. Od największej biedoty zasiedlającej brukowane zaułki i marnych barów w dzielnicy portowej po luksusowe apartamenty, spoglądające na ulice wielkimi oknami i przestronnymi werandami. Od nieskazitelnych basenów dla bogaczy po brudne, czarne od ropy plaże; od ciemnych, przyprawiających o klaustrofobię labiryntów uliczek po rozległe place i aleje – kontrasty widziało się wszędzie. Wdzięczne ogrody ustępowały miejsca betonowym wąwozom; względna cisza bogatych przedmieść dla wybrańców ginęła w centrum miasta rozdzierana łoskotem ruchu ulicznego, nie cichnącego nawet nocą, a słodkie powietrze najwyższych tarasów zatruwał kurz i niebieskawa mgła spalin, unosząca się nad przeludnionymi slumsami, na zawsze pozbawionymi słońca.

„Meta" wywiadu brytyjskiego znajdowała się na najwyższym piętrze potężnego bloku, górującego nad Corso Aurelio Saffi. Skierowany ku morzu miał on pięć wysokich kondygnacji. Tył wieżowca – jako że jego fundamenty osadzone były w skale, przy samym skraju tarasu – wyrastał jeszcze ponad kamienne urwisko. Widok z niewielkich, nisko obmurowanych balkonów, wiszących od tej właśnie strony, przyprawiał o zawrót głowy, co niepokoiło szczególnie Jasona Cornwella, znanego także jako „pan Brown".

Genua, niedziela, godzina dwudziesta pierwsza – w tym czasie Harry Keogh rozmawiał jeszcze z łowcami wampirów w ich apartamentach w Ionesti, by wkrótce potem wyruszyć w niedaleką przyszłość śladem swej linii życia, a w Devonshire Julian Bodescu, zaniepokojony obecnością tajemniczych obserwatorów, pracował nad planem, który pozwoliłby mu odkryć, kim oni są i czemu się nim interesują. W Genui zaś Jason Cornwell siedział sztywno na krześle, zagryzając wargi, i obserwował Teo Dołgicha, który wydłubywał skruszałą zaprawę spomiędzy cegieł i tak dość niepewnego obmurowania balkonu, używając do tego celu kuchennego noża. Pot na górnej wardze Cornwella i pod jego palcami niewiele miał wspólnego z duszną atmosferą genueńskiej jesieni.

Na stan Cornwella wpływał raczej fakt, iż Dołgich go przechytrzył, pochwycił brytyjskiego pająka w jego własną sieć – i to tutaj, w lokalu wywiadu. Zazwyczaj w mieszkaniu przebywało jeszcze dwóch, trzech innych agentów tajnych służb, zważywszy jednak na to, że Cornwell (czy też Brown) zajmował się sprawą wykraczającą poza szpiegowską rutynę, stałych lokatorów „odwołano" do innych zadań, zostawiając mu pełną swobodę.

Brown porwał Dołgicha w sobotę, jednakże po niespełna dwudziestu czterech godzinach Rosjanin zdołał przejąć inicjatywę. Udając sen, Dołgich doczekał niedzielnego popołudnia, kiedy to Brown wyszedł z domu na sandwicza i szklankę piwa. Po wielu próbach zdołał uwolnić się z więzów. W pięćdziesiąt minut później wracającego Browna czekała niemiła niespodzianka. Minęło trochę czasu... Anglik odzyskał przytomność, pobudzony jednocześnie solami trzeźwiącymi, wpychanymi w nozdrza i ostrymi kopniakami w co wrażliwsze części ciała. Odkrył, że role się zmieniły: teraz on siedział związany na krześle, a uśmiechał się Dołgich.

Rosjanin chciał wiedzieć jedno – tylko jedno – gdzie znajduje się teraz Krakowicz, Kyle i spółka. Nie wątpił, że celowo został wyłączony z gry, co mogło oznaczać, iż szło o wysoką stawkę.

– Nie wiem, gdzie oni są – powiedział Brown. – Jestem człowiekiem z ochrony. Chronię ludzi oraz swoje własne interesy.

Dołgich, którego angielszczyzna była niezła, choć trochę gardłowa, nie miał żadnego wyboru. Wiedział, że jeśli nie zdoła odnaleźć wywiadowców paranormalnych, będzie mógł uważać swoją misję za zakończoną a następną robotę dostanie na pewno na Syberii.

– Jak mnie namierzyli?

– To ja ciebie namierzyłem. Rozpoznałem twą paskudną gębę, o czym szczegółowo poinformowałem Londyn. Gdyby nie ja, inni nie wypatrzyliby ciebie nawet w małpiarni! Choć tam nie miałoby to większego znaczenia...

– Jeżeli powiedziałeś im o mnie, musieli wyjaśnić ci, dlaczego masz mnie przytrzymać. Pewnie powiedzieli też, dokąd jadą. Teraz ty mi to powiesz.

– Nic nie wiem.

– Panie Tajny Agencie, Ochroniarzu czy jak ci tam, masz poważny problem. – Dołgich nachylił się nad Brownem. Już się nie uśmiechał. – A ten problem wygląda następująco: jeśli nie zechcesz ze mną współpracować, zabiję cię. Krakowicz i jego żołnierzyk to zdrajcy, musieli wiedzieć o tym, że mnie porwałeś. Powiedziałeś im, że jestem w Genui, a oni wydali tobie odpowiednie polecenia albo przynajmniej wyrazili zgodę na porwanie. Jestem agentem na obcym terenie i działam przeciwko wrogom mego kraju. Jeżeli będziesz uparty, rozwalę cię bez wahania, ale przed śmiercią może ci być dość nieprzyjemnie. Rozumiesz?

Brown rozumiał to wystarczająco dobrze.

– Po co ta gadanina o zabijaniu? – spytał ze wzgardą. – Miałem niejedną okazję, żeby cię zabić, ale otrzymałem inne instrukcje. Miałem cię przytrzymać i tyle. Po co komplikować sprawę?

– Dlaczego brytyjscy agenci z Wywiadu Paranormalnego współpracują z Krakowiczem? O co im chodzi? Cały kłopot z tymi bandami mediów polega na tym, że uważają siebie za lepszych od nas. Myślą, że światem rządzi rozum, a nie muskuły. Ale my obaj – i inni nam podobni – wiemy doskonale, że tak nie jest. Wygrywa zawsze najsilniejszy. Wielki wojownik triumfuje, podczas gdy wielki myśliciel dopiero myśli o triumfie. Z nami jest tak samo. Ty robisz, co ci każą, a ja kieruję się instynktem. I wychodzi na moje.

– Na pewno? I dlatego grozisz mi śmiercią?

– Ostatnia szansa, Panie Ochroniarzu. Gdzie oni są?

Brown nadal nie chciał nic powiedzieć. Uśmiechnął się tylko i zacisnął zęby.

Dołgich nie mógł sobie pozwolić na dalsze marnowanie czasu. Był specjalistą od wydobywania zeznań, co w tym przypadku oznaczało tortury. Istnieją dwa podstawowe typy tortur: psychiczne i fizyczne. Jedno spojrzenie na Browna powiedziało mu jednak, że sam ból nie złamie Anglika. A przynajmniej nie od razu. Dołgich nie miał zresztą przy sobie odpowiednich narzędzi, niezbędnych do takiego zabiegu. Mógł wprawdzie improwizować, ale... to nie byłoby to samo. Nie chciał też zostawiać na ciele Browna żadnych śladów. Pozostawała jedynie psychologia – lęk. Rosjanin już w pierwszym podejściu odkrył słaby punkt Browna.

– Zauważyłeś pewnie – zwrócił się niemal przyjaźnie do brytyjskiego agenta – że choć związałem ciebie solidnie, o wiele lepiej niż ty mnie, nie jesteś przytwierdzony do krzesła. – Otworzył szerokie, osłonięte żaluzjami drzwi, wiodące na płytki balkon. – Zapewne wychodziłeś tam, żeby podziwiać widok?

Brown nagle zbladł.

– O! – Dołgich błyskawicznie znalazł się tuż przy nim. – Nic lubisz wysokości, przyjacielu?

Zaciągnął krzesło Browna na balkon i tam szarpnął nim ostro, ciskając agenta na obmurowanie. Przed działaniem grawitacji uchroniło Anglika jedynie sześć cali cegieł, zaprawy i kruszącego się tynku. Wyraz jego twarzy powiedział Dołgichowi wszystko.

Rosjanin zostawił Browna na balkonie i wrócił do mieszkania, by upewnić się w swych podejrzeniach. Stwierdził, że wszystkie okiennice i pozostałe drzwi balkonowe były zamknięte na głucho; nie tylko nie dopuszczały do wnętrza światła, ale i pozwalały zapomnieć o tym, że mieszkanie znajduje się na najwyższym piętrze. Utwierdził się w przekonaniu, że Brown cierpiał na zawroty głowy.

I to już była całkiem inna gra.

Dołgich wciągnął agenta z powrotem do mieszkania i posadził na krześle o sześć stóp od balkonu. Potem przyniósł z kuchni nóż i zaczął drążyć nim zaprawę obmurowania, cały czas w zasięgu wzroku bezradnego agenta. Nie przerywając pracy, wyjaśniał, jaki ma w tym cel.

– Zaczniemy teraz wszystko od nowa. Zadam ci kilka pytań. Jeśli odpowiesz prawidłowo – wyznasz prawdę, nic nie zatajając – zostaniesz tam, gdzie jesteś. Powiem więcej, zostaniesz przy życiu. Za każdy brak odpowiedzi lub kłamstwo przesunę ciebie o kawałek w stronę balkonu i wydłubię trochę zaprawy. Naturalnie, będę bardzo zawiedziony, jeśli nie zechcesz grać według moich reguł. Skłonisz mnie, bym znowu cisnął cię na murek. Tyle, że kiedy znów to zrobię, cegły będą o wiele luźniejsze...

Gra zaczęła się około siódmej, a teraz minęła już dziewiąta. Front obmurowania, od którego Brown nie mógł oderwać wzroku ani myśli, był już solidnie nadwyrężony, wiele cegieł leżało luźno. Krzesło Browna stało już przednimi nogami na balkonie, nie dalej niż trzy stopy od muru. Zmierzch ogarniał już zarysy miasta i gór. Dołgich przerwał pracę, roztarł stopami wykruszony cement i ze smutkiem pokręcił głową.

– No cóż, Panie Ochroniarzu, spisałeś się nienajgorzej, ale niewystarczająco dobrze. Tak jak się spodziewałem, jestem już rozczarowany i zmęczony. Powiedziałeś mi wiele rzeczy, niektóre ważne, inne mniej ważne, a jednak nie to, na czym mi najbardziej zależy. Moja cierpliwość się kończy.

Przeszedł za plecy Browna i przesunął krzesło dalej. Podbródek Anglika znalazł się na wysokości parapetu, oddalony od niego zaledwie o osiemnaście cali.

– Chcesz żyć, Panie Ochroniarzu? – Głos Dołgicha zabrzmiał cicho i złowieszczo.

Rosjanin i tak zamierzał zabić Browna, choćby po to, żeby mu odpłacić za poprzedni dzień. Zdaniem Anglika, Dołgich nie musiał uciekać się do zabójstwa – nie rozwiązywało niczego, mogło natomiast zwrócić na Rosjanina uwagę wywiadu brytyjskiego, który niewątpliwie wciągnąłby go na listę „spraw do załatwienia". Ale człowiek z KGB... i tak już gościł na wielu listach. Poza tym mordowanie sprawiało mu przyjemność.

Związany agent popatrzył na światła Genui.

– Londyn dowie się o tym, że... – zaczął, ale Dołgich szarpnął gwałtownie krzesłem i Anglik niemal wrzasnął. Po chwili otworzył oczy i z trudem nabrał tchu. Siedział teraz, dygocąc. Był bliski omdlenia. Bał się tylko jednego – wysokości, bezkresnych przestrzeni. Z tego powodu musiał rozstać się z SAS-em. Czuł pod sobą pustkę, jakby już spadał.

– Cóż – westchnął Rosjanin. – Nie powiem, że miło było mi cię poznać, ale jestem pewien, że z wielką przyjemnością zakończę tę znajomość. A zatem...

– Czekaj! – sapnął Brown. – Obiecaj, że jeśli ci powiem, zabierzesz mnie do środka!

– Zabiłbym ciebie tylko, gdybym musiał. – Dołgich wzruszył ramionami. – Nie odpowiadając, usiłowałeś popełnić samobójstwo.

– Rumunia, Bukareszt! – wyrzucił wreszcie z siebie. – Złapali wieczorem samolot, by wylądować w Bukareszcie około północy.

Dołgich stanął obok niego. Popatrzył z ukosa na spoconą, odchyloną do tyłu twarz.

– Wiesz, że wystarczy zatelefonować na lotnisko, żeby to sprawdzić?

– Oczywiście – załkał Brown. Nie wstydził się łez. Nerwy mu całkowicie wysiadły. – Skończ tę zabawę.

Agent poczuł, jak Rosjanin rozcina nożem sznur, krępujący przeguby. Więzy pękły i Brown aż jęknął, prostując ramiona. Całkiem zdrętwiały, ledwie mógł nimi ruszać. Dołgich uwolnił jego nogi i podniósł krótkie kawałki sznura. Anglik, używając całej swej siły, niepewnie stanął na nogach.

Rosjanin bez ostrzeżenia oparł obie dłonie o jego plecy i wypchnął je w przód. Brown z krzykiem poleciał przed siebie, uderzył o parapet i runął w dół. Razem z nim posypały się cegły, płaty tynku i grudy zaprawy.

Dołgich wychylił się i splunął, po czym otarł usta wierzchem dłoni. Z dołu dobiegł go głuchy stuk i grzechot spadającego gruzu.

W kilka chwil później Rosjanin założył prochowiec Browna i opuścił mieszkanie, wytarłszy starannie klamkę. Zjechał windą na parter i niespiesznie wyszedł z budynku. Pięćdziesiąt jardów dalej zatrzymał taksówkę, poprosił, by zawieźć go na lotnisko. W trakcie jazdy opuścił szybę i wyrzucił kawałki sznura. Kierowca, skupiony na ruchu ulicznym, nie zauważył tego...

O dwudziestej trzeciej Teo Dołgich skontaktował się ze swoim bezpośrednim zwierzchnikiem z Moskwy, po czym wyruszył do Bukaresztu. Dowiedział się, że gdyby nie został wyłączony na dwadzieścia cztery godziny, gdyby miał szansę skontaktować się wcześniej ze swoim koordynatorem, nie musiałby zabijać Browna. Otrzymał bowiem informacje, dokąd udał się Kyle z Krakowiczem i resztą ekipy. Właściwie niewiele to zmieniało. I tak by go zabił.

Koordynator Dołgicha nie powiedział dokładnie, co sprowadziło ekipę Kyle'a do Rumunii, wspomniał, że szukali czegoś ukrytego w ziemi. Agent KGB nie miał pojęcia, o co mogło im chodzić, ale też nie był tym zbytnio zainteresowany. Darował sobie ten problem. Ich działanie określał jako niekorzystne dla Rosji i to mu wystarczało.

Wciśnięty w maleńki fotel samolotu pasażerskiego przelatującego teraz nad północnym Adriatykiem, odchylił głowę w tył, odprężając się nieco i wsłuchując w monotonny szum silników.

„Rumunia. Okolice Ionesti. Coś ukrytego w ziemi. Dziwna łamigłówka" – zastanawiał się.

Dziwił się, że jego koordynator jest jednym z tych, jak mawiał, przeklętych parapsychicznych szpiegów, których Andropow tak serdecznie nienawidził. Zamknął oczy i roześmiał się. Ciekaw był, co zrobiłby Krakowicz, gdyby się dowiedział, że zdrajcą w owym drogocennym Wydziale E jest jego zastępca, niejaki Iwan Gerenko.

*

* *

Julian Bodescu nie miał zbyt przyjemnej nocy. Nawet bliskość pięknej kuzynki, jej cudownego ciała, nie rekompensowała koszmarnych snów, urojeń i przebłysków nie tylko jego wspomnień.

Sądził, że to wszystko było winą obserwatorów, owych piekielnych nadgorliwców, którzy go szpiegowali przez ostatnie czterdzieści osiem godzin, irytując go niemal bez granic. Zastanawiał się, po co to robili? Co wiedzieli? Co próbowali odkryć? Właściwie nie miał powodu do obaw – George Lake zamienił się w piękny popiół, a trzy kobiety nigdy nie ośmieliłyby się mu przeciwstawić. Jednak wciąż ktoś go śledził, obserwował z ukrycia, z miejsca, którego nie sposób dosięgnąć.

Wywoływał sny, koszmary o drewnianych kołkach, stalowych mieczach i jasnych, palących płomieniach, o wzgórzach ułożonych w kształt krzyża, o Stworze uwięzionym w ziemi, który wciąż go przyzywał, kiwając palcami, ociekającymi krwią... Sny, których Julian nie rozumiał.

Ale przecież znalazł się tam – właśnie tam, na krzyżowych wzgórzach – w nocy, gdy umierał jego ojciec. Był wówczas zaledwie płodem w łonie matki, ale nie wiedział, co jeszcze się tam wydarzyło. Tak czy inaczej, stamtąd brał swe korzenie. Faktem było jednak i to, że absolutnie upewnić się mógł tylko w jeden sposób – odpowiadając na ów zew i jadąc tam. Podróż do Rumunii ponadto uwolniłaby go na jakiś czas od tajemniczych obserwatorów, czających się na łąkach i polach wokół Harkley.

Tylko... najpierw pragnął wyjaśnić, jaki jest prawdziwy cel tych obserwacji. Zastanawiał się, czy ci ludzie żywili jedynie podejrzenia, czy też coś wiedzieli? A jeśli wiedzieli, cóż zamierzali dalej? Bodescu opracował już plan, jak zyskać odpowiedzi na te pytania? Pozostawało jedynie zrealizowanie go...

Kiedy Julian wstał z łóżka, trwał już pochmurny poniedziałkowy ranek. Polecił Helen, żeby się wykąpała, ładnie ubrała i pokrzątała po domu i okolicy, jak gdyby nic się nie wydarzyło i życie toczyło się dalej. Włożył ubranie i zszedł do piwnic, by kazać to samo Anne. Ten rozkaz dotyczył też matki. Powinny zachowywać się naturalnie, tak by nie wzbudzić żadnych podejrzeń. Helen miała nawet zabrać go samochodem do Torquay na godzinę lub dwie.

Śledzono ich do samego Torquay, ale Julian tego nie dostrzegł. Jego uwagę odwracało słońce, przedzierające się przez chmury i odbijające się w lusterkach, oknach oraz chromowanym metalu. Nadal czuł awersję do kapelusza i okularów przeciwsłonecznych, ale nienawiść do słońca i jego działania brała górę. Lusterka samochodu irytowały go, odbicia w szybach i metalu budziły niepokój, wampirza „wrażliwość" igrała z jego nerwami. Czuł się osaczony. Obawiał się, że grozi mu niebezpieczeństwo – nie wiedział skąd i jakie?

Podczas gdy Helen czekała w samochodzie na trzecim piętrze miejskiego parkingu, Bodescu udał się do biura podróży, gdzie dokonał rezerwacji i zostawił instrukcje. Trochę to potrwało, gdyż wakacje, jakie planował, stanowiły dość nietypowe zlecenie. Zamierzał spędzić tydzień w Rumunii. Mógł po prostu zadzwonić do któregoś z londyńskich portów lotniczych i zarezerwować bilet, wolał jednak, żeby przepisy, wizy i wszystko, co niezbędne, zapewniła mu autoryzowana agencja. W ten sposób chciał uniknąć błędów i niespodziewanej zwłoki. Poza tym nie mógł tkwić wiecznie w Harkley House; przejażdżka do miasta przynosiła mu jakąś odmianę, uwalniała od podglądaczy i narastającej presji samotności. Co więcej, pozwalała zachować pozory: Helen była jego śliczną kuzynką z Londynu, z którą urządził sobie mały wypad, rozkoszując się ostatnimi dniami pięknej pogody. Chciał, żeby wszystko wyglądało naturalnie.

Załatwiwszy sprawę podróży (biuro miało skontaktować się z nim telefonicznie w ciągu czterdziestu ośmiu godzin i podać szczegóły), Julian zabrał Helen na obiad.

Podczas gdy jadła, nie czując smaku i starając się usilnie nie wyglądać na zastraszoną, wysączył kieliszek czerwonego wina i wypalił papierosa. Spróbował na pół surowego steku, ale pożywienie, zwyczajne pożywienie, już mu nie odpowiadało. Stwierdził natomiast, że przygląda się gardłu Helen. Uświadomił sobie kryjące się w tym niebezpieczeństwo i skoncentrował się na szczegółach wieczornej akcji. Nie zamierzał się dłużej głodzić.

O trzynastej trzydzieści wrócili do Harkley, gdzie Bodescu na moment wychwycił myśli jednego z obserwatorów. Spróbował wniknąć w jego umysł, ale tamten natychmiast wyłączył się. „Bystrzy są ci obserwatorzy!" – pomyślał ze złością. Wściekły, gryzł się tym przez całe popołudnie. Dopiero z nadejściem nocy odnalazł spokój.

*

* *

Peter Keen od niedawna byt członkiem zespołu parapsychologów INTESP. Jako „sporadyczny" telepata (jego talent, niewyszkolony jeszcze, odzywał się samoistnie i równie szybko oraz tajemniczo gasł), został zwerbowany po tym, jak powiadomił policję o mającym nastąpić morderstwie. Przypadkowo odebrał myśli, mroczne zamiary, potencjalnego gwałciciela i zabójcy. Kiedy fakty potwierdziły jego ostrzeżenie, wysoki rangą policjant, sympatyk Wydziału, poinformował o tym INTESP. Robota w Devonshire była pierwszą polową akcją Keena. Do tej pory spędzał cały czas w towarzystwie instruktorów.

Julian Bodescu znajdował się już pod całodobową obserwacją i Keenowi przypadł wczesny dyżur, od ósmej do czternastej. O trzynastej trzydzieści, kiedy dziewczyna przejechała przez bramę wiodącą do posiadłości, Keen znajdował się dwieście jardów za nią, w czerwonym capri. Minąwszy Harkley, zatrzymał się przy pierwszej budce telefonicznej i zadzwonił do tymczasowej bazy, żeby przekazać szczegóły na temat wypadu Bodescu.

Telefon w hotelu w Paington odebrał Darcy Clarke. Natychmiast przekazał słuchawkę szefowi operacji, Guyowi Robertsowi, wesołemu grubasowi w średnim wieku, nierozstającemu się z papierosami. Roberts był wróżbitą; normalnie przebywał w Londynie, używając swych zdolności do wykrywania radzieckich okrętów podwodnych, grup terrorystycznych i tym podobnych zagrożeń, teraz jednak znajdował się w Devonshire, wpatrzony „wewnętrznym okiem" w Juliana.

Stwierdził, że niezbyt odpowiada mu to zadanie, wymagające zresztą niemałego trudu. Wampiry, to istoty samotne i z natury skryte. W psychice wampira istnieje coś, co ekranuje ją równie skutecznie, jak noc otula jego cielesną powłokę. Początkowo Roberts „widział" Harkley House jako nieokreślony cień, miejsce otulone gęstą, wirującą mgłą. Kiedy Bodescu przebywał w domu, owa zasłona psychiczna stawała się jeszcze gęstsza, co niemal uniemożliwiało agentowi skupienie się na jakiejś osobie czy przedmiocie.

Jednakże doskonałość bierze się z praktyki i im dłużej wróżbita przebywał w pobliżu Harkley House, tym wyraźniejsze odbierał obrazy. Mógł teraz na przykład stwierdzić z całą pewnością, że w domu znajdowało się zaledwie czworo ludzi: Bodescu, jego matka, ciotka i jej córka. Było tam jednak i coś jeszcze. Dwa źródła energii. Jedno stanowił pies Juliana emanujący, co najdziwniejsze, taką samą aurę jak jego pan. Drugim był Tamten. Podobnie jak Bodescu, Roberts nie umiał określić go inaczej. Najprawdopodobniej było to coś przed czym ostrzegał Alec Kyle – istniało i... żyło.

– Tu Roberts – powiedział do słuchawki wróżbita. – Co jest, Peter?

Keen złożył raport.

– Biuro podróży? – zaniepokoił się Roberts. – Zaraz je sprawdzimy. Twój zmiennik? Jest w drodze. Tak, Trevor Jordan. Do zobaczenia, Peter.

Odłożył słuchawkę i sięgnął po książkę telefoniczną. W chwilę później dzwonił już do biura podróży w Torquay, o którym mówił Keen.

Ledwie ktoś podniósł słuchawkę, Roberts zakrył chusteczką mikrofon i udał młodzieńczy głos.

– Halo? Halo?

– Słucham? – padło w odpowiedzi. – Tu Sunsea Travel... Przepraszam, kto mówi? – Ze słuchawki dobiegał męski głos, głęboki i przyjemny dla ucha.

– Jakieś trzaski na linii – stwierdził Roberts, zmieniając tonację głosu na nieco wyższą. – Słyszy mnie pan? Odwiedziłem was godzinę temu. Bodescu.

– Ach tak, pan! – Agent biura podróży rozpoznał rozmówcę. – Wyjazd do Rumunii, Bukareszt, w pierwszym możliwym terminie w ciągu najbliższych dwóch tygodni. Zgadza się?

Roberts drgnął. Postarał się, by jego stłumiony głos nadal brzmiał naturalnie, choć nie przyszło mu to łatwo.

– Tak, zgadza się. Rumunia. – Podjął szybką decyzję, wściekle szybką. – Proszę posłuchać. Przykro mi, że sprawiam kłopot, ale...

– Tak?

– Uznałem, że nie mogę sobie jeszcze na to pozwolić. Może w przyszłym roku?

– Aha! – W głosie tamtego dało się odczuć rozczarowanie. – No cóż, tak bywa. Dziękuję za telefon, sir. Definitywnie pan rezygnuje?

– Tak – Roberts potrząsnął lekko słuchawką. – Obawiam się, że muszę... Przeklęta linia! Coś mi niespodziewanie wypadło i...

– Proszę się nie przejmować, panie Bodescu – przerwał mu rozmówca. – To się zdarza. Nie zdążyliśmy zresztą nadać sprawie biegu. Nic więc się nie stało. Proszę mnie jednak powiadomić, jeśli zmieni pan zdanie, dobrze?

– Oczywiście! Zrobię to, zrobię. Bardzo jestem panu wdzięczny. Jeszcze raz przepraszam za kłopot.

– Żaden kłopot. Do widzenia.

– Do widzenia! – Roberts rozłączył się.

– Istny geniusz! Dobra robota, szefie! – stwierdził Clarke obecny przy tej rozmowie.

Roberts podniósł wzrok, ale się nie uśmiechnął.

– Rumunia! – powtórzył ponuro. – Sprawa nabiera tempa, Darcy. Dobrze by było, gdyby Kyle złapał połączenie. Już dwie godziny po czasie.

W tej samej chwili zadzwonił telefon. Clarke pokiwał głową z uznaniem.

– To właśnie nazywam talentem. Jeśli czegoś brak – stwórz to!

Roberts wywołał w „wewnętrznym oku” obraz Rumunii – swoją własną wizję, jako że nigdy tam nie był – potem nałożył na surowy rumuński krajobraz sylwetkę Kyle'a. Zamknął oczy i obraz stał się tak wyrazisty jak fotografia czy film panoramiczny.

– Tu Roberts.

– Guy? – dotarł do niego głos Kyle'a, zniekształcony przez trzaski.

– Słuchaj, zamierzałem puścić to przez Londyn, przez Grieve'a, ale nie mogę go złapać.

Roberts wiedział, o co chodziło szefowi – rozmowa musiała być w stu procentach poufna.

– Nic na to nie poradzę – rzekł. – Nie mam pod ręką nikogo o tej specjalności. Jakieś problemy, tak?

– Chyba nie. – W „wewnętrznym oku" Robertsa Kyle wyglądał jednak na niezadowolonego. – W Genui zrobiło się zbyt ciasno, więc stamtąd wyjechaliśmy. Dzwonię później, bo stąd łączy się jak z Marsa! Mówię o staroświeckim systemie. Gdybym nie uzyskał pomocy miejscowych... Mniejsza o to, macie coś dla mnie?

– Możemy mówić konkretnie?

– Musimy.

Roberts szybko wprowadził go w temat, kończąc na udaremnionej podróży Bodescu do Rumunii. Zarówno dzięki „wewnętrznemu oku", jak i uchu przytkniętym do słuchawki, zorientował się, że Kyle westchnął z przerażenia. Szef INTESP opanował jednak emocje.

– Jak zrobimy swoje tu na miejscu – powiadomił Robertsa – nic już dla niego nie zostanie. A jak wy załatwicie wszystko u siebie... nie będzie w stanie nigdzie wyjechać. – Potem wyliczył Robertsowi wszystko, co należało załatwić. Zajęło mu to dobre piętnaście minut, niczego jednak nie pominął.

– Kiedy? – zapytał wróżbita, jak tylko Kyle skończył.

– Czy należysz do ekipy obserwacyjnej? – Alec był ostrożny. – Chodzi mi o to, czy opuszczasz fizycznie hotel, żeby śledzić Bodescu?

– Nie. Koordynuję. Siedzę cały czas w bazie. Ale chcę być przy finale.

– Świetnie. Powiem ci, kiedy to będzie – powiedział Kyle. – Ale nie przekazuj tego innym! Dopiero tuż przed godziną zero. Nie chcę, żeby Bodescu wyłowił to z czyichś myśli.

– Słusznie. Czekaj. – Roberts odesłał Clarke'a do drugiego pokoju, poza zasięg słuchu. – W porządku, kiedy?

– Jutro, w dzień. Powiedzmy, o piątej po południu waszego czasu. My postaramy się załatwić wszystko o czwartej. Istnieją pewne oczywiste przyczyny, dla których najlepiej zrobić to za dnia. Wy macie jeszcze jeden powód, nie tak oczywisty. Żeby zniszczyć Harkley potrzebny jest wielki pożar. Musicie zadbać, żeby lokalna straż pożarna nie pojawiła się zbyt wcześnie, by go ugasić. Nocą płomienie byłoby widać na mile. Ale to już wasza sprawa. Pamiętajcie tylko, ingerencja z zewnątrz jest niepożądana. Jasne?

– Rozumiem – odpowiedział Roberts.

– A zatem to wszystko – stwierdził Kyle. – Prawdopodobnie następną rozmowę przeprowadzimy już po zakończeniu akcji. Powodzenia!

– Powodzenia – powtórzył Roberts. Twarz Kyle'a zniknęła z jego umysłu, ledwie położył słuchawkę na widełkach...

*

* *

Niemal przez cały poniedziałek Harry Keogh bezskutecznie próbował wyrwać się z magnetycznej władzy psychiki swego syna. Nie było sposobu. Dziecko walczyło z nim, z niesamowitą zaciekłością wczepiało się w Harry'ego i w otaczający go świat, nie chciało zasnąć. Brenda zmierzyła mu gorączkę. Postanowiła wezwać lekarza, ale zmieniła zdanie. Zdecydowała, że zrobi to, jeśli wysoka temperatura utrzyma się do rana.

Nie mogła wiedzieć, że gorączka Harry'ego Juniora była efektem pojedynku psychicznego, jaki dziecko toczyło ze swym ojcem – walki, w której brało górę. Harry Senior świetnie o tym wiedział. Wola dziecka była gigantyczna, podobnie jak jego siła. Umysł niemowlęcia stanowił czarną dziurę, której przyciąganiu Harry nie potrafił się oprzeć. Nekroskop odkrył coś jeszcze: bezcielesny umysł męczył się i zużywał podobnie jak ciało. Nie będąc już w stanie dłużej walczyć, Harry poddał się więc i umknął w siebie, zadowolony, iż zakończył tym próżną szamotaninę. Niczym złowiona na wędkę ryba, dał się przyciągnąć blisko łodzi. Ledwie jednak ujrzał uniesiony oścień, pojął, że walka jeszcze nie jest skończona. Dla bezcielesnego Harry'ego stanowiła przecież ostatnią szansę na zachowanie własnej tożsamości. Właśnie o to musiał walczyć, o dalsze istnienie. Próbował wyjaśnić, jakie to miało znaczenie dla jego syna. Zastanawiał się, dlaczego Harry Junior pragnął go wchłonąć – czy była to tylko niesamowita zachłanność zdrowego niemowlęcia, czy też coś całkiem innego?

Dziecko zauważyło, że ojciec chwilowo składa broń. Przyjęło do wiadomości fakt, iż ta runda walki dobiegła końca. Nie potrafiło przekazać temu wspaniałemu dorosłemu, że to właściwie nie było starcie, ale po prostu desperackie pragnienie wiedzy, poznawania. Ojciec i syn, dwa umysły w jednym maleńkim i kruchym, ale nie bezbronnym ciele, obaj skorzystali teraz z upragnionej możliwości zaśnięcia.

Kiedy o siedemnastej Brenda Keogh zajrzała do swego synka, z radością stwierdziła, że malec śpi spokojnie w swoim łóżeczku, a temperatura wróciła do normy...

*

* *

To samo poniedziałkowe popołudnie, około szesnastej trzydzieści. Ionesti.

Irma Dobresti odebrała właśnie telefon z Bukaresztu. Rozmowa szybko nabrała żaru, przyciągając uwagę reszty towarzystwa. Krakowiczowi zrzedła mina i Kyle oraz Quint pojęli z miejsca, że coś poszło nie po ich myśli. Irma cisnęła słuchawkę, kończąc rozmowę.

– Mimo że wszystko miało być załatwione, mamy kłopoty z Ministerstwem Gospodarki Terenowej. – wyjaśnił Rosjanin. – Jakiś idiota kwestionuje nasze pełnomocnictwa. Pamiętajcie, to jest Rumunia, a nie Rosja! Ziemia, którą chcemy wypalić, to własność komunalna należy do społeczeństwa od, jak wy to mówicie, niepamiętnych czasów. Gdyby należała do jakiegoś gospodarza, moglibyśmy ją odkupić, ale w tej sytuacji... – Wzruszył bezradnie ramionami.

– To prawda – dodała Irma Dobresti. – Ludzie z urzędu w Ploeszti przyjadą wieczorem, żeby z nami porozmawiać. Nie wiem, gdzie nastąpił przeciek, ale to oficjalnie ich teren, pod ich... jurysdykcją. Możemy mieć duże problemy. Pytania i odpowiedzi. Nie wszyscy wierzą w wampiry!

– Przecież ty pracujesz w ministerstwie? – zdenerwował się Kyle. – Musimy załatwić tę sprawę!

Wczesnym rankiem pojechali na miejsce, w którym przed niespełna dwudziestu laty znaleziono ciało Ilii Bodescu, wczepione w krzaki, pośród jodeł gęsto porastających stromy stok jednego z krzyżowych wzgórz. Wspiąwszy się nieco wyżej, trafili na grobowiec Tibora. Tam, pomiędzy omszałymi blokami, stojącymi w cieniu nieruchomych drzew, niczym menhiry – Kyle, Quint i Krakowicz silnie odczuli niewygasłą jeszcze grozę tego miejsca. Nie zabawili tam długo.

Irma, nie tracąc czasu, ściągnęła z Pitesti ekipę inżynieryjną, złożoną z brygadzisty i pięciu robotników.

– Czy potrafcie obchodzić się z tym środkiem? – Kyle z pomocą Krakowicza zapytał brygadzistę.

– Z termitem? O tak. Czasem wysadzamy, czasem wypalamy. Przedtem pracowałem w Rosji na północy, w Berezowie. Cały czas go używaliśmy, żeby zmiękczyć zmarzlinę. Ale nie bardzo rozumiem, po co używać go tutaj, chociaż...

– Zaraza – wyjaśnił natychmiast Krakowicz. Sam wpadł na ten argument. – Natrafiliśmy na stare zapisy, mówiące, że w tym miejscu znajduje się zbiorowy grób ofiar zarazy. Mimo iż pochowano je przed trzystu laty, gleba na znacznej głębokości może być nadal skażona. Te wzgórza uznano ostatnio za grunty orne. Zanim pozwolimy jakiemuś niepodejrzewającemu nic chłopu wprowadzić tu pług albo równać stok, musimy się upewnić, że zagrożenie przestało istnieć. Aż do samej skały!

Irma Dobresti nie uroniła ani słowa. Spoglądając na Krakowicza, uniosła brwi, ale nic nie powiedziała.

– A jak doszło to tego, że wy, Rosjanie, włączyliście się w to? – chciał wiedzieć brygadzista.

Krakowicz przewidział to pytanie.

– Rok temu mieliśmy podobną sprawę pod Moskwą – odparł.

Było w tym coś z prawdy.

Ciekawość robotnika nie została jeszcze w pełni zaspokojona.

– A Anglicy?

Tym razem odpowiedziała Irma.

– Bo mają podobny problem w Anglii – warknęła. – I przyjechali tu zobaczyć, jak my sobie z nim poradzimy. Jasne?

Brygadzista mógł zadzierać nosa przed Krakowiczem, nie chciał jednak narazić się Irmie Dobresti.

– To gdzie mamy wykopać otwory? – zapytał. – I jak głębokie?

Około południa przygotowania zostały zakończone. Pozostało jeszcze podłączenie zapalników, robota na dziesięć minut, ale to ze względów bezpieczeństwa postanowili odłożyć do następnego dnia.

– Moglibyśmy od razu zakończyć sprawę... – zasugerował Carl Quint.

Kyle był temu przeciwny.

– Właściwie nie wiemy, z czym mamy do czynienia – odpowiedział. – Chcę też, żebyśmy zaraz po tej robocie przeszli do następnej fazy – zamku Faethora na Ukrainie. Wyobrażam sobie tłumy, które pojawią się tu po wypaleniu zbocza, żeby zobaczyć, o co nam chodziło. Powinniśmy więc wyjechać jeszcze tego samego dnia. Dziś jeszcze Feliks zadba o formalną stronę wyjazdu, a ja zadzwonię do naszych przyjaciół w Devonshire. Zanim się z tym uporamy, słońce już zajdzie, a ja wolałbym zająć się grobowcem Tibora w świetle dnia, po dobrze przespanej nocy. I wobec tego...

– Jutro?

– Po południu, kiedy promienie słońca będą jeszcze padać na stok. – Kyle odwrócił się do Krakowicza. – Feliksie, czy ci ludzie wracają dzisiaj do Pitesti?

– Wracają – potwierdził Krakowicz. – O ile nie znajdziemy dla nich czegoś do roboty przed jutrzejszym popołudniem. Dlaczego o to pytasz?

Kyle wzruszył ramionami.

– Dziwne uczucie – powiedział. – Wolałbym mieć ich pod ręką. Ale...

– Też miałem podobne wrażenie – zasępił się Rosjanin. – Ale może to tylko nerwy?

– To jest nas już trzech – dodał Carl Quint. – Miejmy więc nadzieję, że to jedynie nerwy.

To zdarzyło się rankiem, kiedy wydawało się, że wszystko pójdzie gładko. Teraz jednak groziła im ingerencja z zewnątrz. Co gorsza, Kyle dodzwonił się w końcu do Devonshire i uzgodnił termin ataku na Harkley House.

– Cholera! – warknął. – To musi nastąpić jutro. Ministerstwo czy nie musimy to przeprowadzić.

– Powinniśmy byli zrobić to rano – zauważył Quint – kiedy byliśmy na miejscu...

Irma Dobresti włączyła się do rozmowy. Zmrużyła oczy i powiedziała:

– Posłuchajcie. Ci miejscowi biurokraci irytują mnie. Dlaczego nie wrócicie na wzgórze? Natychmiast! Może byłam sama, kiedy telefon zadzwonił, a wy przebywaliście na wzgórzach, robiąc, co do was należy? Zadzwonię do Pitesti. Powiem Chevenu i jego ekipie, żeby spotkali się z wami na miejscu. Możecie zrobić swoje, skończyć z tym, dziś wieczorem.

Kyle wpatrywał się w nią zdumiony.

– Dobry pomysł, Irma – ale co z tobą? Nie będziesz miała nieprzyjemności?

– Co? – Wydawała się być zaskoczona taką sugestią. – To moja wina, że byłam sama, kiedy odbierałam telefon? Czy można mieć do mnie pretensje, że taksówkarz pobłądził i nie zdołałam znaleźć was na tyle wcześnie, by zakazać wypalenia wzgórza? Dla mnie wszystkie wiejskie drogi wyglądają tak samo!

Krakowicz, Kyle i Quint popatrzyli po sobie, szeroko uśmiechnięci. Siergiej Gulcharow był właściwie wyłączony z tej rozmowy, ale wyczuł podniecenie towarzyszy i wstał, kiwając głową, jakby się zgadzał.

– *Da, da!*

– Racja! – zgodził się Kyle. – Zróbmy tak!

Powodowany nagłym impulsem, złapał Irmę Dobresti, przyciągnął ją do siebie i serdecznie ucałował...

*

* *

Poniedziałkowy wieczór. Godzina dwudziesta pierwsza trzydzieści czasu środkowoeuropejskiego, a w Anglii dziewiętnasta trzydzieści.

Księżyc i majaczące w mroku Karpaty przypatrywały się pełnej ognia, koszmarnej scenie, rozgrywającej się pośród krzyżowych wzgórz. Potworny obraz popłynął stamtąd na zachód, przez góry, rzeki i morza, wprost do umysłu Juliana Bodescu, który oblany zimnym, ostrym potem, przewracał się z boku na bok, nie mogąc uwolnić się od lęku.

Wyczerpany nękającym go przez cały dzień nieokreślonym niepokojem, młodzieniec odbierał teraz telepatycznie udrękę Tibora Wołocha, którego ostatnie szczątki pochłaniał właśnie ogień. Wampirowi odcięto już drogę powrotu, ale duch Tibora nie przyjął tego równie spokojnie jak Faethor. Miotał się gorączkowo, zawzięcie. Aż do bólu łaknął zemsty:

– Julianie! Och, mój synu, mój jedyny prawdziwy synu! Spójrz, co się dzieje z twoim ojcem...

– Co? – powiedział przez sen Julian, czując niemal palący żar i coraz bliższe płomienie. Dojrzał w sercu ognia przyzywającą go postać. – Kim... kim jesteś?

– Znasz mnie, synu. Nasze spotkanie trwało krótko i nastąpiło jeszcze przed twoim przejściem na świat, ale przypomnisz je sobie, jeśli tylko spróbujesz.

– Gdzie ja jestem?

– Przez chwilę przy mnie. Nie pytaj, gdzie jesteś, ale gdzie ja jestem. Oto krzyżowe wzgórza – tu zaczął się twój los i tu kończy się mój. Dla ciebie to tylko sen, a dla mnie straszliwa rzeczywistość – wołał Tibor Ferenczy.

– To ty! – Bodescu rozpoznał go. Rozpoznał ów głos, przyzywający go nocą, do tej pory zapomniany. Głos Potwora uwięzionego w ziemi. Źródło. – Ty? Mój... ojciec?

– Właśnie! Choć nie stałem się nim dzięki miłosnej schadzce z twoją matką. Nie przez pożądanie i nie przez miłość, jaką mężczyzna czuć może do kobiety. A mimo to jestem twoim ojcem. Przez krew, Julianie, przez krew!

Bodescu dławił w sobie strach przed płomieniami. Czuł, że śni – mimo iż realny i niemal dotykalny był ten sen – wiedział też, że nic mu nie grozi.

Wszedł w piekło ognia, zbliżając się do ginącej w nim sylwetki. Kłęby czarnego dymu i szkarłatne płomienie przesłaniały mu obraz, a żar bił jak z pieca, ale Julian musiał zadać pewne pytania, na które odpowiedzi znał tylko gorejący Stwór.

– Powiedziałeś, bym cię odnalazł. Zrobię to. Ale w jakim celu? Czego ode mnie chcesz?

– *Za późno! Za późno!* – wrzasnęła gniewnie ognista zjawa. Julian pojął natychmiast, że udręka zawarta w tym krzyku płynie nie z fizycznego bólu, a z dojmującej goryczy. – *Mógłbym być twym nauczycielem, synu. Tak, poznałbyś wszystkie sekrety Wampyrów. A w zamian... Nie mogę zaprzeczyć, że i moja nagroda byłaby wielka. Mógłbym znów stąpać po świecie ludzi, zaznawać raz jeszcze niepojętych rozkoszy młodości! Ale już za późno. Próżne stały się wszelkie sny i plany. Popiół do popiołu, proch do prochu...*

Sylwetka z wolna topniała, jej zarys zmieniał się, kurczył. Bodescu musiał dowiedzieć się więcej, zobaczyć wszystko wyraźniej. Wszedł w samo serce ognistej zawieruchy, stanął obok płonącego Stwora.

– Już znam sekrety wampirów! – przekrzykiwał huk ognia, trzask dopalających się drzew i syk spieczonej ziemi. – Sam do nich doszedłem!

– *Potrafisz przybierać kształty niższych stworzeń?*

– Potrafię biec na czworakach jak wielki pies – odpowiedział Julian. – Nocą każdy by przysiągł, że jestem psem!

– *Ha! Pies! Człowiek, który może być psem! A gdzież tu ambicja? To jest nic! Czy potrafisz rozwijać skrzydła, szybować jak nietoperz?* – wołał uwięziony w ziemi Potwór.

– Nie... nie próbowałem.

– *To nic nie umiesz.*

– Potrafię tworzyć innych, podobnych do mnie!

– *Głupcze! To najprostsza z rzeczy. O wiele trudniej ich nie tworzyć!* – Potwór uniósł się gniewem.

– Kiedy wrogowie są w pobliżu, wyczuwam ich umysły...

– *To instynkt, odziedziczony po mnie. Zaiste, wszystko, co masz, odziedziczyłeś po mnie! A zatem czytasz w myślach? A czy potrafisz skłaniać umysły, by spełniały twoją wolę?*

– Tak, używając wzroku – potwierdził Bodescu.

– *Oczarowanie, hipnoza, cyrkowe sztuczki! Jesteś niewiniątkiem!*

– Do cholery! – Duma Juliana została urażona, jego cierpliwość się kończyła. – A czyż ty jesteś czymś więcej niż trupem? Powiem ci, czego się nauczyłem: potrafię wziąć martwe stworzenie, wydobyć z niego tajemnice i dowiedzieć się wszystkiego, co poznało za życia!

– Nekromancja? Naprawdę? I nikt cię tego nie uczył? Oto osiągnięcie! Jest jeszcze dla ciebie jakaś nadzieja.

– Moje obrażenia znikają bez śladu i mam siły za dwóch. Mogę położyć się z kobietą i kochać się z nią aż do jej śmierci, jeśli taka będzie moja wola i nawet nie zaznam zmęczenia. Wystarczy tylko mnie rozeźlić, drogi ojcze, a zabiję, zabiję, zabiję! Ale nie ciebie, ty już jesteś martwy. Nadzieja dla mnie? Z pewnością jest. Ale jaką ty możesz mieć nadzieję?

Ginący Stwór milczał przez chwilę.

– Ach-ch-ch! Naprawdę jesteś mym synem, Julianie! Zbliż się, zbliż się jeszcze – zawołał.

Bodescu podszedł do Stwora na odległość mniejszą niż długość ramienia. Spojrzał mu w twarz. Swąd był potworny. Zwęglona, skruszała powłoka rozwiała się nagle. Młodzieniec odkrył, iż to, na co patrzył, jest jego lustrzanym odbiciem. W chwilę później ogarnęły je płomienie. ale zdążył jeszcze rozpoznać te same rysy, proporcje, tę samą smagłą cerę. Oblicze upadłego anioła. Byli podobni do siebie jak dwie krople wody.

– Ty... ty jesteś moim ojcem! – zachłysnął się.

– Byłem – jęknął tamten. *– Teraz jestem niczym. Jak widzisz, wypalam się. Nawet nie ja, ale coś, co po sobie pozostawiłem. Moja ostatnia nadzieja, dzięki której, z twoją pomocą, mógłbym raz jeszcze stać się potęgą w świecie ludzi. Ale na to już za późno.*

– Dlaczego więc się mną przejmujesz? – dociekał Julian. – Dlaczego przyszedłeś do mnie lub ściągnąłeś mnie do siebie? Jaki masz w tym cel, skoro nie mogę ci pomóc?

– Zemsta! – Głos płonącego Stwora jak nóż wbił się w umysł śniącego młodzieńca. *– Za twoim pośrednictwem!*

– Powinienem cię pomścić? Ale na kim się zemścić?

– Na tych, którzy mnie tu znaleźli. Na tych, którzy teraz niszczą moją ostatnią szansę. Na Harrym Keoghu i jego sforze białych magów!

– To nie ma sensu – Julian potrząsnął głową, wpatrzony z niesamowitą fascynacją w topiącego się Stwora. Zobaczył, że rysy twarzy tamtego rozmywają się. Spalone strzępy skóry unosiły się w powietrzu.

– Jacy biali magowie? Harry Keogh? Nikogo takiego nie znam!

– Ale on ciebie zna. Najpierw poznał mnie, a potem ciebie, Julianie! Harry Keogh zna nas – i zna także sposób: kołek, miecz i ogień! Powiadasz, że wyczuwasz obecność wrogów – czy nie wyczułeś, że są już blisko? To jedni i ci sami. Najpierw skończą ze mną, a potem z tobą!

Nawet przez sen Bodescu czuł, jak włos mu się jeży. „Oczywiście, tajemniczy obserwatorzy!" – przypominał sobie.

– Co muszę zrobić?

– Pomścić mnie i uratować siebie. To także jedno i to samo. Oni wiedzą, czym jesteś, Julianie, i nie pozwolą nam żyć. Musisz ich zabić, inaczej oni zabiją ciebie!

Z koszmarnej istoty spadł ostatni strzęp ludzkiego ciała, ujawniając jej prawdziwą, wewnętrzną naturę. Bodescu syknął z przerażenia i cofnął się nieco, wpatrzony w oblicze czystego Zła. Widział nietoperzowy pysk Tibora, sterczące uszy, wydłużone szczęki i szkarłatne oczy. Wampir śmiał się z niego basowym ujadaniem wielkiego ogara, a w zębatej grocie czerwono migotał rozszczepiony język. Potem zdawać się mogło, że ktoś użył gigantycznych miechów. Huczące płomienie skoczyły jeszcze wyżej i spadły na upiorną postać, obracając ją w rozżarzony węgiel.

Dygocąc gwałtownie, Julian obudził się spocony. Siadł na łóżku. I wtedy po raz ostatni usłyszał niknący, odległy o miliony mil głos Tibora.

– Pomścij mnie, Julianie... – rozległo się upiorne wołanie.

Wstał i podszedł niepewnie do okna. Wyjrzał w noc. Tak. Wyczuł czyjś umysł. „Człowiek. Obserwujący. Czekający". – przeszło mu przez myśl. Krople potu szybko zasychały. Ciało Bodescu ogarnął ziąb, ale młodzieniec nie ruszył się z miejsca. Paniczny lęk ustąpił. Jego miejsce zajęła furia, nienawiść.

– Pomścić cię, ojcze? – wydusił z siebie wreszcie. – O, zrobię to. Zrobię!

Jego odbicie w ciemnej, lekko tylko rozjaśnionej przez księżyc szybie wyglądało jak wspomnienie minionego snu. Ale Julian nie był tym wstrząśnięty ani nawet zdziwiony. Oznaczało to jedynie, że jego przemiana dobiegła końca. Popatrzył przez swe odbicie na przyczajony w żywopłocie cień... i uśmiechnął się.

A jego uśmiech zachęcał do wejścia w bramy piekieł...

*
* *

Kyle, Quint, Krakowicz i Gulcharow czekali u stóp wzgórza, zbici w ciasną grupkę. Wieczór był ciepły, a mimo to pragnęli trzymać się razem, jakby bronili się przed chłodem.

Ogień już dogasał. Wiatr, który się nagle zerwał jak ostatnie westchnienie niewidzialnego, konającego giganta, zdmuchnął go do reszty. Na górze, pośród drzew i kłębów czarnego dymu, majaczyły sylwetki ludzi tłumiących ostatnie płomyki. Ze stoku schodził, kierując się ku łowcom wampirów, masywny człowiek w okopconym kombinezonie. Brygadzista ekipy rumuńskiej, Janni Chevenu.

– Słuchaj! – Złapał Krakowicza za ramię. – Mówiłeś, że to zaraza! Ale widziałeś to? Widziałeś... tego potwora, zanim spłonął? Miał oczy i paszczę! Szarpał się, wił... to... to... mój Boże! Mój Boże!

Pod warstwą brudu i potu twarz Chevenu była kredowobiała. Jego szkliste oczy powoli odzyskiwały zdolność widzenia. Popatrzył na pozostałych członków grupy. Na pociągłe twarze, wyrzeźbione przez to samo uczucie: zgrozę nie mniejszą niż jego własna.

– Zaraza, powiedziałeś – powtórzył otępiały. – O takiej zarazie nigdy nie słyszałem.

Krakowicz uwolnił rękę z uścisku.

– To była zaraza, Janni – odpowiedział. – Najgorsza. Miałeś wielkie szczęście, że udało ci się ją wyplenić. Jesteśmy twoimi dłużnikami. Wszyscy. Na całym świecie.

*
* *

Darcy Clarke miał pełnić dyżur od dwudziestej do drugiej w nocy; leżał jednak w hotelowym łóżku, w Paington – najwidoczniej nie posłużyło mu coś, co zjadł.

Zastąpił go Peter Keen. Pojechał pod Harkley House, żeby zwolnić dyżurującego tam Trevora Jordana.

– Nic się nie dzieje – szepnął Jordan, zaglądając przez okno samochodu, by podać Keenowi solidną kuszę i bełt z twardego drewna. Na dole pali się światło, ale to wszystko. Są w domu, a przynajmniej nie wychodzili przez drzwi! W pokoju Bodescu przez kilka minut paliła się lampa, ale potem znów zrobiło się ciemno. Pewnie się kładł. Miałem też wrażenie, że ktoś próbuje sondować moje myśli, ale to trwało tylko moment. Od tamtej pory cicho tam jak w przysłowiowym grobie.

– Problem w tym, że nie w każdym grobie bywa cicho, co? – zażartował nerwowo Keen.

Jordan nie uznał tego za śmieszne.

– Peter, masz naprawdę dziwaczne poczucie humoru. – Wskazał na trzymaną przez Keena kuszę. – Umiesz się tym posługiwać? Załaduję ci ją.

– Dobra jest – zgodził się Keen. – Poradzę sobie. Jeżeli jednak chcesz mi wyświadczyć prawdziwą przysługę, dopilnuj, żeby moja zmiana dotarła tu na drugą.

Jordan wsiadł do swego samochodu i zapalił silnik.

– Chcesz zaliczyć dwanaście godzin na dwadzieścia cztery? Synu, nieznośny z ciebie nadgorliwiec. Mówi zresztą o tym twoje nazwisko*. Daleko zajdziesz, jeśli się przedtem nie zarżniesz. Miłej nocy!

Wycofał ostrożnie samochód. Światła zapalił dopiero po przejechaniu stu jardów.

Od tej rozmowy minęło zaledwie pół godziny, ale Keen już zaczynał przeklinać swoje gadulstwo. Jego staruszek był wojskowym. „Peter – powiedział mu kiedyś – nigdy nie zgłaszaj się na ochotnika. Ochotnicy potrzebni są tylko wtedy, kiedy nikt nie kwapi się do tej roboty". W taką noc jak ta łatwo mógł pojąć sens tych słów.

Na ziemi kładło się coś w rodzaju mgły przygruntowej, a w powietrzu panowała wilgoć. Telepata postawił kołnierz płaszcza i podniósł do oczu lornetkę z noktowizorem. Po raz dziesiąty w przeciągu ostatnich trzydziestu minut zlustrował dom. Nic nowego. Budynek był ciepły, co wskazywało na obecność ludzi, ale nic tam się nie poruszało.

Rozejrzał się go okolicy. I wtem... Wzrok Keena zahaczył o bladoniebieską plamę. Specjalne szkła wychwyciły emana-

---

* Nieprzetłumaczalna gra słów. W języku angielskim *keen* oznacza kogoś zapalonego, gorliwego, pełnego entuzjazmu (przyp. tłum).

cję cieplną żywej istoty. Mógł to być lis, borsuk, pies... albo człowiek. Keen ponownie spróbował uchwycić ten obraz, ale nie zdołał. Nie był pewien, czy rzeczywiście coś dostrzegł.

Zabrzęczało mu w głowie, drażniąco jak nagły impuls elektryczny. Drgnął.

– *Oślizgły, trajkoczący, szpiclowaty, paplający sukinsynu!* – odezwał się tajemniczy głos.

Keen zamarł jak słup soli. „Co to było? Co to, u diabła, było?" – zadawał sobie pytanie.

– *Czeka ciebie śmierć, śmierć, śmierć! Ha ha ha! Paplający, trajkoczący...*

Jeszcze przez moment brzmiało to elektryzujące łaskotanie. I cisza. Keen widział już, że zadziałał jego niesforny talent. Na chwilę złapał czyjeś myśli. Myśli pełne nienawiści.

– Kto to? – zapytał głośno, rozglądając się wokoło. Stał po kostki w kłębiącej się mgle. – Co to...? – Nagle noc wypełniła się grozą.

Naładowaną kuszę wstawił w samochodzie, na przednim siedzeniu. Czerwone capri zaparkował przy drodze, dwadzieścia pięć jardów dalej. Keen czatował na skraju pola; buty, skarpetki i stopy miał mokre po przejściu przez trawę. Popatrzył na upiorny zarys Harkley House, wyłaniający się z mgły, po czym puścił się biegiem ku samochodowi. Coś dało susa w kierunku otwartej bramy posiadłości, ale zniknęło w mroku i mgle, nim zdołał się dokładniej przyjrzeć.

„Pies? Wielki pies? Przecież Darcy Clarke miał kłopoty z psem!" – przypomniał sobie nagle.

Keen przyśpieszył, potknął się i omal nie upadł. Gdzieś w nocy zahukała sowa. Nic innego nie zakłócało ciszy. A jednak słyszał ciche, równomierne uderzenia łap i dyszenie na drodze, w okolicy bramy. Keen pędził jeszcze szybciej, czujny, coraz bardziej napięty. Wiedział, że coś się zbliża. I to nie tylko pies.

Rąbnął o samochód, łapczywie, głośno wciągając powietrze. Sięgnął po omacku na przednie siedzenie auta. Znalazł coś...

Gwajakowy bełt – złamany na pół – trzymał się na jednej drzazdze. Keen potrząsnął głową, nie wierząc własnym oczom. Znów wsunął rękę do wnętrza wozu. Tym razem znalazł kuszę, rozładowaną. Solidny metalowy łuk był zgięty, całkowicie odkształcony.

Nagle z cienia wyłoniło się coś wysokiego i czarnego. Było otulone płaszczem, który teraz odrzuciło. Keen spojrzał w twarz, która nie miała w sobie nic ludzkiego. Chciał krzyknąć, ale jego głos uwiązł w gardle.

Istota w czerni utkwiła wzrok w Keenie, rozchylając usta. Miała zakrzywione zęby, nachodzące na siebie jak u rekina. Telepata chciał uciekać, uskoczyć, poruszyć się, ale nie mógł, nogi wrosły mu w ziemię. Stwór w czerni śmignął ręką w górę i wilgotny, srebrzysty połysk topora przeciął noc.

ROZDZIAŁ TRZYNASTY

Powróciwszy do gospody w Ionesti, Kyle i jego towarzysze zastali w swym apartamencie Irmę Dobresti, która krążyła po pokoju, nerwowo zacierając dłonie. Powitała ich z widoczną ulgą. Ucieszyła się, kiedy powiedzieli jej, że operacja zakończyła się całkowitym sukcesem. Nie mieli jednak ochoty szerzej relacjonować wydarzeń na wzgórzu. Widząc ich napięte twarze, wolała nie zadawać pytań.

– A zatem robota skończona – powiedziała, kiedy już się napili. – Nie ma potrzeby zostawać dłużej w Ionesti. Jest teraz dziesiąta trzydzieści, wiem, że dość późno, ale proponuję. byśmy się stąd zabrali. Wkrótce przyjadą gryzipiórki. Lepiej, żeby nas tu nie było.

– Gryzipiórki? – zdziwił się Quint. – Nie wiedziałem, że i tutaj znacie to określenie!

– O tak – odpowiedziała bez uśmiechu. – A także: „komuch", „zapluty karzeł" i „kapitalistyczna świnia"!

– Zgadzam się z Irmą – stwierdził Kyle. – Jeśli zaczekamy, będziemy zmuszeni postawić się albo powiedzieć prawdę. Żeby dowieść prawdy, trzeba czasu. Nikt w to nie uwierzy od ręki. Nie, jeśli tu zostaniemy, czekają nas same problemy.

– Racja – przyznała z ulgą. Ucieszyła się, że Anglik myśli podobnie. – Jeżeli później zechcą się czegoś dowiedzieć, zmuszeni będą przyjechać do Bukaresztu. Tam jestem u siebie, mam poparcie przełożonych. Nikt nie ośmieli się mnie winić. To była sprawa bezpieczeństwa narodowego, sojusz naukowców trzech wielkich krajów: Rumunii, Związku Radzieckiego i Wielkiej Brytanii. Będę bezpieczna. Ale tutaj, w Ionesti, nie czuję się zbyt pewnie.

– Do roboty – podsumował rozmowę Quint. Jak zwykle, praktycznie.

Irma odsłoniła żółte zęby w jednym z rzadkich u niej uśmiechów.

– Nie ma potrzeby brać się do roboty – oznajmiła. – Nie ma do czego się brać. Pozwoliłam sobie spakować wasze walizki! Możemy już jechać?

Czym prędzej uregulowali rachunek i odjechali.

Prowadził Krakowicz. Dał Siergiejowi Gulcharowowi odetchnąć. Kiedy tak mknęli przez noc do Bukaresztu, Gulcharow siedział z tyłu i prawie szeptem opowiadał Irmie o tym, co zdarzyło się na wzgórzu, o Potworze, którego tam spalili.

– Wasze twarze zdradziły mi, że to musiało być coś takiego. Cieszę się, że nie zostałam świadkiem tych wypadków...

*

* *

Po ostatniej, bolesnej wizycie w przybytku, która miała miejsce około dwudziestej drugiej, Darcy Clarke przespał jak kłoda niemal trzy godziny. Przebudziwszy się ponownie, stwierdził, że wszystko gra. Dziwna to była sprawa: nie słyszał nigdy, żeby atak niestrawności tak szybko przeminął. Nie miał też pojęcia, co mogło być jego przyczyną, bowiem reszta ekipy czuła się dobrze. Nie chcąc opuszczać ich na zbyt długo, Clarke ubrał się szybko i wyszedł zgłosić swoją gotowość.

W gabinecie sztabowym znalazł Guya Robertsa, śpiącego na obrotowym krześle przy „biurku" – wielkim stole, zawalonym papierami, na którym znajdowała się jeszcze księga dyżurów i telefonów. Szef zasnął z popielniczką pełną niedopałków tuż pod nosem. „Nałogowy palacz, zapewne fatalnie by spał, gdyby mu ją zabrać!" – pomyślał Clarke.

Trevor Jordan chrapał w głębokim fotelu, a Ken Layard i Simon Gower grali cicho we własną wersję chińczyka na małym stoliku do kart, krytym zielonym rypsem. Gower, prognosta, coś w rodzaju augura, grał słabo, robił zbyt wiele błędów.

– Nie mogę się skoncentrować – jęczał. – Czuję, że zbliża się coś paskudnego, i to bardzo!

– Skończ z tymi wykrętami! – zaprotestował Layard. – Do licha, wszyscy wiemy, że zbliża się coś paskudnego. Wiemy też, gdzie to będzie. Nie wiemy tylko, kiedy.

– Nie – obruszył się Gower. Podniósł rękę. – Nie chodzi mi o naszą robotę. Atak na Harkley i Bodescu to inna sprawa. To, co ja czuję – wzdrygnął się niespokojnie – niewiele ma z nim wspólnego.

– Może więc powinniśmy obudzić Grubasa i mu to powiedzieć? – zasugerował Layard.

– Mówię mu to już od trzech dni – Gower pokręcił głową. – To coś nieokreślonego, jak zwykle, ale pewnego. Może i masz rację? Prawdopodobnie przeczuwam wielkie bum, które nas czeka w Harkley House. A jeśli tak, możesz mi wierzyć, to będzie kawał dobrej roboty! Dajmy staremu Robertsowi kimać. Jest zmęczony. A kiedy się obudzi, cały lokal znów zacznie cuchnąć tym przeklętym zielskiem! Widziałem, jak kiedyś palił trzy na raz! Boże, przydałaby się maska tlenowa!

Clarke obszedł chrapiącego Robertsa, żeby sprawdzić harmonogram. Szef doprowadził go tylko do końca popołudniowej zmiany. Teraz dyżurował Keen, którego miał zmienić Layard, „lokalizator", czy też tropiciel. O ósmej zaczynała się zmiana Gowera, którego o czternastej powinien zastąpić Trevor Jordan. Tu następował koniec listy. Clarke ciekaw był, czy to ma jakieś znaczenie...

Domyślał się, że może chodziło o to, co Gower nazwał „wielkim bum", ale jeżeli tak, atak miał nastąpić wcześniej, niż się spodziewał.

Layard przechylił głowę na bok, przypatrując się, jak Clarke studiuje harmonogram.

– Co jest, staruszku? Nadal cię gania? Możesz się nie przejmować dyżurami pod Harkley. Guy zdjął ciebie z nich.

Gower podniósł wzrok i zdobył się na uśmiech.

– Nie chce, żebyś zanieczyścił tam krzaki!

– Ha, ha! – powiedział obojętnie Clarke. – Aktualnie znów czuję się świetnie. I konam z głodu! Ken, jeżeli chcesz, możesz zaraz wskakiwać do łóżka. Ja biorę następną zmianę. Harmonogram znowu zacznie normalnie wyglądać.

– Cóż za bohater! – gwizdnął cicho Layard. – Bomba! Sześć godzin w łóżku wspaniale mi zrobi. – Wstał i przeciągnął się. – Mówiłeś, że jesteś głodny? Na stole, pod talerzem, są kanapki. Może już nieco chrupkie, ale nadal jadalne.

Clarke wziął do ust kanapkę i zerknął na zegarek. Była pierwsza piętnaście.

– Wezmę szybki prysznic i jadę. Kiedy Roberts wstanie, powiecie mu, że włączyłem się do akcji, dobra?

Gower podniósł się, podszedł do Clarke'a i przyjrzał się mu uważnie.

– Darcy, coś ci przyszło do głowy?

– Nie – zaprzeczył Clarke. Zmienił jednak zdanie. – Tak... nie wiem! Chcę po prostu pojechać do Harkley, i tyle. Zrobić swoje.

W dwadzieścia pięć minut później był już w drodze...

*

* *

Na krótko przed drugą Clarke zaparkował samochód na twardym poboczu o ćwierć mili od Harkley House. Resztę drogi przebył pieszo. Mgła zrzedła i zapowiadała się wspaniała noc. Gwiazdy oświetlały mu drogę, a żywopłoty rysowały się ostro na tle fosforyzującej otoczki.

Dziwne, ale pomimo przerażającego spotkania z psem Juliana nie czuł lęku. Przypisał to faktowi, że miał przy sobie naładowany pistolet, a w bagażniku auta spoczywała niewielka, lecz śmiercionośna, metalowa kusza.

Po drodze nie napotkał żywego ducha, usłyszał tylko szczekanie psa, dobiegające z oddali. Szereg mil dalej odpowiedział na nie drugi pies, rozpoczynając nocne zawodzenie. Na wzgórzach jarzyło się zaledwie kilka świateł, a w chwili gdy Clarke zobaczył bramę Harkley, zegar z odległego kościoła wybił drugą.

„Druga, wszystko gra" – pomyślał Clarke. Zobaczył jednak, że nie wszystko. Po pierwsze, nie widział nigdzie charakterystycznego czerwonego capri. Po drugie, nie spotkał nigdzie Keena.

Przeczesał trawę w miejscu, gdzie prawdopodobnie parkował samochód tamtego. Pośród mokrych źdźbeł odkrył złamaną gałąź i... Clarke schylił się i podniósł złamany bełt.

Pomyślał, że zdarzyło się coś dziwnego. Podniósł wzrok, by przyjrzeć się Harkley House. Jakaś tajemnica kryła się za opuszczonymi powiekami okiennic.

Wszystkie zmysły Clarke'a pracowały z maksymalną skutecznością: uszy wychwytywały skrobanie myszy, oczy wytężały się, by przeniknąć mrok. Czuł niemal dotykalny smak zła, którym przesycone było nocne powietrze. Poza tym... coś tu cuchnęło. Poczuł jakby smród rzezi.

Clarke wydobył ołówkową latarkę i oświetlił trawę – czerwoną, wilgotną i lepką. Mankiety jego spodni były splamione ciemnym szkarłatem krwi. Nogi agenta drżały. Bliski omdlenia zmusił się do pójścia tym tropem, krwawym pokosem, za żywopłot, w niewidoczny z drogi zakątek. Tam wszystko wyglądało jeszcze gorzej. Jego umysł przeszyło potworne pytanie: „Czy w jednym człowieku mieści się tyle krwi?!".

Zbierało mu się na wymioty. Trawa... zasłana była skrzepami krwi, strzępami skóry i kawałkami... mięsa. Ludzkiego ciała. Wąski promień latarki wychwycił coś jeszcze, co mogło być tylko nerką.

Clarkc pobiegł, a raczej popłynął, poleciał, przedarł się, jak w jakimś koszmarnym śnie, do swego samochodu, popędził jak wariat do Paington i wpadł do apartamentów INTESP. Był w szoku, nie pamiętał nic z opętańczej jazdy, kompletnie nic, poza tym, co ujrzał za żywopłotem i co na zawsze wżarło się w jego umysł. Zwalił się bezwładnie na krzesło, łapiąc powietrze, cały roztrzęsiony. Drżały mu wargi, twarz, wszystkie członki, a nawet umysł.

Wtargnięcie Clarke'a wyrwało Guya Robertsa ze snu. Zobaczył nowo przybyłego, jego zakrwawione spodnie, śmiertelną bladość twarzy i natychmiast otrzeźwiał. Wymierzył mu dwa siarczyste policzki, które przywróciły obliczu espera naturalny kolor i ukrwiły niewidzące oczy. Clarke wyrwał mu się i spojrzał gniewnie. Warknął i obnażając zaciśnięte zęby, rzucił się na Robertsa.

Trevor Jordan i Simon Gower odciągnęli go i przytrzymali. W końcu opamiętał się. Łkając jak dziecko, opowiedział im wszystko. Jednego nie musiał im mówić: dlaczego zareagował w taki sposób.

– To oczywiste – odezwał się Roberts, tuląc głowę Clarke'a i kołysząc go jak niemowlę. – Znacie talent Darcy'ego, prawda? Facet ma w sobie coś takiego, co nad nim czuwa. Mógłby bez uszczerbku przejść przez pole minowe! Rozumiecie więc, Darcy wini siebie za to, co się stało. Miał dzisiaj sraczkę i nie mógł jechać na dyżur. Ale czyściło go nie to, co zjadł, tylko jego cholerny talent! Gdyby nie on, to Darcy leżałby tam posiekany, a nie Peter Keen...

*
* *

Wtorek, szósta rano.

Carl Quint bezceremonialnie obudził Kyle'a. Towarzyszył mu Krakowicz. Obaj mieli podkrążone oczy – efekt podróży i zbyt krótkiego snu. Zatrzymali się na noc w Dunarei, gdzie dotarli około pierwszej. Teraz mieli za sobą może cztery godziny snu. Krakowicza przed chwilą obudził nocny recepcjonista, informując, że jest telefon z Anglii do jego przyjaciół. Quint, wyczuwając dzięki swemu talentowi, że coś się święci, również wstał.

– Rozmowę przełączono do mojego pokoju – poinformował dochodzącego do siebie Kyle'a Krakowicz. – To ktoś nazwiskiem Roberts. Pragnie rozmawiać z tobą. Mówi, że to bardzo ważne.

Kyle otrząsnął się wreszcie ze snu i zerknął na Quinta.

– Coś się dzieje – powiedział wykrywacz. – Od kilku godzin to podejrzewałem. Przewracałem się, wierciłem, sen diabli brali, ale byłem zbyt zmęczony, żeby wyczuć wszystko dokładnie.

Cała trójka w piżamach udała się pospiesznie do pokoju Krakowicza.

– Skąd wasi ludzie wiedzą, gdzie jesteście? To oni, tak? Przecież nie planowaliśmy, że tu trafimy – zapytał Rosjanin.

– Siedzimy w tej samej branży, Feliksie. Zapomniałeś? – Quint po swojemu uniósł brew.

– Tropiciel? – Krakowicz był pod wrażeniem tego, co usłyszał. – Bardzo precyzyjny.

Quint nie zamierzał bawić się w wyjaśnienia. Owszem, Ken Layard był dobry, ale nie aż tak dobry. Im lepiej znał jakąś osobę lub rzecz, tym łatwiej przychodziło mu ją znaleźć. Zdołał zlokalizować Kyle'a w Bukareszcie. Potem zaczęło się systematyczne sprawdzanie ważniejszych hoteli w stolicy Rumunii. A skoro Dunarea należała do największych, musiała stać wysoko na liście.

Kyle podniósł słuchawkę.

– Guy? Tu Alec.

– Alec? Mamy poważny problem. Obawiam się, że jest źle. Możemy rozmawiać?

– Nie można tego puścić przez Londyn?
– To zajmie czas – wyjaśnił Roberts. – A czas jest ważny.
– Zaczekaj – rzucił Kyle. Zwrócił się do Krakowicza. – Jakie jest prawdopodobieństwo podsłuchu?
Rosjanin wzruszył ramionami i pokręcił głową.
– O ile wiem, żadne. – Podszedł do okna i rozsunął zasłony.
Wstawał świt.
– W porządku, Guy – powiedział Kyle. – Możemy zaczynać.
– Dobra – odparł Roberts. – Teraz jest u nas czwarta. Cofnę się o dwie godziny... – Opowiedział Kyle'owi wszystko o nocnym wydarzeniu, po czym poinformował go szczegółowo o działaniach, jakie podjął od szaleńczego powrotu Clarke'a.
– Dałem to Kenowi Layardowi. Spisał się świetnie. Zlokalizował Keena gdzieś na drodze pomiędzy Brixton a Newton Abot. Keena i jego samochód, roztrzaskany i spalony. Sam sprawdziłem namiary Layarda. Miał, oczywiście, rację. Mogliśmy definitywnie stwierdzić, że Peter... nie żyje.
Skontaktowałem się z policją w Paington; powiedziałem im, że czekam na przyjaciela, który się spóźnia; podałem jego nazwisko, rysopis i opis samochodu. Stwierdzili, że miał wypadek. Wywaliło go z auta, nie mogą powiedzieć mi nic więcej, ale na miejscu znalazła się karetka, która zabrała kierowcę do szpitala w Torquay. Droga do szpitala zajęła mi dziesięć minut. Byłem tam, kiedy go przywieźli. Zidentyfikowałem go...
– Mów dalej – polecił Kyle, wiedząc, że najgorsze ma dopiero nadejść.
– Alec, czuję się za to odpowiedzialny. Powinniśmy być czujniejsi. Kłopot polega na tym, że zbytnio ufamy własnym talentom! Prawie zapomnieliśmy, jak korzystać z prostej techniki. Powinniśmy mieć krótkofalówki, lepszą łączność. Powinniśmy byli bardziej uważać na tego potwora! Chryste, jak mogłem pozwolić, żeby do tego doszło? Jesteśmy specjalnie uzdolnieni. Bodescu to tylko jeden człowiek, a my...
– On nie jest zwykłym człowiekiem! – uciął Kyle. – A my nie mamy monopolu na talenty. On też ma specjalne zdolności. To nie twoja wina. Opowiedz mi, proszę, resztę.

– On... Peter... Do diabła, nie odniósł tych obrażeń w wypadku samochodowym! Został rozpruty... wypatroszony! Wszystko miał na wierzchu. A jego głowa... Boże, była przepołowiona!

Pomimo grozy, jaką budził podany przez Robertsa opis, Kyle próbował myśleć trzeźwo. Znał dobrze Petera Keena i lubił go. Ale teraz musiał odsunąć to wszystko na bok i pamiętać jedynie o robocie.

– Po co wypadek samochodowy? Co ten sukinsyn chciał przez to osiągnąć?

– Tak, jak ja to widzę – odpowiedział Roberts – zatuszował po prostu morderstwo i to, co zrobił z ciałem biednego Petera. Policja mówi, że w samochodzie i wokół niego czuć było silny zapach benzyny. Sądzę, że Bodescu wywiózł tam Petera, puścił auto na pełny gaz, skierował je w dół stoku i pozwolił mu spaść. Sam z niego wyskoczył, a te kilka draśnięć i skaleczeń, jakie przy tym zarobił, nie ma żadnego znaczenia, zważywszy na to, czym jest. Prawdopodobnie też oblał auto benzyną, żeby spalić dowody rzeczowe. Ale sposób, w jaki pociął tego biedaka... Jezu, to było okropne! Dlaczego to zrobił? Peter musiał być już od dawna martwy, kiedy ten upiór kończył. Tortury mogły mieć przynajmniej jakiś sens, choć byłyby okrucieństwem. Ale przecież od umarłego nie można się nic dowiedzieć, prawda?

Kyle omal nie upuścił słuchawki.

– O mój Boże! – wyszeptał.

– Co?

Szef INTESP nadal milczał, porażony upiorną wiadomością.

– Alec?

– Można – odpowiedział wreszcie. – Potwornie wiele można się dowiedzieć od umarłego, nawet wszystko, jeśli jest się nekromantą!

Roberts miał dostęp do dossier Keogha. Przypomniał je sobie teraz i pojął, o co chodziło Kyle'owi.

– Podobnie jak Dragosani?

– Dosłownie jak Dragosani!

Quint słyszał niemal każde słowo.

– Dobry Boże! – Złapał Kyle'a za łokieć. – On wszystko o nas wie. On wie...

– Dosłownie wszystko! – oznajmił Kyle. – Wie teraz mnóstwo. Wyciągnął to z wnętrzności Keena, z jego mózgu i serca, z jego krwi i z reszty zbezczeszczonych organów! Posłuchaj, Guy, to ważne. Czy Keen wiedział, kiedy zamierzasz uderzyć na Harkley House?

– Nie. Tylko ja to wiem. Zgodnie z twoimi instrukcjami.

– Racja. Świetnie! Możemy dziękować Bogu, że przynajmniej to się udało. Słuchaj teraz – wracam do kraju. Dziś wieczorem, dzisiaj! Pierwszym dostępnym lotem. Carl Quint zostanie tutaj i dopilnuje dopięcia wszystkiego na ostatni guzik, ale ja wracam. Jeżeli nie dotrę do Devonshire na czas, nie czekajcie na mnie. Działajcie zgodnie z planem. Złapałeś to?

– Tak. – W głosie Robertsa zabrzmiała teraz złowróżbna nuta. – O tak, złapałem i nie mogę się już doczekać!

Oczy Kyle'a zwęziły się, stały się jasne i groźne.

– Spalcie ciało Petera – polecił. – Na wszelki wypadek... A potem spalcie Bodescu. Spalcie tych wszystkich piekielnych krwiopijców!

Quint delikatnie wyjął słuchawkę z jego ręki.

– Tu Carl. Posłuchaj jeszcze, to sprawa numer jeden. Wyślij paru naszych najlepszych ludzi do Hartlepool. Zwłaszcza Clarke'a. Zrób to natychmiast, jeszcze przed atakiem na Harkley.

– Dobra – odpowiedział Roberts. – Zrobię to. – Nagle pojął sens polecenia. Jego westchnienie dało się słyszeć wyraźnie nawet przez szum w słuchawce. – Do licha, jasne, że to zrobię, natychmiast!

Kyle i Quint, obaj bladzi, wpatrywali się w siebie szeroko otwartymi oczyma. Ich myśli nie trzeba było nawet artykułować. Julian Bodescu dowiedział się niemal wszystkiego o wydziale. Keen, jak wszyscy agenci paranormalni, miał dostęp do akt Keogha. Wampiry najbardziej boją się zdemaskowania. Próbują zniszczyć każdego, kto coś podejrzewa.

INTESP wiedział, czym jest Julian Bodescu, a ogniskiem, duchem opiekuńczym INTESP był niejaki Harry Keogh.

*

* *

Darcy Clarke wychylił dwie podwójne brandy, jedną po drugiej, po czym uparł się, że wróci na dyżur. Miało to miejsce na krótko przed rozmową telefoniczną Robertsa z hotelem Dunarea w Bukareszcie. Szef operacji, początkowo niezbyt przekonany, wyraził jednak zgodę.

– Darcy, zostań w samochodzie. Nie opuszczaj go pod żadnym pozorem. Wiem, że twoje mzimu działa, ale w tym przypadku może nie wystarczyć. Ktoś jednak musi obserwować ten diabelski dom, przynajmniej do czasu pełnej mobilizacji, a skoro zgłaszasz się na ochotnika...

Clarke, ostrożny i trochę przestraszony, wrócił do Harkley House i zaparkował samochód na sztywnej, czarnej trawie niedaleko miejsca. w którym uprzednio stał wóz Keena. Próbował nie myśleć o tym kawałku pola ani o tym, co się tu wydarzyło. Pamiętał doskonale, nigdy tego nie zapomni, ale utrzymywał ten fakt na peryferiach swojej świadomości. Nie pozwalał, by zakłócił tok jego rozumowania. I tak, mając pod ręką pistolet i naładowaną kuszę, siedział i obserwował dom, nie opuszczając wzroku ani na chwilę.

W sercu Clarke'a nienawiść zajęła miejsce strachu. Owszem, był tu służbowo, ale chodziło i o coś więcej. Bodescu mógł wyjść z budynku, pokazać się choć na chwilę. A gdyby tak się stało... Clarke desperacko pragnął go zabić.

Julian siedział w ciemności przy swoim oknie na poddaszu. On też trochę się bał, czuł się zaszczuty. Ale podobnie jak Clarke, rozumował zimno, spokojnie, praktycznie. Poza jednym istotnym wyjątkiem wiedział już wszystko na temat obserwatorów. Nie znał tylko chwili. Ale był pewien, że nie będzie musiał długo czekać.

Wpatrywał się w ciemność, wyczuwając nadchodzący świt. W dole, za bramą czaił się ktoś siedzący w samochodzie. Bodescu sięgnął swym wampirzym zmysłem w chłodny i mglisty mrok. Dotknął lekko czyjejś jaźni. Trafił na falę nienawiści i umysł obserwatora zamknął się, ale zbyt późno, żeby ukryć swą tożsamość. Julian uśmiechnął się tylko.

Posłał do wysoko sklepionych piwnic telepatyczne wezwanie:

– *Wlad, twój stary znajomy trzyma wartę przed domem. Chcę, żebyś go obserwował. Nie pozwól jednak, żeby cię dostrzegł. Nie próbuj też go atakować. Tamci są teraz czujni, napięci jak zwinięte sprężyny. Jeśli cię zobaczy, może być z tobą krucho. Obserwuj go tylko i daj mi znać, jeśli się ruszy albo zrobi coś wykraczającego poza podglądanie! Idź już...*

Wielki czarny cień o sterczących uszach i dzikich ślepiach wbiegł cicho po wąskich schodkach do budki na tyłach domu. Wypadł przez drzwi i skierował się ku bramie, przemykając pod osłoną drzew i krzaków. Wlad spieszył z wywieszonym językiem, by wypełnić zadanie...

Julian zwołał kobiety do salonu na parterze. W pokoju panowała całkowita ciemność, ale wszyscy obecni widzieli się doskonale. Czy tego chcieli, czy nie, noc była teraz ich żywiołem. Kiedy już się zebrali, usiadł na kanapie, obok Helen. Odczekał chwilę, by skupić na sobie powszechną uwagę.

– Moje panie – powiedział drwiąco, głosem cichym i złowieszczym. – Wkrótce zacznie świtać. Nie jestem pewien, ale zdaje mi się, że będzie to jeden z ostatnich świtów, jakie przyjdzie wam oglądać. Przyjdą tu ludzie, by was zabić. Mają przed sobą trudne zadanie, ale są zdeterminowani i będą próbować ze wszystkich sił.

– Julianie! – Jego matka poderwała się. W głosie jej słychać było szok i strach. – Coś ty zrobił?

– Siadaj! – rozkazał, patrząc na nią gniewnie. Ociągała się, ale w końcu usiadła. Kiedy już przycupnęła na skraju krzesła, podjął przerwany wątek.

– Zrobiłem wszystko, żeby się przed nimi zabezpieczyć. Wy też, wszystkie, zmuszone jesteście postąpić podobnie. Inaczej zginiecie. I to już wkrótce.

Helen, jednocześnie zafascynowana i przerażona młodzieńcem, czując przechodzące ją ciarki, nieśmiało dotknęła jego ramienia.

– Zrobię wszystko, co tylko zechcesz, Julianie.

Odepchnął ją, nieomal strącił z kanapy.

– Walcz o życie, dziwko! Tylko tego żądam. Nie o moje, ale o swoje, o ile pragniesz żyć!

Helen skuliła się ze strachu.

– Ja tylko...

– Tylko siedź cicho! – warknął. – Będziecie musiały walczyć o życie, gdyż muszę się oddalić. Opuszczę dom o świcie, kiedy będą się tego najmniej spodziewali. Wasza trójka tutaj zostanie. Dzięki temu pomyślą może, że i ja tu jestem. – Pokiwał głową, uśmiechając się.

– Julianie, spójrz na siebie! – syknęła jadowicie jego matka – Zawsze kryłeś w sobie potwora, a teraz się nim stałeś! Nie mam zamiaru umierać za ciebie, gdyż nawet to półżycie jest lepsze niż nicość, ale i nie zamierzam o nie walczyć. Nie jesteś w stanie nakłonić mnie, bym zabijała w obronie tego, czym się przez ciebie stałam!

Wzruszył ramionami.

– To szybko umrzesz. – Skierował wzrok na Anne Lake. – A ty, droga ciociu? Czy równie biernie oddajesz się w ręce Stwórcy?

Anne miała dzikie spojrzenie i zmierzwione włosy. Wyglądała na obłąkaną.

– George nie żyje – wybełkotała, wpijając palce we włosy. – A Helen... została odmieniona. Moje życie jest skończone! – Przestała marudzić. Wychyliła się z krzesła i spojrzała z wściekłością na Bodescu. – Nienawidzę ciebie!

– Wiem o tym – przyznał. – Ale czy pozwolisz im się zabić?

– Wolałabym być martwa – odpowiedziała.

– Ale taka śmierć! – stwierdził. – Widziałaś, droga ciociu, jak umierał George. Wiesz, jak to wygląda. Kołek, topór i ogień.

Zerwała się, potrząsając dziko głową.

– Nie odważą się! Ludzie... tak nie postępują!

– Ci ludzie tak – Spojrzał na nią szeroko otwartymi, niemal niewinnymi oczyma, naśladując jej minę. – Postąpią tak, bo wiedzą, czym jesteście. Wiedzą, że jesteście Wampyrami!

– Możemy stąd odjechać! – krzyknęła Anne. – Chodźcie, Georgina, Helen, wyjeżdżamy, natychmiast!

– Tak, jedźcie – szczeknął Julian, jakby miał ich już dość, serdecznie dość. – Jedźcie, wszystkie. Zostawcie mnie, jedźcie już...

Patrzyły na niego niepewnie, mrugając żółtymi ślepiami.

– Nie będę was zatrzymywał – oznajmił, wzruszając ramionami. Wstał i podszedł do drzwi. – Ale oni będą! Nie dadzą wam ujść z życiem! Są teraz na zewnątrz, obserwują, czekają!

– Dokąd idziesz, Julianie? – Jego matka wstała. Zdawało się, że chce go zatrzymać. Jednym ostrzegawczym warknięciem zmusił ją do cofnięcia się. Przesunął się obok niej.

– Muszę przygotować się do wyjazdu – powiedział. – Myślę, że i wam zostały jeszcze jakieś ostatnie sprawy do załatwienia. Może modlitwy do nieistniejącego boga? Ostatni rzut oka na ukochane fotografie? Powspominanie dawnych przyjaciół i kochanków, póki jeszcze można?

Zostawił je same, uśmiechając się szyderczo.

*
* *

Wtorek, ósma czterdzieści czasu środkowoeuropejskiego. Port lotniczy w Bukareszcie.

Samolot Kyle'a miał odlecieć za dwadzieścia pięć minut i pasażerowie zostali już wezwani na płytę lotniska. Kyle planował znaleźć się w Rzymie za dwie i pół godziny. O ile nie wynikłyby problemy z dalszym połączeniem, powinien wylądować na Heathrow około drugiej po południu czasu miejscowego. Miał zamiar dotrzeć do Devonshire na pół godziny przed „czystką" w Harkley House. W ostatnim etapie podróży zaplanował, że wykorzysta helikopter Ministerstwa Obrony w drodze z Heathrow do Torquay. Dalej do Paington miał przewieźć go śmigłowiec pogotowia ratunkowego.

Pomoc obu instytucji zapewnił Kyle'owi John Grieve, do którego szef INTESP zatelefonował z lotniska, gdy tylko odkrył, że nie może liczyć na żaden wcześniejszy samolot.

Słysząc komunikaty dotyczące odlotu, Feliks Krakowicz uścisnął Kyle'owi dłoń.

– Wiele się wydarzyło w ostatnim czasie – powiedział. – Ale cieszę się... że ciebie poznałem.

Pożegnanie wypadło niezgrabnie, ale obaj wiedzieli, co się za nim kryje. Siergiej Gulcharow zachował się o wiele bardziej wylewnie. Uściskał Kyle'a i pocałował w oba policzki. Kyle drgnął i uśmiechnął się szeroko, mając nadzieję, że nie wyszło to zbyt głupio. Był rad, że pożegnanie z Irmą Dobresti ma już za sobą. Carl Quint skinął tylko głową i uniósł kciuk.

Krakowicz zaniósł bagaż Kyle'a do wyjścia dla pasażerów. Stamtąd szef INTESP szedł już sam. Wyminął bramę i znalazł się na asfaltowej płycie. Wtopił się w grupę pasażerów. Tylko raz obejrzał się za siebie, zamachał i pospieszył w kierunku samolotu.

Quint, Krakowicz i Gulcharow obserwowali go, czekając, aż zniknie za narożnikiem masywnej wieży kontrolnej.

Zaraz potem opuścili port lotniczy. Teraz i ich czekała podróż – do Mołdawii, a potem przez Prut do Związku Radzieckiego. Krakowicz załatwił już niezbędne formalności, oczywiście, za pośrednictwem swego zastępcy z Zamku Bronnicy.

Kyle doszedł do samolotu. Umundurowani pracownicy lotniska, stojący u stóp schodków, po raz ostatni sprawdzili mu bilet. Uśmiechnięty urzędnik zerknął na nazwisko pasażera.

– Pan Kyle? Proszę chwilę zaczekać. – Głos miał uprzejmy, niczego nie sugerujący. Wewnętrzny system ostrzegawczy Kyle'a również nie zapowiadał kłopotów. Wprost przeciwnie, to, co miało nastąpić, było bardzo przyziemne i dlatego przerażające.

Ledwie ostatni z pasażerów zniknął we wnętrzu samolotu, zza schodów wyłoniło się trzech mężczyzn. Mieli na sobie lekkie płaszcze i ciemnoszare, filcowe kapelusze. Choć przeznaczeniem tego ubioru było zapewnienie im anonimowości, stał się on niemal mundurem, pozwalającym bezbłędnie określić ich tożsamość. Ale gdyby nawet Kyle nie zwrócił na to uwagi, rozpoznałby niesiony przez jednego z nich bagaż.

Dwaj agenci KGB o kamiennych twarzach przytrzymali go, a trzeci stanął tuż za nim, postawił walizkę, sięgnął po bagaż podręczny. Kyle poczuł ukłucie strachu, posmak paniki.

– Czy muszę się przedstawiać? – Wzrok Rosjanina wwiercił się w oczy Kyle'a.

Szef INTESP odzyskał panowanie nad nerwami i pokręcił głową, zmuszając się do ponurego uśmiechu.

– Nie sądzę – odpowiedział. – Jak się pan dziś miewa, panie Dołgich? Czy mam mówić po prostu Teo?

– Spróbuj „towarzyszu". – Dołgich nie znalazł w tym nic śmiesznego. – To wystarczy...

*

* *

Niezależnie od planów, jakie snuł Julian Bodescu, nie udało mu się opuścić domu o świcie.

O piątej rano Ken Layard i Simon Gower zwolnili Clarke'a, który natychmiast powrócił do Paington. O szóstej dołączył do nich Trevor Jordan. Rozdzielili się, tworząc wokół domu trójkąt. W godzinę później dojechało jeszcze dwóch ludzi, posiłki ściągnięte przez Robertsa z Londynu. Wlad wiernie informował Juliana o każdym nowo przybyłym, dopóki młodzieniec nie polecił mu wracać do piwnicy. Nastał już dzień i ktoś mógłby zauważyć biegnącego psa. Owczarek stanowił ariergardę Bodescu i nie powinien był się jeszcze narażać.

Liczba wrogów przytłoczyła Juliana, ale równie fatalnie reagował na bezchmurny dzień, zdominowany przez silne, jasne słońce. Nocne mgły już wyparowały, powietrze było czyste i rześkie. Za domem, za murem otaczającym posiadłość, na niskim wzgórzu rosła kępa drzew. Przecinała ją ścieżka, na którą jeden z tamtych zdołał jakoś wprowadzić swój samochód. Siedział w nim teraz, obserwując dom przez lornetkę. Młodzieniec bez trudu mógłby go zobaczyć przez któreś z okien na piętrze. Nie musiał. Czuł jego obecność.

Przed domem czaiło się jeszcze dwóch: jeden stał przy samochodzie, w pobliżu bramy, drugi dalej o pięćdziesiąt jardów. Nie widać było ich broni, ale Julian wiedział, że mają kusze. Wiedział też, jakiego bólu przysporzyłaby mu strzała z twardego drewna. Dwaj następni zabezpieczali flanki; stali po bokach domu, obserwując okolicę przez mur.

Bodescu obawiał się, że nie zdołałby nawet opuścić domu niezauważony, przerażały go zabójczo ostre drewniane groty. O piętnastej pojawił się szósty człowiek, przyjechał ciężarówką. Julian śledził go z poddasza, ukryty za zasłonami.

Domyślał się, że gruby, ale nie ociężały kierowca jest szefem tych wścibskich telepatów. Przynajmniej szefem tej grupy. Umysł zapewne miał bystry i konkretny, niestety strzegł swych myśli jak złota. Zaczął rozwozić swoim ludziom jakieś ciężkie przedmioty opakowane w płótno oraz pojemniki z jedzeniem i napojami. Każdemu ze swych podwładnych poświęcił nieco czasu, rozmawiał, demonstrując coś z wyposażenia i udzielając instrukcji. Julian pocił się coraz bardziej. Wiedział, że od ataku dzielą go tylko godziny. Szosą, jak co dzień, jeździły samochody, zakochane pary przechadzały się po łąkach. trzymając się za ręce, w lesie śpiewały ptaki. Świat wyglądał tak samo, jak zawsze, tylko tamci ludzie postanowili, że dla Juliana Bodescu ten dzień będzie ostatnim.

Kryjąc się, gdzie popadło, wampir ryzykował życiem – dokonywał wypadów poza dom. Wydostawał się przez osłonięte krzakami okna na parterze oraz zewnętrzne wyjście z piwnic. Gdyby był już gotów, dwukrotnie miałby okazję uciec, kiedy ludzie strzegący domu z tyłu i z boku zeszli na drogę po dostawę. W obu przypadkach wrócili, kiedy jeszcze obliczał swe szanse. Juliana coraz bardziej ponosiły nerwy. W myśli wkradał się chaos.

Natknąwszy się w domu na którąś z kobiet, młodzieniec rzucał się, krzyczał, klął. Jego zdenerwowanie odbierał Wlad i miotał się po piwnicach.

Nagle, około szesnastej, Bodescu wyczuł niesamowity spokój, wręcz wyciszenie wszystkich myśli. Wytężył do ostatnich granic swe wampirze zmysły, ale nie zdołał nic wykryć. Obserwatorzy ekranowali swe umysły tak, że żaden skrawek ich myśli, ich zamiarów, nie zdołał się wymknąć. Zdradzili tym ostatnią swoją tajemnicę, powiedzieli Julianowi, na kiedy zaplanowali jego zgon.

Atak nastąpić miał lada moment, w przeciągu godziny, a dopiero zaczynało się zmierzchać. Słońce powoli schodziło ku horyzontowi.

Julian uwolnił się od lęku. Był przecież Wampyrem. Owszem, ci ludzie dysponowali siłą. Ale on też posiadał moc. I mógł jeszcze dowieść, że jest silniejszy.

Zszedł do piwnic, żeby przekazać Wladowi ostatnie rozkazy.

– *Byłeś mi tak wierny, jak wierny może być tylko pies* – powiedział do ogromnego owczarka. – *Ale jesteś czymś więcej niż psem. Ci ludzie na zewnątrz mogą się tego domyślać. Tak czy inaczej, pierwszy wyjdę im na spotkanie. Nie daj im szans. Jeżeli przeżyjesz, znajdź mnie...*

Potem „odezwał się" do Tamtego, odrażającej pozostałości po sobie. Przypominało to rzucanie sugestii w przestrzeń, wpajanie czegoś próżni, wypalanie piętna na skórze zwierzęcia. Kamienne płyty w jednym z kątów wygięły się, ziemia pod stopami Bodescu zadrżała, z niskiego stropu opadł kurz.

Wrócił do swego pokoju. Przebrał się, założył szary strój myśliwski i wepchnął za pas swój kapelusz. Starannie ułożył w neseserze ubranie na zmianę i schował tam portfel z pokaźną gotówką w dużych banknotach. Niczego więcej nie potrzebował.

Później, kiedy niewiele już zostało minut, siadł z zamkniętymi oczyma i przeciwstawił swą mroczną naturę samej Matce Naturze, po raz ostatni testując swe, dojrzałe teraz, wampirze moce. Przywoływał mgłę, ściągał z ziemi, strumieni i lasów gęste, białe kłęby, przyzywał lepkie opary z górskich stoków.

Obserwatorzy, czujni teraz i napięci jak cięciwy ich własnych kusz, ledwie zauważyli, że słońce skryło się za chmurami, a przygruntowa mgiełka otuliła ich kostki. Wszyscy, jak jeden mąż, całą swą uwagę poświęcili budynkowi.

A czas nieodwołalnie zbliżał się do wyznaczonej pory...

*

* *

Darcy Clarke gnał wściekle na północ. Klął głośno, aż zachrypł. Wszystkie przekleństwa sprowadzały się do jednego pięcioliterowego słowa, kołaczącego się w rozpalonym umyśle. Powód do wściekłości był prosty: Clarke nie miał brać udziału w zabójstwie. Wyłączono go z ataku na Harkley. Zamiast tego zrobiono głównym ochroniarzem... niemowlaka.

Clarke doskonale rozumiał wagę swojej nowej misji i jej cel: przy jego talencie mało prawdopodobne było, że popełni błąd. A skoro tak, to pozostający pod jego opieką mały Harry Keogh również będzie bezpieczny. Zdaniem Darcy'ego lepiej było jednak zapobiegać, niż leczyć, położyć Bodescu trupem w Harkley House i nie obawiać się o dziecko. Sądził, że gdyby znalazł się teraz w Harkley, wampir nie uszedłby z życiem.

Ale pędził na północ, do zapadłej dziury, Hartlepool...

W Leicester wjechał na M1, w Thirsk skręcił na A19. Od celu dzieliło go jeszcze niespełna pół godziny jazdy, a była godzina (spojrzał na zegarek) szesnasta pięćdziesiąt.

„Boże, coś tam się dzieje!” – pomyślał z przerażeniem.

*

* *

– Skąd do cholery wylazła ta mgła? – Trevor Jordan, dygocąc, postawił kołnierz kurtki. – To był piekielnie fajny dzień, przynajmniej pod względem pogody. – Mimo wzburzenia Jordan mówił szeptem.

Wszyscy agenci INTESP, rozlokowani na pozycjach wokół Harkley House, już od dwudziestu minut porozumiewali się szeptem. O szesnastej trzydzieści, zgodnie z instrukcjami Robertsa, połączyli się w pary, co okazało się nawet korzystne, jako że mgła gęstniała, zagrażając ich bezpieczeństwu.

„Kumplem" Jordana w tym układzie został Ken Layard, lokalizator. Drżał cały, mimo iż niósł na plecach siedemdziesięcioośmiofuntowy miotacz ognia, Brissom Mark III.

– Nie jestem pewien – odpowiedział na pytanie Jordana. – Ale zdaje mi się, że stamtąd. – Wskazał ruchem głowy skąpany we mgle dom. – To on.

Znajdowali się po wewnętrznej stronie muru, przy znalezionym przed chwilą wyłomie. Minutę wcześniej, o szesnastej pięćdziesiąt, sprawdzili zegarki i przecisnęli się przez tę szczelinę. Jordan pomógł Layardowi założyć azbestowe nogawice i bluzę oraz przytroczyć do pleców zbiornik. Lokalizator sprawdził zawór na wężu i mechanizm zwalniający. Po otwarciu zaworu wystarczyło tylko, żeby nacisnął spust i już mógł rozpętać piekło. W pełni zamierzał skorzystać z tej możliwości.

– On? – zasępił się Jordan.

Popatrzył na mgłę. Rozpełzła się wszędzie. Nie widział już muru ani na tyłach domu, u podnóża wzgórz, ani od frontu, od strony drogi. Przypuszczał, że ze wzgórza powinni teraz schodzić Harvey Newton i Simon Gower, a Ben Trask i Guy Roberts minęli bramę. Do domu mieli wszyscy wkroczyć równocześnie, dokładnie o siedemnastej.

– O kim mówisz „on"? O Bodescu? – Jordan torował sobie drogę przez krzaki ku ledwie widocznemu masywowi budynku.

– Tak, o Bodescu – potwierdził Layard. – Jestem lokalizatorem, pamiętasz? To coś dla mnie.

– Co to ma wspólnego z mgłą? – Jordanowi nerwy zaczynały odmawiać posłuszeństwa. Był nie w pełni doświadczonym telepatą i Roberts ostrzegł go, by jednak nie sprawdzał swoich sił w kluczowym momencie.

– Kiedy próbuję namierzyć go oczyma duszy – usiłował wyjaśnić Layard – nie mogę się do niego dostroić. Jakby stawał się częścią mgły. Dlatego sądzę, że to jest jego robota. Odbieram go jako wielki, bezkształtny kłąb mgły!

– O Jezu! – szepnął Jordan. Znów zadrżał. W najgłębszej, niesamowitej ciszy zbliżali się do niewielkiej budy, której otwarte drzwi wiodły do piwnic...

*

* *

Simon Gower i Harvey Newton doszli do budynku po łagodnym stoku, porośniętym niskimi krzakami. Nie bardzo mieli gdzie się skryć, mgła więc okazała się dla nich zbawienna. Tak przynajmniej sądzili. Newton był telepatą. Razem z Benem Traskiem przyjechał niedawno z Londynu na wezwanie Robertsa. Obaj nie byli całkiem na bieżąco z sytuacją i dlatego ich rozdzielono.

– Niezła z nas ekipa, co? – zapytał nerwowo Newton, kiedy stanęli wreszcie na równym gruncie, gdzie mgła sięgała znacznie wyżej. – Ty z tym cholernym miotaczem na plecach, ja z kuszą. Wiesz, jeżeli ta akcja nie wypali, wyjdziemy na okropnych...

– Boże! – przerwał mu Gower, opadając na jedno kolano i pospiesznie manipulując przy zaworze.

– Co? – Newtona aż rzuciło. Rozejrzał się niespokojnie wokoło, osłaniając się naładowaną kuszą jak tarczą. – Co jest? Niczego nie dojrzał, wiedział jednak, że Gower jest w stanie przewidzieć przyszłość, zwłaszcza tę najbliższą.

– Nadchodzi! – Gower już nie szeptał. Krzyczał. – Nadchodzi. Teraz!

Guy Roberts i Ben Trask, którzy zajechali właśnie ciężarówką przed dom, nie usłyszeli jego krzyku. Zagłuszył go warkot silnika. Pod północną ścianę budynku krzyk jednak dotarł. Trevor Jordan odruchowo przypadł do ziemi, potem puścił się biegiem ku narożnikowi dzielącemu go od tyłów domu. Ken Layard, obarczony miotaczem ognia, posuwał się znacznie wolniej.

Przedzierając się przez wilgotne krzaki, zobaczył, jak spowity w kłęby mgły Jordan przebiega obok otwartych drzwi wolno stojącej budy, a potem ujrzał, jak właśnie z tych drzwi wypada coś ogarniętego szałem, toczącego pianę i warczącego. Wielki pies Bodescu. Ognistooka bestia bez namysłu rzuciła się w mgłę, w ślad za Jordanem.

– Trevor, za tobą! – wrzasnął Layard, jak mógł najgłośniej.

Szarpnął zawór na wężu i pociągnął za spust. „Boże, błagam, nie pozwól, bym spalił Trevora!" – modlił się.

Huczący strumień żółtego ognia przedarł się przez mgłę jak płomień palnika przez pajęczynę. Jordan zniknął już za rogiem, ale pędzący za nim Wlad był wciąż widoczny. Wydłużający się snop przeraźliwego żaru dosięgnął psa, dotknął go, zagarnął, ale tylko na moment. Owczarek również przepadł za narożnikiem.

W tym samym czasie Guy Roberts i Ben Trask wysiadali z ciężarówki. Roberts usłyszał krzyk Layarda i huk miotacza. Do piątej brakowało jeszcze minuty czy dwóch, ale atak już się rozpoczął, zaatakowali więc mieszkańcy domu. Roberts przytknął do ust policyjny gwizdek i posłał w powietrze jeden krótki gwizd. Teraz, cokolwiek by się nie działo, cała szóstka musiała wkroczyć do budynku.

Roberts niósł trzeci miotacz. Ruszył prosto do głównego wejścia. Drzwi, skryte w cieniu kolumn portalu, były lekko uchylone. Trask poszedł za nim. Był wykrywaczem kłamstw. Jego talent nie znajdował tu zastosowana, ale on sam, młody i bystry, świetnie potrafił zadbać o siebie. Biegnąc teraz za Robertsem, zauważył coś dziwnego: kątem oka wychwycił jakiś nieznaczny ruch.

Dwadzieścia pięć jardów dalej ktoś przemykał się przez mgłę z dużą szybkością. Zniknął w murach starej stodoły.

– O nie, ten numer nie przejdzie – mruknął Trask. I podniósł głos. – Guy, tam w stodole!

Roberts, stojąc już w drzwiach, odwrócił się i zobaczył, że Trask, pochylony, biegnie w kierunku stodoły. Klnąc w duchu, pognał za nim.

Wlad, krztusząc się i skomląc, przedarł się przez białe tumany i natarł na trzech mężczyzn, których dostrzegł na tyłach Harkley House. Pies – czarny zarys, skąpany w ogniu i dymie – dał susa w kierunku pleców Jordana.

Kiedy Jordan wypadł zza rogu, Gower o mało nie pociągnął za spust; w ostatniej chwili rozpoznał agenta. Harvey Newton natomiast wycelował w zamgloną sylwetkę i już strzelał, kiedy Gower, krzycząc, zepchnął go ramieniem na bok. Bełt śmignął daleko od celu i przepadł we mgle. Na szczęście Jordan też ich zauważył, dostrzegł, że w niego celują, i padł na ziemię. Coś, co go ścigało, przeleciało nad nim w chmurze płomieni i iskier.

Wlad stracił równowagę przy upadku, ale z miejsca rzucił się na Newtona i Gowera, wskakując prosto w strugę ognia z miotacza. Niczym skwiercząca i wyjąca ognista kula, runął na ziemię, w panice usiłując uciec we wszystkich kierunkach na raz.

Jordan podniósł się i trzej mężczyźni stali teraz bez ruchu, ciężko dysząc. Wpatrywali się w płonącego Wlada. Newton niezgrabnie naładował kuszę. Wydawało mu się, że we mgle coś się poruszyło. Spojrzał w tamtą stronę. „Co to było? Jakaś skacząca sylwetka? A może... tylko wytwór wyobraźni?" – zastanawiał się. Pozostali nic nie zauważyli. Obserwowali Wlada.

– O mój Boże! – sapał Jordan. Newton zobaczył jego twarz i zapomniał o tym, co przed chwilą dostrzegł. Przyjrzał się agonii psa.

Sczerniałe ciało Wlada, rozpulsowane i wibrujące, pękło nagle, uwalniając wiązkę macek, wyciągających się w powietrze na wysokość czterech lub pięciu stóp niczym jakieś dziwaczne palce. Gowerowi oczy nieomal wyszły z orbit. Mamrocząc przekleństwa, skąpał potwora w ogniu. Macki zaczęły parować, pokryły się pęcherzami, a w końcu opadły, ale ciało psa nadal pulsowało.

– O rany! – jęknął Jordan ze zgrozą. – Psa też odmienił!

Odczepił od pasa toporek, zbliżył się do psa i osłaniając oczy przed blaskiem, jednym cięciem oddzielił łeb Wlada od tułowia.

– Ty dokończ, ale upewnij się, że go załatwiłeś. Usłyszałem właśnie gwizdek Robertsa. Harvey i ja wchodzimy – krzyknął do Gowera.

Kiedy Gower palił szczątki potwornego psa, Jordan i Newton przedzierali się przez dym i zaduch ku tylnej ścianie domu. Znaleźli otwarte okno. Popatrzyli na siebie i nerwowo zwilżyli wargi. Z trudem oddychali rozgrzanym, cuchnącym powietrzem.

– Idziemy – powiedział Jordan. – Osłaniaj mnie.

Skierował przed siebie kuszę i przełożył nogę przez parapet...

*
* *

Po wejściu do stodoły Ben Trask przyczaił się. Na jego twarzy malowała się czujność. Trask wsłuchiwał się w ciszę. Spokój dowodził, że nikogo tu nie ma, ale było to tylko złudzenie. Atmosfera wnętrza kryła w sobie fałsz, kłamstwo.

Wszędzie walały się stare narzędzia rolnicze. Mgła, wlewająca się przez otwarty kraniec stryszku, pokryła stal wilgocią, czymś w rodzaju potu. Z haków wbitych w ściany zwisały łańcuchy i zużyte opony. Wąska sterta desek chwiała się niepewnie, jakby ją ktoś przed chwilą potrącił. W tej samej chwili, kiedy Trask zauważył drewniane schody, pnące się w mrok, z góry sfrunęło źdźbło słomy.

Nerwowo zaczerpnął powietrza i skierował kuszę ku pełnemu szczelin sufitowi z desek. Z jednej z dziur patrzyła nań obłąkana kobieta. Usłyszał triumfalny syk. Rzuciła w niego widłami. Trask nie miał czasu celować, po prostu zwolnił spust.

Jeden z zębów wideł, drasnąwszy obojczyk, przeszył na wylot prawy bark, ciskając agenta na podłogę. W tym samym momencie rozległ się obłąkańczy, nieartykułowany wrzask, nie mający sobie równych, i Anne Lake przebiła się przez przegniłe deski w obłoku kurzu i pokruszonej słomy. Spadła na plecy. Pomiędzy jej piersiami sterczał gwajakowy bełt. Już sam pocisk z kuszy powinien zadać śmierć, a upadek spotęgował tylko skuteczność strzału. Jednakże kobieta nie była już w pełni człowiekiem.

Trask leżał oparty o ścianę i próbował wyciągnąć z ciała widły. Stracił jednak siły. Wstrząs i ból ogromnie go osłabiły. Mógł jedynie patrzeć i bronić się przed utratą przytomności. „Ciocia" Juliana Bodescu podeszła do niego na czworakach, złapała za widły i wyrwała je z jego barku. I wtedy Trask stracił przytomność.

Anne Lake uniosła widły i pomrukując jak wielki kot, wymierzyła je w serce agenta. Guy Roberts, który zakradł się za nią, uchwycił ich drewniany trzonek i szarpnął, pozbawiając Anne równowagi. Gorzko wyjąc, zwaliła się znów na plecy i złapała oburącz tkwiący w piersi bełt, próbując go wyrwać. Roberts, którego ruchy ograniczał zawieszony na plecach miotacz, ledwie ją wyminął. Chwycił Traska za kurtkę i jakoś zdołał wyciągnąć go ze stodoły. Potem odwrócił się, wycelował dyszę miotacza i twardo, pewnie nacisnął spust.

Stodoła z miejsca przeistoczyła się w gigantyczny piec. Żar, ogień i dym wypełniły ją aż po dach, uchodząc przez otwory na jego krańcach. Z wnętrza dobiegł dziki syk, stopniowo przeradzający się w potworny wrzask, który urwał się dopiero, gdy zapadający się stryszek sypnął płonącym sianem w huczące piekło. Roberts nie zdejmował palca ze spustu, dopóki nie upewnił się, że nic, kompletnie nic, nie przetrwało ataku...

Na tyłach domu Ken Layard natrafił na Gowera, który palił zewłok Wlada. Jordan przeszedł właśnie przez otwarte okno, a Newton szykował się, żeby pójść w jego ślady.

– Czekaj ! – zawołał Layard. – Nic nie zdziałacie z dwiema kuszami! – Zbliżył się do nich.

– Ja pójdę – powiedział do Newtona. – Ty trzymaj się z Gowerem. Zajdźcie dom od frontu. Idź już.

Kiedy Layard gramolił się na parapet, Newton odciągnął Gowera od zwęglonych szczątków Wlada, wskazując kciukiem narożnik domu.

– Z tym potworem już koniec – wołał. – Weź się więc w garść. Chodź, inni już pewnie są w środku.

Szybko przebiegli przez zamglony ogród, kierując się ku południowej ścianie budynku. Zobaczyli Robertsa, który odwracał się od płonącej stodoły, by odciągnąć Traska w bezpieczne miejsce. Szef też ich zobaczył.

– Co się, u diabła, dzieje?

– Gower spalił psa – odkrzyknął Newton. – Tylko... to już... nie był pies!

Roberts uśmiechnął się ironicznie i zarazem złowieszczo.

– My dostaliśmy Anne Lake – powiedział, gdy Newton i Gower byli już blisko. – Rzecz jasna, niewiele zostało już w niej z kobiety. Gdzie Layard i Jordan?

– Wewnątrz – rzekł Gower. Trząsł się i ociekał potem. – To jeszcze nie koniec, Guy. Czeka nas coś więcej!

– Próbowałem wybadać dom – oznajmił Roberts. – I nic! Tylko mgła. Pieprzona psychiczna mgła! Za wiele się tu dzieje, do cholery! – Chwycił Gowera za ramię. – Z tobą wszystko w porządku?

– Tak sądzę – odparł Gower.

– Dobra. Posłuchajcie uważnie. W ciężarówce mam ładunki termitu i plastik, w chlebakach. Nafaszerujecie nimi piwnice. Wszystkie kąty. Spróbujcie zdetonować wszystko za jednym zamachem. I żadnego ognia, aż się ich nie pozbędziecie! Najlepiej będzie, jak zdejmiesz ten aparat i weźmiesz kuszę jak Newton. Nadmiar żaru lub ognia wywołałby eksplozję. Jak wszystko zaminujecie, natychmiast zwiewajcie i trzymajcie się z dala od domu! Nas trzech w środku powinno wystarczyć. A jeśli nie, resztę załatwi ogień.

– Chcesz tam wejść? – Gower popatrzył na dom i zwilżył wyschnięte wargi.

– Tak, wchodzę – potwierdził Roberts. – Trzeba jeszcze załatwić Bodescu, jego matkę i dziewczynę. I nie martwcie się o mnie. Martwcie się o siebie. Piwnice mogą sprawić o wiele więcej kłopotów niż dom.

Ruszył w kierunku otwartych drzwi pod osłoniętym kolumnami portalem...

ROZDZIAŁ CZTERNASTY

Layard i Jordan zdążyli już ostrożnie i dokładnie spenetrować parter. Zbliżali się teraz do głównych schodów, wiodących na piętra. Idąc, zapalali wszędzie przyćmione światła, choć trochę rozpraszające mrok. U podnóża schodów przystanęli.

– Gdzie, u licha, jest Roberts? – szepnął Layard. – Przydałyby się jakieś instrukcje.

– Po co? – Jordan zerknął na niego kątem oka. – Wiemy przecież, co nas tu sprowadziło. I wiemy też, co robić.

– Ale powinno nas być czterech.

Jordan zacisnął zęby.

– Przed domem wybuchło jakieś zamieszanie. Wygląda na to, że mają kłopoty. Poza tym ktoś powinien już zakładać ładunki w piwnicy. Nie traćmy więc czasu.

Na wąskim podeście, gdzie schody skręcały pod ostrym kątem, natrafili na wielką ścienną szafę z uchylonymi lekko drzwiami. Jordan minął ją, cały czas celując w drzwi. Ruszył dalej. Nie wymigiwał się od roboty, wiedział po prostu, że gdyby czaiło się za nimi coś paskudnego, Layard powstrzymałby to jednym błyskiem ciekłego ognia.

Layard sprawdził, czy zawór na wężu jest otwarty, oparł palec o spust i nogą otworzył drzwi. Wewnątrz panowała... ciemność. Zaczekał, aż jego oczy oswoją się z mrokiem. Na ścianie, tuż za szafą odnalazł kontakt. Wyciągnął rękę i natychmiast cofnął. Przesunął się do przodu, by móc nacisnąć wyłącznik lufą. Z ulgą zobaczył, jak ostre światło zalewa wnętrze szafy. I wtedy dostrzegł wysoką postać, stojącą w głębi. Zaparło mu dech, oczy zaszły mgłą. Miał już nacisnąć spust, kiedy na tyle odzyskał ostrość widzenia, że przekonał się, iż celuje w stary płaszcz przeciwdeszczowy, wiszący na kołku.

Ścisnęło go w gardle, ale zaraz zaczerpnął powietrza i cicho zamknął szafę.

Jordan wszedł już na pierwsze piętro. Zobaczył dwoje drzwi, osadzonych w łukowatych wnękach. Dalej ciągnął się korytarz, skręcający gdzieś w bok. Dostrzegł tam kolejną parę drzwi. Bliższe znajdowały się o jakieś osiem kroków od niego, dalsze o dwanaście. Wybrał te w pierwszej wnęce. Nacisnął klamkę i otworzył je kopnięciem. Zobaczył toaletę z wysoko umieszczonym oknem, przez które wpadało szare światło. Przeszedł do drugiej wnęki. Za progiem ujrzał obszerną bibliotekę, niekryjącą w sobie żadnych zakamarków. Słysząc, że Layard wchodzi na piętro, skierował się w głąb korytarza i natychmiast przystanął. Usłyszał... wodę – szum i bulgot.

Szum dobiegł zza drugich drzwi w korytarzu, z łazienki. Jordan obejrzał się. Layard był już na piętrze. Spotkali się wzrokiem. Jordan wskazał na pierwsze drzwi, potem skierował kciuk na własną pierś i w głąb korytarza, na drugie drzwi. Ostrożnie ruszył dalej, trzymając na wysokości piersi wycelowaną przed siebie kuszę. Szum wody stał się głośniejszy. Nagle usłyszał też jakiś... głos. Dziewczęcy głos – śpiew. Ktoś nucił jakąś okropną melodię...

Jordan mocniej ścisnął kuszę, przekręcił klamkę i kopnął w drzwi. Ujrzał najzwyczajniejszą w świecie scenę w łazience. W jednej chwili całe napięcie gdzieś prysło i Jordan poczuł się jak... intruz.

Dziewczyna była naga i bardzo ładna. Strumienie wody dodawały jej ciału połysku. Stała z boku łazienki, pod prysznicem; piękne ciało rysowało się wyraźnie na tle błękitnych kafelków. Ledwie drzwi trzasnęły, otwarte na oścież, odwróciła głowę w kierunku Jordana, otwierając szeroko przerażone oczy. Westchnęła i skuliła się pod ścianą, bliska omdlenia. Jedną ręką osłoniła piersi, ugięła kolana, zawstydzona.

Jordan na wpół opuścił kuszę.

„Słodki Jezu! To tylko przestraszona dziewczyna!" – pomyślał.

Już wyciągnął rękę, żeby ją uspokoić, kiedy w jego umysł wdarły się jej myśli.

„Chodź, mój słodki! Chodź, pomóż mi! Ach, dotknij mnie, obejmij! Trochę bliżej, mój słodki... jeszcze! A teraz...".

Odwróciła się w jego stronę.

Jej oczy były ogromne, trójkątne, potworne. Twarz w jednej chwili przeistoczyła się w pysk bestii. A w prawej, dotąd niewidocznej dłoni pojawił się rzeźnicki nóż. Złapała Jordana za kurtkę, unosząc w górę ostrze. Palce miała chyba z żelaza. Bez wysiłku przyciągnęła go do siebie. Na oślep nacisnął spust.

Wepchnięta w ścianę, przyszpilona do niej bełtem, upuściła nóż, straszliwie wrzeszcząc. Z rany, w której pocisk zagłębił się niemal aż po lotki, tryskała krew. Dziewczyna złapała za końcówkę strzały i, nie przestając wrzeszczeć, szarpnęła się dziko. Grot wyszedł ze ściany wraz z okruchami kafelków i gipsu. Dziewczyna chwiała się teraz pod prysznicem, wciąż próbując wyrwać pocisk i upiornie rycząc.

– Boże, Boże, o Boże! – krzyczał Jordan. Nie był w stanie się ruszyć.

Layard odepchnął go i nacisnął spust miotacza, zamieniając cały prysznic w ogromny szybkowar. Po kilku sekundach zamknął dopływ paliwa, wpatrzony, podobnie jak Jordan, w to, co uczynił. Kłęby czarnego dymu i pary rozwiały się, a woda wciąż syczała, tryskając z kilku dziur w stopionych plastikowych przewodach prysznica. Ciało Helen Lake leżało bezwładnie w brodziku; jej twarz gotowała się jeszcze, włosy były niemal całkiem zwęglone, a skóra odłaziła wielkimi płatami.

– Boże, daj nam siły! – westchnął Jordan. Zemdliło go.

– Boże? – zaskrzeczał stwór spod prysznica głosem głuchym jak z otchłani. – Jaki Bóg? Wy cholerne, drańskie sukinsyny!

Jakimś cudem wstał i na oślep, chwiejnie postąpił krok do przodu. Layard znów uruchomił miotacz, tym razem jednak bardziej z litości niż strachu. Przerwał dopiero, gdy ogień wydostał się poza brodzik, podpełzając niebezpiecznie blisko. Zwolnił spust i wycofał się na korytarz. Jordan, przewieszony przez poręcz schodów, wymiotował. Z dołu doleciał głos zaniepokojonego Robertsa.

– Ken? Trevor? Co jest? – wołał zaniepokojony.

Layard starł pot z czoła.

– Dostaliśmy... dostaliśmy dziewczynę – szepnął. Powtórzył to, krzycząc. – Dostaliśmy dziewczynę!

– Jej matka też jest załatwiona – oznajmił Roberts. – Pies Bodescu również. Zostaje jeszcze sam Bodescu i jego matka.

– Tu są zamknięte drzwi – zawołał Layard. – Wydaje mi się, że ktoś jest w środku.

– Nie możesz ich wyważyć?

– Nie, są dębowe, stare i ciężkie. Mógłbym je spalić.

– Nie ma na to czasu. Nawet jeśli ktoś tam jest, to nie ma już szans. Piwnice są już zaminowane. Lepiej schodźcie na dół i to szybko. Musimy się stąd zabierać.

Layard ściągnął Jordana na parter.

– Guy, gdzie ty byłeś, u licha?

– Działałem na własną rękę – wyjaśnił Roberts. – Trask wypadł z gry, ale wyjdzie z tego. Gdzie byłem? Sprawdzałem parter.

– Strata czasu – jęknął Jordan, właściwie do siebie.

– Co? – Roberts jeszcze bardziej podniósł głos.

– Powiedziałem, że już to zrobiliśmy! – wrzasnął Jordan.

Zeszli już ze schodów i Roberts popychał ich teraz ku holowi i otwartym drzwiom...

Simon Gower i Harvey Newton zeszli do piwnic po schodkach obok rampy. Obciążeni niemal dwustoma funtami materiałów wybuchowych, odkryli, że instalacja elektryczna nie działa. Musieli skorzystać z latarek. Lochy pod domem były mroczne i ciche niczym grobowiec i rozległe jak katakumby. Trzymali się razem, upychając termit i plastik pod wszystkimi ścianami nośnymi i łukowatymi przyporami. Mimo iż poruszali się ostrożnie, zdołali w dość krótkim czasie nafaszerować piwnice ładunkami. Newton niósł dodatkowo małą bańkę benzyny. Pieczołowicie rozlewał jej zawartość, łącząc w ten sposób wszystkie zaminowane miejsca, aż cały loch nasiąknął łatwopalną cieczą. W końcu, stwierdziwszy, że zbadali i zaminowali całe podziemia, szczęśliwi, że nie natrafili na nic niebezpiecznego, zawrócili do wyjścia. Ostatni ładunek podłożyli w miejscu, które uznali za środek budynku. Reszta benzyny posłużyła Newtonowi do utworzenia ścieżki, wiodącej aż do schodów. Gower raz jeszcze sprawdzał ładunki, upewniając się, że nie popełnili błędów.

Przy samych schodach Newton wyrzucił pustą bańkę i popatrzył za siebie, w ciemność. Zza rogu dochodził chrapliwy oddech Gowera, świadczący o zawziętości, z jaką agent oddawał się tej robocie. Plamy światła, rzucane przez jego latarkę na ściany, przeskakiwały z miejsca na miejsce, w miarę jak posuwał się coraz dalej.

U szczytu schodów pojawił się Roberts.

– Newton, Gower! – zawołał. – Wychodźcie tak szybko, jak możecie. Tylko na was czekamy. Reszta obstawia dom. Mgła ustąpiła. Jeśli teraz ktoś spróbuje się wymknąć...

– Harvey? – z ciemności doleciał do nich drżący głos Gowera, o kilka tonów za wysoki. – Harvey, czy to ty?

– Nie, to Roberts – odkrzyknął Newton. – Pośpiesz się, dobrze?

– Nie, to nie Roberts. – Gowerowi brakowało tchu. Nieomal szeptał. – To coś innego.

Roberts i Newton popatrzyli na siebie w zdumieniu. Ziemia zadrżała, odczuli to wyraźnie. Z wnętrza piwnicy dobiegł wrzask Gowera. Roberts, potykając się, zbiegł do połowy schodów.

– Simon, wynoś się stamtąd! Szybko, człowieku! – krzyczał.

– Jest tutaj, Guy! O Boże, jest tutaj! Pod ziemią! – wrzasnął Gower. jak usidlone zwierzę.

Newton rzucił się w tamtą stronę, ale Roberts złapał go za kołnierz. Ziemia wciąż drżała. Rozdziawiona paszcza starych piwnic wypluwała kłęby kurzu. Z wnętrza dobiegały wrzaski i inne niepojęte odgłosy, mogące świadczyć o tym, że Gower rozstaje się z życiem. Cegły uwalniały się od skruszałej zaprawy, osypującej się na skraj rampy. Newton, pociągnięty przez Robertsa, ruszył w górę po rozchwianych schodach. Kiedy byli już niemal u szczytu, ujrzeli chmurę kurzu i gruzu, z impetem wypchniętą z wejścia do piwnicy. W chwilę potem o podnóże rampy rąbnęły drzwi, wyrwane z zawiasów, rozpadając się w drzazgi. W tumanie kurzu wypełniającym wyrwę pojawiła się jakaś sylwetka. Gower, a zarazem coś więcej. Agent zawisł na moment w pustym wejściu, kołysząc się jak wahadło. Po chwili jednak wysunął się nieco dalej i pozostali agenci zobaczyli za nim ogromne, ohydne cielsko.

Potwór – Tamten – wbił się w plecy Gowera jak potężny słup, ale wewnątrz masywna wampirza wypustka rozdzieliła się, wnikając w organy ofiary w poszukiwaniu wyjścia. Macki kłębiły się teraz w jego rozdziawionych ustach i nozdrzach, w oczodołach i nabrzmiałych ustach. W chwili gdy Roberts i Newton, niemal obłąkani ze strachu, pięli się na ostatnie stopnie schodów, tors Gowera pękł, odsłaniając gniazdo wijących się ślepo, szkarłatnych robaków.

– Jezu! – zawył Guy Roberts, głosem zdławionym przez zgrozę i nienawiść. – Dobry Jezu!

Wycelował miotacz w dół rampy.

– Żegnaj, Simon. Niech Bóg zapewni ci spokój!

Ciekły ogień ryknął z furią, spływając strugą ku wejściu do lochów. Ciało człowieka wraz z trzymającym je potworem ogarnęły płomienie. Wielka wypustka cofnęła się natychmiast, miotając Gowerem jak szmacianą lalką, a Roberts skierował ogień w głąb wejścia. Maksymalnie otworzył zawór i rozedrgany język wdarł się do lochów, opanowując cały labirynt, każdy kąt i wnękę. Roberts doliczył do pięciu. I wtedy nastąpił pierwszy wybuch. Wyraźnie odczuli wstrząs, towarzyszący zawaleniu się wejścia. Gorąca fala uderzeniowa cisnęła w górę rampy kurz i kamienie, zbijając esperów z nóg. Palec Robertsa oderwał się od spustu. Rozgrzany, dymiący miotacz wreszcie umilkł.

Bach! bach! bach! dobiegły do nich z głębin przytłumione eksplozje równomiernie rozłożonych ładunków, a każda z nich na nowo potrząsała ziemią z siłą kafara.

W miarę jak zapalniki reagowały na żar, potęgując niewidoczne piekło, podziemne detonacje przybierały na sile, czasem pojedyncze, niekiedy podwójne. Newton podniósł się i pomógł wstać Robertsowi. Potykając się, umknęli spod domu. Wraz z Layardem i Jordanem stanęli na jego czterech rogach, poza zasięgiem wybuchów. Płonąca wciąż stara stodoła zadrżała, jakby ożyła w agonalnym spazmie. Rozpadła się wreszcie; runęła na wrzącą już ziemię. Z rozchwianych fundamentów wystrzeliła na jakieś dwadzieścia stóp potworna macka, ale zaraz opadła, wessana w obłąkańczą kipiel ziemi i ognia. Ken Layard znajdował się najbliżej. Niezdarnie uciekł spod domu, trzymając się też z dala od stodoły. Nagle stanął jak wryty, wpatrując się szeroko rozwartymi oczyma w okna na pierwszym piętrze budynku. Skinął na Robertsa.

– Spójrz! – wrzasnął, przekrzykując podziemne grzmoty, syk i trzask płomieni. Obaj utkwili wzrok w budynku.

W oknie na piętrze stała nieruchomo kobieta. Podniosła w górę ręce, jakby o coś błagała.

– Matka Bodescu – zawołał Roberts. – To może być tylko ona, Georgina Bodescu. Niech Bóg ma ją w opiece.

Narożnik domu zapadł się, zasypując ziemię gruzem. W miejscu, gdzie runął, wybuchł nagle ognisty gejzer, ciskając aż po dach szczątki cegieł i okruchy zaprawy. Kolejne wybuchy sprawiły, że budynek zadrżał. Musiały naruszyć jego fundamenty, gdyż ściany pokryły się pęknięciami, a kominy chwiały się. Czterej obserwatorzy cofnęli się jeszcze dalej. Layard wlókł za sobą Bena Traska. I wtedy zauważył ciężarówkę, kołyszącą się na resorach. Poszedł po nią, a jego miejsce przy Trasku zajął Guy Roberts, wciąż wpatrzony w kobietę w oknie.

Nie zmieniła pozycji. Chwiała się, ulegając wstrząsom, ale nadal trzymała ręce w górze, odrzuciwszy głowę w tył. Robertsowi wydało się, że Georgina rozmawia z Bogiem.

„O czym mu opowiadał? O co prosi? O przebaczenie dla syna? O łaskę własnej śmierci?" – zastanawiał się.

Newton i Jordan opuścili pozycje na tyłach domu i przybiegli na ścieżkę. Jasne było, że nikt już nie zdoła opuścić budynku. Pomogli Layardowi ułożyć Traska w ciężarówce. Podczas gdy szykowali się do odjazdu, Roberts obserwował dom, pragnąc być świadkiem jego zagłady.

Termit zrobił swoje i ziemia stała teraz w ogniu. Budynek nie miał już fundamentów, na których mógłby się oprzeć. Osiadał, kołysząc się na boki. Stara cegła z jękiem przyjmowała pękanie belek, walenie się kominów i trzaski szyb w miażdżonych oknach. Dom pogrążał się w rozszalałych płomieniach i kipiącej ziemi, a jego szczątki na nowo podsycały ogień.

Pożar ogarniał ściany od środka i z zewnątrz. Żółtoczerwone języki płomieni wychylały się z wykrzywionych okien, przeszywały nadwyrężony, wiotczejący dach. Jeszcze przez moment na tle obłąkanego, szkarłatnego żywiołu widać było Georginę Bodescu, a potem Harkley House wyzionął ducha. Jęcząc, zwalił się we wrzącą rozpadlinę, przywodzącą na myśl krater małego wulkanu. Szczyty dachu broniły się najdłużej, ale po chwili i one zginęły w mściwym ogniu i dymie. Panował potworny zaduch. Zdawać się mogło, że w budynku zginęło z pięćdziesiąt osób, jednakże zarówno Roberts, wsiadający właśnie do ciężarówki, jak i Layard, którzy poprowadził ją w kierunku bramy, i pozostali agenci, nie wyłączając przytomnego już Traska, wiedzieli doskonale, że źródło tego odoru nie miało w sobie nic człowieczego.

Cuchnęło termitem, spieczoną ziemią, belkami i starymi cegłami, a przede wszystkim – agonią potwora spod piwnic, Tamtego, który zabił nieszczęsnego Gowera.

Mgła rozproszyła się i na drodze pojawiły się samochody, przyciągnięte widokiem łuny nad Harkley House. Ledwie ciężarówka wytoczyła się spod bramy na drogę, jakiś człowiek z wypiekami na twarzy wychylił się z okna swego auta.

– Co się stało? To Harkley House, tak? – zawołał.

– To był Harkley House – odkrzyknął Roberts, starając się wzruszyć bezradnie ramionami. – Obawiam się, że już po nim. Spłonął doszczętnie.

– Wielkie nieba! – Na twarzy tamtego pojawiło się przerażenie. – Wezwano już straż pożarną?

– Jedziemy to zrobić – odpowiedział Roberts. – Choć nie na wiele się to zda. Zajechaliśmy tam, żeby zobaczyć, co się stało, ale już było po wszystkim. – Ruszyli dalej.

Na milę przed Paington doleciał do nich przenikliwy sygnał syreny strażackiej. Layard posłusznie zjechał na pobocze, ustępując miejsca strażakom. Uśmiechnął się z trudem, zadumany.

– Za późno, chłopaki – stwierdził w duchu. – O wiele za późno, dzięki Bogu!

*

* *

Podrzucili Traska do szpitala w Torquay. Wymyślili historyjkę o wypadku, jaki mu się przydarzył w ogrodzie przyjaciela, i upewniwszy się, że otrzymał dostateczną pomoc, wrócili do hotelu w Paington na krótką naradę.

– Załatwiliśmy z pewnością te trzy kobiety – podsumował Roberts. – Mam jednak wątpliwości co do samego Bodescu. Poważne wątpliwości, które przekażę do Londynu oraz do Clarke'a i naszych ludzi w Hartlepool. Oczywiście, jedynie na wszelki wypadek, gdyż nawet jeśli nie dorwaliśmy Bodescu, nie możemy być pewni, co zrobi i gdzie się uda. Co więcej, niedługo zjawi się Alec Kyle. Dziwne, że jeszcze go nie ma. Fakt faktem, że nie palę się do spotkania z nim. Będzie wściekły, jak się dowie, że Bodescu mógł zwiać.

– Bodescu i ten drugi pies – przypomniał sobie nagle Newton. Wzruszył ramionami. – Zdaje mi się jednak, że to był bezpański pies, który jakoś... dostał się... na teren posiadłości.

Urwał, przyglądając się pozostałym agentom. Wszyscy wpatrywali się w niego zdumieni, niemal z niedowierzaniem. To było dla nich coś nowego.

Roberts zacisnął ręce na klapach kurtki Newtona.

– Opowiadaj! – wycedził przez zaciśnięte zęby. – Dokładnie co się zdarzyło, Harvey.

– Kiedy Gower palił... tego cholernego stwora, który niewiele miał w sobie z psa, w zasadzie nic, przez mgłę przebiegł ten drugi. Nie mogę właściwie przysiąc, że go widziałem! Tyle się tam działo. Równie dobrze mogła to być mgła albo wytwór mojej wyobraźni... cokolwiek! Wydawało mi się, że to coś skoczyło, ale niemal w pionie, dziwacznie wychylone do przodu. Łeb również miało dziwaczny. To jednak musiał być wytwór mojej wyobraźni, jakiś kłąb mgły. Nic dziwnego, zwłaszcza, że Gower stał obok, paląc tego przeklętego psa! Chryste, przez resztę życia będą mi się śniły takie zwierzaki!

Roberts raptownie zwolnił uchwyt, omal nie zbijając Newtona z nóg. Popatrzył z niesmakiem na telepatę.

– Idiota! – warknął. Zapalił papierosa, nie zważając na to, że jednego już trzyma w ustach.

– I tak nic nie mogłem zrobić! – zaprotestował Newton. – Wystrzeliłem już z kuszy i nie zdążyłem jej ponownie naładować...

– Wystrzeliłeś z tej cholernej kuszy? – rozeźlił się Roberts. Opanował się jednak. – Wolałbym, żeby nie było w tym twojej winy – powiedział do Newtona. – Może i nie ma? Może Bodescu cholernie nas przechytrzył?

– I co teraz? – zapytał Layard. Zrobiło mu się żal Newtona, spróbował więc odciągnąć od niego uwagę szefa.

– Teraz? – Roberts popatrzył na Layarda. – Cóż, skoro nieco ochłonąłem, musimy poszukać tego sukinsyna!

– Poszukać go? – Newton zwilżył zaschnięte wargi. – Jak?

Roberts stuknął się w skroń zbielałymi, grubymi palcami.

– Tym! – krzyknął. – Taki mam fach. Jestem wróżbitą, zapomniałeś? – Znów spojrzał gniewnie na Newtona. – A co z twoim cholernym talentem? Chyba potrafisz coś jeszcze poza partaczeniem roboty?

Newton znalazł sobie krzesło i opadł na nie bezwładnie.

– Ja... ja go widziałem, a zarazem wmawiałem sobie, że go nie widzę. Co się ze mną działo, u licha? Pojechaliśmy tam, żeby go dorwać, żeby dorwać wszystko, co wylezie z domu, czemu więc nie zareagowałem właści...?

Jordan zaczerpnął nagle powietrza i pstryknął głośno palcami.

– Oczywiście! – wykrzyknął.

Wszyscy spojrzeli na niego.

– Oczywiście! – powtórzył. Wyrzucał z siebie słowa. – Pamiętacie, że Bodescu też ma talent? Diabelnie wielki talent! Harvey, on ciebie dotknął. Telepatycznie. Mnie też dotknął, cholera! Wmówił w nas, że go nie widzimy, że go tam nie ma. I naprawdę go nie widziałem. A przecież byłem przy tym, jak Simon palił tego potwora. Nic jednak nie widziałem. Nie wiń więc siebie, Harvey. Ty przynajmniej widziałeś tego sukinsyna!

– Masz rację – przytaknął po chwili Roberts. – To jedyne wytłumaczenie. Wiemy już na pewno: Bodescu jest na wolności, wściekły – na Boga! – niebezpieczny. Tak, a przy tym potężny, o wiele potężniejszy, niż można było przypuszczać...

*

* *

Środa, godzina zero trzydzieści czasu środkowoeuropejskiego. Przejście graniczne w pobliżu Siretu. Mołdawia.

Krakowicz i Gulcharow wzięli na siebie prowadzenie auta, choć Carl Quint marzył, żeby i jego w to włączyli. Przestałby się nudzić. W rumuńskim krajobrazie – stacjach kolejowych, smętnych i samotnych jak strachy na wróble, zakopconych okręgach przemysłowych i rzekach, pełnych zanieczyszczeń – nie znajdował nic romantycznego. Jednakże nawet bez jego pomocy i pomimo żałosnego stanu dróg Rosjanie utrzymywali dość dobre tempo. Przynajmniej do tego miejsca na pustkowiu, gdzie tkwili już od czterech godzin. Wcześniej, opuściwszy Bukareszt, minęli Buzau i wjechali przez Fokszani i Bacau, wzdłuż brzegów Seretu, do Mołdawii. W Romanie przecięli rzekę, kierując się do Botosani. Tam zatrzymali się, żeby coś zjeść, po czym ruszyli do Siretu. Znajdowali się teraz na północ od tego miasta, przed barierą przejścia granicznego, dwadzieścia mil na południe od Czerniowiec i Prutu. Zgodnie z planami Krakowicza powinni byli właśnie minąć Czerniowce i zmierzać prosto do Kołomyi, żeby tam, u podnóża prastarych gór, odwiecznych Karpat, zatrzymać się na noc, ale...

– Ale! – wściekał się teraz Krakowicz skąpany w nieżyczliwym świetle kaganka, rozjaśniającego wnętrze posterunku. – Ale, ale, ale!

Rąbnął pięścią w barierkę oddzielającą celnika od podróżnych. Mówił, a raczej bzyczał, po rosyjsku, tak głośno, że aż Quint i Gulcharow, siedzący w samochodzie przed drewnianym, stylizowanym na chatę budynkiem, mrugnęli i zacisnęli zęby. Posterunek znajdował się dokładnie pomiędzy dwoma podjazdami, oddzielony od nich opuszczonymi szlabanami. W budkach po obu stronach stali umundurowani wartownicy: Rumun, który kontrolował przyjezdnych, i Rosjanin, sprawdzający opuszczających ZSRR. Ich przełożonym był naturalnie Rosjanin. I to on teraz bronił się przed naciskami Feliksa Krakowicza.

– Cztery godziny! – Krakowicz szalał. – Siedzimy tu na krańcu świata przez cztery cholerne godziny, czekając, aż się zdecydujesz! Powiedziałem, kim jestem. Dowiodłem tego. Czy moje dokumenty są w porządku?

Okrągłolicy, tęgi urzędnik wzruszył bezradnie ramionami.

– Oczywiście, towarzyszu, ale...

– Nie, nie i nie! – krzyknął Krakowicz. – Żadnych ale, tylko tak lub nie. Czy dokumenty towarzysza Gulcharowa są w porządku?

Celnik przestępował z nogi na nogę, jakby było mu niewygodnie. Raz jeszcze wzruszył ramionami.

– Tak.

Krakowicz przechylił się przez barierkę, zaglądając mu w twarz.

– A czy wierzycie, że jestem w kontakcie z samym Pierwszym Sekretarzem? Naprawdę pojęliście, że gdyby wasz cholerny telefon działał, rozmawiałbym teraz z Moskwą, z samym Breżniewem, a po tygodniu siedzielibyście na posterunku granicznym w Mandżurii?

– Skoro tak twierdzicie, towarzyszu Krakowicz – westchnął celnik. Z trudem szukał słów, pozwalających zacząć zdanie inaczej niż od „ale". – Pojąłem także, że ten trzeci osobnik w pańskim samochodzie nie jest obywatelem radzieckim, a jego dokumenty nie są w porządku! Gdybym przepuścił was bez odpowiedniego zezwolenia, za tydzień byłbym drwalem w Omsku. A do tego się nie nadaję, towarzyszu!

– Co to za przeklęty posterunek? – pienił się Krakowicz. – Bez telefonu, bez elektryczności? Chyba powinniśmy być wdzięczni, że macie tu toalety! Posłuchajcie mnie teraz...

– Słucham, towarzyszu. – Oficer oprócz potężnego brzucha miał także nerwy. – Wysłuchuję gróźb i jadowitych wrzasków, od co najmniej trzech i pół godziny, ale...

– Ale? – Krakowicz nie mógł w to uwierzyć; to nie mogło być prawdą. Potrząsnął pięścią. – Idioto! Obliczyłem, że od chwili naszego przyjazdu przejechało tędy dwadzieścia siedem ciężarówek i jedenaście samochodów osobowych. Wasz człowiek nawet w połowie z nich nie sprawdził papierów!

– Ponieważ ich znamy. Jeżdżą tędy regularnie. Wielu z nich mieszka albo w Kołomyi, albo nieopodal. Tłumaczyłem to już sto razy.

– Przemyśl to – warknął Krakowicz. – Jutro wytłumaczysz to KGB!

– Znowu groźba. – Celnik znowu wzruszył ramionami. – To przestaje robić wrażenie.

– Absolutna nieudolność! – burzył się szef Wydziału E. – Trzy godziny temu powiedzieliście, że telefony będą działały po kilku minutach. To samo dwie godziny temu i przed godziną, a zbliża się już pierwsza!

– Wiem, która godzina, towarzyszu. Jest przerwa w dostawie prądu. Naprawa trwa. Co więcej mogę powiedzieć? – Usiadł na wyściełanym krześle za barierką.

Krakowicz nieomal przeskoczył tę przegrodę, chcąc go dopaść.

– Nie ważcie się siadać! Nie, póki ja stoję!

Urzędnik starł pot z czoła i znów wstał, przygotowując się na kolejną tyradę...

Siergiej Gulcharow wiercił się niespokojnie, wyglądając to przez jedno, to przez drugie okno samochodu. Carl Quint wyczuwał problemy, kłopoty, jakieś niebezpieczeństwo. Prawdę mówiąc, napięcie nie opuszczało go od czasu rozstania z Kyle'em w Bukareszcie. Zamartwianie się nie wiodło jednak donikąd, zresztą był zbyt zmordowany, żeby się nad tym zastanawiać. Samo to, że nie mógł prowadzić auta, a tylko siedział, oglądając monotonny pejzaż, przesuwający się bez końca za oknami, wystarczyło, by czuł teraz zmęczenie. Mógłby chyba spać przez tydzień, a to miejsce nadawało się do tego celu równio dobrze jak każde inne.

Uwagę Gulcharowa przykuło nagle coś za oknem. Znieruchomiał i zamyślił się. Quint popatrzył na niego, na „cichego Siergieja", jak nazywali go z Kyle'em. Nie jego wina, że nie mówił po angielsku; właściwie nawet mówił, znał jednak tylko kilka słów i niemiłosiernie je przekręcał. Odpowiedział teraz na spojrzenie Quinta ruchem krótko ostrzyżonej głowy i wskazał coś przez otwarte okno samochodu.

– Patrz – powiedział cicho. Quint popatrzył.

Na tle odległej, błękitnawej łuny, świateł Kołomyi, jak przypuszczał Quint, wyraźnie rysowały się czarne przewody, rozpięte między słupami i sięgające do samego posterunku. Elektryczność. Teraz Gulcharow odwrócił się na zachód i pokazał przewody biegnące do Siretu. O sto jardów dalej, pomiędzy dwoma słupami, zwieszały się w dół potężną pętlą, niknąc na tle ciemnego horyzontu. Biegły na ziemi.

– Przepraszać – powiedział Gulcharow. Wysiadł z samochodu, przeszedł wzdłuż szlabanu i zniknął w ciemności. Quint zastanawiał się, czy nie pójść za nim, ale odrzucił ten pomysł. I tak czuł się dość niepewnie, a wyjście tylko by to pogłębiło. Tu, w samochodzie przynajmniej było swojsko. Wsłuchał się w krzyki Krakowicza, głośno i wyraźnie dobiegające z posterunku. Nie rozumiał słów, ale ktoś tam nieźle obrywał...

– Koniec z głupotami! – wrzasnął Krakowicz. – Powiem wam, co zrobię. Pojadę na posterunek milicji w Sirecie i stamtąd zadzwonię do Moskwy.

– Dobrze – zgodził się tłusty urzędnik. – I postarajcie się, żeby Moskwa przesłała wam przez telefon porządne dokumenty dla Anglika, to was przepuszczę!

– Durniu! – zaśmiał się Krakowicz. – Oczywiście, pojedziemy razem. Otrzymasz instrukcje prosto z Kremla!

Celnik marzył wprost o tym, by mu powiedzieć, że otrzymał już rozkazy z Moskwy, ale... ostrzeżono go, żeby tego nie robił. Pokręcił więc powoli głową.

– Niestety, towarzyszu, nie mogę opuścić posterunku. Zejście ze służby to poważna sprawa. Nic, co powiecie wy, czy ktokolwiek inny, nie zmusi mnie do tego.

Krakowicz wyczytał z czerwonej twarzy celnika, iż posunął się za daleko. Pojął, że upór urzędnika zapewne jeszcze wzrośnie.

Na myśl o tym Krakowiczowi zrobiło się jeszcze bardziej niewyraźnie.

„A jeśli cały incydent od samego początku był świadomym utrudnianiem? Czy to możliwe?" – pomyślał przez chwilę.

– Istnieje proste rozwiązanie – powiedział. – Przypuszczam, że w Sirecie jest posterunek milicji, czynny całą dobę, z działającymi telefonami?

Oponent zagryzł wargę.

– Oczywiście – odpowiedział w końcu.

– A zatem po prostu zadzwonię stamtąd do Kołomyi i w ciągu godziny sprowadzę tu jednostkę z najbliższych koszar. Jak się poczujecie, towarzyszu, jako Rosjanin, któremu oficer Armii Czerwonej każe odejść na bok, żeby przepuścić mnie i moich przyjaciół przez wasze durne przejście? I co zrobicie, wiedząc, że dzień później piekło zwali się wam na głowę za to, że wywołaliście coś, co mogło się obrócić w poważny incydent międzynarodowy?

W tym samym momencie na polu, na zachód od drogi do Siretu, Siergiej Gulcharow pochylił się i podniósł obie, rozdzielone teraz, połówki złącza elektrycznego. Do głównego kabla przymocowany był drugi, o wiele cieńszy – przewód telefoniczny. Połączenie było zaledwie kwestią włożenia wtyczki w gniazdko. Gulcharow najpierw zajął się kablem telefonicznym, a potem doprowadził do ładu złącze. Z trzaskiem sypnęło niebieskimi iskrami i...

Na posterunku rozbłysły światła. Krakowicz, gotów już do wyjścia, żeby spełnić swą groźbę, zatrzymał się w drzwiach. Odwróciwszy się, dostrzegł zakłopotanie na twarzy celnika.

– Sądzę – powiedział – że wasz telefon znów działa?

– Tak... tak myślę – wydusił z siebie urzędnik.

Krakowicz znów podszedł do barierki.

– A to oznacza – stwierdził lodowato – że w końcu możemy ruszyć z miejsca.

*

* *

W Moskwie minęła pierwsza w nocy. W Zamku Bronnicy, o kilka mil od miasta w kierunku Sierpuchowa, Iwan Gerenko i Teo Dołgich stali za owalną lustrzaną szybą, wpatrując się w scenę z fantastyczno-naukowego koszmaru.

Alec Kyle był nieprzytomny – leżał na wznak, przywiązany do wyściełanego stołu, na środku „sali operacyjnej". Na głowie, lekko uniesionej dzięki gumowej poduszce, miał kopulasty hełm z nierdzewnej stali, odsłaniający jedynie usta i nos. by umożliwić oddychanie. Setki cienkich jak włos drucików, okrytych różnobarwnymi, lśniącymi tęczowo koszulkami, łączyły ów kask z komputerem, przy którym uwijało się trzech operatorów, śledzących przebieg sekwencji myślowych ofiary i wymazujących je zaraz z jej pamięci. Pod hełmem kryło się całe mnóstwo maleńkich elektrod, przywierających teraz do czaszki Kyle'a; inne, połączone z baterią mikromonitorów, przymocowano taśmą do jego piersi, przegubów, żołądka i krtani. Po obu stronach stołu siedzieli na krzesłach z nierdzewnej stali czterej telepaci, notujący wszystko, co odebrali dotykiem dłoni, położonych na nagim ciele Anglika. W rogu sali siedziała samotnie główna telepatka – Zek Foener, as Wydziału E. Piękna dwudziestoparoletnia dziewczyna, obywatelka NRD, została zwerbowana przez Grigorija Borowitza za ostatnich dni jego kadencji. Siedziała teraz nieruchomo, z łokciami na kolanach i dłonią przy czole, pochłonięta całkowicie przyswajaniem sobie myśli Kyle'a, w miarę jak się rodziły i generowały, stymulowane zewnętrznymi bodźcami.

Dołgich przyglądał się tej scenie z niezdrową fascynacją. Przywiózł Kyle'a do zamku około jedenastej. Wojskowy samolot transportowy zabrał ich z Bukaresztu do Smoleńska, gdzie czekał już helikopter Wydziału E. Wszystko odbyło się w najgłębszej tajemnicy. KGB zatuszowało całą operację. Nawet Breżniew, zwłaszcza Breżniew, nie wiedział, co tu się dzieje.

W zamku wstrzyknięto Kyle'owi serum prawdy – nie po to, by rozluźnić jego język, ale umysł. Od dwunastu już godzin, podtrzymywany regularnymi zastrzykami serum, ujawniał radzieckiemu wywiadowi wszystkie sekrety INTESP. Teo Dołgich stał mocno na ziemi. Jego pojęcie o przesłuchaniu, czy też „wyciąganiu prawdy", dalece się różniło od tego, co teraz oglądał.

– Co oni właściwie z nim robią? Jak to działa, towarzyszu? – zapytał.

Gerenko odpowiadając, nawet na niego nie spojrzał. Jego wyblakłe orzechowe oczy wychwytywały teraz najdrobniejszy ruch w sali za szybą.

– Teo, należysz chyba do tych, którzy słyszeli o praniu mózgu? To właśnie robimy: pierzemy mózg Aleca Kyle'a. I to tak dokładnie, że wyjdzie z tego całkiem wybielony!

Iwan Gerenko był szczupły i drobny niemal jak dziecko, ale pomarszczona skóra, wyblakłe oczy i ziemista cera przywodziły na myśl starca. Pomimo tego miał zaledwie trzydzieści siedem lat. Rzadka choroba zahamowała jego rozwój, niosąc przedwczesną starość, ale natura nadrobiła ów brak, oferując mu wyjątkowy talent. Był „deflektorem".

Podobnie jak Darcy Clarke, stał się całkowicie odporny na wypadki. Różnica polegała na tym, że Anglikowi talent pozwalał uniknąć zagrożenia, dar Rosjanina zaś całkowicie zmieniał jego tor. Dobrze wymierzony cios nie mógł go dosięgnąć; trzonek siekiery pękał, nim ostrze zetknęło się z ciałem. Płynęły z tego niezmierne korzyści: Gerenko nie znał lęku i niemal drwił z każdego fizycznego zagrożenia. Z tego właśnie powodu gardził ludźmi pokoju Dołgicha. Nie widział powodu, dla którego miałby okazywać im szacunek. Mogli go nie znosić, nie byli jednak w stanie go zranić. Okaleczenie fizyczne Iwana Gerenki leżało poza zasięgiem ludzkich możliwości.

– Pranie mózgu? – powtórzył Dołgich. – Sądziłem, że go przesłuchujecie.

– To też – potwierdził Gerenko, rozmawiając raczej ze swoimi myślami. – Wykorzystujemy naukę, psychologię i parapsychologię. Trzy T – technologia, terror i telepatia. Narkotyk, który wprowadzili do jego krwi, stymuluje pamięć. Wywołuje w nim poczucie samotności, całkowitej samotności. Kyle czuje, że w całym wszechświecie nie ma poza nim nikogo, i wątpi nawet w swe własne istnienie! Chce „opowiedzieć" o swych przeżyciach, o wszystkim, co widział, słyszał i mówił, gdyż tylko dzięki temu może przekonać się, że istnieje. Gdyby jednak spróbował to rzeczywiście opowiedzieć, przy szybkości, z jaką pracuje teraz jego umysł, niechybnie by się odwodnił i wypalił, zwłaszcza gdyby był przytomny, świadomy. Poza tym nie interesuje nas przyswojenie sobie całokształtu informacji, nie chcemy wiedzieć „wszystkiego". Generalnie, jego życie nas mało ciekawi, natomiast, rzecz jasna, zafascynowani jesteśmy szczegółami jego pracy dla INTESP.

– Wykradacie mu myśli? – Dołgich potrząsnął głową w zdumieniu.

– O tak! Ten pomysł podsunął nam Borys Dragosani. Był nekromantą: potrafił wykradać myśli umarłym! My potrafimy to jedynie w odniesieniu do żywych, chociaż, po wszystkim, niewiele w naszych ofiarach pozostaje życia...

– Ale... to znaczy jak? – Pojęcie tego przerastało możliwości Dołgicha.

Gerenko zerknął na niego, nie siląc się nawet na najlżejsze drgnienie poradlonej twarzy.

– Nie potrafię wyjaśnić „jak", a przynajmniej nie tobie, ale mogę powiedzieć „co". Kiedy umysł Kyle'a dotyka jakichś przyziemnych spraw, wyciągamy natychmiast od niego cały zakres danych i wymazujemy. Jeśli jednak temat nas interesuje, telepaci przyswajają sobie zawartość jego myśli najlepiej, jak potrafią. O ile to, czego się dowiadują, jest trudne do zapamiętania czy zrozumienia, robią notatki, zapiski, które przestudiujemy później. W chwili gdy zasób informacji związanych z danym zagadnieniem zostaje wyczerpany, wymazujemy i ten obszar.

Większość z tego, co mówił, docierała do Dołgicha, agent jednak zainteresował się Zek Foener.

– Bardzo ładna dziewczyna. – Nie krył swego pożądania. – Gdyby tak ją przesłuchać... Oczywiście, moimi metodami – zarechotał.

W tej samej chwili dziewczyna podniosła wzrok. W jej jasnoniebieskich oczach błysnęła furia. Telepatka patrzyła teraz na lustrzaną szybę, jakby...

– Ach! – Dołgicha aż zatkało. – Niemożliwe! Ona patrzy na nas przez szkło!

– Nie – zaprzeczył Gerenko. – Ona odbiera myśli przez szkło, twoje myśli, jeśli się nie mylę!

Foener wstała, zdecydowanym krokiem podeszła do bocznych drzwi i opuściła salę, wychodząc na wyłożony gumą korytarz, w którym przebywali obserwatorzy. Zbliżyła się do nich i zerknęła na Dołgicha, obnażając idealne, ostre, białe zęby.

– Iwanie, zabierz stąd... tę małpę. Jest w moim zasięgu, a jego umysł przypomina ściek! – zwróciła się do Gerenki.

– Oczywiście, moja droga – uśmiechnął się Gerenko, kiwając przypominającą włoski orzech głową. Odwrócił się i chwycił Dołgicha za łokieć. – Chodź, Teo.

Dołgich wyrwał ramię z uścisku i spojrzał gniewnie na dziewczynę.

– Łatwo szafujesz obelgami.

– I tak powinno być – ucięła. – Twarzą w twarz i prosto z mostu. A twoje obelgi pełzają jak robaki w bagnie, które wypełnia ci mózg! – Spojrzała na Gerenkę. – Nie mogę pracować, póki on tu jest.

Deflektor popatrzył na Dołgicha.

– Więc?

Na twarzy agenta KGB malowała się wściekłość, ale powoli się uspokajał. Wzruszył ramionami.

– No cóż, bardzo przepraszam, fraulein Foener. – Świadomie uniknął tradycyjnego „towarzyszko" i równie świadomie obejrzał ją sobie od stóp do głów. – Zawsze sądziłem, że moje myśli to moja prywatna sprawa. Poza tym jestem tylko człowiekiem.

– Prawie! – warknęła i wróciła do pracy.

Po chwili zastępca szefa Wydziału E i Dołgich udali się do części zamku, gdzie znajdowały się pomieszczenia biur.

– Jej umysł jest wspaniale wyczulony, doskonale wyważony. Trzeba uważać, żeby nie zakłócić jego pracy. Choć może wydać ci się to przykre, Teo, nie powinieneś zapominać, że każdy z tych agentów jest wart dziesięciu takich jak ty – odezwał się Gerenko.

Duma Dołgicha została urażona.

– Tak? – mruknął. – To czemu Andropow nie zwrócił się do ciebie, żebyś wysłał do Włoch któregoś ze swoich? Czemu sam nie pojechałeś, towarzyszu?

– Muskuły miewają swoje zalety – uśmiechnął się chłodno Iwan. – Dlatego ty pojechałeś do Genui i dlatego też jesteś teraz tutaj. Sądzę, że wkrótce będę miał dla ciebie jeszcze coś do roboty. Robotę, jaką lubisz. Ale uważaj, Teo. Do tej pory spisywałeś się świetnie, więc nie zepsuj tego. Nasz wspólny, powiedzmy, „zwierzchnik" jest z ciebie zadowolony. Nie byłby jednak rad, gdyby się dowiedział, że próbowałeś narzucić nam coś siłą. Tu, w Zamku Bronnicy, jest zawsze na odwrót – umysł ponad siłą!

Po spiralnych kamiennych schodach wspięli się do biura Gerenki. Dawniej urzędował tu Borowitz, teraz był to gabinet Krakowicza Ale szef chwilowo przebywał w innym miejscu, a zarówno Iwan Gerenko jak i Jurij Andropow pragnęli uczynić jego nieobecność stanem permanentnym. To też intrygowało Dołgicha.

– Kiedyś – powiedział, siadając przy biurku, naprzeciw Gerenki – obracałem się bardzo blisko towarzysza Andropowa, tak blisko, jak to tylko możliwe. Byłem świadkiem jego wzlotu, rzec można, że podążałem za jego wschodzącą gwiazdą. Przekonałem się, że od powstania Wydziału E zawsze zdarzały się nieporozumienia pomiędzy KGB i wami, wywiadem paranormalnym. A jednak teraz, za twojej kadencji, sprawy układają się inaczej. Co Andropow ma na ciebie, Iwanie?

– Nic na mnie nie ma – odpowiedział. – Ale ma coś dla mnie. Widzisz, Teo, zostałem oszukany. Natura mnie ograbiła. Mógłbym być człowiekiem o posturze herosa, może takim, jak ty, Teo. Ale tkwię w tej ułomnej powłoce. Kobiety nie są mną zainteresowane, mężczyźni, nie mogąc zranić, uważają mnie za dziwoląga. Jedynie mój umysł i talent posiadają wartość. Pierwszy stał się użyteczny Feliksowi Krakowiczowi: zdjąłem z jego barków kawał odpowiedzialności za Wydział. Drugi jest przedmiotem intensywnych badań tutejszych parapsychologów. Wszyscy chcieliby mieć takiego, powiedzmy, anioła stróża. Armia, złożona z ludzi o takich zdolnościach, byłaby niezwyciężona! Widzisz zatem, jak bardzo jestem ważny. A mimo to wciąż jestem karłem, skazanym na niedługi żywot. I dlatego, póki żyję, pragnę władzy. Chcę być wielki, choć przez jakiś czas. A ponieważ ten czas będzie krótki, nie mogę zwlekać.

– Po śmierci Krakowicza zostaniesz tu szefem – stwierdził Dołgich.

– To na początek – uśmiechnął się sucho Gerenko. – Dochodzi już do integracji Wydziału E i KGB. Breżniew, oczywiście, byłby temu przeciwny, ale coraz więcej w nim z bełkocącego, rozsypującego się kretyna. Nie pociągnie długo. A Andropow, ponieważ jest silny, ma wielu wrogów. Jak sądzisz, ile on jeszcze przetrzyma? A to oznacza, że możliwe, a nawet prawdopodobne jest...

– Że ty obejmiesz wszystko! – Dołgich dostrzegł logikę tego wywodu. – Ale w ten sposób i ty przysporzysz sobie wrogów. Przywódcy zawsze dochodzą na szczyt po trupach swoich poprzedników.

– Ha! – Uśmiech Gerenki stał się teraz chytry, zimny, nie w pełni normalny. – Ale tym razem będzie inaczej. Cóż mnie obchodzą wrogowie? Pałki i kamienie nie połamią mi kości! A ja wyplenię ich wszystkich, jednego po drugim, aż do ostatniego. I umrę – mały i pomarszczony, ale jednocześnie wielki i potężny. Cokolwiek więc zrobisz, Teo, staraj się zawsze być moim przyjacielem, a nie wrogiem...

Agent nie odzywał się przez chwilę, chłonąc wszystko, co powiedział Gerenko. Pomyślał, że ten człowiek jest megalomanem! Dołgich taktownie zmienił temat.

– Wspomniałeś, że będziesz miał dla mnie robotę. Jakiego typu?

– Jak tylko zyskamy pewność, że wszystkiego, co nas interesuje, możemy dowiedzieć się od Kyle'a, Krakowicz, jego człowiek, Gulcharow, i drugi brytyjski agent, Quint, staną się zbędni. Jak dotąd, jeśli Krakowicz chce coś załatwić, zwraca się do mnie, a ja przekazuję jego żądanie Breżniewowi. Nie bezpośrednio, ale przez jednego z jego ludzi, sługusa, lecz o wielkich wpływach. Pierwszemu Sekretarzowi zależy na Wydziale E, więc Krakowicz zazwyczaj dostaje to, czego mu trzeba. Przykładem jest tu ten zadziwiający sojusz brytyjskich i radzieckich wydziałów paranormalnych!

Ale pracuję też dla Andropowa. On także wie o wszystkim, co się dzieje. Przekazał mi już, że kiedy nadejdzie pora, posłużysz jako narzędzie, które mam wrzucić w tryby machiny Krakowicza. Kiedyś Wydział E został srodze pobity przez INTESP, nieomal zniszczony. Breżniew chce się dowiedzieć, dlaczego do tego doszło i jak to się stało. Tego samego pragnie Andropow. Dysponowaliśmy potężną bronią, Borysem

Dragosanim, ale ich oręż, młody człowiek, niejaki Harry Keogh, okazał się potężniejszy. Co dało mu taką moc? Jaką właściwie moc posiadał? Wiemy obecnie, że korzystając ze współpracy z INTESP, zniszczył coś w Rumunii, siłę, która obdarzyła kiedyś Dragosaniego taką mocą! Krakowicz widział w tym wielkie zło, ja dostrzegam jedynie kolejne narzędzie. Potężną broń. Dlatego Anglicy tak ochoczo pomagają Krakowiczowi. Ten dureń systematycznie niszczy potencjalną drogę do supremacji Związku Radzieckiego nad światem!

– Jest zatem zdrajcą? – Oczy Dołgicha zwęziły się. Związek Radziecki był dla niego wszystkim.

– Nie – zaprzeczył Gerenko. – Jest frajerem. Ale posłuchaj. Krakowicz, Gulcharow i Quint tkwią teraz na posterunku granicznym w Mołdawii. Załatwiłem to przez Andropowa. Wiem, dokąd chcą się udać. Wkrótce wyślę cię tam, żebyś się nimi zajął. Nie wiem jeszcze, kiedy to nastąpi; wszystko zależy od informacji, jakie uzyskamy od Kyle'a. Tak czy inaczej – musimy ich powstrzymać, zanim narobią więcej szkód. Chodzi zatem o czas. Nie mogą tkwić tam wiecznie, wkrótce trzeba będzie ich przepuścić. Co więcej, oni znają położenie miejsca, którego szukają, my zaś nie. Jutro rano znajdziesz się tam, żeby udać się za nimi do miejsca przeznaczenia, ich ostatecznego przeznaczenia. Liczę na to...

– Powiadasz, zniszczyli coś? – zamyślił się Dołgich. – I chcą to powtórzyć? Ale co chcą zniszczyć?

– Gdyby udało ci się pojechać za nimi do Rumunii, na wzgórza, najprawdopodobniej sam byś to zobaczył. Ale nie zawracaj sobie głowy. Niech ci wystarczy, że tym razem nie może im się powieść.

Ledwie Gerenko umilkł, zadzwonił telefon. Agent podniósł słuchawkę do ucha i z miejsca stał się czujny.

– Towarzyszu Krakowicz – powiedział – zacząłem się już o was martwić. Spodziewałem się, że wcześniej zadzwonicie. Jesteście w Czerniowcach? – Popatrzył znacząco na Dołgicha.

Nawet z miejsca, na którym siedział, agent KGB usłyszał gniewny, metaliczny jazgot Krakowicza. Gerenko zamrugał, a jakiś nerw szarpnął kącikiem jego ust.

– Zignorujcie tego głupiego celnika, towarzyszu. Nie jest wart waszego zdenerwowania. Zostańcie tam, gdzie jesteście, a za kilka minut zadzwoni do was ktoś kompetentny. Pozwólcie mi tylko pomówić z tym idiotą.

Poczekał, aż usłyszy niepewny, speszony głos urzędnika.

– Słuchaj. Poznajesz, kto mówi? Świetnie! Najpóźniej za dziesięć minut zadzwonię do was i przedstawię się jako moskiewski komisarz do spraw kontroli granicznej. Tylko ty jeden możesz odebrać ten telefon i zadbaj o to, żeby cię nie podsłuchiwano. Rozkażę ci, byś przepuścił towarzysza Krakowicza i jego przyjaciół. Zrozumiałeś?

– Och tak, towarzyszu!

– Jeżeli Krakowicz zapyta, co mówiłem, powiedz, że cię skrzyczałem i nazwałem głupcem.

– Tak, towarzyszu. Oczywiście.

– Świetnie! – Gerenko odłożył słuchawkę. Spojrzał na Dołgicha. – Jak już mówiłem, nie mogą tkwić tam w nieskończoność. Sytuacja zaczęła robić się niezręczna, a nawet kłopotliwa. Ale nawet jeśli dotrą dziś do Czerniowiec, nic więcej nie zdziałają. A jutro ty się tam znajdziesz, żeby im na zawsze uniemożliwić działanie.

Dołgich kiwnął głową.

– Co proponujesz?

– Co masz na myśli?

– Sposób załatwienia sprawy. Jeśli Krakowicz jest zdrajcą, najprostsze, moim zdaniem, byłoby...

– Nie! – uciął Gerenko. – Łatwo można to udowodnić. Nie zapominaj, że jest w kontakcie z Pierwszym Sekretarzem. Nie możemy narazić się na żadne dochodzenie w tej sprawie. – Postukał palcem w blat biurka, zastanawiając się. – Ha! Chyba już mam. Nazwałem Krakowicza frajerem i niech tak już zostanie. Winą obarczymy Carla Quinta! Zaaranżuj wszystko tak, żeby go można było oskarżyć. Niech wyjdzie na to, że brytyjscy agenci przybyli do Rosji, żeby zasięgnąć języka na temat Wydziału E i zabić jego szefa. Czemu nie? Już raz zaatakowali Wydział, nieprawdaż? Ale tym razem Quint popełni błąd i padnie ofiarą własnej intrygi.

– Dobre! – stwierdził Dołgich. – Jestem pewien, że wymyślę coś odpowiedniego. I oczywiście będę jedynym świadkiem...

Usłyszeli stukot lekkich butów i na progu biura pojawiła się Zek Foener. Spojrzała chłodno na Dołgicha i skupiła wzrok na Gerence.

– Kyle, a przynajmniej to, co w nim normalne, jest żyłą złota! Nie istnieje nic, czego by nie wiedział, a wszystko płynie strumieniem. Wie nawet zbyt wiele na nasz temat. Sprawy, o których nie miałam pojęcia. Niesamowite...

Wyglądała na zmęczoną.

– Niesamowite? – Gerenko pokiwał głową. – Tak przypuszczałem. Dlatego uważasz go za niezbyt normalnego? Sądzisz, że umysł płata mu figle? Jest zdrowy, możesz mi wierzyć1 Wiesz, co zniszczyli w Rumunii?

– Tak – potwierdziła. – Choć... trudno to pojąć. Ja...

Gerenko podniósł dłoń. Zrozumiała, wyczuła emanującą z niego ostrożność. Teo Dołgich nie powinien o niczym wiedzieć. Podobnie jak większość paranormalnych z zamku, Foener nienawidziła KGB. W milczeniu skinęła głową.

– Czy w górach za Czerniowcami kryje się coś podobnego? – zapytał Gerenko.

Znów przytaknęła.

– Wspaniale – uśmiechnął się obojętnie. – A teraz, moja droga, wracaj do pracy. To sprawa najwyższej wagi.

– Oczywiście – powiedziała. – Odeszłam, gdy go znów usypiali. Musiałam oderwać się od... – Oszołomiona, potrząsnęła głową. Szeroko otwarte oczy błyszczały jak w gorączce, zdumione nową, przedziwną wiedzą. – Towarzyszu, to najbardziej...

Gerenko raz jeszcze uniósł dłoń.

– Wiem.

Jeszcze raz skinęła głową, odwróciła się i wyszła. Jej niepewne kroki odbiły się echem wewnątrz wieży.

– O co chodziło? – zapytał Dołgich.

– Oto wyrok śmierci dla Krakowicza, Gulcharowa i Quinta – wyjaśnił Gerenko. – Do tej pory Quint mógł się nam jeszcze przydać, ale to już zbędne. Możesz ruszać. Czy nasz helikopter jest gotów?

Dołgich potwierdził. Chciał wstać, ale zawahał się.

– Powiedz mi najpierw, co będzie z Kyle'em, kiedy z nim skończycie. Ja zajmę się parą zdrajców i Quintem, ale co z Kyle'em. Co się z nim stanie?

– Myślałem, że to oczywiste – zdziwił się Gerenko. – Jak tylko dowiemy się wszystkiego, czego chcemy, porzucimy go w brytyjskim sektorze Berlina. Tam po prostu umrze, a nawet najlepsi lekarze nie zdołają określić przyczyny śmierci.

– Ale dlaczego umrze? I co z narkotykiem, który w niego pompujecie? Przecież ich lekarze trafią na jego ślad?

– Nie zostawia śladów – Gerenko pokręcił głową. – Ulatnia się w ciągu kilku godzin. Dlatego musimy wstrzykiwać wciąż nowe dawki. Nasi bułgarscy przyjaciele to spryciarze. Kyle nie jest pierwszym, którego w ten sposób drenujemy. Ten specyfik zawsze dawał świetne rezultaty. A umrze dlatego, że utraci potrzebę życia. Stanie się czymś gorszym od kapusty, ani wiedza, ani nawet instynkt nie będą mu w stanie podszepnąć, jak się poruszać. Utraci wszelką kontrolę! Organizm przestanie funkcjonować. Może na podtrzymaniu przetrwałby nieco dłużej, ale... – Wzruszył ramionami.

– Śmierć mózgu. – Domyślił się Dołgich. Uśmiechnął się.

– Masz teraz wszystko jak na tacy – Gerenko beznamiętnie klasnął w dłonie, drobne jak u dziecka. – Brawo! A czyż kompletnie pusty mózg nie jest już martwy? Wybacz mi, ale muszę zadzwonić.

Dołgich podniósł się.

– Ruszam – oznajmił. Myślał już tylko o czekającym go zadaniu.

– Teo – powiedział jeszcze Gerenko – Krakowicz i jego przyjaciele powinni zostać zabici jak najszybciej. Nie przedłużaj zabawy. I ostatnia sprawa: nie interesuj się zbytnio tym, czego szukają w górach. To nie twoja sprawa. Możesz mi wierzyć, nadmierna ciekawość mogłaby ci tylko zaszkodzić!

Dołgichowi pozostawało jedynie zgodzić się z tym. Odwrócił się i opuścił gabinet...

*

* *

Quint spodziewał się, że kiedy samochód minie wreszcie granicę i ruszy w stronę Czerniowiec, Krakowicz znów da upust swej wściekłości. Przeliczył się jednak. Szef Wydziału E milczał. Jego zadumę pogłębiło jeszcze i to, czego dowiedział się od Gulcharowa.

– Kilka spraw mi się nie podoba – odezwał się wreszcie do Quinta.

– Początkowo sądziłem, że ten grubas jest po prostu głupi, teraz zaczynam mieć wątpliwości. I ta sprawa z prądem, bardzo dziwna. Siergiej znajduje i naprawia to, co przekraczało ich możliwości, co więcej, robi to szybko i bez trudu. Wygląda na to, że nasz gruby przyjaciel z przejścia granicznego jest nie tylko głupi, ale i niekompetentny!

– Sądzisz, że specjalnie nas przetrzymano? – Quint czuł napierający zewsząd niepokój, osiadający mu na barkach i głowie jak ogromny ciężar.

– Potem ten telefon – zastanawiał się Krakowicz. – Moskiewski komisarz do spraw kontroli granic? Nigdy o takim nie słyszałem! Przypuszczam jednak, że istnieje. Chociaż? Jeden komisarz, kontrolujący tysiące przejść granicznych w całym Związku Radzieckim? Przyjmijmy jednak, że istnieje. Wynika z tego, że Iwan Gerenko skontaktował się z nim w samym środku nocy, a potem tamten osobiście zadzwonił do nędznego, małego celnika, dyżurującego w żałosnej budce na granicy i to wszystko w ciągu dziesięciu minut?

– Kto wiedział, że będziemy dziś tędy przejeżdżać? – Quint, jak zwykle szukając sedna sprawy, zadał najprostsze z pytań.

– Co? – Krakowicz podrapał się za uchem. – Rzecz jasna, my wiedzieliśmy, a poza tym...

– Poza tym?

– Mój zastępca z Zamku Bronnicy, Iwan Gerenko. – Krakowicz przyjrzał się nagle Quintowi.

– Nie chciałbym tego mówić – stwierdził Anglik – ale jeśli dzieje się tu coś dziwnego, stoi za tym Gerenko.

Krakowicz parsknął z niedowierzaniem i pokręcił głową.

– Ale dlaczego? Z jakiego powodu?

– Znasz go lepiej niż ja. – Quint wzruszył ramionami. – Czy jest ambitny? Czy ktoś mógłby nim manipulować a jeśli tak, to kto? Przypomnij sobie kiedy mieliśmy problemy w Genui, zdziwiłeś się, że KGB cię śledzi. Sądziłeś wówczas, że mają cię cały czas na oku, a przynajmniej mieli do chwili, gdy ich przyblokowaliśmy. Przypuśćmy jednak, że w twoim obozie kryje się wróg. Czy Gerenko wiedział o naszym spotkaniu we Włoszech?

– Wyjąwszy samego Breżniewa i pośrednika, który stoi poza wszelkim podejrzeniem, wiedział o tym jedynie Gerenko! – odpowiedział Krakowicz.

Quint nie skomentował tego faktu. Raz jeszcze wzruszył ramionami.

– Uważam – odezwał się Krakowicz – że od tej chwili aż do końca akcji nikt nie powinien niczego wiedzieć o moich posunięciach. – Dostrzegł niepokój na twarzy Quinta. – Coś jeszcze?

Anglik zagryzł wargi.

– Powiedzmy, że ten Gerenko jest szpiegiem, wtyką w twojej organizacji. Czy nie pomylę się, twierdząc, że może pracować jedynie dla KGB?

– Owszem, dla Andropowa. To niemal pewne.

– W takim razie Gerenko musi uważać cię za kompletnego durnia.

– Dlaczego tak sądzisz? To prawda, że Gerenko większość ludzi uważa za durniów. Nikogo nie musi się obawiać, więc może sobie na to pozwolić. Ale mnie? Sądzę, że jestem jednym z nielicznych, których szanuje, a przynajmniej szanował.

– Szanował – zgodził się Quint. – Ale to już przeszłość. Mógł się zapewne domyślać, że po jakimś czasie wpadniesz na jego trop. Najpierw Teo Dołgich w Genui, a teraz ta rozróba na granicy rumuńsko-sowieckiej. Jeśli Gerenko sam nie jest idiotą, musi wiedzieć, że solidnie oberwie, jak tylko wrócisz do Moskwy!

Siergiej Gulcharow zdołał zrozumieć większość z tego, o czym mówili. Zwrócił się teraz do Krakowicza, zasypując go lawiną rosyjskich słów.

– Ha! – Ramiona szefa Wydziału E zadrgały, kiedy zaśmiał się nerwowo. – Może Siergiej jest sprytniejszy od nas? A jeżeli tak, to czekają nas kłopoty.

– Tak? – zawołał Quint. – Co powiedział?

– Uznał za możliwe, że towarzysz Gerenko czuje, iż może sobie pozwolić na odrobinę niedbałości. Może spodziewa się, że nie wrócę do Moskwy! A co do ciebie, Carl, przekroczyliśmy właśnie granicę i znajdujesz się w Rosji.

– Wiem – odpowiedział cicho Quint. – I muszę przyznać, że nie czuję się tu zbyt swojsko.

– Najdziwniejsze – przyznał Krakowicz – że ja również nie!

Do samych Czerniowiec nie odezwali się już ani słowem...

ROZDZIAŁ PIĘTNASTY

Guy Roberts i Ken Layard przebywali już w londyńskiej kwaterze INTESP. Próbowali odkryć, gdzie znajdują się Alec Kyle, Carl Quint i Julian Bodescu. Ekipa agentów Wywiadu Paranormalnego wróciła z Devonshire pociągiem, pozostawiwszy Bena Traska w szpitalu w Torquay. Zdrzemnąwszy się nieco podczas jazdy, dotarli do kwatery głównej przed północą. Layard w przybliżeniu zlokalizował trójkę poszukiwanych, a Roberts próbował teraz dokładniej przyjrzeć się ich położeniu. Desperacja wyostrzyła zdolności agentów, a fakt, że byli u siebie, ułatwił osiągnięcie pewnych rezultatów.

Roberts zwołał naradę. Uczestniczyli w niej Layard, John Grieve, Harvey Newton i trzej stali członkowie personelu kwatery. Grubas miał przekrwione oczy, był nieogolony i odczuwał nieznośne swędzenie. Z ust zionęło mu papierosami. Omiótł wzrokiem stół, skinieniem głowy witając każdego z zebranych, po czym przeszedł do rzeczy.

– Trochę nas przetrzebiło – stwierdził z nietypową dla siebie flegmą. – Kyle i Quint są wyłączeni, możliwe, że na stałe. Trask nieco oberwał. Darcy Clarke jest na północy. Wiadomo też, co spotkało nieszczęsnego Simona Gowera. A rezultat naszego wypadu? Robota nie tylko się skomplikowała, ale i nabrała większej wagi! A nam ubyło ludzi. Moglibyśmy skorzystać z pomocy Harry'ego Keogha, ale kontakt z Keoghem mieliśmy przez Kyle'a, którego nie ma wśród nas. Oprócz niebezpieczeństwa, o którym wiemy, istnieje jeszcze jeden problem, być może równie wielki. Wygląda na to, że esperzy z radzieckiego Wydziału E trzymają Kyle'a w Zamku Bronnicy.

Dla wszystkich poza Layardem było to zaskoczeniem. Zagryźli wargi; ich serca zastygły na moment. Ken Layard zabrał głos.

– Jesteśmy pewni, że tam jest – potwierdził.– Sądzę, że go zlokalizowałem, choć nie przyszło mi to łatwo. Ich esperzy wszystko ekranują; nigdy jeszcze nie byli tak skoncentrowani. Cała twierdza tonie w chmurze psychicznej!

– To fakt – przyznał Roberts. – Próbowałem przyszpilić Kyle'a, zobaczyć go, ale poniosłem sromotną klęskę! Odbieram tylko smog myślowy. A to nie wróży dobrze Alecowi. Gdyby znajdował się tam z własnej woli, nie musieliby nic ukrywać. Poza tym powinienem teraz przebywać w Londynie, a nie w Rosji. Podejrzewam, że chcą sprawdzić, co jest wart. I co my wszyscy jesteśmy warci. Jeżeli mówię o tym zbyt chłodno, możecie mi wierzyć, to tylko dlatego, żeby nie tracić czasu.

– A co z Carlem Quintem? – zapytał John Grieve. – Jak jemu idzie?

– Carl znajduje się tam, gdzie powinien – wyjaśnił Layard. – Na ile stwierdziłem, w miejscowości Czerniowce, u podnóża Karpat. Czy jest tam z własnej woli, to inna sprawa.

– Sądzimy jednak, że z własnej woli – dodał Roberts. – Zdołałem go dosięgnąć i przez moment zobaczyć. Przypuszczam, że jest z Krakowiczem. Ale to jeszcze bardziej zaciemnia sprawę. Jeśli Krakowicz jest w porządku, dlaczego Kyle znalazł się w tarapatach?

– A Bodescu? – chciał wiedzieć Newton. Czuł teraz, że ma osobiste porachunki z wampirem.

– Ten sukinsyn zmierza na północ – odpowiedział posępnie Roberts. – Może to tylko zbieg okoliczności, ale nie liczyłbym na to. Uważamy, że poluje na dziecko Keogha. Wie wszystko, pojął, skąd się bierze siła naszej organizacji. Bodescu oberwał i teraz chce się odegrać. A jedyny na świecie umysł, który pojął wszystko na temat wampirów, a zwłaszcza na temat Juliana Bodescu, kryje się w ciele tego dziecka. Ono jest celem ataku.

– Nie wiemy, w jaki sposób porusza się Bodescu – podjął Layard. – Publicznymi środkami lokomocji? Możliwe? Równie dobrze może korzystać z autostopu! Pewne jest jednak, że się nie spieszy. Przed godziną dotarł do Birmingham i do tej pory nie ruszył się stamtąd. Sądzimy, że zamierza tam przenocować. Ale powtarza się stara historia: wciąż sondujemy mgliste bagno. Wiemy, że kryje się w nim, ale nie możemy go przyłapać. Obecnie centrum owego bagna znajduje się w Birmingham.

– Planujemy coś? – Jordan nie mógł już znieść bezczynności. – Czy zamierzamy coś zrobić? Czy tylko będziemy tu siedzieć, bawiąc się, gdy wszystko wokoło idzie w diabły?

– Dla wszystkich znajdzie się robota – Roberts uciszył go ruchem potężnej, władczej dłoni. – Przede wszystkim potrzebuję ochotnika, który pojedzie do Hartlepool, żeby pomóc Clarke'owi. Poza kilkoma gośćmi z Wydziału Specjalnego, którzy są w porządku, ale nie można oczekiwać, że orientują się w co grają, Darcy jest zdany tylko na siebie. Najlepiej byłoby posłać tam wykrywacza. Nie mamy niestety pod ręką nikogo o tej specjalności. A zatem musimy wykorzystać telepatę. – Spojrzał znacząco na Jordana.

Harvey Newton poderwał się jednak pierwszy.

– To coś dla mnie – zawołał. – Jestem to winien Bodescu. Poprzednio mi się wymknął, ale nie zdoła tego powtórzyć!

Jordan wzruszył ramionami. Nikt się nie sprzeciwiał. Roberts kiwnął głową.

– Dobra, ale bądź czujny! Jedź samochodem. Drogi o tej porze są puste. Jeżeli wszystko się ułoży, dołączę do ciebie jutro.

Newton wstał, gestem pożegnał się ze wszystkimi i ruszył w kierunku drzwi.

– Weź kuszę! – zawołał jeszcze Roberts. – I kiedy następnym razem z niej strzelisz, upewnij się, że trafiasz w cel!

– Co ja mam robić? – zapytał Jordan.

– Będziesz pracował z Carsonem – wyjaśnił Roberts – a także ze mną i z Layardem. Spróbujemy znów zlokalizować Quinta, a wtedy wy, telepaci, prześlecie mu sygnał. To daleki strzał, ale Quint jest wykrywaczem, medium wysokiej klasy. Może was wyczuje. Wiadomość, którą mu przekażecie, jest prosta: niech się z nami skontaktuje. Jeśli ściągniemy go do telefonu, może dowiemy się czegoś o Kyle'u. Może okazać się, że nic o nim nie wie, ale to również wyjaśni sprawę. O ile uda nam się z nim skontaktować, dobrze byłoby też przekazać mu, żeby się stamtąd wynosił, jeśli to jeszcze możliwe! Tak więc nasza czwórka ma co robić w nocy. – Raz jeszcze ogarnął wzrokiem stół. – A reszta z was niech się skoncentruje na poprowadzeniu tej firmy, zanim nie rozlezie się ona w szwach. Każdy koleś ma od tej chwili całodobowy dyżur. OK, są pytania?

– Czy tylko my się tym zajmujemy? – spytał John Grieve. – Chodzi mi o to, czy opinia publiczna i władze nadal nie mają o niczym pojęcia?

– Żadnego. Co mielibyśmy im powiedzieć? Że od Devonshire do West Hartlepool ścigamy wampira? Słuchajcie, nawet nasi fundatorzy nie w pełni wierzą w nasze istnienie! Jak sądzicie, jak zareagowaliby na prawdę o Julianie Bodescu? A jeśli chodzi o Harry'ego Keogha... to chyba jasne, że opinia publiczna nie ma o nim pojęcia?

– Jest jednak mały wyjątek – uzupełnił Layard. – Powiadomiliśmy policję, że w kraju grasuje maniakalny morderca, podając oczywiście rysopis Bodescu. Uprzedziliśmy, że zmierza na północ, najprawdopodobniej w okolice Hartlepool. Zostali ostrzeżeni, żeby nie zbliżać się do niego, jeśli go namierzą, ale powiadomić najpierw nas, a potem chłopców z Wydziału Specjalnego zajmujących się tą sprawą. Jeżeli Bodescu pojawi się bliżej celu, podamy im dalsze szczegóły. Tyle odważyliśmy się zrobić.

Roberts popatrzył po twarzach zebranych.

– Są jeszcze jakieś pytania?

Nie było już żadnych...

*

* *

Noc, godzina trzecia trzydzieści. Maleńkie, ale schludne mieszkanko na poddaszu, z widokiem na główną arterię miasta i leżący za nim cmentarz.

Harry Junior leżał w łóżeczku, pogrążony w swych dziecięcych snach, a wraz z nim spał umysł jego ojca, wyczerpany beznadziejną, jak już wiedział, walką. Dziecko zawładnęło nim. Harry stał się teraz szóstym zmysłem niemowlęcia.

Właśnie o owej wczesnej, mglistej porze, na parę godzin przed świtem, w uśpionych umysłach obu Harrych pojawiła się gęstsza mgła, kłębiąc się groźnie w zakamarkach podświadomych snów. Znikąd wyciągnęły się telepatyczne palce, sondujące, szukające.

– *Achhh!* – W oba śpiące umysły wdarł się przerażający szmer. – *Czy to ty, Harrrryyyy? Taak. widzę, że to ty! Idę po ciebie, Haarrryyyy! Idę... po... ciebie!*

Przeraźliwy krzyk dziecka wyrwał matkę z łóżka, niczym ręka jakiegoś okrutnego olbrzyma. Kobieta wpadła do pokoju, budząc się po drodze. Podbiegła do łóżeczka. Strasznie płakał, kiedy brała go na ręce, Harry płakał tak jak nigdy dotąd. Ale nie zsiusiał się i nie był głodny. Zastanawiała się, co jest przyczyną jego niepokoju.

Kołysała go w ramionach, ale nadal łkał, a w jego szeroko otwartych oczkach widziała lęk. „Może zły sen?" – pomyślała.

– Za mały jesteś, Harry – powiedziała, całując jego rozpaloną główkę. – O wiele za mały, zbyt słodki i zdecydowanie za młody, żeby mieć niedobre sny!

Zaniosła go do swojego łóżka. „Tak, zapewne ja też śniłam!" – zadumała się.

Musiała śnić, gdyż płacz dziecka, który ją obudził, wzięła początkowo za krzyk przerażonego mężczyzny...

*

* *

O trzeciej trzydzieści Guy Roberts i Ken Layard, wspierani przez telepatów, Trevora Jordana i Mike'a Carsona, mieli już za sobą półtorej godziny prób „skontaktowania się" z Carlem Quintem, jak dotąd bez większych efektów.

Pracowali w pracowni lokalizacyjnej Layarda – biurze, czy też gabinecie, oddanym do jego wyłącznej dyspozycji. Na półkach piętrzyły się tu mapy wszystkich lądów i mórz, niezbędne Layardowi przy jego pracy dla INTESP. Mapa, rozpostarta przed dwiema godzinami na stole, była powiększonym zdjęciem lotniczym granicy radziecko-rumuńskiej, z zakreślonymi czerwono Czerniowcami.

Powietrze stało się sine i ciężkie od dymu niezliczonych papierosów Robertsa i pary, wydmuchiwanej ze świstem przez elektryczny czajnik, stojący w rogu, gdzie Carson szykował właśnie kolejną porcję kawy.

– Jestem wykończony – przyznał Roberts, gasząc na wpół wypalonego papierosa i zapalając następnego. – Zrobimy sobie przerwę, znajdziemy gdzieś spokojny kąt i spróbujemy się zdrzemnąć. Zaczniemy znów za godzinę. – Wstał i przeciągnął się.

– Weź moją kawę, Mike – powiedział do Carsona. – Jeden nałóg mi wystarczy, dzięki!

Trevor Jordan odsunął krzesło od biurka, podszedł do niewielkiego okna i otworzył je na oścież. Siadł na krześle, wychylając głowę na zewnątrz.

Layard, ziewając, zwinął mapę i wsunął ją w stojak. Przy okazji odsłonił mapę Anglii w skali 1:625.000, nad którą pracowali przedtem. Płachta, na której jeden cal oznaczał dziesięć mil, zakrywała całe biurko. Zerknął na nią, na szarą plamę, oznaczającą Birmingham, dotykając swym talentem uśpionego miasta. Nagle...

– Guy! – Szept Layarda zatrzymał Robertsa w połowie drogi do drzwi. Grubas obejrzał się.

– Co?

Layard zerwał się na równe nogi i pochylił się nad mapą. Wypatrując czegoś, w popłochu przejechał językiem po wyschniętych wargach.

– Guy – powtórzył. – Myśleliśmy, że zatrzymał się gdzieś na noc, ale on tego nie zrobił! Znów jest w drodze, o ile wiemy, od półtorej godziny!

– Co, do diabła?... – Zmęczony umysł Robertsa ledwie to chwytał. Grubas przywlókł się do biurka. Jordan również.

– O czym ty gadasz? Bodescu?

– Właśnie – potwierdził Layard. – Ten cholernik! Bodescu! Zmył się z Birmingham!

Roberts ponownie opadł na krzesło, blady jak płótno. Przymknął mięsistą dłonią Birmingham i zamknąwszy oczy, zmusił swój talent do działania. Bez skutku, kompletna pustka. Żadnego smogu psychicznego, nic, co mogłoby sugerować, że wampir wciąż tam jest.

– O Chryste! – syknął Roberts przez zaciśnięte zęby.

Jordan spojrzał na Carsona, słodzącego właśnie kawę w trzech filiżankach.

– Dla mnie dużą, Mike – powiedział. – I zrób jednak cztery...

*

* *

Harvey Newton zamierzał początkowo jechać drogą A1, po namyśle jednak zdecydował się na autostradę. Przedłużenie trasy nadrabiał szybkością i komfortem, jaki zapewniała prosta jak strzała trójpasmówka M1.

W Leicester Forest East zatrzymał się na kawę, załatwił się i kupił puszkę coli oraz kanapkę. Wdychając wilgotne powietrze, postawił kołnierz płaszcza i ruszył przez niemal opustoszały parking do samochodu. Drzwiczki zostawił otwarte, ale zabrał ze sobą kluczyki. Cały postój nie zajął mu więcej niż dziesięć minut. Pozostawało jedynie zatankować wóz i mógł ruszać dalej.

Zbliżając się do samochodu, zwolnił jednak, a w końcu przystanął. Wydało mu się, że echo jego kroków umilkło o moment za późno. Coś w jego umyśle zadrgało. Odwrócił się, żeby raz jeszcze spojrzeć na przyjazne światła całonocnego baru. Z jakiegoś powodu wstrzymał oddech. Rozejrzał się powoli, ogarniając wzrokiem cały parking, przysadziste i pękate bryły samochodów. Zjeżdżająca z autostrady ciężarówka oblała go blaskiem tysiącwatowych reflektorów. Oślepiło go i kiedy popędziła dalej, noc stała się jeszcze ciemniejsza.

Wtedy przypomniał sobie tego wyprostowanego, wychylonego w przód, psopodobnego stwora, którego uroił sobie, nie, którego zobaczył pod Harkley House, i to pozwoliło mu skupić się na czekającym go zadaniu. Otrząsnął się z nieokreślonego lęku, wsiadł do samochodu i uruchomił silnik.

Coś zacisnęło się na jego mózgu niczym kleszcze, czyjeś myśli, zepsute i potężne, z każdą chwilą coraz potężniejsze. Newton wiedział, że tamten czyta go jak skradzioną książkę, odczytuje jego tożsamość, zgłębia cel wyprawy.

– Dobry wieczór – powiedział jakiś głos, wlewający się w jego ucho jak rozgrzana smoła. Newton krzyknął, łącząc w tym nieartykułowanym dźwięku szok i przerażenie, po czym odwrócił się, żeby spojrzeć na tylne siedzenia. Blask dzikich oczu, daleko bardziej przenikliwy i o wiele gorszy niż światło reflektorów ciężarówki, unieruchomił go. Niżej ciemność rozjaśniały jedynie dwa rzędy ostrych, białych zębów.

– Co...!? – chciał zapytać. Pytanie jednak nie miało sensu. Wiedział, że jego porachunki z potworem dobiegły kresu.

Julian Bodescu podniósł kuszę Newtona, wycelował ją prosto w rozdziawione, łapiące powietrze usta i nacisnął spust.

*

*   *

Feliks Krakowicz planował pierwotnie, że przenocują w Czerniowcach teraz jednak polecił Siergiejowi Gulcharowowi jechać prosto do Kołomyi. Skoro Iwan Gerenko wiedział, gdzie mają się zatrzymać, lepiej było sprawić mu niespodziankę, dlatego też Teo Dołgich, który dotarł do Czerniowiec około piątej rano, stracił na próżno dwie godziny, zanim odkrył, że ci, których szukał, nie pojawili się w mieście. Jeszcze trochę czasu poświęcił na skontaktowanie się z Gerenką, który zasugerował mu, żeby udał się do Kołomyi i tam ich poszukał.

Dołgich przyleciał z Moskwy na lotnisko wojskowe w Skale Podolskiej i tam podpisał odbiór fiata, podstawionego przez KGB. Nieco poobijanym, ale nie rzucającym się w oczy samochodem udał się do Kołomyi, gdzie przybył tuż przed ósmą. Dyskretnie sprawdził hotele. Szczęście dopisało mu, a zarazem nie dopisało, już za trzecim razem. Dowiedział się, że zatrzymali się w hotelu Karpaty, ale wstali wcześnie i opuścili go o siódmej trzydzieści. Spóźnił się zaledwie o pół godziny. Właściciel był w stanie powiedzieć mu jedynie, iż przed wyjściem pytali go o adres miejscowej biblioteki i muzeum.

Dołgich zdobył ten adres i ruszył ich śladem. Kiedy tam dojechał, kustosz – ruchliwy, promienny Rosjanin niewielkiego wzrostu, w okularach o grubych soczewkach – właśnie otwierał muzeum. Wszedł za nim do starego budynku o kopulastym dachu, gdzie unosiło się stęchłe powietrze, a ich kroki odbijały się głośnym echem.

– Chciałbym się dowiedzieć, czy odwiedziło was dziś rano trzech ludzi? Miałem się tu z nimi spotkać, ale jak sami widzicie, spóźniłem się.

– Mieli szczęście, że pracowałem rano – odrzekł kustosz. – I jeszcze większe, że ich wpuściłem. Rozumiecie, muzeum otwarte jest od ósmej trzydzieści. Ale skoro się tak spieszyli... – Uśmiechnął się i wzruszył ramionami.

– Bardzo się więc... spóźniłem? – Dołgich udał rozczarowanie.

– Może z dziesięć minut. – Kustosz ponownie wzruszył ramionami. – Mogę wam przynajmniej powiedzieć, dokąd pojechali.

– Byłbym bardzo wdzięczny, towarzyszu – powiedział Dołgich, idąc za nim do jego prywatnych apartamentów.

– Towarzyszu? – Kustosz przyjrzał mu się uważniej, wytrzeszczając oczy, ukryte za grubymi szkłami. – Nieczęsto słyszy się to słowo w tych stronach, że tak powiem, na pograniczu. Mogę spytać, kim jesteście?

Dołgich pokazał legitymację KGB.

– Pomówmy zatem oficjalnie – rzekł. – Nie mam zbyt dużo czasu, jeśli więc nie powiecie mi, czego tutaj szukali i dokąd pojechali...

Kustosz przygasł, nie wyglądał na uszczęśliwionego.

– Czy są poszukiwani?

– Nie, jedynie pod obserwacją.

– Oburzające. A wyglądali tak sympatycznie...

– W dzisiejszych czasach trzeba uważać – stwierdził Dołgich. – Czego chcieli?

– Zobaczyć mapę. Szukali pewnej wioski u podnóża gór – Mufo Aldo Ferenc Jaborow.

– Cholernie długie! – skomentował agent. – A powiedzieliście im, gdzie to jest?

– Nie. – Kustosz pokręcił głową. – Tylko, gdzie to kiedyś było, a i tego nie jestem pewien. Popatrzcie tutaj. – Pokazał Dołgichowi plik starych map, rozłożonych na stole. – Pod żadnym względem nie są dokładne. Najstarsza liczy sobie około czterystu pięćdziesięciu lat. Oczywiście, to kopie, a nie oryginały. Ale jeśli spojrzycie tutaj, zobaczycie Kołomyję. – Położył palec na jednej z map. – A tutaj...

– Ferengi?

– Jeden z tej trójki, jak sądzę Anglik, chyba wiedział, gdzie szukać – potwierdził kustosz. – Ledwie zobaczył na mapie nazwę „Ferengi", bardzo się ożywił. I zaraz potem odjechali.

Dołgich potakiwał, studiując uważnie mapę.

– To na zachód stąd – zastanawiał się. – I nieco na północ. Jaka skala?

– Około jednego centymetra na pięć kilometrów. Ale, jak już mówiłem, nie można ufać jej wierności.

– Czyli niespełna siedemdziesiąt kilometrów – agent skrzywił się. – U podnóża gór. Macie współczesną mapę?

– O tak – westchnął kustosz. – Jeśli zechcecie pójść tędy...

*

* *

Od Kołomyi wiodła na północ, do Iwano-Frankowska, nowa, niewykończona jeszcze trasa. Smołowana nawierzchnia zapewniała dobrą jazdę, co Krakowiczowi, Quintowi i Gulcharowowi wydawało się przyjemną odmianą po wyboistych drogach, prowadzących tu z Bukaresztu przez Rumunię i Mołdawię. Na zachodzie wznosiły się Karpaty, mroczne, pokryte lasami i niewyraźne nawet w świetle poranka. Na wschodzie zaś aż po odległy, przymglony horyzont rozciągała się łagodna szarozielona równina.

Osiemnaście mil dalej, jadąc w kierunku Iwano-Frankowska, minęli zjazd w lewo, prowadzący ku mglistym górom. Quint poprosił Gulcharowa, aby zwolnił. Sam nakreślił na schematycznej mapce, którą naszkicował w muzeum, jedną linię.

– To szlak, jakiego szukamy – stwierdził.

– Tu jest barierka – zaoponował Krakowicz. – I zakaz wjazdu. Ta droga to ślepy zaułek.

– Mimo to czuję, że powinniśmy w nią skręcić – nalegał Quint.

Krakowicz też to odczuł. Jakiś wewnętrzny czujnik ostrzegał go, że nie należy tędy jechać, a więc prawdopodobnie Quint miał rację.

– Czyha tam jakieś niebezpieczeństwo – powiedział Rosjanin.

– Mniej więcej tego się spodziewaliśmy – odparł Quint. – Po to tu jesteśmy.

– Zgoda. – Krakowicz zacisnął wargi i pokiwał głową. Odwrócił się do Gulcharowa, ale były żołnierz już zwalniał. Dalej bliźniacze pasma autostrady zbiegały się w jedno. Zobaczyli brygadę drogowców, pracującą nad poszerzeniem trasy. Walec parowy, sunący tuż za wylewającą smołę ciężarówką, prasował dymiący makadam. Gulcharow zawrócił samochód. Krakowicz polecił mu stanąć.

Sam wysiadł, żeby znaleźć brygadzistę i porozmawiać z nim.

– Co jest grane? – zawołał do niego Quint.

– Grane? Mhm! Chcę się dowiedzieć, czy znają te strony. Może uda mi się zwerbować ich do pomocy? Pamiętaj, że jeśli odkryjemy zamek, trzeba będzie zniszczyć to, co tam znajdziemy!

Quint został w samochodzie. Patrzył, jak Krakowicz zbliża się do robotników i rozmawia z nimi. Wskazali na barak, stojący nieco dalej. Szef Wydziału E udał się w tamtym kierunku. Po dziesięciu minutach wrócił z brodatym olbrzymem w wypłowiałym kombinezonie.

– To Michaił Wołkoński – przedstawił go. Quint i Gulcharow przywitali brygadzistę.

– Zdaje się, że masz rację, Carl – oznajmił Krakowicz. – Mówi, że tam w górach żyją Cyganie.

– *Da, da!* – mruknął Wołkoński, potakując. Wyciągnął rękę. Quint wysiadł z samochodu. Gulcharow również. Spojrzeli w kierunku wskazanym przez brygadzistę.

– Cyganie! – podkreślił Wołkoński. – Cyganie Ferengi!

Z wątłej porannej mgły, ścielącej się u podnóża gór, wyrastał słup sinego dymu. Ognisko.

– Ich obóz – wyjaśnił Krakowicz.

– Oni... nadal tu wracają. – Quint potrząsnął głową, nie wierząc własnym oczom. – Oni nadal tu wracają!

– Są wierni – potwierdził Krakowicz.

– I co teraz? – zapytał po chwili Anglik.

– Teraz Michaił Wołkoński zaprowadzi nas na miejsce – odpowiedział Krakowicz. – Ta zamknięta droga, którą minęliśmy, przebiega o pół mili od ruin zamku. Wołkoński odwiedził je niedawno.

Trzej poszukiwacze i potężny brygadzista wsiedli do samochodu. Gulcharow uruchomił silnik i ruszył w kierunku, z którego przyjechali. – Dokąd prowadzi tamta droga? – zapytał Quint.

Donikąd! – odparł Krakowicz. – Pierwotnie miała przechodzić przez góry do stacji kolejowej w Chust. Rok temu jednak uznano, że przełęcz nie nadaje się do wykorzystania z uwagi na łupki, osypujące się piargi i zwietrzałe skały. Przeprowadzenie tamtędy trasy wymagałoby potężnych prac inżynieryjnych, a pożytek z drogi nie byłby znowu taki wielki. Żeby zachować twarz, zdecydowano się na budowę autostrady do Iwano-Frankowska, a właściwie na poszerzenie i ulepszenie istniejącej już drogi. Z Iwano-Frankowska biegnie linia kolejowa, dość zresztą kręta, która przecina Karpaty. Do tej pory położono już piętnaście mil nowej trasy. – Wzruszył ramionami. – Z czasem powstanie tu może miasto, ośrodek przemysłowy. Droga się nie zmarnuje. W Związku Radzieckim niewiele się marnuje.

Quint uśmiechnął się, dość drwiąco. Krakowicz zauważył ten uśmiech.

– Tak, wiem – slogan – powiedział. – To choroba, na którą wszyscy prędzej czy później zapadamy. Wygląda na to, że i ja się zaraziłem. Mnóstwo się marnuje, a zwłaszcza masa słów, z których budujemy nasze prawdy...

Gulcharow zatrzymał samochód przy barierce. Wołkoński wysiadł, odstawił ją na bok i machnął ręką, że można przejeżdżać. Podjechali po niego i ruszyli w góry.

Nikt z nich nie zauważył starego, poobijanego fiata, zaparkowanego pół mili dalej, ani sinego dymu z rury wydechowej oraz chmary kurzu, jaką wzniecił, ruszając ich śladem...

*

* *

Guy Roberts zjadł już dwa śniadania, oferowane przez Koleje Brytyjskie, spłukał je dużą ilością kawy i w chwili gdy pociąg opuszczał Grantham, dochodził do połowy pierwszej tego dnia paczki papierosów. Był potężny, miał przekrwione oczy i wielkie bokobrody, toteż ludzie woleli nie wchodzić mu w drogę. Zajął cały przedział. Nikt, widząc go, nie pomyślałby, że ten człowiek może posiadać zdolności godne jakiegoś dawnego czarnoksiężnika lub jedzie zgładzić dwudziestowiecznego wampira. Myśl taka, sama w sobie, mogłaby nawet rozbawić Robertsa, gdyby nie kryła w sobie tyle bólu. Zbyt wiele jednak było już bolesnych spraw, zbyt wiele do zrobienia i tak mało czasu. Wszystko stało się bardzo męczące.

Oparłszy się wygodniej, zamknął oczy i wrócił pamięcią do ostatniej nocy. Obaj, on i Layard, nie zmrużyli oka i był to dla nich bardzo dziwny czas. Choćby sprawa Kyle'a i Zamku Bronnicy. Zaczynało już świtać, kiedy Layard stwierdził, że coraz trudniej mu zlokalizować Aleca. Porównał to do „różnicy pomiędzy wykrywaniem żywego człowieka a lokalizowaniem trupa", dodając, że „Kyle znajduje się gdzieś pośrodku". Nie wróżyło to dobrze Numerowi Pierwszemu INTESP.

Roberts też nie potrafił przeniknąć blokady myślowej, zabezpieczającej Zamek Bronnicy. Powinien był „zobaczyć" Kyle'a, ale jeśli tylko udawało mu się wyminąć obronę psychiczną radzieckich ekspertów, co zdarzyło się zaledwie kilka razy, odbierał jedynie... echo Kyle'a. Blaknący szybko obraz. Nie sposób było odkryć, jaki los szefowi INTESP zgotował Wydział E, a snucie przypuszczeń nie miało, zdaniem Robertsa, najmniejszego sensu.

Pomimo usilnych prób Roberts i Layard nie zdołali namierzyć wampira. Jakby zniknął z powierzchni mapy. Nigdzie, ani w Birmingham, ani w jego okolicach, ani też w żadnym innym punkcie kraju, nie natrafili na ślad smogu psychicznego. Zastanowili się nad tym przez chwilę i znaleźli oczywistą odpowiedź. Bodescu wiedział, że go tropią i przecież sam posiadał niezwykłe zdolności. Musiał się w jakiś sposób ekranować, „znikać", gdy pojawiały się sondy myślowe.

Jednakże o szóstej trzydzieści Layard znów go złapał. Przez krótką chwilę nawiązał kontakt z cuchnącym kłębem mgły psychicznej, złą istotą, która natychmiast go wyczuła i warcząc, rzuciła myślą wyzwanie, po czym znów znikła. Layard zlokalizował ją gdzieś w okolicach Yorku.

To wystarczyło Robertsowi. Wyglądało na to, że cel, do którego zmierzał Bodescu, został jasno określony, a wszelkie wątpliwości, o ile kiedykolwiek istniały, prysły. Pozostawiając raz jeszcze kwaterę główną INTESP w zdolnych rękach Johna Grieve, stałego oficera dyżurnego, Roberts przygotował się do wyjazdu na północ.

Właśnie opuszczał kwaterę, kiedy nadeszła informacja o losie Harveya Newtona: o tym, że w zarośniętym rowie koło autostrady, niedaleko Doncaster, znaleziono jego samochód i o tym, że w bagażniku znajdowało się okaleczone ciało agenta z głową przebitą bełtem. To przesądziło sprawę nie tylko w odczuciu Robertsa, ale i pozostałych uczestników akcji. Nawet nie brali pod uwagę, że sprawcą mógł być ktoś obcy, nie Julian Bodescu. Zaczynała się bezpardonowa wojna, bez próśb o łaskę i darowanie win, która trwać miała, dopóki nie ujrzą demona przebitego kołkiem, pozbawionego głowy, spalonego i definitywnie martwego.

O tym akurat myślał Roberts, kiedy ktoś chrząknął i przeszedł przez jego wyciągnięte nogi. Wywiadowca na chwilę otworzył oczy i zobaczył szczupłego człowieka w płaszczu i kapeluszu, roszczącego pretensje do sąsiedniego miejsca. Nieznajomy zdjął kapelusz, pozbył się płaszcza i usiadł. Wyciągnął jakąś książkę w miękkiej oprawie. Roberts zauważył, że to *Drakula* Brama Stokera. Nie zdołał ustrzec się przed grymasem.

Nieznajomy zauważył wyraz jego twarzy i wzruszył ramionami, nieledwie przepraszając.

– Trochę fantastyki nikomu nie zaszkodziło – powiedział cienkim, niepewnym głosem.

– Nie – mruknął Roberts, zgadzając się z tą opinią. Znów zamknął oczy. – Fantastyka nikomu nie zaszkodziła. „Co innego, gdy ma się do czynienia z rzeczywistością" – dodał w duchu.

*

* *

W rosyjskiej części Karpat minęła godzina czternasta i Teo Dołgich czuł potworne zmęczenie. Energii dodawała mu jednak świadomość, iż zadanie zostało niemal wykonane. Marzył, że kiedy upora się z nim do końca, prześpi cały tydzień, a potem, zanim wynajdą nową misję, odda się rozkosznym rozrywkom tak dalece, jak tylko będzie to możliwe. Oczywiście, o ile już mu nie wyznaczono jakiegoś nowego zadania. Rozkosz jednakże może płynąć z wielu źródeł, to zależy tylko od człowieka, a robota Dołgicha miała swoje zalety. Jego misje częstokroć bywały bardzo... satysfakcjonujące. Miał nadzieję, że świetnie będzie się bawił, kończąc obecną.

Wyjrzał ze swego punktu obserwacyjnego w kępie sosen na północnym stoku wąwozu i podregulował lornetkę, żeby wyraźniej widzieć czterech mężczyzn, którzy pięli się ostrożnie po ostatnich stu jardach zasłanej kamieniami i łupkami ścieżki, uczepionej stromej skarpy – przeciwległej, południowej ściany jaru. Znajdowali się nie dalej niż o trzysta jardów od niego.

Cieszyły go zbliżenia ich spoconych twarzy, napiętych z wysiłku. Niemal czuł ból ich mięśni; próbował wyobrazić sobie, co myślą, idąc do starych, porosłych pnączami ruin, skrytych gdzieś w górze, nad krańcem ślepego wąwozu, gdzie szemrał tylko niewidoczny strumień, do miejsca, z którego nie będzie już powrotu. Domyślał się, że gratulowali sobie wzajemnie pomyślnego finału poszukiwań, finału ich misji, ale wiedział, z jakim trudem przyszłoby im teraz pojąć, że ich życie również dobiegało kresu.

Zaczynał się etap, zdaniem Dołgicha, najprzyjemniejszy: za chwilę mieli dojść do celu i tam poznać swego kata.

Niemal przez cały czas wszyscy czterej – Krakowicz, jego człowiek, brytyjski agent i rosły brygadzista – poruszali się w pełnym świetle. Pod skalnym nawisem stopili się jednak z brązowozielonym cieniem i jeszcze głębszym mrokiem. Dołgich zerknął na niewyraźny masyw gór. Za dwie godziny miał nadejść zmierzch, karpacki zmierzch, kiedy słońce raptownie skryje się za górami. I wtedy właśnie powinien wydarzyć się „wypadek".

Znów skierował lornetkę na wędrowców. Potężny rosyjski robotnik niósł na ramieniu plecak, z którego sterczał metalowy uchwyt w kształcie litery T – detonator do ładunków żelatyny wybuchowej. Dołgich pokiwał głową. Widział przedtem, jak zakładali je w ruinach i wokół nich. Teraz zaś zamierzali wysadzić w powietrze resztkę skalnej budowli i to co się w nich kryło – niezwykła broń, jak powiedział Iwan Gerenko. Taki mieli zamiar, ale Teo Dołgich był przecież po to, żeby temu zapobiec.

Odłożył lornetkę, czekając z niecierpliwością, aż zejdą z półki i znikną w lesie porastającym stok, a potem szybko, po raz ostatni, ruszył ich śladem. Zabawa w kotka i myszkę dobiegła już końca, nastał czas zabijania. Znajdowali się już w lesie, o jakąś milę od ruin, musieli się zatem pospieszyć.

Sprawdził, czy jego standardowy, krótki, samopowtarzalny makarow jest w porządku, wsunął magazynek, pełen tępo zakończonych pocisków, po czym ponownie umieścił ciężki pistolet pod pachą. Wyszedł z ukrycia. Naprzeciw niego, po drugiej stronie wąwozu, urywała się nagle nowo wytyczona droga. W tym właśnie miejscu ktoś doszedł do wniosku, że dalsza budowa jest nieopłacalna. Gruz z wysadzonego stoku zasypał jar, tworząc na górskim potoku tamę, za którą znajdowało się teraz gładkie jak lustro jeziorko. Zatamowany potok wywalczył sobie nowe koryto i skierował swe wody ku równinie.

Dołgich zsunął się na zwał gruzu i żwawo przeszedł po tym „moście" na niedokończoną drogę. W minutę później opuścił smołowaną nawierzchnię, by wejść na wąską, zasłaną zdradliwymi łupkami górską ścieżkę. Nie zwlekając, ruszył śladami swych ofiar Wspinając się, rozmyślał nad wydarzeniami, jakie miały miejsce tego dnia...

Rankiem przyszedł tu za nimi po raz pierwszy. Zobaczywszy ich samochód stojący przy drodze, ukrył fiata w gęstej kępie krzaków i ruszył dalej pieszo tą samą ścieżką. W miejscu, gdzie ściany rozpadliny prawie się stykały poszukiwacze zagłębili się w ruiny zamku, uważnie je badając. Dołgich obserwował ich z bezpiecznej odległości. Grzebali w gruzach około dwóch godzin. Opuszczali je, wyglądając na nieco przygaszonych. Agent KGB nie miał pojęcia, czy coś znaleźli czy nie, ale pamiętał, że nie powinien w to wnikać.

Widząc, że szykują się do powrotu, pospiesznie wrócił do samochodu, żeby tam czekać, aż się pojawią. Po drodze przyczepił do ich wozu magnetyczną pluskwę. Poszukiwacze wrócili do Kołomyi. Fiat jechał za nimi, zachowując bezpieczną odległość. Mimo to omal na nich nie wpadł, kiedy stanęli w połowie niedokończonej drogi, żeby porozmawiać z obozującymi tam Cyganami. Nie zauważyli go jednak i po kilku minutach ruszyli dalej.

Kołomyja stanowiła węzeł kolejowy, w którym zbiegały się cztery linie – z Chustu, Iwano-Frankowska, Czerniowiec i Gorodenki. Większość budynków w tym rejonie pełniła rolę magazynów. Nietrudno było zorientować się w układzie miasta. Sektor przemysłowy został wyraźnie oddzielony od handlowego. Poszukiwacze zatrzymali się przed główną centralą telefoniczną i weszli do środka.

Dołgich zaparkował fiata nie opodal centrali i zatrzymał jakiegoś przechodnia, by zapytać o budkę telefoniczną.

– Trzy! – oznajmił tamten, wyraźnie oburzony. – Tylko trzy budki telefoniczne ma takie duże miasto! I wszystkie wciąż zajęte. Jeśli się spieszysz, najlepiej zadzwoń stąd, z centrali. Połączą cię błyskawicznie.

Mniej więcej po dziesięciu minutach ekipa Krakowicza opuściła centralę, wsiadła do samochodu i odjechała. Człowiek, który śledził agentów, stanął teraz przed trudnym wyborem: jechać za nimi czy sprawdzić, z kim i w jakim celu się kontaktowali. Skoro jednak samochód był na podsłuchu i znalezienie go nie sprawiało większej trudności, zdecydował się na drugi wariant. W niewielkiej, ale nowoczesnej centrali, nie tracąc czasu, poszukał kierownika. Legitymacja KGB zapewniła mu natychmiastową współpracę. Okazało się, że Krakowicz dzwonił do Moskwy pod nieznany Dołgichowi numer. Wyglądało na to, że szef Wydziału E potrzebował upoważnienia z jakiegoś wyższego szczebla. Rozmowa dotyczyła wysadzenia. Niebagatelną rolę w tej rozmowie odgrywał rosły mężczyzna w kombinezonie. Krakowicz nawet przekazał mu słuchawkę. Tyle wiedzieli pracownicy centrali. Dołgich zażądał jeszcze, aby łączyli go z Zamkiem Bronnicy i przekazał Gerence wszystkie zebrane informacje.

Deflektor początkowo wyglądał na zakłopotanego, ale szybko zmienił ton.

– Korzystają z bezpośredniego kontaktu z Breżniewem! – warknął. – Wyłączyli mnie. To może jedynie oznaczać, że coś podejrzewają! Teo, zadbaj o to, żeby załatwić wszystkich. Tak, łącznie z tym brygadzistą. A jak już będzie po wszystkim, natychmiast mnie zawiadom.

Jadąc śladem podłożonej pluskwy, Dołgich dotarł do magazynu lokalnego przedsiębiorstwa budowlanego, akurat gdy Gulcharow i Wołkoński ładowali do bagażnika skrzynię materiałów wybuchowych. Krakowicz i Quint przyglądali się temu. Najwidoczniej potężny Rosjanin dołączył do ich ekipy. Równie oczywiste było to, że ich moskiewski kontakt wyraził zgodę na wybuch. Wprawdzie Dołgich wciąż nie miał pojęcia, co chcą wysadzić, wiedział jednak, gdzie nastąpi eksplozja. A co więcej, to miejsce wspaniale nadawało się na ich pogrzeb...

*

* *

Podczas gdy Teo Dołgich rozpamiętywał mijający dzień, umysł Quinta zajęty był podobną czynnością. Po raz kolejny tego dnia zobaczyli pośród ciemnych, nieruchomych drzew mroczny kontur zamku Faethora Ferenczyego i Anglik wrócił myślami do tego, co znaleźli tam rankiem. Zamek odwiedzili wszyscy czterej, ale tylko on i Krakowicz orientowali się, gdzie należy szukać.

To miejsce działało na ich nadwrażliwe umysły niczym magnes, ten konkretny punkt przyciągał ich do siebie jak opiłki żelaza. Ale nie byli opiłkami i nie zamierzali zostać tu na stałe. Przed oczyma Quinta znów pojawiła się ta scena...

– Zamek Faethora – wysapał, kiedy zatrzymali się na skraju ruin. – Górska twierdza wampira! – Wyobraził sobie, jak musiała wyglądać przed tysiącem lat.

Wołkoński gotów był zagłębić się pomiędzy skruszałe bloki, ale Krakowicz go powstrzymał. Brygadzista nie miał pojęcia, co krył w sobie zamek, a szef Wydziału E nie zamierzał go o tym informować. Wołkoński w tym momencie usilnie pragnął im pomóc, ale zapewne zmieniłby zdanie, gdyby spróbowali wyjaśnić mu prawdziwy cel swego przyjazdu. Krakowicz ograniczył się więc do ostrzeżenia.

– Uważaj! Postaraj się niczego nie naruszyć... – zawołał.

Olbrzymi Rosjanin wzruszył ramionami i zsunął się ze zwału zwietrzałego gruzu.

Potem Quint i Krakowicz przyjrzeli się ruinom, dotykając dłońmi kamieni. Dopuścili do siebie aurę dawnych wieków i jeszcze starszego zła. Zaczerpnęli w siebie jego esencję, posmakowali tajemnicy i pozwolili, żeby ich zdolności odnalazły źródło najgłębszego sekretu. Kiedy uważnie niemal bojaźliwie zagłębiali się w pokłady gruzu, pozostałości po dawnych murach, Quint zatrzymał się.

– Tak, to było tutaj. I jeszcze tu jest! To jest to miejsce – powiedział ochryple.

– Tak, też to wyczuwam – zgodził się Krakowicz. – Ale tylko wyczuwam, nie czuję lęku. Nic nie ostrzega mnie przed tym miejscem. Jestem pewien, że tkwiło tu źródło wielkiego zła, ale już wyschło, wygasło, jest martwe.

Quint kiwnął głową, oddychając z ulgą.

– To samo czuję. Nadal tu jest, ale całkowicie bierne. Minęło zbyt wiele czasu. Nie miało z czego czerpać sił.

Spojrzeli na siebie, myśląc o tym samym.

– Czy odważymy się tego poszukać, może – zakłócić mu spokój? – odezwał się głośno Krakowicz.

Quint przez moment walczył z lękiem.

– Jeśli przynajmniej nie zobaczę, jak to wygląda po śmierci, będę nad tym dumał przez resztę życia. A skoro obaj uznaliśmy, że jest już niegroźne...?

Przywołali więc do siebie Gulcharowa i Wołkońskiego i cała czwórka wzięła się do pracy. Początkowo szło łatwo, do usuwania zwałów gruzu i miału wystarczały gołe ręce i prowizoryczne narzędzia. Rychło odsłonili główną kolumnę i owinięte wokół niej schody. Kamień był osmalony i spękany pod wpływem wielkiego żaru. Najwidoczniej plan Tibora zadziałał; spiralne schody, wiodące w dół, zostały zasypane przez płonący gruz, który pogrzebał żywcem wampirzyce i nieszczęsnego Ehriga. A także bezmyślnego Potwora spoczywającego w ziemi. Wszyscy zostali pochowani żywcem lub jako nieumarli. Ale tysiąc lat to szmat czasu, podczas którego nawet nieumarłych może spotkać prawdziwa śmierć.

Wołkoński objął potężnymi ramionami kawał nadwyrężonej skały i zaczął wyciągać go z osypiska, które niemal całkiem zablokowało schody. Udało mu się go obluzować i w tym momencie do akcji włączył się Gulcharow, wspomagając go swą niemałą krzepą. Wspólnymi siłami przesunęli blok ponad krawędzią otworu. Otaczający ich gruz osiadł nieco, a ze szczeliny buchnęło prosto w twarze stęchłe powietrze.

Odskoczyli spłoszeni, ale wciąż nic im nie groziło, zmysły nie sygnalizowały żadnego niebezpieczeństwa. Po chwili olbrzymi Rosjanin, ubezpieczony przez trzymającego go za rękę Gulcharowa, zszedł z odsłoniętych już kamiennych stopni na niepewną powierzchnię osypiska. Wczepiony w byłego żołnierza, postawił najpierw jedną stopę, potem drugą i z krzykiem zapadł się po pas w osuwającym się gruncie.

Zdawało się, że góra drży. Wołkoński zawisł na rękach Gulcharowa, walcząc o życie, a Quint i Krakowicz rzucili się na ziemię, żeby złapać robotnika pod pachy. Ale był już bezpieczny, jego stopy znalazły pewne oparcie na niewidocznych stopniach schodów.

Cała czwórka patrzyła teraz w zdumieniu, jak gruz otaczający uda Wołkońskiego osiada niczym ruchome piaski, zapadając się w głąb pustej klatki schodowej. Schody nie były zasypane, a jedynie zakorkowane. Teraz ten korek został usunięty.

– Nasza kolej – stwierdził Quint, kiedy pył już opadł i mogli swobodnie oddychać. – Twoja i moja, Feliksie. Nie możemy pozwolić, żeby Michaił poszedł przodem, gdyż nie ma pojęcia, co go może czekać. Dopóki istnieje choćby najmniejsze prawdopodobieństwo zagrożenia, powinniśmy iść pierwsi.

Zeszli do Wołkońskiego, ale zatrzymali się i porozumieli wzrokiem.

– Jesteśmy nieuzbrojeni – zauważył Krakowicz.

Siergiej Gulcharow wydobył pistolet i podał go agentowi. Wołkoński, widząc to, roześmiał się. Powiedział do Krakowicza coś, co wywołało uśmiech i na twarzy tamtego.

– Co mówił? – zapytał Quint.

– Po co nam broń, skoro szukamy skarbów – wyjaśnił szef Wydziału E.

– Powiedz mu, że boimy się pająków – zaproponował Quint i, wyjąwszy spluwę ruszył w dół zasłanych gruzem schodów. Jaki pożytek będzie z naboi, jeśli te wampiry przetrwały, nie potrafił powiedzieć, ale samo trzymanie broni w ręku dodawało mu otuchy.

Poczerniałe złomy skalne, większe i mniejsze, zasypały stopnie tak paskudnie, że Quint nierzadko był zmuszony przełazić po nich górą, ale gdy pokonał jeszcze jedną pętlę spirali, wreszcie na schodach zrobiło się czysto, jeśli nie liczyć małych bryłek gruzu, kamyków i piasku, który przesączył się z góry. I w końcu znalazł się na samym dole, mając tuż za sobą Krakowicza i resztę kompanii. Z góry przenikało tu trochę światła, jednak niezbyt wiele.

– Niedobrze – stwierdził z żalem, kręcąc głową. – Nie możemy tam wejść, nie bez odpowiedniego oświetlenia.

Jego głos zabrzmiał tak, jakby dochodził z grobu, bo i grobem było to miejsce. Tym zaś, o którym mówił, była sala, właściwie loch – gdyż nie mogło to być nic innego, jak Tiborowa ciemnica – oddzielony niskim łukiem kamiennych odrzwi. Czy opory Quinta stanowiły ostatnią próbę wycofania się, czy też nie, zaradny Gulcharow znalazł rozwiązanie. Wyjął małą , płaską latarkę kieszonkową i podał ją Quintowi, który zaraz posłał przed siebie snop światła. Tam, w łukowatym wejściu, leżał stos skamieniałego drewna – sczerniałej ze starości dębiny – poznaczonego rudymi plamami rdzy, upamiętniającymi rozpad bezużytecznych ćwieków i żelaznych obręczy: wszystko, co pozostało z masywnych niegdyś drzwi. A za nim, jedynie ciemność.

Wówczas, przygarbiwszy się nieco, by nie uderzyć w zwornik, który przez wieki cokolwiek osiadł, Quint ostrożnie przeszedł pod łukiem, by przystanąć tuż za progiem lochu. Stamtąd zatoczył latarką powolny krąg, oświetlając kolejno wszystkie ściany i każdy kąt. Cela była dość duża, większa, niż się spodziewał; nie brakło w niej załomów, nisz, półek oraz wnęk, odmawiających dostępu promieniowi światła, a sprawiała wrażenie wykutej w litej skale.

Quint skierował promień na podłogę. Kurz, wszędzie zalegały jednolicie grube pokłady kurzu, narosłe w ciągu minionych stuleci. Nie burzył ich żaden odcisk stopy. Prawie na środku podłogi groteskowo piętrzył się kamienny garb, zapewne uformowany przez łożysko skalne. Pozornie niczego w sobie nie krył, co innego jednak mówiła Quintowi paranormalna intuicja. Nie tylko jemu, również Krakowiczowi.

– Mieliśmy rację. – W głosie Krakowicza dźwięczał smutek. Rosjanin zrównał się z Quintem. – Wykończyły się. Były tutaj, nawet teraz je wyczuwamy, ale czas zrobił z nimi swoje.

Wysunął się w przód i oparł całym ciężarem o ów dziwaczny garb skalny... *ten zaś z miejsca zaczął się kruszyć pod naciskiem jego ręki!*

W jednej chwili rzucił się w tył, z krzykiem niekłamanej zgrozy, a zderzywszy się z Quintem chwycił go i przyciągnął do siebie.

– Boże! Carl... *Carl!* To nie jest... skała!

Gulcharow i Wołkoński, choć obaj nagle zelektryzowani, jęli uspokajać Krakowicza, podczas gdy Quint posłał światło latarki prosto na garbatą bryłę. I zaraz, rozdziawiwszy usta, serce mając rozdygotane, Anglik szepnął:

– Coś... wyczułeś?

Krakowicz potrząsnął głową, głęboko nabrał tchu.

– Nie, nie. Moja reakcja, to był zwykły wstrząs – a nie ostrzeżenie. Dzięki Bogu, i za to! Mój talent działa – działa, możecie mi wierzyć! – ale nic nie wykrył. Wstrząsnęło mną, zwyczajnie wstrząsnęło...

– Tylko popatrz na to... na to coś!

Quint był zdjęty zgrozą. Podszedł bliżej, ostrożnie zdmuchnął kurz z powierzchni bryły i użył chusteczki, by ją do reszty odkurzyć. Przynajmniej częściowo. Bo nawet tak powierzchowne oczyszczenie ujawniło... bezsprzeczną potworność!

Ów stwór tkwił tam, gdzie przed niezliczonymi laty wypełzł po raz ostatni z ubitej ziemi. Teraz wszystko było zbite w jedną masę – stanowiło zmumifikowane szczątki jednej istoty – wyraźnie jednak składała się na nie większa liczba stworzeń. Wszystko przez głód i, zapewne, obłęd: przez głód nibyciała, ukrytego w ziemi, przez obłęd Ehriga i kobiet. Niezdolne uciec, wampiry, osłabione głodem, nie potrafiły się oprzeć natarciom bezmyślnego, podziemnego „pnącza". Prawdopodobnie pochłaniało jednego po drugim, potęgując swoją masę. Ta właśnie masa leżała teraz przed nimi, powalona tam, gdzie w końcu znalazła łaskę „śmierci". Wówczas, wiedziona wyłącznie słabym impulsem i nieokreślonym instynktem, próbowała chyba odtworzyć pochłoniętych. Niewątpliwie pozostały po tym ślady.

Miała kobiece piersi i na wpół ukształtowaną głowę mężczyzny, a także mnóstwo nibyrąk. Oczy, wytrzeszczone pod zamkniętymi powiekami, widziało się wszędzie. Podobnie jak otwory gębowe, ludzkie i nieludzkie. Tak właśnie, a były też inne cechy, znacznie gorsze, niż tu opisane...

Gulcharow i Wołkoński, nieco ośmieleni, podeszli bliżej; ten ostatni, zanim ktokolwiek zdołał go powstrzymać, wyciągnął rękę i położył ją na zimnej, pomarszczonej piersi, sterczącej tuż obok jakichś ust o obwisłych wargach. Wszystko tam miało barwę skóry i wyglądało dość solidnie, ale jak tylko rosły brygadzista dotknął sutka, ten rozsypał się w proch. Wołkoński natychmiast cofnął rękę, przeklinając, i o krok się wycofał. Siergiej Gulcharow mniej był bojaźliwy. Wiedział już swoje o takich potwornościach i sama myśl o nich budziła w nim furię.

Klnąc, walnął stopą tam, gdzie ów stwór wyłaniał się z podłogi, i kopał tam dalej, raz za razem. Kompani nie próbowali go powstrzymać: tak właśnie radziła sobie z problemem jego psychika. Wdarł się w ten kruszący się teraz koszmar, bombardując go uderzeniami pięści i stóp. I nie minęło wiele czasu, a nie pozostało nic poza kłębami kurzu i kilkoma potrzaskanymi kośćmi.

– Idziemy! – Krakowicz już się krztusił.– Zabierajmy się stąd, Carl, zanim się podusimy. – Wpił się Anglikowi w ramię. – Dziękujmy Bogu, że to już nie żyło!

Zakrywając dłońmi usta, wspięli się po schodach, by wreszcie ujrzeć czyste i zdrowe światło dnia.

– To coś... cokolwiek to było, trzeba pogrzebać – warknął Wołkoński do Gulcharowa, gdy wycofywali się spod ruin.
– Właśnie tak! – Krakowicz skorzystał ze sposobności, by przyznać mu rację, – Dla absolutnej pewności, trzeba to pogrzebać. I dlatego będziesz nam potrzebny...

*

*   *

Wszyscy czterej wrócili w ruiny, żeby Wołkoński mógł wywiercić otwory, podłożyć ładunki wybuchowe, rozwinąć setki metrów przewodu i podłączyć detonator. Teraz zaś wrócili tam po raz trzeci i ostatni. I, jak przedtem, śledził ich Teo Dołgich, z którego powodu miał to być właśnie raz ostatni.

Teraz, spod osłony krzaków na zarośniętej ścieżce nieopodal ściany skalnej i niepewnej półki, KGB-owiec patrzył, jak Wołkoński montuje detonator na końcu przygotowanego kabla; patrzył też, jak całe towarzystwo kieruje się ku ruinom, zapewne po pożegnalny widok.

Dołgichowi nadarzyła się najlepsza szansa; moment, na który ów rosyjski agent czekał. Raz jeszcze sprawdził pistolet, odbezpieczył i ponownie schował w kaburze, po czym szybko się wdrapał na znajdujące się po lewej osypisko i dalej, między gęsto rosnące tu sosny, gdzie pas drzew szedł tuż u podnóża posępnej stromizny. Wykorzystując wszelkie zalety tej osłony, mógł pozostawać w ukryciu do ostatniej chwili. W ten sposób, z niemałą zręcznością przemykając pod drzewami, szybko zmniejszał dystans dzielący go od przyszłych ofiar, zbliżających się właśnie do wypalonych do cna ruin.

Nie chcąc ujawnić swej obecności, Dołgich chwilami tracił z oczu swoją zdobycz, wreszcie jednak dotarł na sam skraj ciasno okalającego stoki lasu i zmuszony był cofnąć się w poszycie porastające dawną ścieżkę. Stąd grupka mężczyzn pod pradawnymi murami zamku widoczna była doskonale, tyle że i oni, gdyby zdarzyło się im spojrzeć prosto w stronę Dołgicha, również mogliby go zobaczyć. Ale nie, stali w milczeniu jakieś sto jardów dalej, pogrążeni w myślach, wpatrywali się w to, co postanowili zniszczyć. Wszyscy trzej wyglądali na głęboko zadumanych.

Trzej? Dołgich zmrużył oczy, spochmurniał, pospiesznie się rozejrzał. Nie dostrzegł niczego szczególnego. Zapewne czwarty z nich – ów durny młokos, ów zdrajca Gulcharow – przelazł przez rozwaloną zewnętrzną ścianę ruiny i dlatego zniknął z pola widzenia. Tak czy inaczej, Dołgich wiedział, że usidlił całą czwórkę. Nie było drugiego wyjścia z tej rozpadliny, a zresztą musieliby tu wrócić, by zdetonować ładunki. Złośliwy grymas, wykrzywiający twarz Dołgicha, uległ zmianie, przeszedł w złowrogi uśmiech. Właśnie przyszła mu do głowy myśl szczególnie okrutna.

Pierwotny plan miał prosty: zaskoczyć ich, wyjawić, że byli śledzeni na rozkaz KGB, kazać im się wzajemnie powiązać – i wreszcie zrzucić kolejno z potrzaskanego muru. W dół wiodła diabelnie długa droga. Zadbałby jeszcze o to, żeby kawał tamtej parszywej ściany poleciał wraz z nimi, czyniąc obraz bardziej przekonującym. Później, już bezpieczną drogą, sam by zszedł, zawrócił do ich ciał i starannie usunął więzy. „Wypadek", jak nic. Nie uszliby z życiem: Wytrzymałość nylonowego sznurka, znajdującego się teraz w kieszeni Dołgicha, wynosiła dwieście funtów! Prawdopodobnie znaleziono by ich po tygodniach, może po miesiącach, a może nawet wcale.

Dołgich jednak był na swój sposób wampirem, karmił się strachem. Właśnie tak, a teraz dojrzał sposobność, by kunsztownie przeinaczyć swój plan. Mała niespodzianka, ale zdolna rozbawić.

Czym prędzej klęknął, mocnymi, łopatowatymi zębami obnażył miedziany rdzeń kabla i podłączył go do detonatora. Wtedy, wciąż jeszcze klęcząc na jednym kolanie, krzyknął głośno:

– Panowie!

Cała trójka się odwróciła, zobaczyli go. Quint i Krakowicz nawet natychmiast go, rozpoznali, wyraźnie zgłupieli.

– I cóż my tu mamy? – zaśmiał się, podnosząc urządzenie tak, żeby je widzieli.– Patrzcie! Ktoś zapomniał podłączyć – ale zrobiłem to za niego! – Postawił detonator i odciągnął jego ramię.

– Na litość Boską, ostrożnie z tym! – Carl Quint, ze zgrozą podnosząc ręce, wypadł z ruin.

– Pan zostanie, gdzie stoi, panie Quint – zawołał Dołgich. I po rosyjsku: – Krakowicz, ty i ten muł brygadzista, podejdźcie no tutaj. I żadnych sztuczek, bo rozwalę na kawałeczki i waszego angielskiego koleżkę, i Gulcharowa!

Dwoma wściekłymi ruchami skręcił w prawo przypominające literę "T" ramię detonatora. Urządzenie zostało uzbrojone; wystarczyłoby docisnąć ramię i...

– Oszalałeś, Dołgich? – odkrzyknął Krakowicz. – Jestem tutaj służbowo. Sam pierwszy sekretarz...

– ...to stary durny ramol! – dokończył za niego Dołgich. – Tak jak i ty. A będziesz martwym ramolem, jeśli nie zrobisz dokładnie tego, co ci każę. Ruszaj się i weź ze sobą tego napakowanego majstra. Quint, panie angielski psychoszpiclu, ani kroku.

Podniósł się, wyciągnął pistolet i nylonowy sznurek. Krakowicz i Wołkoński, trzymając ręce w górze, powoli opuszczali ruiny.

W ułamku następnej sekundy Dołgich wyczuł, że coś nie gra. Gorący metal targnął jego rękawem, jeszcze zanim usłyszał *trach* z automatycznego pistoletu Siergieja Gulcharowa. Wcześniej bowiem, kiedy jego kompani weszli w ruiny, Gulcharow skrył się w krzakach, w odpowiedzi na zew natury. Wszystko widział i słyszał.

– Rzuć spluwę! – wrzeszczał teraz, biegiem nacierając na Dołgicha. – Następny strzał pójdzie w brzuch!

Gulcharow miał za sobą szkolenie, ale w żadnym wypadku nie tak gruntowne, jak Dołgich, brakowało mu też instynktu zabójcy. Dołgich znów padł na kolana, wyprostowaną rękę z bronią skierował ku Gulcharowowi, wymierzył i nacisnął spust. Żołnierz już prawie go dopadł. On również strzelił, ponownie. Pocisk poszedł o cale w bok, podczas gdy Dołgich trafił prosto w cel. Tęponosa kula odwaliła Gulcharowowi pół głowy. Żołnierz, trup na miejscu, stanął jak wryty, po czym o krok zatoczył się do przodu i runął niczym ścięte drzewo – prosto na detonator i uniesione w górę ramię!

Dołgich rzucił się na ziemię, poczuł gorący podmuch wiatru, gdy zaledwie sto jardów dalej otwarło się piekło. W uszy wdarł mu się ogłuszający łoskot, pozostawiając po sobie rozszalałe dzwony. Wprawdzie nie widział samej eksplozji, a raczej serii równoczesnych wybuchów, ale gdy ustał deszcz piachu i kamyków, a ziemia przestała się trząść, podniósł wzrok – i ujrzał jej skutki. Po drugiej stronie wąwozu ruiny zamku Faethora stały jak przedtem, po tej jednak obróciły się w gruz.

Tam gdzie podstawy zamku łączyły się ze skałą, dymiły kratery. Z urwiska na szeroką, poradloną półkę wciąż jeszcze spadała lawina łupków i odłamków, grzebiąc głęboko ostatnie ślady wszelkich tutejszych tajemnic. I Krakowicza. A Quint i Wołkoński...

Już po nich. Ciało nigdy nie sprosta skale...

Dołgich podniósł się, otrzepał, ściągnął z detonatora zwłoki Gulcharowa, chwycił je za nogi i zawlókł w dogasające ruiny, po czym cisnął w przepaść. „Wypadek", najprawdziwszy wypadek.

Wracając w dół ścieżki, KGB-owiec zwinął co zostało z kabla; zabrał także pistolet Gulcharowa i detonator. W połowie zejścia, na półce biegnącej wzdłuż ściany, cisnął to wszystko do ciemnego rozszemranego wąwozu. To już koniec, całkowity. Przed powrotem do Moskwy będzie musiał jeszcze wymyślić wykręt, powód, dla którego domniemana „broń" Gerenki, czymkolwiek była, przestała istnieć. A szkoda.

Ale z drugiej strony... Dołgich pogratulował sobie, ze przynajmniej pół misji wypełnił z powodzeniem. I z ogromną satysfakcją...

Dwudziesta, w Zamku Bronnicy.

Iwan Gerenko leżał pogrążony w płytkim śnie na kozetce w swym wewnętrznym biurze. Gdzieś w dole, w sterylnie czystym centrum prania mózgów, spał natomiast Alec Kyle. A przynajmniej jego ciało. Odkąd bowiem zabrakło w nim świadomości, raczej nie był to już Kyle. Jeśli chodzi o umysł, opróżniono go, pozostawiając nie więcej niż łupinę. Informacje, które to wyjawiło Zek Foener mogły oszołomić. Ten Harry Keogh, gdyby przeżył, byłby straszliwym przeciwnikiem. Ale uwięziony w mózgu własnego dziecka, już nie stanowił problemu. Chyba że później, kiedy (i jeśli) z tego dziecka wyrośnie mężczyzna...

Co do INTESP-u zaś Foener nieobcy już był cały mechanizm tej organizacji. Nic się nie ukryło. Kyle kontrolował wszystko, a to, co wiedział, odziedziczyła po nim Zek. Dlatego właśnie, jak tylko technicy rozmontowali aparaturę i zostawili ciało Kyle'a nagie, wyzute nawet z instynktów, pospieszyła złożyć raport na temat swych odkryć – a zwłaszcza jednego z nich – Iwanowi Gerence.

Ojciec Zekinthy Foener pochodził ze Wschodnich Niemiec. Matka była Greczynką, z Zakhintos na Morzu Jońskim. Po jej śmierci Zek przeniosła się do ojca, do Poznania, na uniwersytet, gdzie ten zajmował się parapsychologią. W jednej chwili rozpoznał u niej talenty parapsychiczne, o które podejrzewał ją od maleńkości. Kwestię tych uzdolnień telepatycznych zgłosił Kolegium Badań Parapsychologicznych, mieszczącemu się w Moskwie, na Brasowskim Prospekcie, stamtąd zaś otrzymał polecenie stawienia się wraz z Zek na testy. Tak trafiła do Wydziału E, gdzie szybko zyskała miano nieocenionej.

Foener miała niespełna sześć stóp wzrostu, była szczupłą, niebieskooką blondynką. Kiedy szła, jej włosy lśniły, falując na ramionach. Mundur pracownika Zamku opinał ją jak rękawiczka, podkreślając subtelne krzywizny. Po kamiennych schodach wspięła się do biura Krakowicza (nie, poprawiła się, Gerenki), weszła do sekretariatu i zastukała mocno w zamknięte wewnętrzne drzwi.

Gerenko usłyszał pukanie, zmusił się do obudzenia i z wysiłkiem usiadł. Z uwagi na swą skarlałą postać, łatwo się męczył, sypiał często, ale marnie. Sen stanowił jeden ze sposobów na przedłużenie życia, które wedle zapowiedzi lekarzy trwać miało krótko. Oto największa ironia: ludzie nie byli w stanie go zabić, uczynić to miała natomiast, bez wątpienia, jego własna słabość. Mając zaledwie trzydzieści siedem lat, już wyglądał na sześćdziesięciolatka, na pokurczoną małpkę. Ale nadal był człowiekiem.

– Wejść – zaskowyczał, wciągając powietrze do nadwątlonych płuc.

Z drugiej strony drzwi, gdy Gerenko powracał do stanu przytomności, Zek Foener naruszyła zaufanie. W Zamku panowała niepisana reguła, że telepaci nie będą z rozmysłem śledzić umysłów swych współpracowników. Było to nader słuszne i ze wszech miar przyzwoite w warunkach normalnych, w normalnych okolicznościach. Tu jednak zbyt wiele spraw odbiegało od normy, spraw takich, które Foener musiała wytropić dla własnego spokoju.

Choćby to, w jaki sposób Gerenko dosłownie zajął miejsce Krakowicza. Wyglądało nie na to, jakby we wszystkim go zastępował, ale jakby rzeczywiście zastąpił – na stałe! Foener lubiła Krakowicza; od Kyle'a dowiedziała się o działaniach Dołgicha w Genui; a Kyle i Krakowicz pracowali wspólnie nad...

– Wejść! – powtórzył Gerenko, przerywając ów ciąg myślowy, wszystko jednak zdążyła uporządkować. Ambicje Gerenki płonęły jasno w jej umyśle. Jasno, a zarazem szpetnie. I jego zamiary, by wykorzystać te... te Istoty, które Krakowicz jak najsłuszniej uparł się zniszczyć...

Nabrała głęboko powietrza i weszła do biura, wpatrując się w Gerenkę, który w mroku leżał na kozetce, oparty na łokciu.

Zapalił lampkę nocną i zamrugał, pozwalając swym słabym oczom się przystosować.

– Tak? O co chodzi, Zek?

– Gdzie jest Teo Dołgich? – spytała prosto z mostu. Bez wstępów, bez zbędnych formalności.

– Co takiego? – Aż zamrugał. – Czy coś nie gra, Zek?

– Możliwe, że niejedno. Zapytałam...

– Słyszałem, o co pytałaś – uciął. – A co ciebie obchodzi, gdzie jest Dołgich?

– Pierwszy raz widziałam go z tobą, tego ranka, gdy Feliks Krakowicz wyruszył do Włoch... po tym, jak wyruszył – odparła. – Od tamtej pory nie było go tu, aż przywiózł Aleca Kyle'a. Tylko że Kyle nie pracował na naszą szkodę. On współpracował z Krakowiczem. Dla dobra świata.

Gerenko ostrożnie opuścił patykowate nogi na podłogę.

– Krakowicz powinien pracować tylko dla dobra ZSRR – powiedział.

– Jak ty? – skontrowała natychmiast, głosem ostrym jak tłuczone szkoło. – Teraz wiem, czym się zajmowali, towarzyszu. Czymś, co należało zrobić w imię bezpieczeństwa i zdrowych zmysłów. Nie dla siebie to robili, ale dla ludzkości.

Gerenko już wstał. W dziecięcej piżamie wyglądał tak krucho, gdy szedł do swego ogromnego biurka.

– Oskarżasz mnie, Zek?

– Tak! – Była nieustępliwa, wściekła. – Kyle był naszym przeciwnikiem, osobiście jednak nie wypowiedział nam wojny. Nie toczymy wojny, towarzyszu. A jego zamordowaliśmy. Nie, ty go zamordowałeś – by podsycić swoje ambicje!

Gerenko wspiął się na krzesło, zapalił lampę na biurku, światło kierując na nią. Wyciągnął przed siebie ręce, pokręcił głową niemal ze smutkiem.

– Mnie oskarżasz? A sama brałaś w tym udział. Ty opróżniłaś mu umysł.

– Nieprawda! – Zbliżyła się do niego. Na jej twarzy malowało się wzburzenie, pełnia gniewu. – Ja tylko czytałam jego myśli, gdy go opuszczały. opróżnili go twoi technicy.

To nie do wiary, ale Gerenko się roześmiał.

– Tak, mechaniczna nekromancja.

Walnęła otwartą dłonią w blat biurka.

– Ale on nie był martwy!

Pomarszczone wargi Gerenki wykrzywiły się w uśmiechu.

– Teraz jest, a przynajmniej tak jakby był...

– Krakowicz jest lojalny i jest Rosjaninem. – Nie można było jej powstrzymać. – Ale i jego zamordujesz. I to naprawdę będzie morderstwo! Jesteś obłąkany! – Mówiąc to, trafiła w sedno. Ułomność Gerenki dotyczyła nie tylko jego ciała.

– No już... dosyć! – warknął. – Teraz wy mnie posłuchajcie, towarzyszko. Mówicie o moich ambicjach. Ale jeśli ja stanę się silniejszy, o tyle silniejsza stanie się Rosja. Właśnie, bo jesteśmy jednym i tym samym. Wy? Wy za krótko jesteście Rosjanką, by to pojąć. Siła tego kraju leży w jego ludzie! Krakowicz był słaby i...

– Był? – Ręce jej drżały, gdy się pochyliła, palce na skraju jego biurka zbielały.

Poczuł nagle, że stała się bardzo niebezpieczna. Podjął ostatnią próbę.

– Posłuchaj, Zek. Pierwszy Sekretarz to osłabiony starzec. Dużo dłużej nie pociągnie. Natomiast następny przywódca...

– Andropow? – Szeroko otwarła oczy. – Czytam ci to w myślach, towarzyszu. To tak będzie? Ten oprych z KGB? Człowiek, którego już nazywasz swoim panem!

Wyblakłe oczy Gerenki nagle się zwęziły, szczelny zapłonęły jego własnym gniewem.

– Kiedy Breżniew umrze...

– Ale nie umarł, jeszcze nie! – Już krzyczała. – A kiedy się o tym dowie...

To był błąd, paskudny. Nawet Breżniew nie mógł zranić Gerenki, nie osobiście, nie fizycznie. Ale mógłby kazać to zrobić – na odległość. Mógłby podłożyć bomby w przydziałowym mieszkaniu Gerenki w Moskwie. W momencie jej uzbrojenia kończy się udział człowieka. Dalszy proces jest czysto mechaniczny. Albo Gerenko, zbudziwszy się któregoś dnia, odkryłby, że jest za kratkami – i gdyby potem zapomnieli go nakarmić! Jego talent miał swoje granice.

Podniósł się. W swojej dziecinnej rączce trzymał pistolet wyjęty z szuflady w biurku. Jego głos przeszedł w szept.

– Teraz ty mnie posłuchasz – powiedział – a ja opowiem dokładnie, jak to będzie. Po pierwsze, Nie będziesz już rozmawiać na ten temat, ani nawet o nim nie wspomnisz, nikomu. Przysięgałaś zachować w sekrecie, co dzieje się w zamku. Złam przysięgę, to ja ciebie złamię! Po drugie: mówisz, że nie toczymy wojny. Masz krótką pamięć. Brytyjscy esperzy wypowiedzieli wojnę Wydziałowi E dziewięć miesięcy temu. I o mało nie zniszczyli całkowicie naszej organizacji! Byłaś wtedy jeszcze nowa, przebywałaś gdzie indziej, na wakacjach z tatusiem. Nie widziałaś tego. Powiem ci jednak, pozwolisz, że gdyby ten ich Harry Keogh jeszcze żył...

Zabrakło mu tchu, a Foener ugryzła się w język, by nie powiedzieć prawdy: że Harry Keogh żyje, choć najzupełniej bezradny.

– Po trzecie – kończył – mógłbym cię teraz zabić – tu na miejscu, zastrzelić – i nikt by się tym nie zainteresował. A gdyby nawet, wyjaśniłbym, że od dawna budziłaś moje podejrzenia. Powiedziałbym, że twoja praca wpędziła cię w obłęd, że zagroziłaś mi, że zagroziłaś Wydziałowi E. Masz całkowitą rację, Zek, Pierwszy Sekretarz ogromnie wierzy w ten wydział. Chlubi się nim. Za starego Grigorija Borowitza dobrze mu służył. I co, jakaś kobieta, wariatka, miałaby swobodnie tutaj szaleć, grożąc szkodami nie do naprawienia? Pewnie, że powinienem ją zastrzelić. I zrobię to – jeśli nie zakarbujesz w pamięci każdego słowa, które tutaj mówię. Sądzisz, że ktoś uwierzyłby w twoje oskarżenia? Gdzie dowody? W twojej głowie? W twoim obłąkanym mózgu! O, mogliby uwierzyć, przyznaję – ale jeśli nie uwierzą? I czy ja będę siedział spokojnie, po prostu pozwalając tobie zrobić, na co masz ochotę? Spokojnie będzie siedział Teo Dołgich? Dobrze ci się tu wiedzie, Zek. A w Związku Radzieckim są i całkiem inne posady dla młodych silnych kobiet. Po twojej... rehabilitacji... niewątpliwie taką właśnie ci znajdą... – Znów umilkł, odłożył broń. Widział, że osiągnął cel.

– Teraz zabieraj się stąd, ale nie opuszczaj Zamku. Chcę raportu o wszystkim, czego dowiedziałaś się od Kyle'a. O wszystkim. Raport wstępny może być krótki, stanowić zarys. Ma być u mnie jutro, w południe. Ostateczny będzie zawierał wszystkie szczegóły. Zrozumiałaś?

Stała wpatrzona w niego, zagryzła wargę.

– No?

W końcu skinęła głową, dławiąc mruganiem łzy frustracji, wykonała w tył zwrot. Gdy wychodziła, powiedział miękko „Zek", więc się zatrzymała. Na niego jednak nie spojrzała.

– Zek, masz wielką przyszłość. Pamiętaj o tym. I naprawdę to jedyny wybór, jaki masz. Wielka przyszłość – albo żadnej przyszłości.

Wtedy wyszła, zamykając za sobą drzwi.

Wróciła do swojego małego mieszkanka, do skromnej kwatery, z której korzystała, nie będąc na służbie, i rzuciła się na łóżko. Do diabła z raportem. Złoży go, kiedy będzie uważała za stosowne, jeśli w ogóle. Na cóż mogłaby się przydać Gerence, gdyby sam wiedział to, co ona wie?

Nieco później zdołała się trochę pozbierać i spróbowała zasnąć. Ale choć skonana była śmiertelnie, próbowała na próżno...

ROZDZIAŁ SZESNASTY

Środa, godzina dwudziesta trzecia czterdzieści pięć, w Hartlepool, na północno-wschodnim wybrzeżu Anglii.

Opustoszałe ulice za sprawą mżawki mieniły się wilgotną czernią. Ostatni autobus, łączący miasto z leżącymi opodal osadami górniczymi, odjechał przed trzydziestoma minutami. W pubach i kinach pogasły już światła, po zaułkach szwendały się szare koty, a ostatnia garstka ludzi udawała się do domów na spoczynek.

Jednakże w pewnym domu przy Blackhall nie wszyscy byli bliscy snu. Brenda Keogh uśpiła już nakarmionego przed chwilą synka i sama zamierzała się położyć. W pustym do niedawna mieszkaniu na pierwszym piętrze siedzieli po ciemku Darcy Clarke i Guy Roberts. Roberts zapadał w drzemkę, a Clarke wsłuchiwał się w napięciu w trzaski dobiegające ze starych belek. W mieszkaniu na parterze dwaj stali „lokatorzy", ludzie z Wydziału Specjalnego, grali w karty, a kibicujący im policjant parzył kawę. Drugi policjant trzymał wartę na klatce schodowej, tuż przy drzwiach wejściowych. Siedząc na niewygodnym krześle, palił zwilgotniałego papierosa i po raz dziesiąty zadawał sobie pytanie, co właściwie tutaj robi.

Dla agentów Wydziału Specjalnego sprawa była oczywista: mieli zapewnić bezpieczeństwo dziewczynie z poddasza. Ona z kolei nie miała pojęcia, że są kimś więcej niż tylko dobrymi sąsiadami, że stanowią ochronę jej i małego Harry'ego. Pilnowali domu już przeszło pół roku i w tym okresie nikt nawet do niej nie mrugnął. Obserwowanie tej dziewczyny było z całą pewnością najspokojniejszym i najlepiej płatnym zajęciem w dziejach całej służby bezpieczeństwa. Mundurowi widzieli tę sprawę nieco inaczej: robili nadgodziny. Przedłużono im popołudniową służbę, przydzielając zadanie „specjalne". Powinni byli wrócić do domów już około dwudziestej drugiej, ale okazało się, że w okolicy grasuje jakiś cholerny psychopata, a dziewczyna z poddasza jest jedną z potencjalnych ofiar. Tyle im powiedziano. Dość tajemnicza sprawa.

Clarke i Roberts natomiast doskonale wiedzieli, na co czekają i z czym mają się zmierzyć. Siedzący przy zasłoniętym oknie salonu Roberts chrapnął cicho i opuścił głowę. Odchrząknął, prostując się natychmiast. Clarke skrzywił się, nie czując jednak złości. Postawił kołnierz i zatarł ręce, żeby je rozgrzać. W pokoju panowała wilgoć i cisza.

Najchętniej zapaliłby światło, wolał jednak nie ryzykować. Mieszkanie teoretycznie stało puste i tak powinno wyglądać. Żadnego ognia, żadnych świateł i minimum ruchu. Dla wygody pozwolili sobie jedynie na elektryczny czajnik i słoik neski. Humor poprawił im także fakt, że tego dnia dostarczono Robertsowi miotacz ognia, a poza tym obaj mieli kusze.

Clarke podniósł swoją kuszę i popatrzył na nią. Z chęcią wymierzyłby z niej w mroczne serce Juliana Bodescu. Znów się skrzywił i odłożył broń. Zapalił papierosa, co nieczęsto mu się zdarzało, i zaciągnął się dymem. Był zmęczony i w ogóle czuł się marnie, ale ani przez chwilę nie ponosiły go nerwy. Przypisywał to faktowi, iż pił coraz mocniejszą kawę. Był przekonany, że w jego krwi znajdowało się teraz przynajmniej siedemdziesiąt pięć procent czystej kofeiny. Siedział w tym pokoju już od wczesnych godzin porannych i jak dotąd nic się nie wydarzyło. Za to przynajmniej mógł być wdzięczny...

Piętro niżej konstabl Dave Collins otworzył drzwi do mieszkania i zajrzał do salonu.

– Zastąp mnie, Joe – powiedział do kolegi. – Pięć minut oddechu. Muszę trochę rozprostować nogi.

Drugi policjant raz spojrzał na pogrążonych w grze agentów, po czym wstał, zapinając mundur, podniósł hełm i wyszedł za przyjacielem na korytarz. Otworzył drzwi, żeby wypuścić go na ulicę.

– Odetchnąć? – zawołał za nim. – Żartujesz. Udusić się można w tej mgle!

Joe Baker popatrzył jeszcze na swego partnera, schodzącego w dół ulicy, potem wrócił do wnętrza i znów zamknął drzwi. Właściwie powinien był przekręcić klucz, ale zadowolił się zamknięciem ich na niewielką zasuwkę z nierdzewnej stali. Usiadł przy podręcznym stoliku, na którym znalazł stertę reklamówek, trochę starych gazet i puszkę tytoniu oraz bibułki.

Uśmiechnął się i skręcił sobie „cudzesa". Właśnie go kończył, gdy zza drzwi dobiegły go kroki i jedno ciche stuknięcie.

Wstał, odsunął zasuwkę, otworzył drzwi i wyjrzał. Jego partner stał tyłem do niego. Zacierał ręce, patrząc w dół ulicy. Na pelerynie i hełmie połyskiwały krople wilgoci. Joe pstryknięciem posłał niedopałek w mrok.

– Długo trwało te pięć...

Nie zdołał dokończyć. Osobnik stojący na progu odwrócił się nagle i chwycił go wpół rękami potężnymi jak żelazne obręcze. Policjant dostrzegł twarz skrytą pod hełmem i pojął, że to nie Dave Collins. To nawet nie był człowiek.

Ta właśnie myśl przemknęła jako ostatnia przez mózg Joego, kiedy Julian Bodescu bez wysiłku odchylał jego głowę w tył, by zatopić w krtani swe niesamowite zęby. Zacisnęły się niczym paści na pulsującej tętnicy i przegryzły ją.

Joe Baker skonał w ułamku sekundy. Miał rozdarte gardło i złamany kark.

Julian położył go na podłodze i odwrócił się, żeby zamknąć drzwi. Zasunął rygiel. Cała akcja trwała sekundy, została przeprowadzona fachowo. Odsłaniając zakrwawione zęby, warknął cicho, wpatrzony w drzwi do mieszkania na parterze. Sięgnął za nie wampirzymi zmysłami. W środku znajdowało się dwóch ludzi, siedzących dość blisko siebie, pochłoniętych jakąś czynnością i kompletnie głuchych na niebezpieczeństwo. Ale ten stan miał potrwać jeszcze tylko chwilę.

Bodescu otworzył drzwi i wszedł do pokoju. Zobaczył agentów Wydziału Specjalnego, skupionych przy stoliku. Podnieśli wzrok, uśmiechając się, zauważyli pelerynę oraz hełm i znów zajęli się grą. Potem spojrzeli jeszcze raz. Ale już było za późno. Julian znajdował się w pokoju i ruszył do przodu, łapiąc szponiastą łapą pistolet z przykręconym już tłumikiem. Wolał zabijać po swojemu, ale ten sposób okazał się chyba równie dobry. Agenci ledwie zdołali wstrzymać oddech, a już strzelał, nie celując. Władował w ich skulone, podrygujące ciała pół magazynka...

Darcy Clarke był bliski zaśnięcia, a może już drzemał, kiedy coś przywróciło mu pełną świadomość. Uniósł głowę, znów stał się czujny. „Coś w korytarzu na dole? Ktoś zamknął drzwi? Ostrożne kroki na schodach?" – pomyślał. Nie mógł wykluczyć żadnej z tych możliwości.

Dzwonek telefonu prawie zrzucił go z krzesła. Serce Clarke'a waliło jak młotem. Sięgnął po słuchawkę. Ale dłoń Guya Robertsa zacisnęła się na niej pierwsza.

– Obudziłem się na minutę przed tobą – szepnął chrapliwie Roberts. – Darcy, sądzę, że coś się dzieje!

Przyłożył słuchawkę do ucha.

– Tu Roberts – powiedział.

Clarke usłyszał metaliczny głos, ale nie zdołał rozróżnić słów. Zobaczył jednak zdumienie Robertsa.

– Jezu! – Robertsa aż rzuciło. Cisnął słuchawkę na widełki i niepewnie wstał.

– To był Layard – wydyszał. – Znów znalazł tego sukinsyna i zgadnij, gdzie on teraz jest?

Clarke nie musiał zgadywać, zajął się tym jego talent. Namawiał go, żeby wiać w cholerę z tego domu, popychał ku drzwiom. Ale tylko przez moment, gdyż ów talent „odkrył", że na piętrze czai się niebezpieczeństwo i teraz kierował go w stronę okna.

Clarke doskonale wiedział, co to znaczy. Przełamał wewnętrzne opory, chwycił za kuszę i zmusił się do pójścia za Robertsem w kierunku drzwi.

Julian, już wchodząc na piętro, wyczuł obecność znienawidzonych agentów paranormalnych. Wiedział, z kim ma do czynienia i jak bardzo są niebezpieczni. U szczytu schodów, tyłem do poręczy, stało na potrzaskanych kółkach stare pianino. Musiało ważyć z czterysta funtów, ale dla wampira nie było to przeszkodą. Złapał za instrument, stęknął i zaciągnął go pod drzwi. Rolki całkiem pękły, potoczyły się gdzieś, a złamane uchwyty darły teraz dywan. Wreszcie Bodescu ustawił pianino tak, jak tego pragnął.

W tej samej chwili Roberts nacisnął klamkę.

– Cholera! – warknął. – To z całą pewnością on. Uwięził nas, sukinsyn. Darcy, drzwi otwierają się na zewnątrz. Pomóż mi...

Razem naparli na drzwi, aż strzaskane podpory instrumentu zgrzytnęły na zrytej podłodze. Roberts wsunął rękę w powstałą szczelinę, złapał za krawędź pianina i spróbował się przez nie przedostać. Przełożył już kuszę. Clarke dopychał go z tyłu.

– Gdzie, u diabła, są ci idioci z parteru? – sapnął Roberts.

– O rany, pośpiesz się! – ponaglał go Clarke. – Pewnie już wchodzi na górę.

...Nie wchodził. Na podeście zapaliło się światło. Rozciągnięty na pianinie Roberts spojrzał prosto w potworną twarz Juliana Bodescu. Wytrzeszczone oczy espera przypominały teraz połyskliwe kamyki. Wampir wyrwał kuszę z jego zdrętwiałych palców i posłał bełt w szczelinę za pianinem. Z pełnego krwi gardła wydobył się jakiś skrzek i Bodescu zaczął miażdżyć głowę Robertsa zdobytą bronią. Szybkość i siła uderzeń rozedrgała powietrze.

Roberts raz krzyknął – wysoko i przenikliwie – i umilkł pod naporem ciosów. Spadały na niego gradem, aż głowa zamieniła się w surową, czerwoną miazgę, z której na klawiaturę ściekał mózg. Wampir dopiero wtedy przerwał.

Clarke usłyszał świst przelatującej obok niego strzały. Wyjrzawszy przez szczelinę, na pół oślepiony przez dochodzący z niej blask, zobaczył, jak potwór wykańcza nieszczęsnego Robertsa. Odrętwiały z przerażenia, próbował mimo wszystko złożyć się do strzału, ale ciało Robertsa, wepchnięte przez Juliana do mieszkania, zbiło go z nóg. Wampir ponownie przytrzasnął drzwi pianinem. I wtedy nerwy Clarke'a odmówiły posłuszeństwa. Nie był w stanie podołać temu potworowi i własnemu talentowi. Właśnie ów talent na to nie pozwalał. Esper cisnął kuszę i chwiejnie rzucił się do okna wychodzącego na ulicę.

Utracił całkowicie panowanie nad sobą; pragnął jedynie stąd uciec. Tak daleko i tak szybko, jak tylko potrafił...

Brenda Keogh zdołała przespać zaledwie dwadzieścia minut. Jakiś krzyk, niemal skowyt męczonego zwierzęcia, wyrwał ją ze snu i wyrzucił z łóżka. Początkowo bała się, że to Harry, jednak usłyszała dochodzące z parteru odgłosy szamotaniny i trzaśnięcie drzwiami.

Nieco niepewnie podeszła do drzwi, otworzyła je i wychyliła się, nasłuchując. Ale już wszystko ucichło i niewielki podest tonął w ciemności – w ciemności, która nagle wezbrała i potężną falą wepchnęła ją z powrotem do mieszkania. Oto Julian znalazł się o włos od zaspokojenia swej żądzy zemsty. Triumfalnie warcząc, wpatrywał się wilczymi ślepiami w leżąca na podłodze dziewczynę.

Brenda zobaczyła go i pojęła, że śni. Musiała śnić, gdyż to, co przed sobą widziała, nie mogło istnieć na jawie.

Przybysz był człowiekiem, a przynajmniej miał w sobie coś z człowieka. Stał w pionie, nieco wychylony w przód. Ręce... długie dłonie, wielkie i szponiaste, o wyraźnych pazurach. Ale najpotworniej wyglądała jego twarz. Przypominała bezwłosy wilczy pysk, miała w sobie jednak i coś z nietoperza. Płasko przylegające do głowy uszy sięgały ponad wydłużoną, opadającą skośnie w tył czaszkę. Nos, nie, ryj był pomarszczony i rozdęty, o czarnych rozdziawionych nozdrzach. Skóra potwora przypominała łuskę, a z głębi czarnych oczodołów przypatrywały się jej żółte ślepia o szkarłatnych źrenicach. A szczęki... jego zęby...

Julian Bodescu był Wampyrem i nie starał się tego ukryć. Wampirzy rdzeń znalazł w nim wspaniałą pożywkę, rozrastał się jak drożdże. Julian osiągnął szczyt swojej siły, swoich mocy i doskonale o tym wiedział. Jak dotąd nie pozostawił żadnego śladu, mogącego rzucać na niego choćby cień podejrzenia. INTESP, rzecz jasna, wiedział, że te zbrodnicze czyny są jego dziełem, ale nie zdołałby dowieść tego przed sądem. Zwłaszcza, że INTESP, jak stwierdził Julian, nie był wszechpotężny. Wprost przeciwnie – był bezradny. Jego agenci okazali się lękliwymi ludźmi. Wampir zamierzał tropić ich, jednego po drugim, aż zniszczy całą organizację. Mógł nawet wyznaczyć sobie termin uporania się z nimi na dobre – na przykład miesiąc.

Najpierw jednak musiał się zająć dzieckiem tej kobiety, owym żałosnym strzępem życia, zawierającym w sobie jedyną istotę dorównującą mu potęgą, a mimo to jakże teraz bezradną...

Julian przypadł do skulonej dziewczyny, wczepił szponiastą łapę w jej włosy, unosząc ją nieco do góry.

– Gdzie? – wycharczał. – Gdzie dziecko?

Usta Brendy otwarły się w zdumieniu. Rozszerzone oczy dziewczyny bezwolnie zerknęły w stronę pokoiku malca. W wampirzych ślepiach błysnęła iskra triumfu.

– Nie! – krzyknęła Brenda i nabrała tchu, by wrzasnąć z przerażenia, lecz nie zdołała już tego uczynić.

Julian cisnął ją na podłogę. Głowa dziewczyny uderzyła o parkiet. Wstrząs natychmiast pozbawił ją przytomności. Wampir przeszedł nad jej ciałem i dał susa w otwarte drzwi pokoiku...

W mieszkaniu na pierwszym piętrze Darcy Clarke, walczący bezskutecznie z zatrzaśniętym oknem, poczuł nagle, że opuszcza go strach, właściwie nawet nie strach, a przemożne pragnienie ucieczki. Żądania, stawiane przez jego talent, słabły, co mogło jedynie oznaczać, iż zagrożenie mijało. Dochodząc do siebie, Darcy przestał dygotać. Znalazł kontakt i zapalił światło. Czuł zbawcze działanie adrenaliny. Znów widział wyraźnie. Dostrzegł zasuwki zabezpieczające okno. Odciągnął je i bez problemów pchnął w górę krawędź ramy. Westchnął z ulgą. Przynajmniej miał teraz wyjście awaryjne. Spojrzał przez okno na tonącą w mroku ulicę i zamarł.

Początkowo nie przyjmował do wiadomości tego, co zobaczył. Potem przerażenie pozbawiło go tchu i poczuł mrowienie, ogarniające ramiona i plecy. Ulica pod domem zapełniała się ludźmi. Milczące grupy zlewały się w jedną wielką masę. Wyłaniały się z bramy cmentarza, przełaziły przez jego mur. Mężczyźni, kobiety i dzieci. W milczeniu przechodzili przez ulicę, gromadząc się pod domem. I właśnie to milczenie budziło nawet większą grozę niż ich widok. Byli cisi jak groby, które przed chwilą opuścili.

Ich smród przenikał wilgotne nocne powietrze – wszechobecny, mdlący odór śmierci, postępującego rozkładu, przegniłych ciał. Clarke obserwował ich, wybałuszając oczy. Mieli na sobie cmentarne koszule, niektórzy zmarli niedawno, inni od wieków byli już pogrzebani.

Zsuwali się z muru, tłoczyli w bramie, sunęli przez ulicę. Jeden z nich stukał już w drzwi, chcąc wejść do środka.

Clarke mógł pomyśleć, że zwariował, nawet przemknęło mu to przez głowę, w głębi ducha pamiętał jednak, że Harry Keogh był nekroskopem. Znał jego historię – historię człowieka, który rozmawiał ze zmarłymi, którego zmarli szanowali, a nawet kochali. Co więcej, Harry mógł wzywać umarłych, o ile zaistniała taka potrzeba. „O to chodziło! To robota Harry'ego! Oto jedyne możliwe wytłumaczenie" – pomyślał Clarke oszołomiony.

Zebrani pod bramą unosili w górę szare, plamiste twarze. Patrzyli na Clarke'a, kiwali na niego, wskazując drzwi. Chcieli, żeby ich wpuścił, wiedział, w jakim celu. „Może rzeczywiście zwariowałem" – myślał, biegnąc do drzwi. „Minęła północ i w domu czai się potwór, a ja biegnę na parter, żeby wpuścić hordę nieboszczyków!”.

Drzwi do mieszkania pozostawały jednak niewzruszone, wciąż zatarasowane pianinem. Clarke naparł na nie ramieniem. Ustąpiły, ale zaledwie o cal. Po prostu brakowało mu sił...

...Ale nie brakowało ich Guyowi Robertsowi.

Clarke zauważył swego martwego przyjaciela, dopiero gdy ten stanął u jego boku, pomagając mu pchać. Roberts, o głowie zamienionej w szkarłatną, ściekającą na ramiona galaretę, przez którą prześwitywała potrzaskana czaszka, bez ustanku napierał na drzwi, przepełniony siłą płynącą zza grobu.

I wtedy Clarke po prostu zemdlał...

*

* *

Dwóch Harrych wpatrywało się oczyma niemowlęcia w samo źródło grozy, w twarz Juliana Bodescu. Wampir przykucnął nad łóżeczkiem dziecka, a jad sączący się z jego ślepi aż nadto wyraźnie zdradzał jego zamiary.

– *To już koniec!* – szepnął Harry Keogh. – *Wszystko skończone i to w taki sposób.*

– *Nie* – odpowiedział mu inny głos, wnikając w jego umysł. – *Nic nie jest skończone. Dzięki tobie nauczyłem się tego, czego miałem się nauczyć. Teraz nie jesteś mi już potrzebny. Ale wciąż potrzebuję ciebie jako ojca. Idź więc, ratuj się.*

Tylko jedna osoba mogła to powiedzieć. Odezwała się pierwszy raz w życiu i nie było już czasu, żeby pytać „jak” i „dlaczego”. Harry czuł, że ograniczenie, narzucone mu przez dziecko, ustępuje niczym zerwany łańcuch, dając mu znowu wolność. Wolność, pozwalającą skierować bezcielesny umysł w bezpieczne progi Kontinuum Möbiusa.

Mógł teraz schronić się tam, zostawiając swego syna jego własnemu losowi. Mógł, ale nie powinien tego robić.

Szczęki Bodescu rozwarły się szeroko, odsłaniając wężowaty język, drgający za rzędami kłów.

– *Idź!* – powiedział znów mały Harry, ponaglając ojca.

– *Jesteś moim synem!* – krzyknął Harry. – *Do cholery, nie mogę odejść. Nie zostawię ciebie z nim!*

– *Zostawić mnie z nim?* – Wydawało się, że niemowlę nie nadąża za jego myślami. – *Sądziłeś, że zamierzam tu zostać?*

Szponiaste łapy bestii wyciągnęły się w kierunku łóżeczka.

Julian pojął teraz, że Harry Junior jest... czymś więcej niż dzieckiem. Oczywiście, był w nim Harry Keogh, ale to nie tylko to. Chłopczyk wpatrywał się w niego, przyglądał mu się rozszerzonymi, wilgotnymi, niewinnymi oczkami – wcale się nie bał. Natomiast po raz pierwszy od opuszczenia Harkley House Julian poczuł coś w rodzaju lęku. Cofnął się nieco, ale zaraz sięgnął po dziecko.

Mały Harry pokręcił główką, szukając drzwi Möbiusa. Otwarły się tuż obok, wypływały z jego poduszki. Reszta była już prosta, brała się z instynktu, z jego genów. Cały czas miał to w sobie. Niewiarygodnie panował nad swoim umysłem, nad ciałem zaś jeszcze o wiele mniej pewnie. Ale z tym mógł sobie poradzić. Napinając niewprawne mięśnie, skulił się i przetoczył przez drzwi Möbiusa. Szpony i szczęki wampira znalazły tylko pustkę.

Julian odskoczył od łóżeczka, jakby stanęło nagle w ogniu. Spojrzał osłupiały, a potem złapał kołderkę, rozdzierając ją na strzępy. Dziecko po prostu zniknęło. „Kolejna sztuczka Harry'ego Keogha! Nekroskopa!" – pomyślał z wściekłością.

– *Nie moja, Julianie* – odezwał się cicho Harry zza pleców wampira. – *Sam to zrobił. I to nie koniec jego umiejętności.*

Bodescu odwrócił się pośpiesznie i zauważył, że sylwetka nagiego Harry'ego Keogha, jakby spleciona z rozjarzonej, błękitnej siateczki, zbliża się groźnie w jego kierunku. Przeszedł przez tę zjawę, jego szpony znów nic nie znalazły.

– Co? – wycharczał. – Co?

Harry stanął ponownie za jego plecami.

– *Jesteś skończony, Julianie* – powiedział, nie bez satysfakcji. – *Jakiegokolwiek zła byś nie uczynił, z każdym możemy dać sobie radę. Nie zdołamy wprawdzie przywrócić życia tym, których zniszczyłeś, ale możemy dać niektórym z nich szansę pomsty.*

– My? – powiedział Bodescu, sącząc słowa jak kwas. – Nie ma żadnego „my". Jesteś sam. I nawet jeśli zajmie mi to wieczność...

– *Dla ciebie nie ma już wieczności* – pokręcił głową Harry. – *Prawdę mówiąc, twój czas już się skończył!*

Z klatki schodowej docierało ciche, ale uparte szuranie stóp. Ktoś... nie, cała gromada jakichś istot wchodziła do mieszkania. Wampir wypadł z pokoiku do głównej izby i zastygł w pół kroku. Brendy Keogh nie było tam, gdzie ją zostawił, ale nie to zaprzątało jego uwagę.

Widmo Keogha płynęło za nim, by być świadkiem spotkania.

Na czele szedł policjant z rozerwanym gardłem. Posuwali się powoli i chwiejnie, ale z pełną świadomością celu.

– *Możesz zabijać żywych, Julianie, ale nie zdołasz zabić umarłych* – powiedział Harry do przerażonego wampira.

– Ty... – Bodescu znów zwrócił się w jego stronę. – Ty ich wezwałeś!

– *Nie* – zaprzeczył Harry. – *Wezwał ich mój syn. Już od jakiegoś czasu musiał z nimi rozmawiać. Zaczęli troszczyć się o niego tak, jak troszczą się o mnie.*

– Nie! – Julian rzucił się do okna, zauważył jednak, że jest stare i zamknięte na stałe. Jeden z trupów, z którego przy każdym kroku osypywały się robaki, ruszył za nim. W kościstej dłoni trzymał kuszę Clarke'a. Inni dźwigali długie drągi, wyrwane z cmentarnego płotu. Ożywione ciała zalewały teraz pokój jak ropa z pękniętego wrzodu.

– *To już koniec, Julianie* – stwierdził Harry.

Bodescu ogarnął ich wzrokiem, krzywiąc się wściekle.

– Keogh, ty bezcielesny sukinsynu! – warknął. – Myślałeś, że ty jeden posiadasz moc?

Przykucnął, rozkładając ręce. Roześmiał się szyderczo. Szyja mu się wydłużyła, ciało zafalowało dziwacznie. Potworna głowa przypominała teraz łeb jakiegoś pterodaktyla. Zdawało się, że cały trzepoce, spłaszczając się i rozszerzając, aż jego ubranie zmieniło się w strzępy, nie mogąc go w sobie zmieścić. Wyciągną ręce i wydłużył je, przeistaczając się w jakiś bluźnierczy krzyż, a potem rozwinął błoniaste skrzydła. Daleko łatwiej i płynniej niż Faethor Ferenczy, przetworzył całkowicie swe wampirze ciało. W miejscu, gdzie przed chwilą stał człekokształtny stwór, znajdowało się teraz coś w rodzaju ogromnego nietoperza...

A potem... stwór będący Julianem Bodescu odwrócił się i skoczył prosto w złożone z małych szybek okno mansardy.

– *Nie pozwólcie mu uciec!* – polecił Harry. Niepotrzebnie, gdyż i tak nie zamierzali do tego dopuścić.

Wampir przebił się przez okno, zasypując ulicę deszczem szkła i odłamków pomalowanego drewna. Wykształcił sobie coś w rodzaju lotek, wyginając potworne cielsko niczym zbłąkany latawiec, łapiący nocny wiatr wiejący z zachodu. Ale mściciel z kuszą stał już przy rozbitym oknie i składał się do strzału. Bezoki trup nie mógł wprawdzie zobaczyć potwora, ale w chwili owego niesamowitego pseudożycia jego doczesne, rozpadające się członki były w stanie korzystać ze wszystkich dostępnych im niegdyś zdolności. A był niegdyś strzelcem wyborowym.

Strzelił, trafiając Juliana w kręgosłup, w sam środek jego gumiastych pleców. Wampir wrzasnął głośno i ochryple niczym ranione zwierzę. Zgiął się w potwornym bólu, utracił panowanie nad lotem, pikując jak okaleczony ptak w kierunku cmentarza. Próbował jeszcze wzbić się, ale bełt rozłupał mu kręgosłup. Julian spadł na cmentarz, runął w wilgotne krzaki. Umarli zawrócili. Opuszczali teraz mieszkanie na poddaszu. Szurając, kontynuowali pościg.

Schodzili po schodach, jedni z ciałem odłażącym od kości, inni gubiąc kończyny, które pełzły w ślad za nimi. Harry dołączył do nich, do wszystkich zmarłych, którzy od dawna, od bardzo dawna, od dnia, w którym tu zamieszkał, byli jego przyjaciółmi. Razem z nimi szło kilku nowych znajomych, z którymi nie miał jeszcze okazji porozmawiać.

Szli tam dwaj młodzi policjanci, którzy nigdy nie wrócą do swych żon, i dwaj agenci z Wydziału Specjalnego, naznaczeni dziurami po kulach jak szkarłatnymi kwiatami. Szedł też gruby Guy Roberts, z którego głowy niewiele zostało. Przyjechał do Hartlepool, żeby załatwić pewną sprawę – i teraz miał tego dokonać.

Po schodach, przez drzwi i ulicę wszyscy szli na cmentarz. Wielu z nich nie zdołało nawet dotrzeć do mieszkania, niektórzy nie byli w stanie tego zrobić. Ale kiedy Bodescu spadł, otoczyli go kręgiem, atakując drągami, na swój milczący, martwy sposób groźni.

– *W serce* – polecił im Harry, gdy tylko się zjawił.

– *Do licha,* Harry, *on się wciąż wierci!* – zaprotestował jeden z nich. – *Jego skóra jest jak guma, a te drągi są tępe.*

– *Może to jest odpowiedź?* – Inny nieboszczyk, od niedawna martwy, wysunął się do przodu. Konstabl Dave Collins, który szedł wygięty, gdyż sto jardów dalej, w zaułku, Julian złamał mu krzyż. Niósł teraz sierp, należący do cmentarnego ogrodnika, nieco przerdzewiały, gdyż długo leżał w trawie pod murem.

– *Oto sposób* – powiedział Harry, ignorując chrapliwy wrzask Bodescu. – *Kołek, miecz i ogień.*

– *Ja mam ten ostatni.* – Ktoś z roztrzaskaną głową, Guy Roberts, ciągnął za sobą ciężki zbiornik i wąż – wojskowy miotacz ognia.

Julian dopiero teraz naprawdę wrzasnął. Ale umarli nie zważali na to. Zwalili się na niego, by go przytrzymać. Wampir-Bodescu, nie panując nad swym przerażeniem, przeistoczył się znów w człowieka. Popełnił błąd, łatwiej im przyszło znaleźć jego serce. Jeden z umarłych przyniósł kawałek nagrobka, który posłużył jako młotek i wreszcie wbili drąg tam, gdzie należało. Przyszpilony niczym jakiś szkaradny motyl, Julian wił się i skrzeczał, ale już było niemal po wszystkim.

– *Godzinę temu byłem policjantem, a teraz wygląda na to, że będę katem* – odezwał się Dave Collins.

– *To prawomocny werdykt, Dave* – przypomniał mu Harry.

Dave Collins, niczym sam Mroczny Żniwiarz, postąpił o krok do przodu i oddzielił ohydną głowę Juliana od tułowia, choć nie przyszło mu to łatwo. Potem przyszła pora na Guya Robertsa. Tęgi agent skąpał milczącego już wampira w huczącym zachłannym ogniu oczyszczenia. Kiedy skończył, zbiornik miotacza był już pusty, a z potwora niewiele zostało. Wówczas zmarli zaczęli się rozchodzić, wracali do otwartych grobów.

Harry mógł już ruszać dalej. Wiatr rozwiał mgłę Juliana i swąd spalenizny, na nocnym niebie znów zalśniły gwiazdy. Ta część roboty została wykonana, ale w innym miejscu czekało jeszcze mnóstwo do zrobienia.

Podziękował umarłym i znalazł drzwi Möbiusa...

Harry niemal już przywykł do kontinuum Möbiusa, podejrzewał jednak, że większość ludzkich umysłów uznałaby je za coś nie do zniesienia. Na czasoprzestrzennej wstędze Möbiusa istniało jedynie „nigdzie" i „nigdy", ale człowiek doskonale zrównoważony, o właściwie ukształtowanym umyśle, mógł, korzystając z niej, znaleźć się wszędzie i o każdym czasie. Przedtem jednakże musiał przełamać lęk przed ciemnością.

W fizycznym wszechświecie istnieją różne stopnie ciemności. Natura zdaje się ich nie lubić, podobnie jak nie znosi próżni. Metafizyczne kontinuum Möbiusa natomiast stworzone jest z ciemności. I nic tam nie ma poza nią. Za drzwiami Möbiusa leży Pierwotna Ciemność, starsza niż materia wszechświata.

Harry mógłby równie dobrze znajdować się w jądrze czarnej dziury, gdyby nie to, że w czarnej dziurze panuje ogromne ciążenie, tu zaś nie było po nim najmniejszego śladu. Grawitacja tu nie działała, gdyż nie istniała masa. Kontinuum było równie niematerialne jak myśl i jak ona niosło w sobie siłę. Jego moc reagowała na obecność Harry'ego, starając się go odrzucić jak pyłek w oku. Był obcym ciałem, nieakceptowanym przez kontinuum.

Tak bywało dotąd. Teraz jednak Harry wyraźnie odczuł zmianę. Poprzednio odbierał napór niematerialnych sił, próbujących wypchnąć go z powrotem w rzeczywistość. Nigdy nie odważył się im ulec wbrew swej woli, gdyż mógłby wyłonić się w czasie lub miejscu nierokującym szans na przetrwanie. Teraz jednak wydawało mu się, że owe siły uginają się nieco, a nawet przepychają, by zrobić dla niego miejsce. Uwolniony, bezcielesny umysł Harry'ego podszepnął mu, dlaczego tak się działo. Intuicja wyjaśniła, że wynikało to z jego... metamorfozy.

Z rzeczywistości w nierzeczywistość, z ciała i krwi w nieśmiertelną świadomość, z żywej istoty w ducha – Harry uparcie nie przyjmował do wiadomości faktu swej śmierci. Teraz jednak przestraszył się tej myśli. Zastanawiał, się czy to nie wyjaśniało miłości, jaką darzyli go zmarli, skoro był jednym z nich.

Ze złością odrzucił ten pomysł. Umarli kochali go już przedtem, kiedy był pełnej krwi człowiekiem. „Nadal jestem człowiekiem!" – pomyślał, choć z mniejszą niż zazwyczaj pewnością odkrywał teraz subtelną przemianę, jakiej ulegał.

Przed niespełna rokiem spierał się z Augustem Ferdynandem Möbiusem na temat związków pomiędzy wszechświatem fizycznym i metafizycznym. Möbius, spoczywający w grobie na lipskim cmentarzu, dowodził, iż oba światy są całkowicie odrębne i nie nakładają się na siebie w żaden sposób. Mogą niekiedy ocierać się o siebie, wywołując po obu stronach jakieś zjawiska – na planie fizycznym „duchy" albo fenomeny paranormalne – ale nigdy się nie pokrywają ani nie biegną równolegle.

A co do przeskakiwania z jednego w drugi i z powrotem... Harry jednakże był anomalią, łyżką dziegciu w beczce miodu Möbiusa, kluczem. A może wyjątkiem potwierdzającym regułę.

Tak działo się wówczas kiedy miał jeszcze określony kształt, był obdarzony ciałem. Harry należał do kontinuum. Stanowił jedynie byt metafizyczny i tutaj powinien pozostać. Na zawsze, pływając w niewyobrażalnych i z punktu widzenia nauki niemożliwych strumieniach sił abstrakcyjnego kontinuum Möbiusa.

Skojarzenie słowne: strumień sił – pole siłowe – linie siły – linie życia. Jasnobłękitne linie życia ciągnące się za drzwiami czasu przyszłego. I nagle Harry przypomniał sobie coś, dziwiąc się, jak mógł na to nie zważać. Wstęga Möbiusa nie mogła go zawłaszczyć, jeszcze nie, gdyż miał przed sobą przyszłość, którą sam oglądał.

Mógłby ponownie się jej przyjrzeć, gdyby tylko zapragnął, to była tylko kwestia wyboru odpowiednich drzwi. Pomyślał, że tym razem nie byłoby to tak proste. Gdyby kontinuum Möbiusa zagarnęło go, sunącego poprzez czas, wiecznie musiałby mknąć w przyszłość. Na szczęście dość dobrze wszystko pamiętał.

Szkarłatna linia życia, dążąca ku błękitnym nitkom jego i Harry'ego Juniora – Julian Bodescu.

Potem nić życia niemowlęcia raptownie odskoczyła od toru ojca, umknęła w innym kierunku. To mogła być jedynie ucieczka przed wampirem, chwila, gdy malec po raz pierwszy skorzystał z kontinuum Möbiusa. Później – to niesamowite zderzenie...

Nowa błękitna nić, wyblakła, postrzępiona, niknąca. Oba pasma ulegały chyba jakiemuś niepojętemu wzajemnemu przyciąganiu. Zlały się wreszcie w jedną jaskrawobłękitną linię, o wiele jaśniejszą i szybszą niż wszystkie inne. Przez moment Harry poczuł obecność, a może tylko niknące echo obecności, innego umysłu, wchodzącego w jego własny. Ale zaraz i to wygasło, a jego nić nieprzerwanie sunęła dalej...

I do tego rozpoznał tamto echo.

Był już pewien, w którą stronę ma się udać, kogo musi odnaleźć. I nieco mniej zręcznie niż zazwyczaj skierował się do londyńskiej kwatery INTESP.

Na ostatnim piętrze budynku – w samowystarczalnym kombinacie, złożonym z biur, laboratoriów, kwater prywatnych i wspólnej salki rekreacyjnej – mieszczącym główną kwaterę INTESP, panowało zamieszanie. To, co wydarzyło się tu przed kwadransem, wykraczało poza wszelkie dotychczasowe doświadczenia obecnych tu osób, nawet jeżeli wzięłoby się pod uwagę specyficzny charakter placówki i niezwykłe talenty jej personelu. Zdarzenia tego nie poprzedziły żadne ostrzeżenia; nie przeczuli jego nadejścia telepaci, jasnowidze ani inne media; to coś po prostu „stało się", sprawiając, że agenci biegali w koło jak mrówki w naruszonym kopcu.

„Tym czymś" było przybycie Harry'ego Keogha Juniora i jego matki. INTESP dowiedział się o tym, gdy nagle rozdzwoniły się wszystkie sygnały alarmowe. Przyrządy rejestrujące odezwały się w głównym biurze, w gabinecie Kyle'a. Tyle tylko, że od wyjazdu szefa do Włoch bywał tam jedynie John Grieve, a w tej akurat chwili pokój był zabezpieczony. Nie sposób było przyjąć, że ktoś mógł tam przebywać.

Oczywiście, sądzono, że to uszkodzenie systemu alarmowego... I wtedy pojawiły się pierwsze prawdziwe sygnały owego wydarzenia. Wszyscy pracownicy paranormalni INTESP odebrali je równocześnie: odczuli obecność kogoś potężnego, giganta psychicznego, który zstąpił do kwatery głównej Harry'ego Keogha.

Otwarli wreszcie drzwi do biura Kyle'a i ujrzeli na środku dywanu dziecko, tulące się do matki. Taka materializacja nie miała miejsca nigdy przedtem, przynajmniej nie w INTESP. Keogh odwiedzał Kyle'a jako ulotna, bezcielesna zjawa, cień dawnego Harry'ego. Ci ludzie natomiast byli prawdziwi, dotykalni, żywi. Oddychali. Teleportowali się tutaj.

„Dlaczego?" – to nie budziło wątpliwości. Aby uciec przed Bodescu. Jednakże pytanie „jak" musiało zaczekać na odpowiedź. Matka i dziecko, a zatem i INTESP, byli bezpieczni i tylko to się liczyło.

Początkowo wydawało się, że Brenda Keogh śpi, ale John Grieve, badając ją, odkrył pokaźny, miękki guz na potylicy i stwierdził, że dziewczynę ogłuszono. Dziecko zaś czujnie rozglądało się dokoła szeroko otwartymi oczyma. Nieco zdziwione, ale nie przestraszone, leżało w ramionach matki i ssało kciuk. Wyglądało na to, że wszystko z nim w porządku.

Agenci ostrożnie przenieśli nowo przybyłych do kwater personelu, położyli do łóżka i wezwali lekarza. Sami, zaaferowani, zebrali się w sali narad, by omówić sytuację. I wtedy pojawił się Harry.

Chociaż jego przybycie zaskoczyło ich, nie spowodowało szoku, a nawet rozładowało nieco napięcie. Materializacja, z którą zetknęli się tak niedawno, przygotowała ich na jego wizytę. Można było nawet powiedzieć, że go oczekiwali. John Grieve zajął właśnie miejsce na podium i przygasił światła. Harry pojawił się w postaci, o której wszyscy słyszeli, ale niewielu, a w tym nikt z obecnych na sali, miało okazję go oglądać: jako zarys, niemal hologram, młodego mężczyzny, uformowany z nikłej siateczki jasnobłękitnych włókien. I znów rozeszła się owa psychiczna fala uderzeniowa, świadcząca o obecności metafizycznej Mocy.

John Grieve również ją odczuł, ale Harry'ego zobaczył jako ostatni, gdyż nekroskop pojawił się na podium, prawie za jego plecami. Stały oficer dyżurny usłyszał zbiorowe westchnienie niewielkiej publiczności, która zajęła właśnie miejsca i odwrócił się.

– Mój Boże! – zawołał. Nogi się pod nim ugięły.

– *Nie* – sprostował Harry. – *Tylko* Harry *Keogh. Dobrze się czujesz?*

Grieve omal nie spadł z podium, ale w ostatniej chwili złapał równowagę. Uspokoił się.

– Tak sądzę – powiedział i podniósł dłoń, żeby uciszyć podekscytowanych esperów. – Co się dzieje, Harry?

Zszedł z podium i cofnął się.

– *Spróbujcie się nie lękać* – poradził zebranym Harry. Zaczynał się już przyzwyczajać do takich, niemal rytualnych, występów. – *Jestem jednym z was, pamiętacie?*

– Nie boimy się, Harry. – Ken Layard odzyskał głos. – Po prostu... jesteśmy ostrożni.

– *Gdzie jest Alec Kyle?* – zapytał Harry. – *Wrócił już?*
– Nie – powiedział Grieve, patrząc gdzieś w bok. – I prawdopodobnie już nie wróci. Ale twoja żona i syn dotarli tu bez problemów.
Widmo Keogha westchnęło z wyraźną ulgą. Wiadomo już było, do jakiego stopnia dziecko wniknęło w jego umysł.
– *To dobrze!* – stwierdził Harry. – *Przynajmniej, jeśli chodzi o Brendę i malca. Wiedziałem, że gdzieś się ukryją, ale to miejsce jest najbezpieczniejsze...*
Garstka esperów poderwała się już z foteli i otaczała kręgiem podium.
– To znaczy, że niee ty... hm... ich tu przysłałeś? – zdziwił się Grieve.
– *To była robota dzieciaka.* – Harry potrząsnął świetlistą głową. – *Mały sprowadził tu matkę przez kontinuum Möbiusa. Lepiej zadbajcie o niego, to piekielnie cenny nabytek! Ale słuchajcie, pewne sprawy nic mogą czekać, więc potrzebują wyjaśnień. Opowiedzcie o Alecu.*
Grieve spełnił jego żądanie.
– Wiem, że jest tam, na Zamku Bronnicy, ale odbieram go, jakby... no, jakby nie żył.
Harry ciężko przyjął ten cios. Owa dziwna błękitna nić życia, postrzępiona, niknąca. Alec Kyle.
– *Są sprawy, które powinniście wiedzieć* – powiedział. Widać było, że się śpieszył. – *Sprawy, które macie prawo wiedzieć. Po pierwsze: Julian Bodescu nie żyje.*
– Boże, to cudownie! – krzyknął Layard.
Teraz Harry odwrócił wzrok.
– *Guy Roberts też nie żyje* – powiedział.
– A Darcy Clarke? – zapytał ktoś.
– *O ile wiem, nic mu nie jest* – uspokoił go Harry. – *Słuchajcie, wszystko inne musi zaczekać. Czas na mnie. Ale mam wrażenie, że jeszcze się zobaczymy.*
Przeistoczył się w ostre, błękitne światełko i zniknął...
Harry dość dobrze znał drogę do Zamku Bronnicy, ale kontinuum Möbiusa stawiało mu opór. Walczyło, żeby go pochłonąć, żeby go w sobie zatrzymać. Im dłużej pozostawał bezcielesny, tym silniejszy był ów napór, zmierzający do usidlenia go w niekończącej się nocy obecnego wymiaru. Nekroskop jeszcze się bronił.

Alec Kyle nie umarł i Harry o tym wiedział. Gdyby był martwy, nekroskop mógłby dotrzeć do jego umysłu i rozmawiać z nim, tak jak rozmawiał z umarłymi. Ale pomimo wszelkich prób, początkowo ostrożnych, lękliwych, na szczęście nie zdołał nawiązać kontaktu. To go ośmieliło, sięgnął głębiej, wytężając wszystkie siły z nadzieją, że i tym razem poniesie fiasko. A jednak...

...Harry, przerażony, odebrał ciche, niknące echo głosu znanego sobie człowieka – rozpaczliwy, słabnący krzyk, pogrążający się w nicości. Taka wskazówka wystarczała Harry'emu. Puścił się natychmiast w tamtym kierunku.

I wówczas... jakby dostał się w wir. Wróciło wspomnienie zmagań z Harrym Juniorem, tyle że to tutaj było dziesięć razy silniejsze i nieodparte. Harry nie musiał nawet walczyć o uwolnienie się z kontinuum Möbiusa – został z niego wydarty. Wyrwany i ciśnięty...

*

* *

Wprawdzie nie przyszło jej to łatwo, ale Zek Foener w końcu usnęła – po to jedynie, by godzinami rzucać się i przewracać w sidłach najbardziej koszmarnych snów. Nad ranem obudziła się wreszcie, próbując przeniknąć wzrokiem ciemność, w jakiej tonął jej spartański pokój. Po raz pierwszy od przybycia do Zamku Bronnicy czuła się tu obco. Jej praca kryła w sobie jedynie pustkę, nie przynosiła nagród ani satysfakcji. Była złem, gdyż służyła złym ludziom. Pod kierownictwem Feliksa Krakowicza sprawy wyglądały inaczej, ale teraz rządził Iwan Gerenko... Nawet jego nazwisko wymawiała z niesmakiem. Wiedziała, że jeżeli Gerenko przejmie władzę, nie będzie już dla niej życia.

Zek wstała, spryskała twarz zimną wodą i zeszła do piwnic, w których mieściły się laboratoria. Po drodze, na schodach i w korytarzu, minęła nocnego technika i espera. Obaj pozdrowili ją ruchem ręki, ale nie zwróciła na to uwagi. Przeszła obok nich. Sama musiała kogoś pozdrowić – człowieka, w którym niewiele pozostało życia.

Weszła do psycholaboratorium, wzięła stalowe krzesło i usiadła obok Kyle'a, dotykając jego bladego ciała. Puls był niepewny, falowanie piersi – słabe i nienaturalne. Mózg Anglika niemal już obumarł... a za dwadzieścia cztery godziny eksperci z Berlina Zachodniego zaczną się głowić, kim był ten człowiek i co go zabiło.

I sama wzięła w tym udział. Oszukano ją, wmówiono jej, że Kyle był szpiegiem, wrogiem, którego wiedza przedstawiała dla Związku Radzieckiego ogromną wartość. W rzeczywistości liczyła się tylko dla Iwana Gerenki. Zek broniła się przed tą chorą kreaturą; wykręcała się, kiedy Gerenko stwierdził, że przyczyniła się do tego mordu, ale nie była w stanie obronić się przed własnym sumieniem.

Dla Gerenki i tysięcy takich jak on, którzy tylko czytali raporty, wszystko wydawało się łatwe. Ona czytała umysły, a to zupełnie coś innego. Umysł to nie książka. Książki tylko opisują emocje, rzadko pozwalając je odczuć. Dla telepaty jednak emocja jest rzeczywistością, surową i potężną jak najlepsze opowiadanie. Zek nie czytała dziennika wykradzionego Kyle'owi, czytała jego życie. A robiąc to, pomagała je wykradać.

Oczywiście uważała go za wroga, jako że był wierny innemu krajowi, odmiennemu systemowi wartości. Ale czy z tej racji stanowił zagrożenie? – co do tego nie miała pewności. Wśród wyższych rangą członków jego rządu znajdowały się osobistości, które pragnęły upadku Rosji, jej zniewolenia. Ale Kyle nie był militarystą ani wywrotowcem dążącym do obalenia komunizmu. Był humanistą, przepełnionym wiarą, że wszyscy ludzie są braćmi albo powinni się nimi stać. Jako członek brytyjskiego Wydziału ESP, bywał wykorzystywany, podobnie jak teraz Zek, choć oboje powinni pracować w imię wyższych celów.

Jego umysł, jego wspaniały umysł, przepadł na zawsze.

Zek rozejrzała się przez łzy, z odrazą spoglądając na aparaturę rozstawioną pod sterylnymi ścianami.

Zdecydowała, że jeśli tylko będzie to możliwe, spróbuje jakoś wyrwać się z Wydziału E. Zdarzało się już, że telepaci tracili swój talent, dlaczego więc ją miałoby to ominąć. Postanowiła to upozorować, przekonać Gerenkę, że nie przedstawia już żadnej wartości dla jego zbrodniczej organizacji...

Straciła nagle wątek. Palce, spoczywające na przegubie Kyle'a, wyczuły, że puls stał się miarowy i silny. Pierś Anglika wznosiła się i opadała rytmicznie, a jego umysł...

Odezwał się umysł kogoś innego. Płynęła z niego zdumiewająca swym ogromem fala mocy psychicznej. To nie była telepatia – różniła się od wszystkiego, z czym Zek miała kiedykolwiek do czynienia – ale posiadała ogromną moc. Zek cofnęła pośpiesznie dłoń i poderwała się, odkrywając, że nogi ma jak z waty. Stała teraz, łapiąc powietrze, wpatrzona w człowieka na stole operacyjnym, na stole, który powinien być raczej katafalkiem. Myśli owego człowieka, początkowo niezborne, dostroiły się w końcu do jej umysłu.

– To nie moje ciało – powiedział do siebie Harry, nie wiedząc, że ktoś jeszcze go słucha. – Ale jest dobre i do tego wolne! Alec, dla ciebie to już koniec, dla mnie jednak jest jeszcze szansa, wielka szansa dla Harry'ego Keogha, Boże! Alec, gdziekolwiek teraz jesteś, wybacz mi!

Tożsamość Harry'ego była zapisana w umyśle Zek i dziewczyna wiedziała już, że się nie myli. Nogi się pod nią ugięły. A potem owa postać na stole, kimkolwiek była, otworzyła oczy i usiadła, co przesądziło sprawę. Zek na sekundę lub dwie straciła przytomność. Trwało to krótko, ale nie na tyle, by nie zdążyła osunąć się na podłogę. Mężczyzna zaś zdołał zwiesić nogi ze stołu i opaść przy niej na jedno kolano. Energicznymi ruchami roztarł jej przeguby. Poczuła ów dotyk, poczuła jego ciepłe dłonie na swym lodowatym teraz ciele. Jego ciepłe, pełne życia, silne dłonie.

– Jestem Harry Keogh – powiedział, ledwie podniosła powieki. Dzięki brytyjskim turystom, którzy odwiedzali Zakhintos, Zek poznała nieco angielski.

– Ja... wiem – odparła. – Ja... ja zwariowałam!

Przyjrzał się jej, popatrzył na szary mundur z ukośnym żółtym paskiem na wysokości serca, przeniósł wzrok na salę i rozstawioną w niej aparaturę, a w końcu spojrzał, z ogromnym zdumieniem, na swoje nagie ciało.

– Miałaś z tym coś wspólnego? – zapytał nieufnie.

Zek wstała, odwracając wzrok. Nadal dygotała. Wątpiła w trzeźwość swego umysłu. Wydawało się, że Harry czyta w jej myślach, ale w rzeczywistości jedynie snuł przypuszczenia.

– Nie – stwierdził. – Nie zwariowałaś. Jestem tym, za kogo mnie, uważasz. I zadałem ci pytanie. Czy ty zniszczyłaś umysł Kyle'a?

– Brałam w tym udział – przyznała w końcu. – Ale nie przy... tym. – Jej błękitne oczy zerknęły na aparaturę, po czym znów skupiły się na Harrym. – Jestem telepatką. Czytałam jego myśli, podczas gdy oni...

– Podczas gdy oni je wymazywali?

Zwiesiła głowę, potem podniosła ją, mruganiem powstrzymując łzy.

– Dlaczego tu przyszedłeś? Ciebie też zabiją!

Harry popatrzył na siebie. Zaczynało do niego docierać, że jest nagi. Początkowo miał wrażenie, że otrzymał nowe ubranie, teraz jednak widział, że to tylko ciało. Jego ciało.

– Nie wszczęłaś alarmu – powiedział.

– Nic nie zrobiłam, jeszcze – odparła, bezradnie wzruszając ramionami. – A może ty się mylisz i rzeczywiście zwariowałam?

– Jak ci na imię?

Powiedziała mu.

– Posłuchaj, Zek – zaczął. – Byłem tu przedtem. Wiedziałaś o tym?

Przytaknęła. Wiedziała o tym i o zniszczeniach, jakie spowodował.

– Cóż, teraz odchodzę, ale wrócę. Wkrótce. Tak szybko, że nie zdołasz temu zapobiec. Jeżeli wiesz, co wydarzyło się tutaj podczas mojej ostatniej wizyty, pojmiesz moje ostrzeżenie. Zabieraj się stąd. Idź dokądkolwiek. Rozumiesz?

– Odchodzisz? – Poczuła, że wpada w histerię, poczuła, że wzbiera w niej niepohamowany śmiech. – Sądzisz, że wydostaniesz się stąd, Harry Keogh? Zapewne nie wiesz, że jesteś w sercu Rosji! – Niemal się odwróciła, ale znów spojrzała w jego stronę. – Nie masz najmniejszej szansy... – Nie zdołała jednak już dostrzec Harry'ego, który...

*

* *

Znalazłszy się w Kontinuum Möbiusa, Harry wywołał Carla Quinta i natychmiast otrzymał odpowiedź.

– Jesteśmy tu, Harry. Spodziewaliśmy się, że prędzej czy później do nas trafisz.

– My? – Harry poczuł, że serce mu staje.

– Ja, Feliks Krakowicz, Siergiej Gulcharow i Michaił Wołkoński. Teo Dołgich załatwił nas wszystkich. Znasz oczywiście Feliksa, ale jeszcze nie zetknąłeś się z Michaiłem. Polubisz go. To facet z charakterem! A co z Alekiem? Jak mu poszło?

– Nie lepiej niż wam – stwierdził Harry, kierując się w ich stronę. Opuścił nieskończoną wstęgę Möbiusa i znalazł się pośród gruzów karpackiego zamku Faethora Ferenczyego. Minęła trzecia i pod księżycem przemykały się chmury, przeistaczając szeroką półkę nad wąwozem w krainę widmowych cieni. Wiatr z ukraińskich równin sprawił, że nagie ciało nekroskopa przeniknął dreszcz.

– A zatem Alec też oberwał? – W głosie Quinta czuło się gorycz, po chwili jednak ustąpiła miejsca pewnemu ożywieniu. *– Może się z nim spotkamy?*

– Nie – powiedział Harry. – Nie spotkacie się. Wątpię, czy kiedykolwiek uda się wam go odnaleźć. Chyba nikomu się to nie uda. – Wyjaśnił, co ma na myśli.

– Musisz wyrównać rachunki, Harry – rzekł Quint, kiedy dowiedział się wszystkiego.

– Cofnąć się tego nie da – stwierdził nekroskop. – Ale można go pomścić. Poprzednim razem ostrzegałem ich, teraz zaś zmiotę z powierzchni ziemi. Całkowicie! Przybyłem do was w poszukiwaniu motywacji. Pozbawianie życia to nie mój styl. Robiłem to, ale to dość paskudna sprawa. Lepiej, gdy zmarli mnie kochają.

– Większość z nas zawsze będzie cię kochała – rzekł Quint.

– Nie byłem pewien, czy zdołałbym raz jeszcze dokonać masakry – ciągnął Harry. – Teraz wiem, że jestem w stanie.

Feliks Krakowicz milczał aż do tej pory.

– Nie mam prawa cię powstrzymywać – odezwał się jednak. *– Ale jest tam paru dobrych ludzi.*

– Jak Zek Foener?

– Tak, to jedna z nich.

– Już powiedziałem jej, że ma się stamtąd wynieść. Sądzę, że tak postąpi.

– Cóż – Harry usłyszał westchnienie Krakowicza i niemal zobaczył, jak Rosjanin kiwa głową – *choć to mnie cieszy...*

– Chyba już czas, bym ruszył dalej – stwierdził Harry. – Carl, może ty jesteś w stanie mi powiedzieć, czy Wydział E ma dostęp do materiałów wybuchowych o dużej sile rażenia?

– *Wydział może otrzymać wszystko, czego zechce. To tylko kwestia czasu!* – odpowiedział Quint.

– Hmm – zadumał się Harry. – Miałem nadzieję, że załatwię to szybko. Choćby dzisiejszej nocy.

– Harry, *czy to oznacza, że chcesz zapolować na maniaka, który nas zabił?* – zapytał Michaił Wołkoński. – *Jeżeli tak, to może zdołam ci pomóc. Za życia wiele wysadzałem, głównie żelatyną wybuchową, ale używałem też innych środków. W Kołomyi jest miejsce, gdzie je magazynują. Detonatory też. Mogę ci nawet wyjaśnić, jak ich użyć.*

Harry kiwnął głową i usadowił się na pokruszonym murze, tuż nad samym skrajem wąwozu. Pozwolił sobie na mroczny, niewesoły uśmiech.

– Mów dalej, Michaile – powiedział. – Zamieniam się w słuch...

*

* *

Coś obudziło Iwana Gerenkę. Nie wiedział, o co dokładnie chodziło, ale czuł, że coś jest nie tak, jak trzeba. Ubrał się najszybciej, jak potrafił, wezwał przez interkom oficera dyżurnego i spytał, czy wszystko jest w porządku. Wyglądało na to, że tak. A Teo Dołgich miał pojawić się lada moment.

Wyłączywszy interkom, Gerenko wyjrzał przez wielkie okno o wypukłej, kuloodpornej szybie. I wstrzymał oddech. Z głównego budynku wymykała się w noc jakaś postać, osrebrzona księżycową poświata. Na mundur narzuciła płaszcz, ale Gerenko wiedział, z kim ma do czynienia. „Zek Foener" – pomyślał.

Szła wąskim podjazdem. Musiała, gdyż pola pełne były min i potykaczy. Usiłowała iść lekko i swobodnie, coś w jej ruchach zdradzało jednak, że ucieka. „Wyszła na przepustkę, zapewne tłumacząc się bezsennością. A może naprawdę nie mogła spać i wymknęła się zaczerpnąć świeżego powietrza? Rzeczywiście! Zapewne chodziło o dość długi spacer – do Moskwy, do Leonida Breżniewa!" – pomyślał z wściekłością.

Zbiegł po krętych schodach, odebrał od wartownika strzegącego drzwi kluczyki od służbowego wozu i ruszył w pościg za dziewczyną. Zerknąwszy na zachód, zobaczył światła nadlatującego helikoptera – przybywał Teo Dołgich.

Przejechawszy dwie trzecie drogi dzielącej budynki od masywnego muru okalającego cały teren, Gerenko dopędził dziewczynę, zjechał na pobocze i zatrzymał wóz. Uśmiechnęła się, osłaniając oczy przed blaskiem reflektorów, a potem zauważyła, kto pochyla się nad kierownicą. Uśmiech zastygł jej na twarzy.

Gerenko opuścił szybę.

– Wybieracie się dokądś, *fraulein Foener?* – zapytał.

Dziesięć minut wcześniej Harry przeszedł z kontinuum Möbiusa do wnętrza jednego z zamkowych bunkrów. Był tu już przedtem, znał położenie wszystkich sześciu bunkrów i był przekonany, że korzysta się z nich jedynie w razie alarmu. Jeżeli wykryto nieobecność Kyle'a, będzie miał do czynienia właśnie z takim przypadkiem. W kieszeni płaszcza, skradzionego z wojskowego składu w Kołomyi, ukrył naładowany pistolet.

Przez plecy przewiesił pękatą, podłużną torbę, ważącą ze sto funtów. Zdjął ją teraz, rozpiął i wyjął pierwszy z sześciu owiniętych w gazę „serków". Właśnie z miękkim, szarym serem kojarzył mu się ów materiał, tyle że cuchnął o wiele gorzej. Harry przykleił plastik do wieka zapieczętowanej skrzynki z amunicją i wetknął weń detonator zegarowy, nastawiając go na dziesięć minut. Zajęło mu to może trzydzieści sekund – nie był pewien, gdyż nie miał zegarka. Potem przeniósł się do kolejnego bunkra, ustawił zapalnik na dziewięć minut i teleportował się dalej...

W niespełna pięć minut później zaczął robić to samo już we wnętrzu Zamku Bronnicy. Najpierw udał się do psycholaboratorium, materializując się przy stole operacyjnym. Wydało mu się dziwne, że trzy kwadranse wcześniej leżał tu bezradny. Pocąc się, wepchnął plastik pomiędzy dwie ohydne maszyny, których użyto do opróżnienia umysłu Kyle'a, ustawił detonator i podniósł o wiele już lżejszą torbę, by przejść przez drzwi Möbiusa.

Wyłoniwszy się na korytarzu w sekcji mieszkalnej, stanął oko w oko ze strażnikiem dokonującym regulaminowego obchodu!

Tamten wyglądał na zmęczonego, ze zwieszonymi ramionami przemierzał korytarz już po raz piąty w ciągu owej nocy. Podniósł wzrok i zobaczył Harry'ego. Dłoń strażnika powędrowała do zawieszonego na biodrze pistoletu.

Harry dotąd nie miał pojęcia, jak jego nowe ciało zareaguje na napaść, teraz mógł to sprawdzić. Walczyć nauczył się dawno temu od jednego z pierwszych przyjaciół, jakich znalazł pośród umarłych, Grahama Lane'a, eks-wojskowego i nauczyciela z jego dawnej szkoły, który zginął podczas wspinaczki na jeden z nadmorskich klifów.

Dłoń Harry'ego spadła na sięgającą po pistolet rękę, wpychając broń z powrotem w kaburę. W tej samej chwili jego kolano wbiło się w krocze strażnika, a pięść trafiła w twarz. Zaatakowany nie narobił wiele hałasu. Zgasł jak świeca.

Keogh założył kolejny ładunek w korytarzu. Czuł, jak bardzo trzęsą mu się ręce. Pocił się. Ciekaw był, ile czasu mu jeszcze zostało. Nie chciał stać się ofiarą własnych fajerwerków.

Wykonał jeszcze jeden skok, prosto do centralnej dyżurki zamku i wyłaniając się, jednym uderzeniem strącił oficera dyżurnego z obrotowego krzesła. Rosjanin nie zdążył nawet podnieść wzroku. Przylepiwszy resztę plastiku do blatu biurka, pomiędzy radiostacją a centralką, Harry umocował ostatni detonator i wyprostował się – spoglądając prosto w lufę kałasznikowa.

Po drugiej stronie uniesionej przegrody drzemał na krześle młody strażnik. Rozdziawione usta i ogłupiały wzrok powiedział Harry'emu wszystko. Rosjanina obudził głuchy stuk towarzyszący upadkowi oficera dyżurnego. Harry nie miał pojęcia, na ile strażnik był już rześki i co do niego docierało, wiedział jednak, że znalazł się w poważnych tarapatach. Ostatni detonator ustawiony był zaledwie na minutę.

Zaskoczony strażnik wymamrotał po rosyjsku jakieś pytanie. Harry wzruszył ramionami, robiąc kwaśną minę. Wyciągnął rękę, wskazując coś, co znajdowało się za plecami Rosjanina. Wiedział, że to stara sztuczka, ale starocie bywały niezawodne. Oczywiście, podziałała. Strażnik odwrócił głowę i ów paskudny wylot lufy...

A kiedy znów spojrzał przed siebie, nie znalazł już Harry'ego. I dobrze się stało, gdyż właśnie upłynęło dziesięć minut...

Bunkry wybuchły jak chińskie fajerwerki, podmuch wypchnął w górę betonowe stropy i rozwalił ściany. Pierwsza eksplozja – intensywny błysk, gdyż huk z tej odległości był słabo słyszalny – sprawiła, że wsiadająca już do jeepa Zek Foener zadrżała i skuliła się. Potem od strony zamku dobiegł trzask i przeciągły łoskot, a ziemia zatrzęsła się po raz pierwszy. Poruszone owym wstrząsem, miny przeciwpiechotne, którymi nafaszerowano pole, wybuchły, miotając w powietrze fontanny ziemi i torfu. Wyglądało to jak bombardowanie.

– Co? – Gerenko obrócił się w fotelu i popatrzył na zamek, nie wierząc własnym oczom. – Bunkry? – Osłonił twarz przed blaskiem eksplozji.

– Harry Keogh! – szepnęła Zek, tak by tego nie usłyszał.

Potem eksplodował główny budynek. Niższe partie ścian rozdęły się, jakby nabierały tchu. Prężyły się coraz bardziej, aż w końcu pękły, skąpane w powodzi białego światła i złotego ognia. Zek poczuła siłę wybuchu, podmuch cisnął ją na drogę, kalecząc osłaniające twarz ręce.

Zamek Bronnicy zapadał się powoli. Niczym budowla z piasku ogarnięta pierwszą falą przypływu, gubił swój kształt, obracając się w proch. W trzewiach jego płonęły wulkaniczne ognie, wylewające się przez kratery w ścianach. Ledwie wieże i górne piętra runęły do środka, znów uniosły się w powietrze, wypchnięte przez kolejne wybuchy. Zamek obrócił się już w perzynę, ale jeszcze jeden huk wzbogacił wszechobecną kakofonię – potężna eksplozja w dyżurce.

W owej chwili Zek siedziała już w jeepie obok Gerenki. Oboje poczuli, jak masywna pięść wali w samochód, popychając go w przód. W ich uszy wdarła się straszliwa detonacja. Nagły błysk zmusił ich do zamknięcia oczu. Wielka ognista kula zamieniła wszystko w negatyw, zamazując całą scenę i przeistaczając głęboką noc w oślepiająco jasny dzień. Rozwiała się wreszcie, ujawniając niesamowitą prawdę – Zamek Bronnicy już nie istniał. Jego resztki, od kamyków po potężne betonowe bloki, spadały jeszcze na ziemię jak ulewny deszcz. Kłęby czarnego dymu przesłaniały księżyc. Pośród wypatroszonych ruin kipiał jeszcze bladożółty ogień. Nieliczni ludzie błąkali się niczym okaleczone muchy, szukając drogi ucieczki z tego piekła.

Gerenko, oszołomiony, zatrzymał jeepa i nie mógł go ponownie uruchomić. Wysiadł i kazał Zek zrobić to samo. Helikopter, który już podczas pierwszej eksplozji raptownie zawrócił, krążył teraz nad nimi. Obniżył lot i niezgrabnie wylądował na drodze, pod zewnętrznym murem. Teo Dołgich zamienił kilka słów z pilotem, wysiadł i ruszył biegiem w stronę jeepa. Zek Foener i Gerenko, zataczając się, wyszli mu naprzeciw.

– To za Aleca – powiedział cicho Harry Keogh.

Stał w cieniu, u podnóża muru, obserwując troje ludzi zbliżających się do helikoptera. Przyjrzał się obu mężczyznom – strzępowi człowieka i masywnemu osiłkowi – oraz sposobowi, w jaki wpychali dziewczynę do śmigłowca. Potem maszyna odleciała i Harry został sam na sam z nocą i swym potwornym dziełem. Na szalejące płomienie, niczym powidok, nakładał mu się wciąż obraz owych dwu mężczyzn. Harry nie wiedział, kim byli, ale intuicja podszeptywała, że przede wszystkim oni powinni byli paść ofiarą eksplozji.

Będzie musiał zapytać o nich Carla Quinta i Feliksa Krakowicza...

EPILOG

W trzy dni później Iwan Gerenko, Teo Dołgich i Zek Foener stali na stoku karpackiego wąwozu i spoglądali ponuro na wielki zwał łupku i gruzu, z którego sterczały jedynie ruiny masywnych murów zamczyska. Było tu pusto, jak może być tylko w górach, pośród szczerbatych grani i szczytów, gdzie wyją wiatry, a drapieżne ptaki krążą wolno pod zasnutym chmurami niebem. Zbliżał się wieczór i zaczynało się ściemniać, ale Gerenko nalegał, żeby zobaczyli rumowisko. Wprawdzie tego dnia nic już nie mogli zdziałać, liczył jednak na to, że zorientuje się, jakiego rodzaju prace należy podjąć.

Gerenko przybył w to miejsce, gdyż Leonid Breżniew dał mu tydzień na wyjaśnienie – na całkowite wyjaśnienie – zagłady Zamku Bronnicy. Dołgich towarzyszył mu, ponieważ Jurij Andropow również żądał wyjaśnień. Zek – jedynie po to, by Gerenko mógł mieć ją wciąż na oku. Powiedziała, że utraciła swój dar w chwili, gdy dokoła rozpętało się owo niepojęte piekło. Dodała też, że co gorsza, pożar wypalił w niej wszystko, czego dowiedziała się od Kyle'a. W to jednak Gerenko wątpił. Poza tym nie mógł być pewien, że zostawiona samopas w Moskwie, siedziałaby cicho.

Najważniejszym powodem jej obecności w górach był jednak fakt, że uważano ją za najlepszą na świecie telepatkę bliskiego zasięgu. Jeżeli kłamała, czego Gerenko był niemal pewien, pierwsza wyczułaby ewentualne niebezpieczeństwo i jej reakcja podszepnęłaby Gerence, czego się może spodziewać. A po tym, co wydarzyło się w zamku, musiał dbać o własne bezpieczeństwo. Umysł taki jak Zek Foener mógł się okazać nieoceniony.

– Nic – powiedziała, niechętnie patrząc na szare ruiny. Na jej czole pojawiły się zmarszczki. – Kompletnie nic. A gdyby nawet coś się pojawiło, nie potrafiłabym przecież tego odczytać. Już nie. Powiedziałam, Iwanie, mój talent przepadł. Spłonął w tym straszliwym pożarze i teraz... nie pamiętam nawet... czym się cechował.

Po części mówiła prawdę; jej talent pozostał nienaruszony – wiedziała o tym, czując kipiel przepełniającą umysł Gerenki i kloakę w myślach Dołgicha – ale nie mogła wykryć nic innego. Nie mogła, gdyż tylko Keogh potrafił rozmawiać ze zmarłymi i słyszał prowadzone przez nich dysputy.

– Nic! – powtórzył chrapliwie Gerenko. Kopnął w ziemię. Kamyki rozprysnęły się na wszystkie strony. – A zatem nastał dla nas czarny dzień.

– Może dla ciebie, towarzyszu – stwierdził Dołgich, stawiając kołnierz płaszcza, – Ty odpowiadasz przed Pierwszym Sekretarzem, który wiele stracił. Andropow może nic nie zyskał, ale i stracił bardzo mało. Nawet tego nie zauważy. Nie złupi mi za to skóry. Od lat toczył wojnę z Wydziałem E, a teraz wy, paranormalni, jesteście wykończeni. Żaden powód do smutku. Nie będzie nad tym bolał, daję słowo.

– Ty głupcze! – zawołał Gerenko. – I teraz powrócisz do zwykłego bandytyzmu? A jak daleko zajdziesz? Ze mną, Teo, mogłeś mieć świat u stóp. Być na szczycie. A teraz?

Pod gruzem, który zasypał tyły zamku, coś drgnęło. Kamienie spiętrzyły się w kopczyk, który pękł, wypuszczając w nocne powietrze cuchnące gazy. Skrwawiona trupia ręka błąkała się przez chwilę po omacku, aż wreszcie znalazła oparcie na skale. Ale obaj mężczyźni i dziewczyna nic nie usłyszeli.

Dołgich skrzywił się, słysząc słowa karła.

– Towarzyszu, nie jestem pewien, czy chcę z tobą gdzieś zajść – odparł. – Wolę towarzystwo mężczyzn i niekiedy kobiet. – Zerknął na Zek Foener, oblizując wargi. – Ostrzegam cię, uważaj kogo nazywasz głupcem. Szef Wydziału E? Niczego już nie jesteś szefem. Jedynie zwykłym obywatelem i do tego żałosną kreaturą.

– Idiota! – wymamrotał Gerenko, odwracając się od Dołgicha. – Dureń! Gdybyś owej nocy był w Zamku Bronnicy, podejrzewałbym, że to twoja sprawka! Cholernie lubisz wybuchy, Teo!

Dołgich złapał go za chude ramię i przyciągnął do siebie. Talent Gerenki czuwał... ale jak dotąd agent nie zamierzał targnąć się na karła.

– Posłuchaj, ty pokurczu – Dołgich wyrzucał z siebie słowa. – Myślisz, że jesteś taki wielki i potężny, ale zapominasz, że wciąż mam na ciebie tyle haków, iż mogę wsadzić cię za kratki na resztę twoich dni!

Ich kłótnia zagłuszyła chrzęst kamieni osypujących się w głębi ruin. Michaił Wołkoński klęknął, a potem wstał. Stracił rękę, bark i większość twarzy, ale reszta jego ciała nadal była sprawna. Powłócząc nogami, skrył się w cieniu góry i ruszył w kierunku trojga żywych.

– Wzajemnie, Teo, wzajemnie – zadrwił Gerenko. – I nie tylko ciebie mogę zniszczyć, ale i twojego szefa. Gdzieżby trafił Andropow, gdybym rozgłosił, że znów próbował wtrącić się w prace Wydziału? I gdzie ty byś się znalazł? Byłbyś nadzorcą w kopalni soli, Teo!

– Ty kurduplu! – Dołgich był bliski wybuchu. Uniósł pięść... i w powietrzu zawisło jakieś dziwne napięcie. Dołgich, mimo iż nie należał do wrażliwych, wyczuł je.

– Ja mógłbym...

– O to właśnie chodzi, Teo. – Gerenko spojrzał mu w twarz. – Nie mógłbyś! Ani ty, ani nikt inny. Spróbuj, a się przekonasz. Jeżeli się nie boisz, uderz mnie. Będziesz miał szczęście, jeśli tylko chybisz i przewrócisz się, łamiąc rękę. Ale jeżeli będziesz miał pecha, ten mur zwali się na ciebie i cię zmiażdży. Twoja wspaniała siła fizyczna? Ba! Ja... – Umilkł. Szyderczy grymas znikł z jego twarzy. – Co to było?

Dołgich opuścił zaciśniętą dłoń. Nasłuchiwał. Ale docierało do niego jedynie wycie wiatru.

– Nic nie słyszałem – powiedział.

– A ja tak – oznajmiła Zek Foener, drżąc. – Kamienie posypały się w głąb wąwozu. Zabierajmy się stąd. Cienie się wydłużają, a ta ścieżka nawet w pełnym słońcu była zdradliwa. Po cóż się zresztą kłócić? Co było, to było.

– Ćśśś! – syknął Dołgich, otwierając szeroko oczy. Wychylił się do przodu, wskazując coś ręką. – Teraz słyszę. Dochodzi stamtąd.

Nieco dalej, na samym skraju zbocza, ziemia rozstąpiła się. Pod osłoną krzaków wypełzły na powierzchnię grube, szare palce. Za nimi powoli i sztywno wysunęła się roztrzaskana głowa Siergieja Gulcharowa, potem bark i ramię, które przyjęły na siebie cały ciężar trupiego ciała, pozwalając mu się podnieść. Nieboszczyk, cichy jak cień, wyczołgał się z rozpadliny.

– Temperatura szybko spada – zadygotał Gerenko. Możliwe, że czuł tylko chłód. – Na dzisiaj mam dość. Jutro jeszcze raz to obejrzymy. Jeśli okaże się, że sprawa wygląda beznadziejnie, zdecydujemy, co robić dalej.

Sapiąc z wysiłku i zaciskając drobne zęby, skierował się ku ścieżce.

– A jednak szkoda. Liczyłem na to, że coś uratuję. Choćby swoją reputację.

– Jesteśmy blisko granicy, towarzyszu – zawołał Dołgich, uśmiechając się drwiąco. – Nie myślałeś o tym, by wybrać wolność? – Nie doczekał się odpowiedzi. – Zeschnięty gnojek! – Położył dłoń na ramieniu Zek. Dziewczyna poczuła, jak wpija w nie palce. – No co, Zek, idziemy z nim czy może zabawimy tu jeszcze chwilę, żeby pogapić się na gwiazdy?

Przyjrzała mu się, najpierw zdziwiona, a potem wściekła.

– Mój Boże! – zawołała. – Wolałabym towarzystwo świń!

Ruszyła dalej, nim zdążył coś powiedzieć. Poszła śladem Gerenki – i zamarła w pół kroku. Ktoś szedł w ich stronę. Był już blisko karła. I nawet w niknącym świetle nie mogła wziąć go za żywego człowieka. Przybysz miał zaledwie pół głowy.

Dołgich również go zauważył. I rozpoznał. Znał to splamione ubranie i głowę strzaskaną przez tępo zakończony pocisk.

– O matko! – jęknął. – O matko!

Zek wrzasnęła po raz wtóry, kiedy potężna, zakrwawiona dłoń przesunęła się nad jej ramieniem, łapiąc agenta KGB za kołnierz i odwracając szarpnięciem. Dołgich wytrzeszczył oczy. Za plecami dziewczyny ujrzał drugiego trupa, Michaiła Wołkońskiego. I to Wołkoński chwycił go jedyną ręką, jaka mu pozostała.

Zek wyskoczyła spomiędzy nich jak przerażony kot. Pognała w ślad za Gerenką. Nie dotarły do niej głosy zmarłych.

– O tak, to właśnie oni, Harry!

– A zatem nie mogę odmówić wam zemsty. – usłyszała odpowiedź. Wiedziała, kto to mówi, i domyślała się, do kogo kierował te słowa.

– Harry Keogh! – krzyknęła, pędząc na oślep w dół ścieżki. – Na Boga, jesteś gorszy niż my wszyscy razem wzięci!

Jeszcze przed chwilą Harry znajdował się poza fizycznym i psychicznym zasięgiem Zek, w niepojętym kontinuum

Möbiusa. Teraz jednak wyłonił się z cienia tuż przed nią. Zdyszana, wpadł mu w ramiona. Przez chwilę sądziła, że ma do czynienia z kolejnym nieboszczykiem i na jego pierś posypał się grad uderzeń. Potem jednak wyczuła ciepło jego ciała, wychwyciła bicie jego serca odbijające się echem w jej piersi i usłyszała głos Harry'ego.

– Spokojnie, Zek, spokojnie – szepnął.

Z obłędem w oczach wyrwała się z jego ramion. Złapał ją za ręce.

– Powiedziałem, spokojnie. Przy takim biegu nietrudno o wypadek.

– Ty... ty im rozkazujesz! – oburzyła się.

Zaprzeczył ruchem głowy.

– Nie, ja tylko ich przywołałem. Nie gram tu pierwszych skrzypiec. To, co czynią, robią z własnej woli.

– To, co czynią?

Tracąc dech, spojrzała znów na ruiny zamku, gdzie zmagały się oszalałe wściekłe cienie. Potem zerknęła na ścieżkę. Gerenko zdołał jakoś uniknąć ataków Gulcharowa (oczywiście, działał tu jego talent), ale nieboszczyk wlókł się za nim. Podmuchy wiatru usiłowały zepchnąć młodego żołnierza w przepaść, cierniste krzaki wpijały się w jego nogi, nieomal go przewracając – mimo to Gulcharow nie przerywał pościgu.

– Tamtego nic nie zdoła zranić – jęknęła Zek. – Żywi czy umarli, ludzie są tylko ludźmi. Nie zdołają go tknąć .

– Ależ jego można zranić – sprostował Harry. – Można go przerazić, wytrącić z równowagi. Robi się ciemno, a półka jest wąska i niebezpieczna, łatwo o wypadek. I właśnie na to, na wypadek, liczą moi przyjaciele.

– Twoi... przyjaciele! – podniosła histerycznie głos.

Z ruin dobiegły odgłosy strzałów i chrapliwy wrzask Dołgicha. Agent nie krzyczał, a wył jak przerażone zwierzę. Odkrył właśnie, że nie sposób zabić umarłego. Harry zasłonił oczy Zek, przyciągnął głowę dziewczyny do swego barku i wtulił jej twarz w swą szyję. Nie chciał, żeby słyszała i widziała, co się dzieje dokoła. Sam też nie chciał tego widzieć ani słyszeć, więc popatrzył na wąwóz.

Słabszy niż kiedykolwiek przedtem, osłabiony przez lęk, Teo Dołgich dał się powlec ku krawędzi niemal pionowego stoku. Michaił Wołkoński był zaś równie silny jak za życia, a na dodatek nie odczuwał bólu. Zaciskał teraz ramię wokół szyi agenta, wiedząc, że nie wypuści go żywego. Byli już prawie nad przepaścią, ale nie przerywali walki. I wtedy przyszła pora na Feliksa Krakowicza i Carla Quinta.

Rozerwani na strzępy przez wybuch, niewiele dotąd byli w stanie zdziałać, ale teraz ramiona Quinta – same ramiona – wyczołgały się spod gruzu, a z ruin zamku wypełznął bezręki kadłub Rosjanina. Ledwie ramiona brytyjskiego wywiadowcy przedostały się przez mur, żeby chwycić Dołgicha, a rozdarty, przypominający ślimaka zewłok Feliksa wgryzł się w jego ciało, agent KGB rezygnował z walki. Nabrał powietrza, by wrzasnąć po raz ostatni. Napełnił nim płuca, ale krzyk zamarł na wargach, przeradzając się w cichy bełkot. Dołgich zamknął oczy i westchnął. Wydał ostatnie tchnienie.

Umarli chcieli jednak zyskać całkowitą pewność i ostatkiem sił zepchnęli go w przepaść. Ciało agenta, wirując, poszybowało w dół skarpy. Obijając się o każdy występ skalny, spadło na samo dno wąwozu.

Harry uwolnił Zek z objęć.

– Z nim już koniec. Mówię o Dołgichu – odezwał się.

– Wiem – odpowiedziała, niemal łkając. – Czytam to w twoich myślach, Harry.

Potwierdził to.

Ledwie ją puścił, usłyszał głos dobiegający z oddali – słyszalny jedynie dla niego i dla zmarłych – znajomy głos; nie przypuszczał, że jeszcze będzie miał z nim do czynienia.

– *Harry'? Słyszysz mnie, Haarrry?*

– *Słyszę ciebie, Wampyrze Faethorze* – odpowiedział. – *Czego chcesz?*

– *Nieee, idzie o to, czego ty chcesz, Haarrry. Chcesz śmierci Iwana Gerenki. Zgoda, daję ci ją.*

Harry był zdumiony.

– *Nie prosiłem ciebie o żadną przysługę, nie tym razem.*

– *Ale oni prosili.* – Głos Faethora utonął w mrocznym śmiechu. – *Umarli!*

Z dna wąwozu dobiegły słowa Feliksa Krakowicza.

– *Ja go poprosiłem o pomoc,* Harry. *Wiedziałem, że nie zdołałbyś zabić Gerenki. My również nie. Nie bezpośrednio. Ale za czyimś pośrednictwem?*

– *Nie rozumiem.* – Harry pokręcił głową.

– *Spójrz więc na tamtą grań ponad półką* – powiedział Faethor.

Harry spojrzał. Na wysokich, zdradliwych skałach, tuż nad przepaścią stał w milczeniu rząd obdartych sylwetek. Były zaledwie strzępami ludzi, nierzadko obnażonymi do szkieletów, kruszyły się, ale stały tam niewzruszone w oczekiwaniu na rozkazy Starego Ferengi.

– *Moi Cyganie, zawsze wierni!* – oznajmił Faethor, niegdyś najpotężniejszy z Wampyrów. – *Przychodzili tu od stuleci. Przychodzili, by czekać na mój powrót; umierali tu i tu też ich grzebano, ale ja nie wracałem. Nad Cyganami, których krew jest moją krwią, mam równie wielką władzę, jak ty nad resztą zmarłych,* Harry *Keogh. A zatem ich przywołałem.*

– *Ale dlaczego?* – zapytał Harry. – *Nie jesteś mi nic dłużny, Faethorze.*

– *Kochałem te ziemie* – odpowiedział wampir. – *Może tego nic zrozumiesz, ale jeżeli coś w życiu kochałem, to właśnie tę ziemię, to miejsce. Tibor mógłby ci rzec, jak bardzo je kochałem...*

Harry pojął już wszystko.

– *Gerenko... najechał twoje terytorium!*

Odpowiedział mu głuchy i bezlitosny pomruk wampira.

– *Przysłał tu człowieka, który doprowadził do obrócenia mego domu w proch. Mojego ostatniego śladu na tej ziemi! Już nic nie zaświadczy o tym, że kiedykolwiek istniałem! Jak mam się za to odpłacić? Ha! A jak odpłaciłem się Tiborowi?*

Harry wiedział już, co teraz nastąpi.

– *Pogrzebałeś Tibora* – odpowiedział.

– *Niech i tak będzie!* – krzyknął Faethor. I wydał ostatni rozkaz Cyganom stojącym na grani – polecił im rzucić się w dół.

Iwan Gerenko zszedł już do połowy zbocza, kiedy usłyszał grzechot starych, obciągniętych skórą kości. Zaniepokojony, spojrzał w górę. Czaszki, odłamki kości i strzępy wyschniętego ciała spadały z grani, łamiąc się po drodze. Deszcz martwych szczątków groził zasypaniem.

– Nie możecie mnie zranić! – wymamrotał Gerenko, osłaniając pomarszczoną głowę, jak tylko pierwsze upiorne pociski załomotały głucho w półkę. – Nawet umarli... nie mogą... mnie zranić!

Zranienie go nie było jednak ich celem: Cyganie nie mieli nawet pojęcia, że stoi na ścieżce – po prostu ślepo wykonywali rozkaz Faethora i rzucali się w przepaść. Reszta nie leżała w ich rękach, jeżeli oczywiście mieli jeszcze ręce. Grzechocząca ulewa nie ustawała, niosąc się potężnym echem, i w końcu do chrzęstu wyschniętych kości dołączył się nowy odgłos: potworny pomruk i rumor. Nie był to jednak pomruk umarłych, ale narastający huk odłamków skalnych, osypujących się łupków i zwałów gruzu. Lawina.

Ledwie Gerenko pojął, w czym rzecz, ściana skalna osunęła się na niego, zmiatając w otchłań...

*

* *

Kurz zdążył już osiąść, a ostatnie echo gasło gdzieś w oddali, ale Harry Keogh stał wciąż obok Zek, wpatrzony w skraj księżyca, który wyłaniał się zza gór.

– Oświetli ci drogę – powiedział. – Uważaj na siebie, Zek.

Nadal wtulała się w jego ramiona; musiała to robić, inaczej zemdlałaby. Nagle uwolniła się z jego objęć i bez słowa odeszła, kierując się w stronę zasypanej łupkami ścieżki. Potknęła się, ale zaraz odzyskała równowagę i już pewniej, bardziej zdecydowanie, ruszyła dalej. Zamierzała zejść po osypisku na dno wąwozu, a potem wzdłuż strumienia dojść do nowej drogi.

– Uważaj na siebie, Zek – zawołał jeszcze Harry. – I nigdy już nie występuj przeciwko mnie ani moim ludziom.

Nie odpowiedziała, nawet się nie odwróciła. Jedynie pomyślała sobie: „O nie, nie zrobię tego. Nie przeciwko tobie, Harry Keogh! Nekroskopie!”.

Tytuł oryginału: *Necroscope II: Vamphyri!*

Tłumaczenie: Jarosław Irzykowski
Projekt okładki: Marcin Wojciechowski
Skład i łamanie: Ernest Lebelt
Korekta: Marta Stęplewska

Wydawnictwo vis-à-vis/Etiuda
30-549 Kraków, ul. Traugutta 16b/9
tel./fax 012 423 52 74, kom. 600 442 702
e-mail: biuro@etiuda.net; visavis_etiuda@interia.pl
www.etiuda.net

Druk: Drukarnia GS sp. z o.o.
Kraków ul. Zabłocie

wydanie drugie poprawione

ISBN: 978-83-89640-02-4